D1531078

# L'Été
# d'Hélène

Dépôt légal:
   bibliothèque nationale du Canada
   bibliothèque nationale du Québec

ISBN 2-9801837-1-7

# André Mathieu

# L'Été d'Hélène

roman

**Éditions du Pur-Soi**
**C.P. 55, Victoriaville**
**G6P 6S9**

*Pour bien connaître l'amour,*
*il faut,*
*après s'être trompé une fois,*
*pouvoir réparer son erreur.*
**Léon Tolstoï**


*Coeur las de haïr n'apprendra jamais*
*à aimer.*
**Nikolaï Nekrassov**

# PREMIERE PARTIE

# L'HIVER

# Chapitre 1

**<u>Lac du Cerf, été 1979.</u>**

Ce jour-là, Hélène Prince devait relire 'Anna Karénine'. Il y avait un millénaire qu'elle n'avait pas lu du Tolstoï et cent ans qu'elle n'avait plus fureté dans des revues littéraires soviétiques. Quant à la langue russe, qu'elle apprenait par elle-même et par des méthodes qui vous font bilingue sinon polyglotte en trois mois, elle n'y avait pas touché de l'été.

Le peu de temps que la vie lui laissait manquait toujours de souffle. Trois enfants, un mari, un travail de professeur de français à temps partiel, un chalet à tenir toute la saison des vacances et les week-ends, et une maison à entretenir, ainsi qu'une vie sociale par elle-même exténuante, faisaient d'elle l'esclave non pas des jours ni même des heures mais des minutes qui passaient en trombe. Qui déboulaient comme ces morceaux de bois d'une cordée qu'elle avait mal bâtie un jour de sa jeune adolescence au début des années cinquante, chez elle, chez ses parents sur une ferme d'un rang important de Saint-Placide alors qu'heureuse de son accomplissement, elle avait grimpé sur la corde pour s'y faire photographier et que le bois s'était mis à se dérober sous son poids et l'avait entraînée dans une bousculade interminable, bruyante et fort dure, pour la laisser couverte d'ecchymoses, piquée d'échardes et les reins en compote dans le même tas de bois qui se trouvait là auparavant c'est-à-dire avant qu'elle ne lui donne son ordre 'égrianché'.

Ce souvenir lui passa par la tête quand Hélène prit place sur un canapé bleu centaurée qui faisait dos à une fenêtre donnant sur le lac. Elle s'allongea les jambes et s'appuya les reins au coussin latéral lui-même appuyé au bras du meuble. C'est en regardant sa montre qu'elle ressentit par l'imagination ce tremblement de terre qu'avait été pour elle l'éboulis de la cordée de bois alors que son univers avait basculé bien davantage que lors d'un véritable séisme qui s'était produit à Los Angeles un jour qu'avec son mari elle rendait visite à sa soeur aînée dans les faubourgs du monstre californien. C'est qu'il y avait eu une sorte de constat d'échec, à Saint-Placide en 1953, mais pas à Ventura en 1973.

Le premier tome d'Anna Karénine se trouvait derrière le coussin central du canapé. Elle l'y avait mis. Bien que non visible, le livre était là, elle le savait et y pensait souvent, simplement parce qu'il n'était pas à sa place habituelle ou du moins attitrée dans la petite bibliothèque sur la cloison qui supportait l'escalier menant au deuxième étage du chalet. La vie d'Hélène, c'était l'ordre. Et elle utilisait de ces petits riens cachés, de ces désordres anodins et invisibles, pour aider sa mémoire et lui permettre donc de faire des choses qu'elle jugeait plus importantes pour l'enrichissement de ses valeurs intérieures mais que l'horloge des valeurs extérieures lui interdisait. Bref, avec la complicité de ces petits lutins écervelés qui fouinaient ailleurs que chez eux, une cuiller à thé dans un tiroir de commode à travers le linge, une disquette perdue dans un vaisselier ou simplement une bande élastique autour de la poignée intérieure d'une porte de garde-robe, elle parvenait à voler de ce bien précieux qu'elle distribuait à tout le monde sans jamais pouvoir s'en garder quelques parcelles pour elle-même: son temps.

Elle glissa sa main sous le coussin et parvint au livre à couverture dure, coincé quelque part entre le dossier et le siège, et le retira. C'était un bouquin sans aucun éclat, brun avec un titre en blanc à côté d'une étiquette verte sur laquelle étaient les mots 'spécial: 3,95$'. Et le nom de l'auteur en très petites lettres blanches, au milieu, en bas. Pendant un moment, elle analysa les éléments de cette couverture. Pourquoi ce dépouillement? Pourquoi pas une couverture flamboyante avec un personnage russe sur un décor tout aussi russe? Ou bien une peinture évocatrice, un Serov ou un Répine? Le seul nom de Tolstoï et le titre d'Anna Karénine possédaient-ils une valeur commerciale suffisante à côté d'une de ces nouveautés à la vie plus courte qu'un été, et qu'on a fini de lire quand on a fini de regarder la couverture? Sans doute pas puisque le livre avait été soldé. Il est vrai, pensa-t-elle, que le Québec est le pays par excellence où on solde les classiques... Et puis quoi, elle avait déjà une minute de perdue à élucubrer sur des considérations terre à terre et fangeuses qui sont le lot des éditeurs. Elle, professeur de français, ne possédait pas les qualifications pour parler d'autre chose que ce qui se trouve entre les couvertures d'un livre: le reste, c'est une question d'argent.

Mais le problème avec les génies de la littérature, c'est que la critique n'est guère appropriée. Difficile de montrer aux jeunes à naviguer entre les écueils quand le bateau est insubmersible! Le modèle à éviter apporte peut-être plus à l'étudiant que le modèle à imiter?...

Elle soupira en consultant sa montre. Puis elle ouvrit le livre à sa première page et lut. *"Les familles heureuses se ressemblent toutes; les familles malheureuses sont malheureuses chacune à leur façon."* Elle referma le livre et soliloqua. C'est faux, ça, monsieur Tolstoï. Ou bien si c'était vrai dans votre temps, ça ne l'est plus maintenant. Le monde a bien changé, vous savez. Ne vaudrait-il pas mieux dire: "Les familles heureuses se ressemblent toutes; les familles malheureuses se ressemblent toutes aussi." Ou bien: "Les familles heureuses sont heureuses chacune à sa façon..."

À cette vitesse, elle finirait Anna Karénine en l'an 2030. Et elle se reprit à lire mais les phrases et les mots ne parvenaient pas à son esprit; à peine traversaient-ils ses yeux. Incapable d'une lecture passive, elle s'y remettrait plus tard. Le bouquin retrouva sa cache et elle appuya son bras sur les coussins, et son menton sur sa main pour regarder dehors et voir sa vie.

Le goût lui vint de se servir un apéritif mais jamais elle ne buvait d'alcool avant midi. C'était une de ses règles et elle suivait strictement toute règle qu'elle s'imposait à elle-même, sauf en période d'essai. Celle-là tenait depuis plusieurs années. «Famille heureuse, famille heureuse...» fit-elle à mi-voix. Quelle est donc l'alchimie qui permet de qualifier une famille d'heureuse? Le bilan de l'un, même s'il est à peu près semblable au bilan de l'autre, n'a pas la même résonance dans la tête des deux entrepreneurs du bonheur. Elle fronça un sourcil: c'était l'histoire du verre à moitié vide et du verre à moitié plein.

Les images du lac bleu, des arbres tranquilles et des collines boisées ne traversaient pas non plus son oeil; elles étaient trop routinières. C'est elle-même qu'elle revoyait par delà cet enfermement estival au lac du Cerf à cent milles de la maison. Elle-même en 1967, année charnière de bien des vies, à quelques mois de son mariage, l'âme farcie de rêves et le coeur bourré d'amour. Qu'il se fait donc petit, le temps des grandes émotions! Douze ans avaient vécu depuis cette époque exaltante des formidables vibrations à l'épigastre. L'exaltation s'était diluée, avait coulé comme il se doit avec le temps qui passe et, se mélangeant avec plusieurs autres matériaux, avait en quelque sorte cimenté un nouveau bonheur, un bonheur de béton, fait pour durer longtemps, un bonheur où chaque nouvel enfant, chaque événement marquant est une couche additionnelle qui rafraîchit en la consolidant la structure familiale de base.

Une tondeuse à gazon que l'on essaie de faire démarrer fit entendre son bruit de démission entêtée. C'était sans doute le voisin, un homme qui, lui, paraissait toujours au-dessus de son temps, un monsieur sourire à moustache poivre et sel et qui achevait son mois de vacances sous son éternelle casquette de marin au blanc brillant. Cette tondeuse signifiait plus que son intention de couper le gazon car l'homme se donnait tous les prétextes pour parler à sa voisine quand sa femme n'était pas là. Il avait néanmoins le souci, ou bien était-ce là de l'hésitation, de toujours s'annoncer par un bruit quelconque.

Hélène sourit intérieurement. L'homme était rempli de douceur et de respect, et quand on faisait un barbecue entre voisins, il était toujours le boute-en-train et ses boniments étaient autant de pièces pyrotechniques allumant ces rencontres amicales de feux polychromes et pétillants. Un bon voisin de chalet! Et sa femme, une faiseuse d'emplettes particulièrement efficace, cachait une jalousie discrète mais inquisitrice qui observait à la dérobée son impétueux compagnon de vie, lui qui clamait ne l'avoir jamais trompée, même en fantasme, dans plus d'un quart de siècle de ménage: une éternité, riait-il.

Hélène se coucha la tête sur son avant-bras afin de profiter au maximum de ce moment privilégié où le temps ne tirait pas sur sa jupe comme un enfant capricieux. Elle retourna en 1967 à une soirée entre filles que Pierre, alors son fiancé, avait interrompue d'une manière brutale. La mesure de la possessivité d'un homme était à cette époque et le demeure dans bien des coeurs de femme, celle de leur amour, pensa-t-elle. Ce soir-là, elle était allée fêter le mardi gras au Mont-Lieu à Sainte-Marthe-sur-le-Lac. Il avait appelé chez elle, avait su, était venu. Masqué. Un domino noir acheté à l'entrée. Il l'avait prise en flagrant délit de... danse.

Hélène ferma les yeux pour se mieux concentrer. Les lieux ne lui revenaient plus nettement en tête, ni les têtes d'ailleurs, peut-être à cause des masques... Mais les mots...

"Se marier dans cinq mois et traîner les salles de danse en pleine semaine: inacceptable, ma chère!"

Et les marques...

Il avait serré fort, très fort sur ses bras pour la sortir de ce lieu de perdition et les bleus avaient témoigné pendant dix jours de l'intensité de son sentiment pour elle.

Qu'ils sont fous et beaux, les grands sentiments! Sans eux les plaisirs de la souvenance n'existeraient pas. Après le mariage, hélas! à part les grands actes de consommation, les naissances et les décès, tout n'avait été qu'heureux sans plus. De fait, il n'y avait eu aucun décès, ni dans la famille de Pierre ni dans la sienne. En résumé, elle n'était pas tout pour être heureuse mais elle avait tout pour l'être et son devenir lui paraissait aussi agréable que celui de n'importe quelle autre femme de plus ou moins trente-six ans. Peut-être manquait-il simplement un peu de fantaisie dans ses jours ordonnés, mais elle y suppléait avec un petit verre de temps à autre, et aussi bien sûr avec tous ses lutins cachés çà et là dans la maison et le chalet.

C'était jour d'anniversaire. François, son fils, l'aîné des enfants, avait onze ans. Il était parti à la pêche avec un ami du voisinage et reviendrait pour le souper. Le gâteau de fête était déjà prêt sous la cloche sur le réfrigérateur. Pour un petit démon, un gâteau du diable avec dessus mousseux blanc: le favori de toute la famille.

Pierre viendrait-il? Elle attendait son appel. On était bien vendredi, mais... Un entrepreneur en construction a mille raisons de travailler le samedi matin. Et quand on est en pleine ascension, au bord de la quarantaine, répétait-il, on met les bouchées doubles, même et surtout quand on est l'associé de son frère car lui, donne le bon exemple en ne lâchant jamais d'une heure. Mais une promesse était une promesse; en tout cas, il les tenait toujours quand il s'agissait de son fils.

La tondeuse du voisin avait fini par démarrer et on l'entendait travailler par le bruit qui changeait d'intensité, se coussinant ou bien martelant fort, selon la distance et les obstacles. La porte intérieure était restée ouverte et l'air doux entrait avec le tapage par le treillis de l'autre. Dehors il faisait un temps idéal. Une chaleur sèche et supportable engendrée par un soleil plus discret de la mi-août. C'était la dernière semaine complète au chalet. Pour le reste de l'année, on y reviendrait à chaque quinzaine passer le week-end, parfois plus souvent, parfois moins, selon les exigences de la vie sociale. On y viendrait même à l'occasion avec des amis sans les enfants.

On avait cette propriété depuis trois ans. Pierre l'avait obtenue pour trois fois rien grâce à une série de contacts. Cela compensera pour les inconvénients de la distance à parcourir, avait-il argué au moment de l'achat et répétait-il chaque fois qu'elle se plaignait des exigences de cette route interminable, surtout les fins de dimanche. De plus, il avait voulu qu'elle soit mise au nom d'Hélène. À moi, la maison; à toi, le chalet, blaguait-il, et comme ça, si on devait un jour divorcer, tu n'auras pas tout perdu.

Subitement la femme se leva. La rêverie pouvait se poursuivre, mais pas en flânant. Il y avait le repas du midi à préparer. Les fillettes reviendraient bientôt en criant haut famine. Et puis, tiens, elle gagnerait du temps d'avant-midi pour jouir d'une nouvelle heure de solitude peut-être, au début de l'après-midi, une heure qu'elle vivrait dans Anna Karénine dont elle dévorerait une centaine de pages.

Quoi donc faire à manger? Le réfrigérateur débordait, les armoires étaient remplies mais plus le choix est grand plus il est dur. Mais elle avait réponse à sa question dans la décision de Manon que la fillette pressée avait criée quand elle avait quitté avec Valérie une heure plus tôt: «Maman, tu me feras un spag pour dîner.» «Et moi aussi!» avait enchéri la petite. Quels enfants sont-ce là, qui donnent ainsi des ordres à leur mère alors qu'ils n'ont pas encore dix ans? s'était dit Hélène au rappel du respect strict qu'elle avait envers sa mère au même âge. "Les temps changent, monsieur Tolstoï, les temps changent! Les années 80 s'en viennent à grands pas excités mais ce sont celles du vingtième siècle, pas les vôtres de votre vieux dix-neuvième, monsieur Tolstoï..."

Les fillettes avaient tout un réseau d'amies d'été et elles aussi manquaient terriblement de temps, celui de s'amuser avant de devenir trop grandes.

Devant la femme s'étendait la pièce d'une seule venue et qui servait à la fois de salle de séjour, de salon et, au-delà d'un semblant de séparation constituée d'une arche à voûte horizontale, de cuisine, une portion large mais sans profondeur et qui était utilisée aussi comme salle à manger. Le bois clair verni dominait: il était de plusieurs meubles, le vaisselier, la bibliothèque, l'ensemble de salle à dîner mais il était aussi des murs et du plancher. Avec partout de gros noeuds tourbillonnants. Du vrai pin de Colombie, avait toujours soutenu Pierre. Et il avait voulu aussi que la décoration soit le plus rustique possible. Donc artisanale. Hélène avait fabriqué des pièces murales. Le jute était à l'honneur de même que le rouge vif et le brun. Tout avait été ordonné et orchestré par Pierre et exécuté par elle. Même les enfants, François et Manon, avaient participé. Ils avaient réalisé des dessins inspirés par Pierre; Hélène les avait encadrés. Valérie qui n'avait alors que deux ans avait été mise devant une petite toile avec des pots de peinture, dehors, dans son carré de sable et Pierre avait applaudi à ses talents artistiques naissants. Cela avait donné un galimatias abstrait dans lequel la voisine avait décelé une tête d'Indien, ce qui, au dire de Pierre, pouvait fort bien être logique en raison de ses atavismes abénakis, paraît-il très concentrés malgré toutes les générations de sang blême le séparant de ses ancêtres.

Hélène consulta sa montre tout en marchant de son pas toujours pressé. Elle pensa au spag des petites et trouva ridicule de s'enfermer dans les chaudrons alors que ce plat vite fait lui laissait encore une vraie demi-heure. Retourner à Karénine, non! C'était probablement trop calme dans le chalet pour qu'elle puisse lire en paix. Depuis nombre d'années qu'elle s'évadait du tapage en lisant quelques pages par ci par là, possible que la tranquillité des alentours retrouvée pour un moment ne l'incite guère à se plonger dans le brouhaha d'un roman?...

Le mieux était d'appeler sa soeur à ville de Lorraine. En plus de vivre à quelques rues seulement, Suzanne était l'une de ses deux meilleures amies. Seulement un an les séparait et durant leur enfance, on les avait souvent prises pour des jumelles; parfois même à l'âge adulte malgré des différences physiques accentuées. Ces ressemblances les avaient rendues chicanières et agressives l'une envers l'autre jusqu'à l'adolescence puis leurs différences les avaient peu à peu rapprochées et elles en étaient venues à se suivre comme l'ombre et le corps et à se partager la plupart de leurs grands secrets les plus intimes.

Hélène rebroussa chemin et descendit les deux marches qu'elle avait sautées pour se rendre à la cuisine. Le téléphone était sur une table de coin entre une causeuse et un vieux fauteuil lazy-boy confortable que Pierre occupait toujours pour écouter son hockey à la télé quand il se trouvait au chalet. Même en son absence, elle n'était guère portée à utiliser ce fauteuil et quand elle le faisait, c'était avec un certain inconfort pour ne pas dire du remords. Manon lui avait déjà dit: «Maman, qu'est-ce que tu fais dans la chaise à papa?» «Et toi, quand tu la prends?» «Moi, c'est pas pareil, papa me la prête.»

Hélène prit le fauteuil en ne pensant qu'à Suzanne dont elle composa le numéro. À côté de l'appareil se trouvait un calepin de notes dans lequel chacun devait inscrire ses appels interurbains pour que l'on se partage la facture à la fin du mois. «Tu veux placoter sans fin avec celle-ci, celle-là, alors tu dois payer pour...» avait dit Pierre et cela était devenu force de loi dans la maison. Elle prit machinalement le crayon attaché au carnet qu'elle ouvrit

17

et fit l'entrée du jour, du numéro appelé ainsi que de l'heure du début de la conversation, tandis que la sonnerie demandait Suzanne au bout du fil. On répondit enfin: c'était Gilles, son beau-frère à la voix suave.

-Gilles, c'est Hélène.

-Oui, ma belle Hélène.

-Suzanne est là?

-Dans son bain.

-Ah!

-Tu veux la rappeler ou bien tu veux que je la fasse venir. Elle doit être propre, ça fait quinze minutes qu'elle se prélasse dans l'eau et les bulles.

-Non, non... je la rappellerai plus tard... cet après-midi... Elle sera là?

-Y a des courses à faire mais je lui dirai d'attendre ton appel...

-Ça va comme ça!

-Et toi, ça va?

-Toujours.

-Les vacances achèvent...

-Les vôtres aussi je pense... Et le voyage à Ottawa? C'est un peu pour qu'elle m'en donne des nouvelles que je l'appelle.

-Bah! Ottawa, c'est pas Leningrad mais... il y a beaucoup de choses à visiter, tu serais surprise.

-Hélas! je n'ai vu ni Ottawa ni Leningrad.

-Fais-moi rire. Vous avez visité Israël, la France, l'Angleterre, le Mexique et Hawaï.

-Et Haïti, et la Californie...

-Et si Pierre était plus gentil, sachant combien tu es fascinée par la culture russe, il t'emmènerait en Russie. Les Olympiques s'en viennent, ça serait le bon temps.

-Pierre, il mélange les choses. Pour lui, tout ce qui est russe est mauvais et ne vaut pas la peine. Même le caviar et la vodka, pour lui, c'est communiste.

-Au fond, c'est probablement une manière de te taquiner.

-Oui, je sais, je pense, mais de là à vouloir que nous allions visiter le pays, il y a plusieurs pas à franchir.

-Mais toi, pourquoi tu t'intéresses tant à ce pays-là? Moi, je suis un peu comme Pierre, je les trouve pas mal de travers ces Russes-là... de la manière qu'ils viennent de se ruer sur l'Afgha-

18

nistan.

-Quel rapport, ça, avec le musée de l'Ermitage?

-Toi, c'est l'Histoire qui t'intéresse?

-Et les gens. Là-bas, ils sont peut-être gouvernés par la peur, mais ils n'ont pas tous le couteau entre les dents.

-Ça, faudrait voir!

-T'as vu au hockey: les sauvages, c'était pas mal plus nous autres qu'eux autres.

-Bah! une bonne mise en échec dans le feu de l'action, y a rien de sauvage là-dedans!

-Écoute, cher beau-frère, je ne recommencerai pas avec toi les mêmes discussions qu'avec Pierre.

Gilles se composa un rire bourré de gentillesse et de considération:

-Non, non, je t'agace, c'est tout! On agace bien ceux qu'on aime bien, non? Et puis, j'aime quand tu me dis cher beau-frère, ça me donne plus de prix...

Hélène se sentit embarrassée tout à coup. Elle ne savait pas toujours sur quel pied danser avec cet homme si prévenant, si douillet dans sa façon de dire les choses et dont les regards paraissaient si caressants parfois. N'était-il pas trop parfait pour l'être autant? Suzanne l'avait choisi pour cela, pour cette pluie de fleurs dont il la noyait depuis le premier jour. Un être qui enveloppe une femme, la sécurise en lui prodiguant toute la nourriture affective dont elle a besoin. Le contraire de Pierre, tout le contraire!

-Bon... alors parle moi un peu d'Ottawa...

La conversation fut de courte durée. Des voix enfantines masquèrent le bruit de la tondeuse. On gémissait fort. Des plaintes coléreuses mêlées aux cris pointus de Valérie qui réclamait sa mère attira l'attention d'Hélène qui s'excusa auprès de son interlocuteur et déposa le récepteur sur la table mais sans raccrocher, après avoir dit à Gilles de rester en attente.

-Maman, maman, Manon... elle s'est fait mal... beaucoup, beaucoup...

Valérie s'était appuyé le nez et les mains dans le treillis de la porte et ses regards étaient si consternés et implorants dans le mouvement de ses yeux que sa mère prit peur:

-C'est quoi, c'est quoi... Où elle est, où elle est?...

-Elle est là, elle s'en vient, elle arrive...

-Recule-toi que je sorte.

19

La fillette obéit en multipliant les répétitions:

-Elle saigne beaucoup, elle saigne beaucoup... Elle est tombée, elle est tombée...

Hélène sortit sur la véranda. Manon marchait vers elle, la jambe raide, le genou tout barbouillé de sang et de poussière.

-Mais qu'est-ce que tu as donc fait?

La question était accusatrice. Et l'enfant répondit en pleurnichant:

-C'est pas ma faute, je suis tombée en courant.

-Où ça? demanda Hélène que la situation obligeait à dire quelque chose, n'importe quoi.

-Sur le chemin là-bas...

-Quelqu'un t'a poussée?

-N... non... Le frère à Nathalie, il courait derrière moi et... j'ai trébuché sur une pierre...

Hélène la prit sous le bras et l'aida à entrer tandis que Valérie sautillait, tiraillée entre la joie d'avoir annoncé la nouvelle à sa mère et de lui avoir confié la blessée en quelque sorte, et la peur du mal que devait sûrement ressentir sa grande soeur. Et par-dessus tout, elle avait hâte de savoir ce qui arriverait. Faudrait-il aller à la clinique, à l'hôpital? Manon devrait-elle porter un gros pansement, marcher en béquille? Elle s'accrocha aux interrogations que ses yeux lançaient sans arrêt et suivit les deux autres jusqu'à la chambre de bains où Hélène fit asseoir Manon sur le bol de toilettes à couvert refermé. L'enfant n'arrivait pas à redresser la jambe et sa mère regrettait de l'avoir un peu houspillée par le ton dehors; alors elle tâcha de la rassurer un peu:

-On va nettoyer la blessure... on va y mettre du mercurochrome pour désinfecter... on va faire un pansement et ensuite, on va aller te faire donner une piqûre antitétanique à l'hôpital de Mont-Laurier.

-Non, moi, j'veux pas de piqûre. J'irai pas à l'hôpital...

-Et si tu as attrapé le tétanos, hein?

-C'est quoi, ça? fit la voix bourrue.

-C'est une maladie grave...

-Suis pas malade, suis tombée.

-C'est un microbe qu'on prend dans la terre quand on se blesse comme toi et qui peut te faire mourir, là, tu comprends?...

-Non...

Hélène soupira. Elle s'agenouilla devant l'enfant dont la jambe oscillait et commençait à descendre et à plier vers le sol. C'était bon signe. Il n'y avait sans doute pas de fracture. Mais la blessure était affreuse à voir. Des morceaux de peau sanglants pendaient; du sang coulait encore en quelques endroits par filets minces et foncés; du gravois gris ou noirâtre quand la poussière s'était combinée avec le sang souillait l'ensemble. Un désordre total!

La femme se remit en tête l'ordre en quatre points qu'elle s'était donné spontanément un moment plus tôt et elle se releva. Elle réunit tout le nécessaire qu'elle déposa sur le rebord de la cuvette du bain: débarbouillette, bouteille de désinfectant, boîte de diachylons, de gaze stérile. L'oeil attentif de Valérie dans l'embrasure de la porte surveillait ses moindres gestes. La fillette avait dans le regard un fouillis d'émotions tout aussi 'maganant' pour elle que la blessure pour sa soeur. Et Manon suivait aussi tout ce que faisait sa mère mais son âme n'était animée que d'un seul et unique sentiment: la peur.

Hélène se remit à genoux et elle fit couler l'eau chaude dans le bain, ce qui, une seconde, lui remit Suzanne en mémoire et donc Gilles pendu là-bas au bout du fil. Elle s'adressa à Valérie:

-Va dire à mon oncle Gilles au téléphone que je rappellerai parce que je dois soigner Manon...

Valérie qui n'avait jamais eu une aussi grande responsabilité resta sans bouger, les yeux démesurément grands dans l'interrogation avec jusque des plis sur le front.

-Valérie, va dire à mon oncle Gilles au téléphone à côté de la chaise à papa que je vais rappeler parce que je dois soigner Manon, redit Hélène en mordant bien dans chacun de ses mots.

La petite fit plusieurs hochements affirmatifs et elle disparut, emportée par l'enthousiasme.

-Maintenant il faut dessabler la plaie; ça va tout juste pincer un peu...

-Non, non, non... touche-moi pas, touche-moi pas... suppliait Manon avec des secousses de la tête comme si sa mère s'apprêtait à la noyer.

Hélène mouilla la débarbouillette mais dut ajuster les robinets pour que l'eau tiédisse un peu. Puis elle l'imbiba une seconde fois avant de la tordre à moitié. Et elle l'approcha du genou meurtri qu'elle toucha n'importe où sans hésiter afin d'éviter de prolonger la peur. L'enfant hurla en rejetant la tête en arrière et en même temps, elle se poussa les reins jusqu'au réservoir, ce qui eut pour effet bénéfique de redresser un peu sa jambe de sorte que la blessure eut un contact plus grand encore avec la main maternelle qui prenait soin de ne pas bouger. Quand la réaction fut terminée et que la douleur fut apprivoisée, Hélène entreprit de tamponner doucement la plaie. La chaleur de l'eau, la tendresse du geste, les mots rassurants devinrent ses alliés. Le visage de Manon se décontracta lentement. Elle ne protesta plus que par des 'aïe aie' et des 'ayoye motadit'.

La fillette accusait deux ans de plus que son âge à cause de sa taille comparable à celle d'enfants de onze ans. Pierre lui disait parfois qu'elle poussait en orgueil, une expression que l'enfant ne prisait pas. Elle portait des cheveux d'un châtain clair jusqu'aux sourcils sur le front et jusqu'aux omoplates dans le dos. Elle avait le regard généralement dégourdi, vif et intelligent au fond de ses yeux bleus toujours remplis d'étincelles qu'un nez accusateur séparait joliment. Bouche tapageuse, rieuse, crâneuse mais si petite! Coincée entre l'aîné, un garçon préféré par son père, et la cadette chouchoutée par sa mère, Manon cachait son malaise moral sous une pétulance incessante. Cela, peut-être, lui avait valu plusieurs petits accidents d'enfance qui n'arrivent généralement pas tous à la même personne.

Hélène finit de nettoyer la plaie qui parut alors moins effrayante. Puis elle l'aspergea littéralement avec du mercurochrome dont elle ne compta pas les gouttes et qu'elle pompa jusqu'au fond de la petite bouteille. Elle entendit vaguement le téléphone sonner puis la voix de Valérie dans son dos:

-C'est papa au téléphone...

-Dis-lui d'attendre... que je soigne Manon...

-Hein!

-Pourquoi il faut toujours te répéter, Valérie. Dis à papa d'attendre que je soigne Manon qui s'est fait mal...

-O.K.!

-J'pourrai pas retourner avec mes amies? s'inquiéta Manon.

-Non, pas aujourd'hui...

-J'irai pas à l'hôpital...

-On verra.

-Je vais rester dans ma chambre.

-C'est ça, et tu liras un Archie.

Manon avait été vaccinée mais il y avait si longtemps de cela. Hélène s'interrogeait sur la nécessité d'une piqûre. Après tout, elle-même, ses frères, ses soeurs, s'étaient tous blessés semblablement dans leur enfance et jamais aucun n'avait reçu de sérum antitétanique. On pourrait toujours attendre vingt-quatre heures. Mais s'il fallait que la blessure s'aggrave, que de reproches elle essuierait de la part de Pierre! Et il aurait raison. Tiens, puisqu'il se trouvait au bout du fil, le mieux serait de lui en parler. Des blessures par clous rouillés, c'était fréquent sur les chantiers de construction. Il saurait le degré de danger couru par Manon.

Elle enveloppa le genou de la gaze qu'avec des diachylons elle fixa bien sans trop serrer. L'enfant ne se plaignait plus. Il y avait encore de la douleur mais elle préférait la taire pour se défiler devant ce projet d'injection qu'elle trouvait inutile et contestait vigoureusement en son for intérieur.

-C'est fini, là, maman?

-Oui ma belle!... Pour le moment, dit sa mère en se relevant.

-Ben moi, je m'en vais dans ma chambre. Je veux finir mon Archie.

L'enfant acceptait à retardement la suggestion de sa mère, ce qui, pensait-elle, l'inclinerait à prendre la sienne c'est-à-dire PAS de piqûre!

-Va, il faut que je parle à papa au téléphone.

-Tu vas lui dire que je me suis fait mal?

La femme haussa les épaules, hésita. Oui, elle lui en parlerait; non, elle ne voulait pas que Manon s'inquiète.

-Ben... ouais? Pourquoi pas?

-Il va me disputer.

-Mais non... Je vais lui dire que tu es dans ta chambre. Il ne te parlera pas. Et quand il reviendra, il ne s'en souviendra même pas.

Rassurée, Manon disparut. Sa mère finit de ranger les articles de premier soin puis se hâta d'aller répondre à Pierre. Valérie était assise dans le fauteuil de son père et elle tenait le récepteur sur elle. Quand Hélène fut là, elle dit:

-Papa est fâché.

-Tu lui as dit que je soignais Manon.

-Oui, mais il est fâché.

La femme marmonna entre ses dents: «Ça serait pas la première fois... ni la dernière...» Et elle prit place sur la causeuse, un meuble en tissu drab à rembourrage étique sur lequel le confort souffrait, mais qui avait été le premier achat fait par Pierre quand on avait meublé le premier logement au mariage en 68, et auquel il attachait donc une certaine valeur sentimentale, bon prétexte pour ne pas s'en débarrasser dans un marché aux puces ou chez le premier brocanteur venu ou tout simplement aux vidanges.

-Oui, allô!

Elle n'entendit que le silence.

-Allô! Pierre...

Elle entendit sa respiration. Il était là, elle le savait. Et elle savait qu'il savait qu'elle savait. Elle ne pouvait donc raccrocher sans risquer une tempête pire que celle qui viendrait dans quelques secondes sur le fil. Autant le provoquer et en finir au plus vite. Pourquoi était-il fâché, elle n'en avait pas la moindre idée.

-Pierre, si tu ne parles pas, je vais raccrocher...

Le déclic d'un récepteur qui se raccroche fut suivi par l'insultant signal d'une ligne fermée. Que fallait-il décrypter de tout ça? Sans s'expliquer pourquoi, elle se rappela des lamentations des fils téléphoniques de son enfance par grands froids d'hiver dans le rang de Saint-Placide. Dans les moments d'insécurité, de stress, quelque chose au fond d'elle-même projetait de ses pensées loin en arrière comme pour y puiser de l'énergie ou un point d'appui quelconque...

Elle croisa ses bras et se rejeta en arrière sur la causeuse. Son dos s'appuya sur un montant dur; elle ne sentit rien. Peut-être s'agissait-il simplement d'un problème de ligne après tout?

-Il est fâché, papa, redit encore Valérie dont les jambes gambillaient au bout du fauteuil.

Pour un enfant, quelqu'un qui est en colère a raison comme lui-même quand il l'est, et dans son esprit, c'est un sentiment qui accompagne toujours une conviction très profonde. Il fallait donc que sa mère obéisse à quelque chose pour que son père revienne, et au plus vite, à de meilleurs sentiments.

Sauf que la phrase ramenait Hélène à la réalité et lui fit oublier l'hypothétique et pratique problème de ligne. La sonnerie se fit entendre. Elle décrocha dès la fin de la première séquence.

-All...

-Vas-tu me dire pourquoi tu réponds pas toi-même au téléphone? Encore noyée dans ta bouteille de vodka, probable, hein! Un quart d'heure que je niaise au bout de la ligne, christ! que c'est tannant d'avoir affaire à du monde de même, que c'est donc maudissant!...

Le ton avait été celui de l'injure sèche née de l'impatience infusée dans de l'amour-propre flagellé. Hélène prit celui de la tolérance et de la sollicitude:

-Écoute, Pierre, j'étais en train de soigner Manon. Elle s'est bousillé un genou. C'était urgent que je nettoie la plaie pour prévenir le tétanos...

-C'est pas de répondre trente secondes au téléphone qui... À part de ça, veux-tu rire de moi? J'appelais et ça sonnait tout le temps occupé. Je rappelle dix secondes plus tard et c'est Valérie qui répond. C'est toujours pas elle qui avait une longue conversation...

-Mais non!... C'est Gilles qui attendait au bout du fil. J'avais appelé Suzanne qui ne pouvait pas répondre et j'ai échangé deux mots avec Gilles, mais Manon est arrivée sur les entrefaites avec sa blessure et le pauvre Gilles a dû attendre trois fois plus longtemps que toi au bout du fil.

-Je suppose qu'il doit pas s'être plaint, lui, hein?!

-Non... Probable que non, c'est Valér...

-Évidemment!... En tout cas, je t'appelle pour te dire que je vais coucher à la maison et que je ne vais monter que demain matin et plus probablement demain midi.

-Mais l'anniversaire de François? On devait le fêter ce soir. Tout est prêt...

-Quelle maudite différence que ça va faire de le fêter demain au lieu de ce soir, hein, tu peux me dire? Ça sera même mieux étant donné que je serai là une bonne partie de la journée et que... ça va t'aider à rester sobre.

Chez Hélène, la colère restait toujours froide, sans mesure à l'intérieur mais sans apparence dehors. Pierre avait senti grâce à la complicité du diable sans doute que la pire vacherie qu'il pouvait lui dire, c'était de l'accuser d'être une alcoolique. Elle devint violente, si violente que le coeur lui pompait les idées. Et qu'elle ne trouva rien de mieux à dire que:

-Tu es un peu mal luné aujourd'hui, Pierre. Y aurait-il un pépin sur le chantier?

Il le prit pour de la dérision.

-Un pépin sur le chantier, un pépin sur le chantier, c'est dans ta tête qu'il y a des pépins, et des maudits gros à part de ça.

-Si tu me chantes pouilles rien que parce que je t'ai fait attendre après t'avoir donné la raison que je t'ai donnée, alors tu dis des imbécillités, mon cher.

-Pour en finir, dis-toi que l'appel, tu devras le payer. Ça m'aurait coûté deux dollars et là, ça va en coûter dix. Une femme apprend le bon sens quand elle se fait cogner sur les doigts.

-C'est ce que tu penses. Et puis j'aime mieux payer de ma poche que de t'entendre gueuler, tu sais.

-Je pense aussi qu'il y en a qui ont les doigts durs. Durs de comprenure...

Le ton paraissait allusif mais Hélène n'y prêta pas d'attention. Le pire de ce stérile mouvement de colère de Pierre, comme il en avait un par semaine, achevait. Avant de faire l'amour le lende-main soir, il tâcherait de marmonner quelques excuses pour s'as-surer que si elle n'obtenait pas d'orgasme, ce serait sa faute à elle uniquement. Maintenant, elle avait hâte de raccrocher pour faire baisser sa tension artérielle et augmenter l'ordre dans son esprit.

-Bon, comme je te l'ai dit, attends-moi pas avant demain parce que... Steve et moi, on a des choses à voir au chantier de Saint-Eustache après le souper... et probablement demain avant-midi aussi...

-Prends le temps qu'il te faut. On va être là... comme tou-jours...

-Bon, à demain vers deux heures...

-C'est ça, là!...

Hélène raccrocha. Aussitôt elle reprit le récepteur pour le rap-peler au sujet de la blessure de Manon mais où se trouvait-il en ce moment. Pas au bureau à la maison, c'était clair. Peut-être au bureau du chantier de Boisbriand? Elle en composa les quatre pre-miers chiffres puis se ravisa. L'histoire de la piqûre lui donnait un prétexte pour appeler sa mère. Elle le ferait sitôt après le repas. Elle consulta sa montre; il était onze heures et demie. On crierait bientôt famine. Elle-même avait soif.

Avec une expression de grand embarras peinte sur son visage joufflu et rubicond, Valérie fit un aveu de culpabilité:

-Maman... j'ai encore fait pipi au lit.

-Qu'est-ce que tu as fait de ton pyjama?

-Je l'ai mis dans la laveuse.

-Bon, je vais changer tes draps en faisant les lits tout à l'heure.

Hélène sentit la honte qui compressait l'âme de l'enfant et cher-cha à la rassurer:

-Je te l'ai dit, ce n'est pas une maladie et ce n'est pas de ta faute. C'est de l'énurésie...

-Quoi?

-De l'énurésie.

-Ah!

Les mystères confortent et ce mot en était un pour l'enfant. Elle en fut satisfaite. Quoi que soit l'énurésie, le ton pour le dire

26

attestait de la petitesse en même temps que de l'inéluctable de la question. Pour faire mieux encore, Hélène se leva et se pencha sur la petite dont elle prit les joues rondes à pincettes entre ses doigts; elle lui frotta le nez avec le sien disant:

-Tiens, un petit bec d'Esquimau.

Valérie eut un rire bref qui fit un bruit de petit dauphin et chanta, la voix comiquement pointue:

-Un bec d'Esquimau?

-Ou de pingouin, c'est comme tu veux.

La petite fit un autre rire bref en deux modulations. Sa mère reprit:

-Guili-guili ha ha.

-Hey, suis pas un bébé!

-Non, mais j'aime ça te faire des mamours.

L'enfant rit encore. Hélène soupira:

-Bon, maman va préparer à manger maintenant.

-Parce que j'ai faim, moi! clama l'enfant, les yeux arrondis par une évidence à communiquer.

Pendant que sa mère se rendait à la cuisine, Valérie annonçait qu'elle allait voir Manon et gravissait les marches de l'escalier menant à l'attique. Hélène regarda sa montre. Puis elle sortit une bouteille de vodka d'une armoire et s'en versa sur de la glace dans un verre ordinaire, mais elle ne but pas immédiatement et laissa le tout sur la desserte, et consulta à nouveau sa montre. Elle mit du spaghetti à cuire, au moins assez pour quatre pour le cas où François reviendrait pas tard au cours de l'après-midi et donne la parole à son estomac. Et elle mit la table.

Tout ce temps-là, elle songeait aux paroles de Pierre au téléphone et à ses attitudes en général envers elle. Comme il se faisait imbuvable certains jours, tournant absolument tout à la dérision, l'assommant de mots d'une inqualifiable mesquinerie, utilisant sophismes et logomachie pour la faire tomber dans les pires guets-apens, comme s'il l'avait prise elle-même pour une sorte de chantier de construction lui permettant d'évacuer son trop-plein de frustrations hebdomadaires, à moins qu'il ne la prenne tout simplement pour une cour à rebuts, à déchets toxiques.

Elle dispersa machinalement les ustensiles aux trois couverts. «Ne t'en fais pas, c'est simplement le style macho!» lui répétait souvent Pierrette, sa meilleure amie avec Suzanne. «C'est la réaction des hommes à la libération de la femme. Ça va leur passer durant les années 80.»

Pierrette avait peut-être raison. Le bonheur avait besoin d'ombrage parfois, comme un vacancier sous le soleil trop fort. Que Pierre fasse montre d'une humeur de chien une fois la semaine, qu'il soit 'negaholic' comme le disent les Américains, c'étaient là des matériaux de construction d'un bonheur durable qui ne soit pas immuable. «Tant qu'il n'y a pas mésestime et mépris dans une relation de couple, les chicanes sont du ciment,» disait aussi la sage Pierrette.

Hélène fut sur le point de déposer un couteau mais il lui apparut taché. Elle le porta à hauteur de ses yeux et constata en effet que le lave-vaisselle y avait laissé des petits ronds gris. L'éclat de l'acier ouvrit dans son âme le tiroir à flash-back.

C'était sa décision de retourner enseigner quand Valérie avait eu trois ans qui avait chamboulé le plus leurs habitudes. Elle l'avait fait pour se sécuriser moralement. Il lui avait si souvent répété que sans lui, elle devrait vivre de l'aide sociale, que les postes en enseignement étaient tous comblés et qu'un professeur à l'herbe n'a pas une grande valeur pour un employeur autre qu'une école. Sauf que chaque fois qu'elle annonçait vouloir relever le défi, il exerçait sur elle tant de pressions de toutes sortes qu'elle finissait par céder et rentrait dans son glorieux métier de reine du foyer. Un jour, elle avait signé un contrat sans lui en parler la veille ni l'avant-veille. Il avait découché pour la première fois et trois nuits d'affilée. Il avait érigé un mur de silence entre eux. C'avait été la guerre froide. Mais il avait bien fallu qu'il se résigne. Et elle était devenue professeur de français au Collège Lionel-Groulx.

Peut-être s'était-il rallié pour une raison d'ordre sexuel? Époux salace, éternel inassouvi, parfois sadique dans les relations intimes, il avait pour principe de ne jamais forcer la main de sa femme, ce qui le valorisait et lui donnait l'impression qu'il possédait une grandeur d'âme au-dessus de la moyenne de ses congénères masculins.

Hélène se remit aussi en mémoire d'autres faits durs à avaler pour une femme. Un soir, sans raison apparente, il l'avait laissée plantée au beau milieu de la cour d'un centre commercial. Une autre fois, jaloux d'un voisin de Lorraine, qui dans une soirée de cour avait eu avec elle une conversation animée et chaleureuse sur la Russie, il avait jeté dans le feu de la cheminée deux de ses plus beaux livres sur ce pays, histoire de lui faire voir son mécontentement quant à son goût barbare et pour la forcer à se convertir à des vues plus orthodoxes sur cette contrée maudite par le ciel, disait-il, et qui trichait depuis 1917, même et surtout dans les sports.

Au demeurant, Pierre était un bon époux. Un bon père surtout.

Ambitieux, travailleur, habile dans les affaires: il avait mis la barque familiale sur le chemin du million et, aidé par le courant et sa compétence à ramer, elle s'y dirigeait allégrement. La maison valait un quart de million; elle était payée aux deux tiers. Le reste roulait en investissements sur ses chantiers et des terrains ou en actions. La finance était son domaine à lui et il n'en parlait à sa femme que pour susciter son admiration, ce qui, du reste, réussissait. Car elle l'admirait et l'aimait, cet homme qui avait bien besoin dans sa faiblesse d'homme, de montrer sa virilité par le ton, l'autorité, les colères saintes ou malsaines.

Mais certains jours comme celui-là, Hélène était emportée par le vent du doute sur le lac du questionnement. Se leurrait-elle elle-même sur leur couple? Elle cherchait à définir son propre bonheur et les réponses se faisaient confuses, nuageuses, moutonnées, sans consistance, sans structure. Cela passerait. Elle se rendit au lave-vaisselle resté ouvert et y remit le couteau puis examina les autres ustensiles à la lumière du jour entrant par la fenêtre au-dessus de l'évier dans les nuances verdoyantes d'un feuillage encore vigoureux.

Le verre de sa montre brilla. Il était midi moins dix. Elle retourna à la table poursuivre sa tâche avec de nouveaux ustensiles pour remplacer ceux qui n'étaient pas d'une rutilance immaculée.

-Maman, j'ai faim, quand est-ce qu'on va manger? cria Manon d'une longue voix capricieuse et lancinante.

-Je t'avertirai quand ça sera prêt.

Des petits pas coururent en haut. La voix flûtée de Valérie répéta les mots de sa soeur mais le bruit de la tondeuse l'enterra en se rapprochant du devant de la porte. Hélène finit de placer les tasses qu'elle avait prises à son dernier aller à l'armoire. Une voix masculine, fine et forte à la fois, attira son attention vers la porte d'entrée:

-Il y a quelqu'un? Petite madame Hélène, vous êtes là? C'est votre plus vieux voisin, Laurent Dugas...

La distance et le treillis métallique fin les empêchaient de se voir. Hélène prit le ton haut de l'accueil:

-Mais entrez, c'est ouvert.

-Non... Me faudrait un décrottoir, j'ai les pieds verts... C'est juste pour vous faire une petite proposition... Une bonne pour tout dire. Tant qu'à faire, j'avais envie de passer tout droit et de tondre votre pelouse aussi.

Hélène courut à la porte et elle se tint debout devant lui à une distance plus proche que la normale entre voisin-voisine mais qu'un grillage contre les mouches peut comprendre et accepter.

-Si, bien sûr, vous vous laissez tondre, ajouta le visiteur pince-sans-rire quoique le petit oeil peint d'une légère touche d'agacerie.

-Écoutez, François devait la faire aujourd'hui mais c'est son anniversaire de naissance et je lui ai permis de remettre ça à demain...

-Formidable! Ça va être son cadeau de fête: congé de pelouse pour cette semaine. Et même pour l'année parce que le gazon à ce temps-ci, ça pousse pas en orgueil, loin de là...

D'aussi proche, il pouvait la voir très clairement à travers les fines mailles du moustiquaire et, croyant qu'elle-même devait se trouver aveuglée par la lumière du jour et du lac derrière lui, il ne se priva pas pour la détailler et savourer l'image pour lui ragoûtante qu'elle dégageait. Il appuya son regard sur les caractéristiques de cette femme qui en faisaient à ses yeux un être érotique au sex-appeal exceptionnel. Le regard possédait une petite étrangeté, un strabisme fin, perlé, vraie petite coquetterie dans l'oeil qui avec la grâce des cils naturellement longs gardait au visage l'épanouissement d'une jeune fille curieuse et intelligente. Son évaluation masculine le conduisit de suite à la hanche qui, ainsi enrobée dans des jeans bleu neige était capable d'appeler au désir le plus rangé des voisins. Puis le remords brida son regard et le reconduisit pudiquement au visage féminin dont la peau ainsi inondée par ce jour radieux paraissait dégager une aura lumineuse. En même temps que sa perception d'elle glissa dans sa chevelure brun foncé remplie de vagues, de tourbillons et remous, et de spirales vertigineuses, ses sens plongèrent l'homme dans une effervescence aux agréments magnifiques.

Hélène avait l'impression elle aussi que le visiteur ne la voyait pas très distinctement puisque ses yeux cillaient, qu'ils se promenaient de bas en haut et inversement, qu'ils avaient l'air de chercher à voir justement... Elle en profita pour le détailler aussi. Pas très grand mais costaud, les épaules solidement plantées, un ventre redondant et de gros plis sur les ailes du nez: décidément, Pierre avait bien meilleure apparence. Mais l'homme frisait la cinquantaine, ce que disaient les lignes du front et sous les yeux, et surtout sa moustache aux grisonnements indécis qui entreprenait sa descente sur l'autre versant de l'âge.

Hélène pensa que cette visite signifiait que sa femme était sans doute partie faire des emplettes. L'inviter à manger un spaghetti serait une bonne façon de le remercier pour son geste délicat.

-Quand vous allez terminer la pelouse, ce sera le temps de

manger. Joignez-vous à nous! Un spag comme disent les enfants, ça vous va?

L'homme parut embarrassé:

-Non, non, merci, ça ne sera pas nécessaire. Si je fais la pelouse, c'est autant pour nous autres... Le coup d'oeil vous savez...

Il fut encore plus gêné par ce qu'il venait d'échapper. Il souleva sa casquette éclatante et passa sa main sur sa chevelure abondante et grisonnante.

-Ah! ça serait pas de refus, mais j'ignore à quelle heure Claire va revenir de Mont-Laurier. Bah! sûrement pas avant la fin de l'après-midi avec l'auto remplie comme d'habitude. Magasiner, c'est son sport favori!

-Ça change du quotidien.

À son tour, Hélène fut gênée par ce qu'elle venait de dire, une phrase allusive que dans son esprit, elle destinait plutôt à Pierre... mais aussi aux hommes en général.

-C'est que je ne veux pas déranger rien...

-Tiens, je vous fais une proposition à mon tour, vous voulez?

-Heu... ouais...

-Je vous prépare un bon gros spaghetti et vous le mets dans une assiette d'aluminium, et tout ce qu'il faut pour aller avec. Vous viendrez le prendre et vous irez manger chez vous et ainsi, personne ne sera à la gêne...

-Où y'a de la gêne, y'a pas de plaisir, hein!

-Ça va me faire plaisir, monsieur Dugas, et ça ne vous gênera pas.

-Dans ce cas-là, j'accepte, madame Hélène.

-À tout à l'heure!

-À tantôt!

L'homme retourna vers sa tondeuse en rajustant bien sa casquette sur ses idées. Il termina par l'image mentale la description physique de sa voisine. Ce chemisier incarnat cachait des formes délicatement attirantes; il le savait pour l'avoir souvent regardée quand elle circulait autour de la maison en maillot de bain. Ah! que cette chaleur douce de fin d'été lui était bouleversante! Il inspira un bon coup d'air et revit la cuisse d'Hélène, une chose galbée, si rose et satinée qu'elle aurait pu par sa simple magie transplanter dans la poitrine des plus affairés des hommes le coeur d'un poète rêveur. Ah! que le soleil ensoleille avant que la neige n'enneige!

Il mit en position le levier d'accélération de la tondeuse et recommença à travailler. Et à euphoriser. Bien sûr, il avait affaire à une femme irréprochable, impeccable, indécrochable, et cette relation aurait pu être qualifiée de bon voisinage platonique. D'autant que lui-même n'avait jamais tenu ni ne tiendrait non plus la moindre conversation avec le démon du midi...

Midi s'inscrivit sur la montre d'Hélène. Elle poussa sur les pâtes pour qu'elles glissent plus profondément dans l'eau bouillante puis se rendit à la desserte où l'attendait sa vodka dont les glaçons étaient déjà réduits de moitié. Elle but une première gorgée. Les traits de son visage qui n'étaient pas tendus jusque là se crispèrent un peu. Une ombre à peine perceptible entra en elle avec le liquide alcoolisé. Les souvenirs frais la mirent devant un choix. À quoi avait-elle envie de penser? Ou plutôt à qui? À Manon, à Pierre, au voisin ou à elle-même? Quant à Valérie, il suffisait de la regarder vivre et grandir...

Elle cala le reste du contenu du verre. Légèrement groggy, ragaillardie, elle pourrait mieux décider de l'orientation de ses pensées. Les glaçons tintèrent joyeusement en retombant au fond. N'invitaient-ils pas à laisser folâtrer l'imagination? Et pourtant, c'est à Pierre qu'elle se remit à songer.

"Pourquoi agir sans réfléchir?" répétait-il souvent dans leurs prises de bec hebdomadaires. "Et pourquoi toujours réfléchir avant d'agir?" répondait-elle. "Pour mieux agir, maudite affaire!" "Et le flair, et la chance, et la spontanéité?" "Des mots, des mots, des mots et encore des mots!" "Ah bon!"

Il s'en prenait à tout ce qui n'avait pas passé par sa volonté paternelle et machiste. Encore tout dernièrement quand il s'était endormi puis réveillé après l'amour et l'avait surprise en flagrant délit d'apprendre des verbes russes griffonnés sur un bout de papier. Il l'avait fait sur le ton de la fausse condescendance:

"Hélène, qu'est-ce que tu fais la lampe encore allumée?"

"J'étudie un peu."

"Du russe encore?"

"Et après?"

"La lumière m'empêche de dormir, tu le sais."

"Tu dormais déjà."

"Mais là, comme tu peux voir, je ne dors pas."

"C'est bon, j'ai fini."

Elle avait éteint la lumière et il l'avait alors délicatement ridiculisée dans la noirceur.

"Si tu m'avais dit que tu apprenais l'anglais... Soyons sérieux Hélène, ma belle Hélène intelligente, à quoi te sert-il, à quoi de servira-t-il dans l'avenir d'apprendre le russe? Crois-tu que les Russes vont nous envahir un jour? Prends moi par exemple. Admettons que je devienne un gros entrepreneur comme Hervé Pomerleau, hein, et que je veuille sortir du pays, où penses-tu que je pourrais avoir des contrats? Dans n'importe quel pays capitaliste, dans n'importe quel pays du Tiers Monde, dans n'importe quelle république de bananes, partout dans le monde avant la Russie... excepté la Russie."

"La culture, c'est..."

"Cultive-toi dans quelque chose d'utile! L'anglais, d'accord. L'allemand. L'espagnol. L'italien. Le japonais. La langue bantoue... mais pas le russe, bon Dieu, pas le russe, c'est sans bon sens!"

"J'ai essayé d'apprendre plusieurs de ces langues-là mais j'ai abandonné, tu le sais. Elles ne me demandent pas assez de concentration. Tandis que le russe, il prend toute mon attention et me fait oublier les problèmes du jour... C'est comme une détente..."

"Comme de la vodka quoi! Une évasion. Mais bon Dieu, tu t'évades de quoi? Tu es donc si malheureuse?"

"Ce n'est pas là la question, Pierre. Mais chaque personne a besoin de disparaître à son quotidien dans un pays de rêves. Le rêve est nécessaire à tous. France disait que l'existence serait intolérable si l'on ne rêvait jamais."

"Lâche-moi tes citations d'intellectuelle et descends un peu des nuages. Questionne autour de toi! Ouvre-toi les yeux et les oreilles et tu vas voir que la plupart... disons la majorité des gens ont les deux pieds à terre"

"Oui, mais moi en tout cas..."

"Oui, mais toi justement..."

Elle finit de pousser les spaghetti au fond de la marmite. Quant à elle, elle les aurait bien cassés en deux mais les enfants adoraient aspirer les fils de pâte et rire de ceux des autres dont le mouvement tachait le nez de sauce. Et surtout Pierre préférait couper les pâtes dans son assiette.

Elle se versa une autre vodka et se mit à marcher doucement dans la cuisine, répétant en russe les objets que sa vue rencontrait. Couteau: *noch*. Assiette: *tarielka*. Table: *stoL*. Chaise: *stoul*.

∞∞∞∞∞∞∞∞∞

# Chapitre 2

Pierre appela au cours de l'avant-midi. Il arriverait comme entendu vers le milieu de l'après-midi. Au téléphone, on planifia le week-end à la lumière des événements prévisibles. Il y avait le souper de famille pour souligner l'anniversaire de François. Et les parents d'Hélène avaient téléphoné de Saint-Placide pour annoncer leur venue le lendemain, répondant ainsi, le dernier dimanche de la saison, à une invitation que Pierre leur avait faite au printemps et qu'il avait réitérée ensuite. C'était loin le lac du Cerf et le vieil homme n'était pas trop sorteux; il attendait toujours à la dernière limite pour rendre leur politesse aux enfants qui tour à tour venaient les voir à la maison familiale que l'on n'avait pas cédée quand on avait vendu la ferme presque dix ans plus tôt et qui restait donc un port d'attache, un point de ralliement pour tous.

∞∞∞∞

Pierre avait relaxé tout l'après-midi dans la salle de séjour. D'abord derrière les journaux des trois jours précédents qu'il avait apportés de Lorraine puis devant un match de base-ball des Expos, une partie hautement satisfaisante puisque l'équipe de Montréal avait lessivé les Mets par le compte de onze à zéro.

Il se montra d'excellente humeur quand il parla à sa femme et aux enfants. Il décréta que Manon n'aurait pas besoin de piqûre.

Demanda à sa femme de lui rendre quelques services dont celui de lui apporter un vêtement pet-en-l'air en ratine qu'il portait d'habitude plutôt avec un maillot de bain mais qui lui avait tout à coup fait envie pour le confort et pour absorber la sueur car le jour était humide et parce qu'il buvait de la bière devant le téléviseur. De son côté, il se déclara volontaire pour aider à la préparation du repas d'anniversaire de François. Hélène refusa pour le laisser à son base-ball. Elle lui apporta un plat d'amuse-gueule qu'il repoussa d'un geste poli, disant qu'il avait eu un repas de 'junk food' et qu'il valait donc mieux pour lui ne pas y ajouter en plus des 'micmacs' bourratifs sous peine de ne pouvoir avaler quoi que ce soit au souper.

∞∞∞

On fut à table sur le coup de six heures. Tout y était sauf le gâteau. Hélène avait préparé une fondue bourguignonne mais qui comportait autant de poulet que de boeuf ainsi que des saucisses à cocktail. Pierre avait en horreur les viandes rouges et, chaque fois qu'on lui en proposait, il parlait des odeurs écoeurantes de sang et de viscères chaudes qu'exhalait l'abattoir de son village lorsqu'attiré par les cris désespérés des bêtes sacrifiées il y courait après la classe pour assister à la boucherie du lundi.

Il était à sa place habituelle à une extrémité et Hélène avait sa chaise à l'autre. Manon et Valérie se partageaient un côté et François avait l'autre pour lui tout seul. Le garçon était énervé. Il avait hâte au dessert et au cadeau. Personne n'ignorait qu'il aurait un walkie-talkie puisqu'il l'avait demandé. On répondait aux désirs des enfants dans les limites du raisonnable et le raisonnable était inscrit dans les comptes bancaires des parents, des comptes séparés à la demande de Pierre depuis qu'Hélène avait acquis une certaine autonomie financière, décision qu'elle aurait prise elle-même de toute façon.

François était un sportif dans l'âme, dans les muscles et dans le sourire. Sa mère avait un faible caché pour lui. C'est qu'elle lui trouvait les plus belles qualités de son père, traits du visage, cette séduisante fossette profonde dans la joue, les cheveux épais et qui ne donneraient jamais la moindre chance à la calvitie, un tempérament de fonceur, un caractère sociable et beaucoup d'équilibre intérieur pour son âge. Et les défauts de Pierre n'atteignaient pas chez lui ce degré parfois et même trop souvent intolérable. Des colères très exceptionnelles et fort acceptables. Jamais il ne s'était montré vindicatif envers Manon qu'il dominait pourtant de près de deux ans. Peut-être, se disait Hélène, que dans ses six premières années, celles-là dont les experts de l'âme humaine disent qu'elles

35

sont les plus marquantes voire les plus déterminantes d'une vie, il avait eu l'exemple d'un père beaucoup plus calme et positif.

-Qui fait la prière? demanda Pierre.

-Quand t'es pas là, papa, nous autres, on la fait jamais, crâna Manon.

-On la fait pas souvent non plus quand je suis là. Mais dans les grandes occasions, il faut faire du spécial.

-Et la prière est quelque chose d'assez spécial dont il faut user sans en abuser afin de ne pas l'user, enchérit Hélène.

Pierre aima la réflexion de sa femme et il sourit pour l'approuver mais il y avait une lueur énigmatique liée à celles de l'accord; elle ne la vit pas. Il entama lui-même les grâces quoique le repas ne fût pas, lui, commencé encore:

-Merci au ciel pour tout ce qu'il y a sur cette table.

-Faut dire que tu travailles pas mal pour! commenta Hélène.

Pierre éclata de rire. Voilà une parole qui faisait de lui un demi-dieu aux yeux des enfants. Il se dit néanmoins qu'il la méritait bien. Car c'était la vérité. Il avait le sentiment de se crever pour sa famille comme tous les hommes de cet âge, ce qui les empêche de voir qu'ils se droguent de leur vie professionnelle pour leur propre plaisir et leur accomplissement personnel.

-Selon ce que j'entends sur les chantiers, les femmes n'ont pas toutes l'air de se rendre compte de ce que les gars font pour leur famille. Ah! il faut croire en ses idées, il faut croire en ce que l'on fait et il faut appuyer ses idées et son travail de toutes ses énergies. Quand on fait ça dans sa vie, Dieu fait le reste et c'est pour ça qu'il faut le remercier de temps en temps.

Le repas fut lent pour les parents d'autant plus qu'il s'agissait d'une fondue. Les trois enfants, Valérie surtout, s'amusèrent à ce jeu de piquer les morceaux de viande et à les plonger dans l'huile bouillante, à s'emprunter les fourchettes, à faire des pressions sur les fourchons des autres pour qu'ils perdent leur morceau au fond du récipient, mais le temps ne fut pas long à leur peser sur le dos. Manon la première demanda à quitter la table.

-Mais c'est un repas de famille pour une occasion spéciale, dit Pierre en ouvrant les mains.

-Laissons-la s'en aller dans sa chambre au moins jusqu'au dessert, intervint Hélène. Elle a le genou raide et il faut qu'elle s'allonge.

-Bon, bon...

-Et moi aussi, je m'en vais, fit Valérie en se glissant hors de sa chaise.

-Bon, bon, bon... Et toi, François, t'as pas envie de partir aussi?

-Ça serait difficile le soir de ma fête, répondit-il avec le sourire de l'évidence.

Hélène suggéra une idée. Pierre paraissait de bon poil; il accepterait. Et ainsi, on pourrait se parler entre époux. Le dialogue et la diplomatie ne sont-ils pas les seuls et les meilleurs moyens d'empêcher les guerres, se disait-elle.

-Partageons le gâteau maintenant et libérons donc les enfants; nous autres, on continuera tranquillement notre fondue, qu'en penses-tu?

-Why not?

Pierre fit revenir les fillettes pendant qu'Hélène préparait le gâteau en piquant onze chandelles dans le glaçage épais. Elle les alluma et quand tous furent à leur place, elle vint vers la table en chantant «Mon cher François, c'est à ton tour...» suivie par le choeur formé spontanément par les autres. François éteignit les flammes du souffle puissant d'un jeune sportif entré dans sa puberté. L'une d'elles se ralluma. On lui avait joué le tour traditionnel. Finalement, il trancha et servit une part à chacun en commençant par son père.

-Les femmes sont toujours choyées, dit Pierre. Tu vois, Hélène, tu es la dernière servie et il te reste la moitié du gâteau à toi toute seule.

Manon avala son dessert comme une goinfre et redemanda à quitter la table.

-Minute, dit Pierre, au moins tu vas attendre que François déballe son cadeau.

Les parents se regardèrent. Sans rien se dire, chacun interrogeait l'autre. L'homme finit par parler:

-Alors quoi, tu vas lui chercher, son cadeau?

-Comment ça? Je pensais que tu l'avais, toi.

-Moi? Mais c'est toi qui devais l'acheter.

-Ah! ben là, là...

-Mais ma pauvre fille, on s'est entendu là-dessus. Je payais le cadeau et toi, tu allais l'acheter chez Radio Shack.

-Quand ça? pleurnicha Hélène que la contrariété faisait loucher un peu plus fort.

-La semaine passée.

-Tu ne m'as jamais donné d'argent pour ça?

-Non, parce que je devais te le rembourser après.

Hélène hocha la tête, oscillant entre l'incrédulité et la culpabilité.

-Puisque c'est comme ça, dit-elle à leur fils, il va falloir que tu attendes la semaine prochaine pour ton walkie-talkie. Mieux, tu vas venir avec moi et tu choisiras celui que tu voudras étant donné que c'est papa qui paye...

Et elle fit un clin d'oeil à son mari qui répondit par un sourire forcé.

-Que veux-tu, poursuivit-elle à l'adresse de Pierre, je devais avoir l'esprit encombré de trop d'idées.

-Ouais, ouais...

-Moi, ça ne me dérange pas, dit François pour secourir sa mère qu'il sentait en danger de se faire chicaner, ce dont il était trop souvent témoin.

-Bon, je peux m'en aller, là? insista Manon.

Pierre répondit affirmativement par une moue désabusée et un geste des mains ouvertes. François fut le dernier à demander la permission de quitter non seulement la table mais la maison. Il avait rendez-vous avec Marc-Alain, le fils des voisins, pour une randonnée à bicyclette autour du lac.

-Oui, mais pas à la noirceur sur la route? s'inquiéta sa mère.

-Maman, il reste une bonne heure avant la nuit.

-En tout cas, n'allez pas sur l'eau, hein!

-Mais non maman! Une bicyclette, ça cale sur l'eau.

Pierre s'étouffa de rire. Il y avait trouvé un beau trait d'esprit dirigé contre l'intelligence de sa femme. Mais François regretta d'avoir parlé étourdiment et il chercha à se reprendre:

-Je veux dire... on ne part pas en pédalo mais en vélo...

-Parlant de pédalo, t'es toujours aussi sûr qu'avant que ton co-pain Marc-Alain, c'est pas une pédale? dit Pierre, l'oeil appuyé et inquisif.

Le visage du garçon rosit. Il haussa les épaules comme quelqu'un qui ignore puis plongea comme quelqu'un qui sait:

-Mais non, voyons! Je ne me tiendrais pas avec lui si...

Et il se glissa hors de la table à son tour. Son père le suivit jusque dehors puis jusqu'en bas de la galerie où il put lui dire quelques mots sans risque d'être entendu:

-Pour le cadeau, là, ta pauvre mère, elle devait avoir pris deux ou trois 'drinks' de trop encore quand on s'est entendus pour l'achat du walkie-talkie...

-C'est pas grave, papa. J'aime autant choisir moi-même; maman, elle connaît rien dans l'électronique.

Pierre retourna à l'intérieur et reprit sa place devant Hélène.

-Bon, on va pouvoir relaxer!

À entendre cette exclamation, Hélène se félicita de sa suggestion de poursuivre le repas sans les enfants. Pierre fronça les sourcils pour dire:

-Sais pas, le petit gars d'à côté, moi, j'ai pas beaucoup confiance. Sais pas... Il se dégage de quoi de bizarre de ce garçon-là. Il a comme une sorte de... d'efféminement pas trop naturel... pour pas dire pas trop catholique...

-Oui, c'est naturel à cet âge-là. Ils sortent de l'enfance à peine. C'est une partie de leur charme d'enfant qui reste accrochée dans leurs gestes. Et puis, c'est un petit gars très sensible; sa mère me l'a dit.

-En tout cas, il est mieux de ne pas 'homosexualiser' François parce que je lui accroche une enclume d'acier au cou et le jette au milieu du lac. J'ai pas envie de me ramasser avec un petit enculé dans ma maison.

-J'ai lu quelque part que tous les adolescents... masculins avaient un jour ou l'autre une expérience homosexuelle... Pas toi?

-T'es malade ou quoi? Celui qui a écrit cela voulait s'excuser de ce qu'il était lui-même. Ou probable que c'était une femme, hein! Ça, ça ne me surprendrait pas du tout, pas du tout... Les maudites féministes, elles disent n'importe quoi pour caler l'homme de ce temps-là.

-Si un jour tu apprends que François est homo, tu n'iras pas le jeter au milieu du lac.

-Peut-être pas, mais je vas lui mettre la tête en dessous de l'eau pour quelques minutes, ça, c'est certain.

Il se fit une pause. Chacun retira de l'huile des bouchées trop cuites, rapetissées, durcies.

-Et puis, qu'est-ce que t'as fait de bon cet avant-midi? demanda subrepticement Hélène qui plongeait un morceau dans une sauce jaune très pâle à base de moutarde et de mayonnaise, et dans un geste qui retenait toute l'attention de son regard.

D'emblée, Pierre répondit, le ton presque militaire:

-Chantier, chantier, encore chantier. Quoi d'autre, penserais-tu?

-L'important, c'est d'aimer ce que l'on fait.

-Je n'aime pas travailler le samedi ou le dimanche mais c'est une exigence de mon métier. Quand on est patron, on n'est pas employé. Et surtout, on n'est pas syndiqué...

Achevant ces mots, Pierre échappa dans son assiette une fourchette piquée d'un morceau enrobé de sauce rouge et l'objet en rebondissant poursuivit sa chute jusque sur lui, éclaboussant sa cravate et sa chemise. Il jura puis se rendit à la salle de bains essuyer les dégâts. Il refusa la suggestion d'Hélène de se changer de chemise, arguant qu'il ne viendrait aucun visiteur ce soir-là, et qu'elle en aurait donc une de moins à laver puisqu'en homme de son temps, il ne portait jamais la même chemise deux jours d'affilée.

Devant le miroir, Pierre ne regarda pas seulement les taches mais aussi son visage, y cherchant en vain les premiers signes des flétrissures de la quarantaine. Puis il retourna à la table avec un sourire entendu.

-Ouvre donc une bonne bouteille de vin. Me semble que ça nous donnerait du pétillant pour tout à l'heure quand les enfants dormiront.

-Tu vas encore me dire que je bois trop. Tu vois, je n'ai rien bu de la journée aujourd'hui.

Il insista, un brin suppliant:

-Une bouteille de vin avec une fondue, c'est naturel. Un bordeaux peut-être?... Tu veux que je m'en occupe? D'accord. J'y vais. Retire mes fourchettes de l'huile, les bouchées vont trop cuire. Je reviens...

Il fit tout le nécessaire jusqu'au moment où les coupes tintèrent l'une contre l'autre, Pierre s'étant allongé par-dessus la table pour consacrer leur complicité du soir. Il n'aurait même pas à lui faire d'excuses pour l'engueulade de la veille puisque les gestes parlaient pour lui avec ce maximum d'éloquence romantique apte à faire oublier n'importe quoi à celle qui aime l'amour. Car il est vaste, le cimetière du coeur des femmes et peut loger beaucoup de sépultures de coups reçus! La douceur du vin compenserait pour ses reproches du téléphone quant à la vodka. Un ton charmant lui ferait oublier sa rage du bout du fil. Tout était dans l'ordre. Dimanche arrivait à grands pas. Le boucle de la semaine serait bouclée. Un nouveau cycle de sept jours recommencerait avec les bénédictions d'un Seigneur et d'une société approbateurs.

L'on finit de manger puis il l'aida à refaire à la cuisine sa propreté nécessaire aux deux. Lui s'occupa de rincer la vaisselle et de la mettre dans la machine. Et il lava à la main ce qui n'entrait pas dans l'appareil. On se parla du chien resté à la maison. Pierre l'avait alimenté avant de partir et il avait laissé ouverte la porte menant au sous-sol afin que la bête puisse aller y faire ses besoins quand besoin serait. Ensuite l'échange de propos porta sur Jacques, le frère d'Hélène, propriétaire d'une ferme à chevaux et d'un centre équestre à Oka.

Sans s'expliquer pourquoi, il passait toujours un funeste pressentiment devant l'âme d'Hélène chaque fois qu'on parlait de lui. En fait, une impression mauvaise et fort désagréable, indéfinissable et sans contours précis parce que cachée derrière une image horrible venue tout droit de Racine. Cela avait commencé deux ans auparavant un jour qu'au restaurant, à une table voisine, quelqu'un avait parlé d'un accident de cheval survenu à Oka et qui avait coûté la vie à un homme. Elle avait aussitôt pensé à Jacques et depuis ce moment-là, l'image de son frère écrasé par les sabots d'une jument infernale revenait la hanter quand son nom était sur le tapis d'une conversation, et parfois même la poursuivait dans des nuits cauchemardesques dignes de celles d'Athalie.

On finissait de nettoyer les comptoirs quand ce sujet apparut par la bouche de Pierre:

-J'ai vu Jacques lundi. Il part quatre mois cet hiver. Moi, je pense qu'il va finir par tout vendre ici pour s'en aller définitivement en Floride, celui-là. Et ce n'est pas moi qui l'en blâmerais. S'il en a la chance, hein!

-C'est lui qui t'a dit ça?

-Puisque je te dis que je l'ai vu lundi.

-On ne les a pas revus depuis les Fêtes passées, eux autres. Nicole va bien?

-Oui... Ben... ça doit. Il ne m'en a pas parlé, donc ça doit bien aller et c'est pour ça que je dis oui.

-Si elle avait un bobo quelque part, lamenteuse comme elle est, elle l'aurait fait savoir à tout le monde en commençant par maman.

-Ils ont de l'ouvrage, ces gens-là. L'écurie d'Oka qui leur appartient est sous leur entière responsabilité mais ils doivent avoir l'oeil sur celle de Sainte-Adèle et surtout celle de Fort Lauderdale. S'il continue sur ce train-là, Jacques va devenir millionnaire avant moi.

-Il le mérite.

-D'être millionnaire avant nous autres?

-Je veux dire de réussir.

-Ah oui!...

Restaient sur la table les coupes de vin inachevées; mais Pierre avait proposé qu'on ouvre une seconde bouteille afin de garder le feeling. Il s'en occupa encore lui-même et avec moins de cérémonies qu'à la première. Ce fut un rosé qu'en mauvais dégustateurs, on vida dans le même cristal qui gardait les traces humides du rouge sec précédent.

Il faisait noir dehors maintenant et le reste de la pièce hormis la cuisine était entré dans la pénombre. On entendait vaguement les voix de pies des fillettes parfois depuis l'attique. Chacune devait être plongée dans un livre à sa mesure et, devant une trouvaille, ne résistait pas à la tentation d'en faire part à l'autre. Il était presque temps de faire coucher Valérie. François ne tarderait plus.

L'horreur en Hélène avait été remplacée par un sentiment de bonheur. Ses sens se dégageaient peu à peu de leurs crispations de la veille. Avant de rejoindre Pierre pour entamer le rosé, elle parachevait minutieusement l'essuyage de l'évier qui brillait de tous ses aciers. L'homme dénoua sa cravate qu'il jeta ensuite sur la table puis il ouvrit son col sans que son regard ne quitte le corps féminin auquel le mouvement de la main frotteuse en imprimait un de vague, faisant onduler des formes plutôt imprécises que ne galbait pas assez une combinaison rose à encolure lâche.

Il délaissa ce moment de désir et se rendit au commutateur par lequel il fit s'éteindre le lustre au-dessus de la table. Il ne resta plus de lumière que celle du projecteur à intensité raisonnable au-dessus d'Hélène. Vivement, il la rejoignit et l'enlaça par l'arrière. Elle eut un vif éclat de surprise et de rire, jeta son linge sur les robinets et se laissa peloter en protestant faiblement:

-François va nous surprendre.

-Il connaît les choses de la vie, hein!

-Et Manon, et Valérie...

-Tout ce qu'ils vont manquer à trop en savoir trop tôt, hein!

Hélène aurait préféré qu'on attende plus tard. Si les enfants en savaient trop trop tôt, lui en faisait trop trop tôt. Mais comment une femme pourrait-elle faire comprendre à un homme couchant avec elle depuis treize ans que le 'timing' des sexes ne doit pas être forcément synchronisé sur celui de l'homme? Si lui s'était montré inéducable, elle par contre s'était adaptée avec le temps et devant l'inéluctable. Le premier moment de frustration passé, elle reprenait le contrôle de ses sens et leur pompait de fortes doses de fantasme pour ainsi finir presque toujours par le rejoindre dans son escalade vertigineuse.

De la musique rock fit entendre depuis l'attique ce que Pierre appelait des vociférations tonitruantes. On supputa. Manon ou bien chicanait sa petite soeur ou bien était fatiguée de l'entendre papoter. Pierre serra plus fort et frotta son sexe sur le corps de sa femme.

-C'est pas vargeux comme musique, fit-il à mi-voix haletante.

Là-dessus au moins, elle partageait entièrement ses goûts. Pas écoutables que ces Led Zeppelin, Alice Cooper et Van Halen-là! Mais il fallait bien qu'on tolère comme on avait été endurés avec les Buddy Holly, Elvis Presley et Jerry Lee Lewis.

-Ça va leur passer comme à nous autres il y a dix ans...

-Quinze.

-Dans dix ans, quelque part en 1990, ils vont revenir à quelque chose de buvable comme musique.

Elle tourna un peu la tête pour mieux convaincre:

-Sais-tu que nous sommes en plein dans le champ de vision de n'importe qui par la fenêtre.

-Tant mieux pour le voisin: ça va le stimuler avec sa grosse Claire.

-Je pense à François et son copain.

Ils furent interrompus par une voix venue de la porte d'entrée:

-Excusez-moi, est-ce qu'il y a quelqu'un?

Pierre se décolla d'Hélène et il courut presque vers la visiteuse à voix pointue qu'on avait reconnue sans la voir, rallumant au passage le lustre de la cuisine puis une lampe du salon.

-Oui ma belle madame Claire, dit-il, craignant que la voisine n'ait entendu sa phrase désobligeante tout juste prononcée à son sujet.

-Ah! je pensais que vous étiez couchés.

-Oh, madame, pas avant minuit le samedi soir quand ce n'est pas cinq heures du matin.

-Nos gars ne sont pas revenus et je me demandais si... François est-il là? Marc-Alain est encore au large en tout cas. Il n'est pas encore bien tard mais quand la noirceur est là, j'aime mieux savoir où il se trouve.

Pierre ne discernait que la silhouette de Claire: charnue et bosselée. Employée d'hôpital, femme de prière à la pensée magique et à la naïveté bon enfant, elle disposait d'une panoplie de saints qu'elle servait à toutes les sauces aux dégénérés de l'espèce, aux

43

incurables, aux malheureux, aux sans-le-sou et même à tous ceux se glorifiant d'un triste bobo attrapé par la vertu d'un excès quelconque... C'était le nez que sanctifiait d'abord la pénombre. Un nez qui appose partout sa signature, qui donne son autographe aux purs étrangers et surtout à eux, un nez généreux comme le coeur!

-Pas vu François depuis après souper.

-Sont partis ensemble à bicyclette.

-Ça, oui!

-Bon... ils ne devraient pas retarder.

-Le petit bonyenne, il commence à avoir la tête dure.

Pierre fit mine de pousser la porte en lançant une invitation:

-Venez donc partager notre bouteille de rosé. Il est au frais et frais ouvert.

-Y a Laurent qui va se demander...

-Je vais aller le chercher...

-Tiens, je vais lui crier, je le vois sur la galerie...

On fut bientôt à table, les femmes en face l'une de l'autre et de même, forcément, pour les gars. Et l'on s'échangea de ces banalités du genre de celles dont les gens se servent au téléphone pour calfeutrer tous les blancs, remplir tous les vides comme si l'exercice de parler dans une société d'abondance avait oublié l'éloquence et la grandeur des silences.

Une pluie de rock tombait sur les propos mais on la trouvait plus acide que rafraîchissante. Et la stimulation et le stress provoqués par ces sons agressifs conduisirent les gars à se parler de politique, sujet qu'il leur fallait à tout prix éviter pour que leur relation de bon voisinage reste au beau fixe. Pierre, libéral d'habitude et d'intérêt, trouvait moins de bien à dire de son parti que de mal à attribuer à l'adversaire. Il considérait René Lévesque comme un politicien-cretons entouré d'intellos crétins, arriviste et crapule intellectuelle. Laurent abhorrait Trudeau, ce survenant de la politique, mais plus encore le pays de Trudeau, ce vague Canada à l'étroite vastitude, bâti d'anglophones vampires et de francophones moutons. Chacun concoctait des idées et tenait des propos de la même indigence que ceux des faméliques politiciens-coqs-de-luxe en mal de votes, des conceptions bêtement provinciales sans suite ni structure. Que Lévesque soit partisan de la démocratie et donc de la liberté d'expression apparaissait à Pierre comme un mensonge éhonté. Que Trudeau soit partisan de la démocratie et de la liberté d'expression apparaissait à Laurent comme un mensonge

44

effronté. Dans une discussion à contenu politique, chacun devenait un mêle-tout livrant un match pour le gagner en écrasant l'autre et présentait des vessies pour des lanternes, prenant des oui pour des non et vice-versa... Et patati! et patata! on jouait au hockey avec la sempiternelle question nationale qu'il aurait mieux valu pour sauver du temps aller jeter au milieu du lac du Cerf plutôt que de la voir dégénérer en bagarre générale coûteuse d'énergies et d'avenir alors que tout annonçait la venue de la décennie par excellence de la mondialisation et du village global.

Chaque année, chaque fin d'été depuis 1976, ils avaient eu une prise de bec très sérieuse sur la vérité du pays pour l'un qui se disait mensonge canadien par l'autre, mais l'enfermement hivernal enterrait l'inutile passion, et au bord de la prochaine saison estivale, quand le train-train du voisinage se remettait en gare on ne repensait plus aux différences.

On ne se parlait encore que du référendum sur la souveraineté du Québec dont *'l'imminence paraissait imminente'* à chacun lorsqu'Hélène jugea bon d'intervenir pour que le rosé ne devienne pas vinaigre et pour mettre au frais la pomme de discorde avant même que ne surgise un premier article d'opposition.

-Pierre, va donc dire à Manon de baisser sa musique.

Il la regarda d'un air de dire 'vas-y toi-même' puis une pensée très secrète lui commanda de changer d'attitude. Il sourit à mains ouvertes, disant:

-C'est toi le patron!

Et il quitta la table. En gravissant les marches de l'escalier, il se rendit compte que la musique ne provenait pas de la chambre des fillettes mais de celle de François, séparée de l'autre par une salle de bains. Jugeant inutile de frapper, il tourna la poignée. C'était ouvert. Manon avait dû mettre en marche et en force le système de son de François pour entendre de loin ce que ne pouvait lui dispenser son propre tourne-disque démodé et qui s'époumonait en graillonnant de l'aiguille tel un coq bourré d'arthrite quand elle lui tordait le ventre pour qu'il ponde de force quelques décibels supplémentaires.

Il faisait noir dans la pièce. Pierre entra sans façon. Sa main tâtonna sur la plaque du commutateur et fit de la lumière. Quelqu'un de couché face au mur sur un lit étroit collé à la cloison ne bougea pas pendant une seconde. C'était François qui réagit en mettant sa main devant ses yeux comme pour les protéger des éclats lumineux. Il dit:

-C'est qui ça?

Pierre n'entendit pas. Il se pencha et réduisit le volume du son de l'appareil.

-François?

-C'est qui ça? redemanda le garçon.

-C'est moi. On te cherchait.

-Bah! ça fait longtemps que je suis revenu.

-T'es entré comme une souris.

-Ah!

-As-tu un problème ou quelque chose?

-Mais non, voyons!

-Y a les parents de Marc-Alain en bas. C'est qu'il n'est pas revenu chez lui, comment ça se fait?

-Sais pas, moi!

François finit de s'essuyer les yeux de manière enfantine avec la base des pouces. Ainsi, il cacherait des larmes en feignant se protéger des ondes lumineuses mais son visage tuméfié le trahit.

-Je te pose encore la question: y a quelque chose qui ne va pas?

-Mais non, voyons!

Pierre n'avait jamais su quand il fallait forcer un peu la porte des coeurs, surtout des enfants, et encore moins comment le faire. Il y avait des barrières qu'il n'aurait jamais voulu que ses parents franchissent quand il avait cet âge. Mais d'autres fois, il aurait bien voulu qu'on le traque pour le soulager et que l'on saute indiscrètement par-dessus sa barrière de l'heure. Le problème en ce moment, c'est qu'il ignorait ce qui se cachait derrière celle que François érigeait entre eux. La musique lui donna la réponse. L'intensité sonore qu'il avait commandée n'était pas un mur de Berlin mais un appel au secours.

Pierre sut qu'il devait savoir ce qui rendait son fils malheureux. Ce ne pouvait être qu'un événement frais. Et ce qu'il y avait de plus récent dans le quotidien de François, c'était sa randonnée avec Marc-Alain. Or, Marc-Alain n'était pas revenu chez lui. Que pouvait-il donc s'être passé entre ces deux-là, de pas assez grave pour que François le signale et d'assez pénible pour le faire pleurer? Car comment croire au débordement spontané d'un trop-plein de tristesse refoulée qu'un homme digne de ce nom, même un garçon de onze ans, ne pleure pas mais crie et 'crisse' à la tête des autres?

Pierre referma la porte derrière lui et s'approcha du lit, se disant que plus on est près de quelqu'un, plus il lui est difficile de mentir. Il ne le savait que trop, fort de son expérience avec Hélène à qui il ne disait pas toujours la vérité et qui parfois scrutait son regard aussitôt la question posée pour la lui arracher, ce qui accélérait sensiblement son pouls ou, exceptionnellement, lui faisait échapper sa fourchette à fondue.

François prit les devants:

-Papa, tu as une grosse tache sur ta chemise. Regarde, elle est là.

-Maudit, c'est vrai! Les voisins ont dû me prendre pour un cochon. Je vais aller me changer... Ouais, et toi, pourquoi es-tu revenu si tôt, si discrètement et ensuite si bruyamment?

L'adolescent haussa les épaules:

-Comme ça! J'ai pas de raison. Qu'est-ce que tu veux que je te dise?

Effectivement, François avait lancé un appel au secours par sa musique, mais pas à son père qu'il ne s'attendait pas du tout à voir. Ce qui lui pesait sur le coeur, il le dirait à la terre entière avant lui. Non, il ne le dirait à personne, pas même à sa mère, ni à Dieu ni à diable! Mais si elle était venue, elle se serait arrêtée au bord de la porte et sa visite aurait suffi probablement à le rasséréner sur lui-même, du moins un tant soit peu. Une heure plus tôt, dans une bâtisse isolée, Marc-Alain l'avait catapulté en pleine puberté. Cela était arrivé sans qu'il ne l'ait voulu, cherché, comme par hasard et comme à son insu. Et surtout comme malgré lui. La honte, la répulsion, l'horreur s'étaient rués sur lui comme des fauves sitôt disparue l'euphorie du bref moment. Il avait crié, hurlé à Marc-Alain de le laisser tranquille, et il était revenu seul, le pied si puissant que dans une côte, il avait perdu la pédale à quelques reprises. Ses bêtes intérieures, nourries et affamées par les propos paternels depuis qu'il était en âge de les écouter l'avaient suivi jusque dans sa chambre et elles avaient continué de faire entendre leurs sinistres hurlements rageurs à travers la musique percutante et métallique. Elles commençaient tout juste à faire des pas disgracieux sur le rock lorsque Pierre avait jeté sur lui un paquet de lumière crue, stimulant à nouveau les bas instincts du regret et du remords.

-T'es allé où avec Marc-Alain?

-Pas loin... là-bas, sur le chemin.

L'adolescent se redressa et s'assit sur le bord de son lit.

-T'as l'air d'avoir été battu à coup de cancer.

-Mais non, papa, laisse-moi, suis fatigué.

La situation aurait dû apparaître clairement à Pierre. Il redoutait Marc-Alain et l'avait exprimé la journée même. La déprime soudaine de son fils ne pouvait avoir pour origine qu'un choc psychologique important et tout à fait récent comme il venait de se le figurer en d'autres termes. Et pourtant, la vérité demeurait dans l'armoire. Ce qui fit de lui un tortionnaire de la question:

-T'as quelque chose, tu pleurais.

-Je ne pleurais pas. Me suis baigné dans la piscine chez Latendresse aujourd'hui. C'est le chlore.

-Le chlore!

-Oui, le chlore.

-Du chlore à retardement.

-Comment ça?

-Au souper, t'avais pas les paupières enflées et les yeux injectés de sang.

-Me suis frotté.

Pierre changea de tactique; il adopta le ton qu'il prenait pour convaincre un client. Le problème de François avait beau ne pas mettre en jeu un profit de dix mille dollars comme celui qu'il réalisait sur la construction d'une unifamiliale moyenne, sa solution demandait du baume et non du sel sur la plaie. En même temps, il prit place à côté de lui et enveloppa son épaule en lui parlant comme à un joueur de hockey:

-Hey, bonhomme, ton père est capable d'en prendre. Et puis toi aussi. Viens dans le coin de la patinoire, on va se bousculer un peu, hein!

Le garçon chercha à s'éloigner la tête mais l'étreinte paternelle ne lui permit que de la faire pivoter sur ses épaules. Il mentit en gémissant:

-Me suis chicané avec Marc... Marc-Alain...

-Y a pas de quoi faire une dépression. J'étais justement sur le bord de me chicaner avec son père quand ta mère m'a envoyé ici.

-Oui mais...

-C'est sûr que le terrain où se passe la querelle a de l'importance dans les effets de la bataille. Vous êtes-vous... battus?

-Mais non, voyons!

-Alors quoi?

-Ben... il m'a taponné... je veux dire qu'il a voulu me 'tapocher' et je...

-Ah ben le petit maudit vicieux! dit Pierre qui se leva d'un bond. Il n'est pas sorti du bois, celui-là!

-Papa... je ne veux pas que tu parles de ça à personne. Je t'ai donné ma confiance et je veux la tienne.

-Penses-tu que je suis capable de laisser ça là?

François mit sa tête entre ses mains dans une position à faire pitié. Et il obtint un commencement de pitié.

-D'abord, il s'est passé quoi au juste?

-Il... m'a dit des... des affaires... Quand il a vu que je répondais pas, il m'a... touché... Je l'ai repoussé. Il est tombé à terre. Me suis sauvé sur mon bicycle. Il me criait des noms. Il me disait qu'il me donnerait une 'volée' si j'en parlais à quelqu'un.

-Je comprends pourquoi il est pas revenu chez lui, le petit sacrement. Ça adonne en maudit, son père et sa mère sont justement en bas.

-Je ne veux pas, bon.

-On peut toujours pas laisser ça de même, François, voyons!

-Je ne te dirai plus jamais rien de ma vie! dit le garçon dans une espèce de rage désespérée qui figea son père sur le terrain de la réflexion.

Pierre calcula mentalement. Puisque François s'était défendu, l'épreuve, au fond, était excellente pour lui. Elle les convainquait tous les deux que le garçon n'était pas ni ne serait jamais un homosexuel. Marc-Alain aurait eu sa leçon. Garder le silence, continuer de copiner comme ça avec les Dugas valait beaucoup mieux que de brasser le fond du lac et tout embrouiller. François avait bien établi les limites de son territoire et cela rendait Pierre fier. Et puis Marc-Alain était trop efféminé pour s'en prendre à François qui, de toute manière, l'aurait cloué au tapis comme il clouait aisément les joueurs de l'équipe adverse dans la bande de la patinoire au hockey l'hiver. Une amitié circonscrite par de nouvelles mesures s'installerait entre les deux jeunes et le temps et les circonstances feraient bifurquer la suite de leurs personnalités d'une manière sans doute moins frappante que la divergence de ce soir-là et, pour cette raison, plus certaine encore. Tout ça tournait à la victoire et Pierre exultait. Il promit à son fils de garder secrète à la vie à la mort sa confidence. François savait que son père ne manquerait jamais à sa parole parce qu'il avait pris une décision éclairée par des lumières qu'il ne voyait pas encore lui, mais qu'il savait se trouver là, en cet homme unique pour lui.

Pierre regarda la tache sur sa chemise. Il décida de ne pas se changer. Et le regard olympique, compétitif, allumé des éclats du flambeau de la victoire, il quitta la pièce avec des bons mots vagues adressés à son fils. Rudyard Kipling raccompagna ses marches d'escalier. Oh! il ne se souvenait pas des mots du fameux «Si» mais c'était sans doute quelque chose ressemblant à ce qui venait de se produire qu'avait écrit le poète avant les derniers mots ô combien mémorables de son poème:... *tu seras un homme, mon fils.*

Malgré la confiance qu'il avait en la parole de son père, François craignait cette visite des parents de Marc-Alain. Il élimina tout à fait le son de son appareil et se colla l'oreille à une grille d'amenée de chaleur maintenant superflue depuis que le chauffage du chalet avait été connecté à Hydro-Québec, mais qui faisait office de véritable boîte de résonance lui permettant certains soirs d'entendre ses parents faire l'amour. Oui, mais de là à discerner ce qui pouvait se dire dans la cuisine... Il changea donc de plan et sortit de sa chambre sur la pointe des orteils pour s'embusquer en haut de l'escalier. Et il sut ce qui fut dit. De pures niaiseries.

Pierre dit que c'était François là-haut, que Marc-Alain avait poursuivi sa randonnée dans l'autre direction au retour, qu'il était sûrement rentré maintenant. On parla des vertus du rosé, du coucher de soleil qui annonçait de la pluie mais peut-être pas pour le lendemain, d'une belle-soeur de Claire qui travaillait à Sherbrooke au bureau d'un ministre très important du gouvernement provincial, d'une rumeur voulant que Bernard Geoffrion soit nommé nouvel instructeur des Canadiens de Montréal, d'une série de lampions que Claire avait fait brûler pour sauver de la faillite un cousin dont la mère était la soeur la plus proche de sa mère à elle...

∞∞∞∞∞

Après le départ des voisins et une nouvelle bouteille de rosé devant la télévision, Hélène et Pierre se retrouvèrent au lit peu avant minuit. On regretta de ne pas avoir invité les Dugas à venir bruncher le lendemain.. Pierre pensait à leur fils auquel, sans rien dire, il pourrait par son seul regard livrer des avertissements et des messages d'autorité. Mais il resta discret sur l'incident que François avait relaté. Cela demeurerait pour toujours un secret père-fils.

Hélène gardait les yeux ouverts, observant les formes obscures silhouettées par une veilleuse endormie. Si le contour du miroir de la commode apparaissait, la glace, elle, ne réfléchissait aucune image, aucune lueur mais plusieurs pensées froides qui revenaient à son esprit comme en écho, comme si son âme avait été celle d'une chauve-souris. Trop étiré et trop faiblement alcoolisé, le vin en elle n'avait rien mis en effervescence. Elle se sentait accrochée, la tête en bas, regardant ce monde fou tout à l'envers

rette lui avait fait un résumé succinct et dépassionné sur l'état de son couple.

"Ah! la Pierrette, quelle maîtrise de soi!" murmura Hélène qui tranchait en triangles une pile de sandwiches à diverses salades. Elle se demandait parfois comment elle-même aurait agi à sa place. Pas de quoi s'inquiéter jusque là car Pierre, malgré ses coups de tonnerre, n'allait à la chasse qu'une fois l'an et il revenait toujours avec un trophée et une histoire si plausible qu'elle n'aurait pas pu être inventée autrement que par un romancier. Or, les romans, Hélène, ça la connaissait!

Puis ce fut l'image de sa belle-soeur Nicole qui lui traversa l'esprit. Quelle autre femme exceptionnelle que l'épouse de Jacques! Non pas qu'elle soit inspiratrice d'amitié chez une personne du genre d'Hélène mais à cause de sa 'flamboyance'. Issue d'un quartier plus que populaire, elle avait de l'ambition et beaucoup de charisme. À l'interlocuteur du moment, elle donnait une telle attention que la personne, homme ou femme, se sentait alors le centre de quelque chose d'unique et de grand. Elle disait avoir chevauché en compagnie de Margaret Trudeau à Sainte-Adèle et de Zsa Zsa Gabor à Pompano. Il fallait la voir dans son accoutrement d'équitation, féline, racée, blondine comme un quartier de lune, et dont l'incomparable voix ennuagée langeait douillettement et en discrétion aimable celles et ceux qui s'en approchaient...

Une voix mi-close à bouche entrebâillée surprit Hélène dans sa rêverie:

-Maman, j'ai la tête qui tourne comme une toupie.

-Ça arrive à tout le monde parfois le matin au lever. C'est que tu dormais trop dur et que ta pression a dû descendre une marche plus bas que d'habitude ou bien que tu t'es levée comme une flèche.

-Ouais, ça doit être ça! acquiesça Valérie compétente.

Vêtue d'une longue chemise de nuit Mickey Mouse, elle marchait pieds nus, sûre de son intention. Elle tira une chaise et prit place à table.

-Qu'est-ce que tu fais, maman?

-Je prépare le brunch, ma chouette.

-Le brunch?

-Le déjeuner-dîner.

-Quand est-ce qu'on va manger?

-Bah!... vers midi.

-Hein!? Mais je vais mourir de faim, moi!

Le ton comique à la fausse désespérance fit rire sa mère qui la rassura:

-Tu sais bien que maman ne va pas te laisser mourir de faim, voyons!

-Ben comme ça, je vais prendre deux rôties et deux morceaux de fromage... s'il vous plaît!

Hélène qui finissait de mettre de l'ordre dans ses plats éclata d'un de ces rires en trois ou quatre coups de cordes vocales grâce auquel il lui arrivait souvent de parler sans mots dire mais qu'on ne savait pas toujours décoder. Le plus souvent, il signifiait: 'tu m'en diras tant!' comme cette fois-ci. Ceux qui le provoquaient, ce rire brillant, se sentaient valorisés, stimulés, intéressants. Valérie, elle, le lisait d'instinct et il lui apparaissait comme le vestibule d'entrée sur un oui ou sur un non, que sa mère ait à donner quelque chose de matériel ou bien une opinion. Envers elle, c'était rarement du rire négatif. Elle les aurait ses rôties et son fromage. Elle les obtint.

Pierre parut alors que l'enfant achevait son déjeuner. Il se désola sur lui-même:

-Sacrement que j'ai mal à la tête ce matin, moi!

Hélène se leva aussitôt de table où, sirotant un café, elle accompagnait le repas de Valérie. Elle se fit maternelle:

-Bon... y a des problèmes de tête aujourd'hui dans la maison.

Elle se rendit au percolateur et remplit une tasse qu'elle revint mettre sur la table devant lui qui s'était affalé sur sa chaise à sa place habituelle.

-Beurk!... fit-il en grimaçant à l'endroit du café qu'il repoussa assez fort pour que le liquide se répande dans la soucoupe et sur la table.

Elle prit un linge sous l'évier et essuya les dégâts sans rien dire. Il semblait de mauvais poil et le mieux pour que sa bile s'écoule sans agressivité envers elle était le silence. Alors il se fâcherait contre un employé, une idée, un politicien dont il aurait lui-même commencé à parler. Elle l'approuverait par des onomatopées et par des rires dosés. Le tonnerre s'éloignerait peu à peu...

-Qui c'est d'autre qui a des problèmes de tête comme tu dis? Toi ça?

-Ben... c'est notre Valérie.

-Ben oui, papa, moi, j'avais la tête qui tourne et toi, tu l'as qui fait mal. Mais c'est pire pour toi, je pense, hein?

Pierre aimait profondément ses trois enfants. Son fils en premier; Valérie ensuite; puis Manon. Et il connaissait l'exacte mesure de ses sentiments pour chacun d'eux. Et, quoique dernière de la liste, Manon avait aussi les deux pieds bien enracinés dans son âme.

La réplique de Valérie, sa pitié pour lui eurent pour effet de désamorcer momentanément sa colère naissante. Il lui dit:

-Mais moi, j'ai pris du vin hier soir, et toi?

Valérie le questionna du regard. Il reprit:

-Dis-moi pas que toi, t'as pris de la vodka comme certaines personnes font des fois?

Hélène qui avait repris sa place à table demeurait imperturbable. Il rajouta:

-Des fois... et pas mal trop souvent!

Hélène ouvrit la bouche. Et elle la referma sur sa tasse. Le café lui parut trop froid et elle se rendit s'en verser d'autre.

Valérie ne comprenait pas le langage allusif de son père. Les yeux agrandis, elle attendait qu'il continue à effardocher pour qu'elle puisse y voir plus clair. Il dit la vieille farce éculée:

-C'est bon signe pour nous deux, ça veut dire qu'on a une tête.

Peut-être la fillette l'avait-elle entendue, cette blague, peut-être pas, mais elle lui paraissait neuve car elle y découvrait du sous-entendu, ce deuxième degré sans lequel, au dire des intellos, toute pensée, toute oeuvre d'art n'ont pas grand sens, faute d'être présentées sans dessus dessous. Elle regarda sa mère, l'oeil taquin et dit:

-Pauvre maman, t'es pas chanceuse, toi!

Émerveillée sur elle-même pour avoir lu derrière les mots, Valérie s'était liguée avec son père sur un sujet beaucoup plus sérieux, mais, cette fois, sans s'en rendre compte. Le triomphe traversa l'âme de Pierre comme un éclair. Un rire pétaradant d'Hélène l'assassina en même temps qu'il ramenait Valérie de son bord à elle, l'enfant le prenant, et avec raison dans son cas, pour un chaleureux applaudissement de la part de sa mère.

Pierre resta muet. Il avait envie de boire du café mais il ne pouvait le faire. C'eût été concéder trois victoires à sa femme. Un, qu'elle avait eu raison de lui verser un café. Deux, que le message sur son alcoolisme était sans valeur. Trois, qu'il avait perdu la partie dans l'échange à trois.

Mécontent de la fessée qu'il venait de recevoir, il lui vint une idée de jus de tomates, ce remède miracle aux gueules de bois de son adolescence; mais il voulut se le servir lui-même et il se rendit au frigo. Il chercha, déplaça des choses, ouvrit et referma des contenants de plastique, grogna...

-Je peux t'aider? lui demanda Hélène.

Il ne répondit pas et rejeta la porte sans trop de retenue puis ouvrit l'armoire des conserves. Les boîtes furent entrechoquées, poussées, bousculées, mais il ne trouva pas ce qu'il voulait.

-Non, mais y a-t-il du jus de tomates là-dedans?

-Peut-être pas. Regarde sur la liste des choses qui manquent.

Il leva les yeux car cette liste contenant presque toujours des choses à manquer et non pas épuisées, était toujours là, fixée à l'intérieur de la porte. Trois articles y apparaissaient parmi lesquels le jus désiré. Il passa sa main dans sa chevelure dont les gros épis bruns pointaient vers tous les horizons, soupira, repoussa la porte et partit vers la chambre en déclarant ce qui dans la bouche d'un personnage célèbre serait devenu mémorable:

-Non, mais c'est quoi, une maison sans jus de tomates de nos jours?

-Mais... il y a du V-8, eut-elle le temps de lui crier avant qu'il ne s'enferme.

Elle crut entendre le même 'beurk' de tout à l'heure. Mais peut-être avait-il simplement éructé. La porte de la chambre se rouvrit presqu'aussitôt et il dit, la voix neutre:

-Prenez pas le téléphone au salon, j'ai deux ou trois appels à faire.

∞∞∞∞

Valérie disparut à son tour et Manon, la jambe encore plus raide que la veille et qu'elle dut allonger sur une chaise en s'attablant, la remplaça. Elle repoussa plus loin l'assiette, le verre et la tasse de sa soeur qui furent entraînés d'un seul coup dans une glissade du napperon.

-Veux-tu manger ou si tu préfères attendre au brunch?

-Fais-moi du gruau.

-O.K.!

-Avec de la cassonade dessus.

-Et puis des rôties?

-Mmmm... non... Oui, oui... Non...

-Tu réponds en Normand, là. Fais-toi une idée!

-O.K.! Et un jus d'orange avant.

Pendant qu'Hélène travaillait à préparer le repas, elles s'échangèrent des banalités du matin, lesquelles comme il se doit, concernaient l'enfant et non la mère. Du fait que Manon voulait inviter Mélissa Latendresse à bruncher, que Valérie voudrait donc inviter Régine, la petite soeur de Mélissa; du fait que le genou de Manon n'était plus très douloureux; de celui qu'elle avait bien hâte de recommencer à patiner; de son inquiétude quant aux traces laissées sur sa peau par l'accident de l'avant-veille.

-Dans les concours, ça pourrait peut-être m'ôter des points... Johanne dit que tout compte...

-Pas à ce point-là tout de même! Et puis ça prendrait un télescope aux juges pour voir les petites cicatrices qui resteront.

Depuis trois ans, Manon pratiquait le patinage artistique et Johanne Lamarche, son entraîneuse, la disait fort talentueuse. Elle voulait donc devenir championne d'une compétition quelconque mais quelque chose au fond d'elle-même lui soufflait qu'il lui manquait une flamme, une conviction intérieure, un entêtement orgueilleux qui sert de marchepied pour monter sur les podiums. Les ambitions qu'elle déclarait servaient de stimulant aux siens pour l'encourager à continuer, et puis toutes les patineuses lorgnaient vers les premières places.

-Ben... peut-être que si je pense à mon genou... que je vais sourire moins.

Hélène éclata de son rire à trois temps.

∞∞∞∞∞

À midi, tout était prêt. Pierre avait monté la table. Les plats s'y trouvaient presque tous, la verrerie, la vaisselle de carton, les ustensiles, le vin chambré. Le soleil 'picossait' la surface du lac en deux ou trois endroits. Les voisins tournaillaient près de leur maison en attendant qu'on leur signale de venir. François regardait à la télé une finale de tennis avec McEnroe. Valérie catinait dans la grande chambre à débarras de l'attique. Manon, dans sa chambre, avait recommencé un nouveau Archie en attendant l'arrivée de Mélissa. Et Pierre s'était évanoui quelque part dans la nature, parti à pied vers la route, selon ce qu'avait pu en voir Hélène par la fenêtre de la cuisine, probablement pour une marche de santé qui l'avait amené à papoter avec quelqu'un du voisinage de l'autre côté. On se connaissait jusqu'au cinquième ou sixième voisin dans les deux directions, ce qui permettait de consommer des échanges superficiels et agréables au besoin, et même qui avait déjà valu à Pierre, par personnes interposées, de servir à Boisbriand un nouvel acheteur d'une maison neuve et cossue.

Hélène consulta sa montre. Elle regarda encore par la fenêtre

59

de la cuisine. Ses parents ne tarderaient pas. Surprenant qu'ils ne soient pas déjà là! Et pas étonnant malgré tout puisque son père conduisait son auto comme si elle avait été sa carapace. Et puis le lac du Cerf n'était pas trop à la porte de Saint-Placide. Peut-être qu'ils avaient passé tout droit à Lac-des-Écorces, qu'ils avaient raté l'embranchement menant à Lac-du-Cerf et s'étaient donc retrouvés à Mont-Laurier? Elle consulta sa montre une seconde fois. Midi et trois. Alors elle se servit une vodka... Avec du jus d'orange puisqu'il n'y avait plus de jus de tomates...

∞∞∞∞

François avait été chargé de mettre des chaises dehors sur la véranda. Des droites, des berçantes, des profondes en plastique ajouré, des longues. Il les avait disposées le long de la garde entourant l'aire ouverte, vaguement en cercle, la convivialité se créant mieux, ainsi que l'avait pensé le roi Arthur quelques années avant lui, grâce à du face à face qui permet de saisir aussi les profils pour les mieux pénétrer...

Les Dugas s'amenèrent, las d'attendre et de tourner en rond dans leur cour. Hésitants, ils se mirent à tourner en rond dans celle des Lavoie. On finirait bien par leur lancer un message qui enterrerait celui de leur estomac vide. Mais personne ne les voyait. Laurent demanda pour la troisième fois à sa femme quand viendrait Marc-Alain. C'était juste pour dire quelque chose et il n'écouta pas la réponse. Il marcha jusque devant la véranda, s'avança vers le lac, croisa son regard et attendit en faisant pivoter sa casquette blanche avec sa tête dessous. Ainsi en ligne directe avec la porte sur la véranda et la cuisine au fond du chalet, on l'apercevrait enfin...

Hélène avait les bras croisés elle aussi et regardait par la fenêtre de la cuisine vers l'entrée. Une auto couleur feuille-morte arriva, descendit timidement la petite côte et vint s'arrêter entre la Buick de Pierre, un modèle récent de couleur bourgogne et la Ford familiale bleu foncé qu'Hélène utilisait. Elle avala le reste de son verre qu'elle mit aussitôt dans le lave-vaisselle puis elle but le contenu d'un autre qui la fit terriblement grimacer. C'était du jus de citron préparé d'avance, à peine dilué, qui changerait son haleine puisqu'on s'embrasserait et qu'il était tôt... Puis elle courut sur la véranda par laquelle il fallait passer pour entrer dans la maison. Elle salua les Dugas, les invita à monter s'asseoir et s'appuya à la garde pour voir venir ses parents. Mais Claire leur cria la première dès qu'elle les aperçut:

-Bonjour monsieur et madame Prince. Tout le monde est là jusqu'aux voisins qui ont pas d'affaire là...

La mère d'Hélène répondit sur le même ton pointu en plissant les paupières à travers ses lunettes pour mieux reconnaître:

-C'est madame Dugas, si c'est pas vous... Ben bonjour en grand là, vous!

-Salut! fit sèchement son mari, un homme blanc à l'oeil sympathique, au sourire facile qu'accentuaient des rides abondantes lui couvrant le visage comme un réseau routier quadrillant un réseau hydrographique.

Il avait en horreur les arrivées, les départs et les formules creuses de politesse mais, au demeurant, il possédait une bonne nature: sociable comme deux quand il se décidait à sortir. Aussi maigre et grand que sa femme était grosse et courte, il trottinait derrière elle depuis cinquante ans. Tout le contraire de Pierre, se disait souvent Hélène.

Il s'approcha en regardant le ciel parfois comme le faisait aussi le voisin sorti de sa contemplation et qui se dirigeait comme les autres vers l'escalier à quatre marches donnant sur le plancher de la véranda.

-On va finir par peut-être ben avoir une belle journée! lança le père d'Hélène.

-Ben c'est justement ce que j'étais en train de me dire! approuva Dugas.

Les deux hommes se comprenaient. Ils s'étaient vus à quelques reprises déjà et une bonne chimie existait entre eux. Il y eut un brouhaha de salutations renouvelées entre les quatre auquel se joignit Hélène qui reçut ses parents dans ses bras en haut de l'escalier, l'un après l'autre.

-Mon doux que ça fait loin, dit sa mère, je n'en reviens pas à chaque fois.

-Pas tant que ça! dit son mari. Deux heures et demie, c'est quasiment le temps que ça nous prenait pour aller à messe au village avec nos chevaux dans le temps de la crise.

Tout le Québec d'hier, du moment et du lendemain se trouverait là réuni, pensa Hélène en même temps que les étreintes. La femme qui avait eu autant d'enfants dans vingt ans qu'elle n'aurait de petits-enfants de toute sa vie. Le vieux cultivateur nostalgique et qui avait bâti le pays en s'essuyant le front. Pierre, le brasseur d'affaires d'âge moyen en pleine ascension vers quelque chose. Les voisins, de grands consommateurs de tout dans leur bonheur moyen coloré par un nationalisme passionné. François, le joueur de hockey aux épaules rembourrées du même esprit de compétition que celui de son paternel. Manon en quête d'elle-même, en porte-à-faux entre l'enfance et la prime adolescence. Valérie dans toute sa candeur généreuse. Le tableau ne pouvait être complet qu'avec elle-même, femme de trente-six ans, encarcanée sans être condamnée, le rêve au bord des lèvres mais les lèvres au bord du coeur, au passé simple, au présent plus-que-parfait et au futur indéfini. Tiens, mais elle avait oublié Marc-Alain. Où le situer, celui-là? Quel était donc son archétype, à ce Marc-Alain particulier?

-Votre fils ne vient pas? demanda-t-elle aux Dugas.

Ils firent des réponses affirmatives mélangées. On l'attendait sous peu. Il viendrait bientôt. La mère d'Hélène signala son désir d'aller aux toilettes et entra dans la maison où, alertées, les fillettes l'accueillirent par toutes sortes de becs sucrés.

-Bonjour grand-maman! cria François entre deux balles de McEnroe.

-Mais viens m'embrasser, mon petit snoreau! protesta la vieille dame en se dirigeant vers lui.

Il se leva, embarrassé.

Le père d'Hélène demanda à sa fille:

-Pierre est-il icitte?

Mais elle n'écoutait pas et parlait avec la voisine justement de l'endroit où pouvait se trouver Pierre. Quand il en eut la chance, le vieil homme reprit sa question en souriant de toutes ses dents inégales et jaunes.

-Je l'ignore, papa. Il est parti par là ça fait une demi-heure et il n'est pas revenu.

-Enfargé dans une discussion politique! blagua Dugas.

Deux fillettes roses, Mélissa et Régine Latendresse, s'amenèrent en courant les pattes aux fesses. Elles avaient été invitées par Manon et Valérie comme entendu avec Hélène mais leurs propres visiteurs chez elles les avait fait retarder un peu. Elles s'arrêtèrent au pied de l'escalier, questionnant joyeusement à gauche et à droite avec des regards essoufflés.

-Allô! vous autres, fit Hélène. Entrez; les filles avaient assez hâte de vous voir.

Elles montèrent les marches comme des folles et disparurent à l'intérieur puis, de là, en haut avec leurs amies. Les jeux d'enfants et l'amitié leur firent ignorer complètement la table des victuailles.

-Bon, venez tous à l'intérieur, commanda Hélène en poussant chacun de gestes affectueux de ses mains sur les avant-bras de ses invités. Même s'il manque Pierre et votre fils, on va quand même s'offrir un bon apéritif et s'ils prennent trop de temps à arriver, on mangera sans eux et ils prendront les restes.

-Pas moi! cria Pierre tout près.

-Quen, mais c'est ton mari! dit le père d'Hélène en guise de salutation.

L'arrivant ne fit pas le tour de la véranda. Il sauta faiblement, empoigna la garde et se hissa par la force de ses poignets; puis, lancé sur l'axe de son bras, il franchit l'obstacle en se projetant de l'autre côté où ses pieds joints atterrirent entre deux chaises.

Son beau-père éclata de son rire caractéristique qui lui faisait ployer les genoux et pencher le dos en avant; et il s'écria:

-T'es en santé, mon homme, t'es en santé!

-Ah! quand on travaille dur et qu'on fait bouger son corps, on reste debout longtemps, monsieur Prince. Vous en êtes la preuve vivante.

Cette remarque agaça un peu Dugas dont la bedaine jetait son ombre sur ses pieds. Une voix intérieure imputa aux anglophones son manque de forme physique et, sifflotant *'Elle est morte la vache à Mailhot'*, il chercha à faire un lien logique entre la cause probable et l'effet absolument certain.

Peine perdue, la conversation tourna en poignées de mains puis en constats sur le temps qu'il faisait et qu'il ferait sans doute le reste de la journée. Les hommes se regroupèrent et s'éloignèrent de quelques pas vers le lac. Les femmes entrèrent, Hélène la dernière et qui avertit les gars à travers le treillis du moustiquaire:

-Retardez pas là, vous autres, parce que la mangeaille va se réchauffer.

-On te suit, on te suit, répondit son père.

Hélène entreprit d'ouvrir une bouteille de vin. Claire se porta aussitôt à son aide en dispersant les coupes dans un geste inutile en soi mais qui montrait son souci amical. Le bouchon fut senti, son odeur fut ratifiée par les deux femmes et l'une versa à boire dans les coupes claires un vin écarlate qui se répandait dans les glorieuses et langoureuses torsions de son glouglou moelleux.

-Bon, dis-moi ce que je peux faire pour t'aider? fit soudain la mère d'Hélène dans leur dos, et qui se faisait des reproches de n'avoir pas été là pour entamer l'ouvrage avec les deux autres.

-Ben... tout est prêt, maman. Reste rien qu'à se servir!

Un brin déçue de n'avoir rien à faire, la femme s'étonna d'une voix exagérée:

-Mais je n'en reviens pas de ce que t'en as préparé! Attends-tu une armée ou quoi?

Elle savait d'expérience et par un simple coup d'oeil ce qu'il fallait pour bourrer dix personnes et il y en avait deux fois trop. Mais en temps d'abondance, qui mesure la grosseur des radis? pensa-t-elle aussi.

Dehors, les hommes en étaient venus à se parler de bateaux. On pouvait apercevoir trois voiliers au loin et le bruit d'une embarcation à moteur disait sa présence quelque part à l'intérieur de la pointe, mais on ne faisait que l'entendre.

-Ça, on peut dire qu'on a un beau pays! s'exclama le vieil homme en intercalant un 'g' anglais dans le dernier mot qui sonna 'pèdji'.

Bon enfant et bon vivant, la bonhomie peinte sur le parchemin de son visage, le vieillard se demandait souvent pourquoi et comment on en était venu au Québec à s'entre-déchirer pour une vague question de pouvoirs politiques alors que les lacs, les rivières et la terre étaient toujours là comme autrefois. Il ignorait que les pays des hommes avaient presque tous eu besoin dans leur adolescence de se purger une fois par une bonne guerre civile afin de se débarrasser de leur acné. Et que le Québec ne voulait pas être en reste. Mais que le Québec désirait que ce soit une guerre tranquille à coups de mots passionnés et de micros, menée par des généraux d'opérette armés de la fronde et du ridicule: ça suffirait comme ça!

-Ça dépend évidemment de ce que veut dire le mot pays, opposa Dugas.

-Ah! c'est sûr qu'on n'a pas le même point de vue selon qu'on se met d'un bout du lac ou ben de l'autre! L'eau a pas la même teinte vu que le soleil a pas le même angle...

Pierre garda le silence. Il fallait finir l'été sur une bonne note. On s'engueulerait bien assez l'année prochaine, en 1980.

-Bon, allons manger sinon... sinon j'sais pas...

Quand après l'apéro plusieurs furent près de la table à se remplir une assiette, Hélène se rendit à la cuisine pour en ramener des serviettes de table oubliées. Elle en profita pour se verser une vodka. Pierre lui jeta un coup d'oeil furtif par-dessus l'épaule de sa belle-mère avec qui il jasait, mais son visage ne s'assombrit pas.

Hélène redescendit dans la salle de séjour en se dirigeant vers la partie salon et s'adressa à François à voix basse:

-Tu devrais aller chercher Marc-Alain; il est peut-être gêné de venir, je ne sais pas, moi.

François devint blanc comme la casquette à Dugas. La phrase

de sa mère donnait à penser qu'elle savait ce qui lui était arrivé avec son ami. Tout ça devenait compliqué. S'il fallait que Marc-Alain apprenne combien il avait déformé la vérité, il se défendrait, voudrait l'impliquer et le doute pourrait surgir dans la tête de tout le monde, ce qui risquait de le marquer au front de la honteuse étiquette de pédéraste pire que celle d'un fer rouge. Le mieux pour que les braises demeurent des fumerons était de répondre au voeu de sa mère. On cesserait de se poser des questions sur l'absence de Marc-Alain et les adultes, préoccupés par leur monde, oublieraient celui des adolescents. Il délaissa son tennis télévisé et courut dehors chez les Dugas.

C'était un chalet semblable à l'autre quoique moins luxueux et plus rustique encore. Il se mit le nez dans le moustiquaire et cria sa présence:

-Marc-Alain, c'est François. Viens-tu?

-Non...

Marc-Alain aussi regardait le tennis à la télé, allongé sur un divan mou et large dans lequel il semblait se fondre. François entra, s'approcha.

-Pourquoi?

-Bah! ça me le dit pas.

-Comment ça?

Chacun connaissait pourtant la réponse mais nul ne voulait seulement plonger dans la question comme il est d'usage quand on côtoie les tabous.

-Pas faim.

-Moi non plus, mais...

Honteux, petit, battu, Marc-Alain gardait son regard rivé sur McEnroe et la balle.

-Connors, il se fait donner une maudite volée, hein?!

-Pas mal, oui! Tu regardais toi aussi?

-Ah oui! Tu le regarderas chez nous.

-O.K.! d'abord...

Quand tous furent servis, l'on se retrouva en quatre groupes. Les fillettes ensemble, assises en cercle sur le plancher de la chambre à débarras de l'attique avec au milieu un plateau de sandwiches, de fromage et de breuvages; les adolescents devant la télé; les trois hommes dehors; et les femmes à la table de cuisine.

Ayant remarqué qu'Hélène avait ingurgité deux verres de boisson forte depuis son arrivée, la mère qui entendait des bruits depuis un an sur l'inquiétante accoutumance de sa fille, ne put s'empêcher de faire une remarque à travers les propos sur une mode, une robe, une coiffure.

-Tu y vas pas un peu fort, Hélène, avec la boisson? Non, hein?

-Mais non, voyons! Mais non, maman!

Rassurée par une réponse qui reléguait au rang des ragots les racontars, la vieille dame jeta quand même, histoire d'en finir:

-Parce que je trouve que tu cales ça vite, un verre de boisson.

-Ah! mais voyez-vous, c'est que la quantité de boisson est faible: c'est tout de la glace.

Soudain, une voix masculine à l'accent commercial se fit entendre en même temps que le son de jointures qui frappent le bois d'une porte:

-Madame Lavoie? Madame Hélène Lavoie?

-Oui, c'est moi?...

L'homme entra. Il portait costume et il avait entre les mains un paquet emballé de papier kraft dont le contenu n'était pas évident. Hélène posa son verre et courut à lui. Il mit le paquet sur la table du buffet, disant:

-D'après ce que je peux voir, je suis en retard, mais je n'ai pas pu faire mieux. Il aurait fallu commander hier...

-Je m'excuse, mais je n'ai rien commandé? dit Hélène qui n'y comprenait pas un mot.

-Tiens, je vais ouvrir et vous allez comprendre.

En fait le paquet consistait en quelque chose d'encore inconnu pour elle mis dans un sac d'épicerie grossièrement fermé de la gueule. Et le livreur -elle lut enfin sur sa veste bleue- était d'une maison de fleuriste. Il détortilla le papier, ouvrit le sac, y mit son nez puis ses mains ouvertes afin d'en retirer le contenu. C'étaient des fleurs en pot qu'il déposa à côté du sac.

-Pour vous, madame!

-Mon Dieu, qu'est-ce que me vaut l'honneur?

L'homme fouilla dans sa poche de veste et sortit une carte qu'il tendit. Elle prit, lut:

"À Hélène! De Pierre!"

-Ah! mais quelle attention!

Elle fit un pas vers la porte et cria:

-Je te remercie, Pierre.

Il se rendit aussitôt à la porte car il attendait ce mot d'elle depuis qu'il avait indiqué au livreur qu'Hélène se trouvait à l'intérieur et lui avait demandé de lui remettre le pot en mains propres. Les deux autres femmes quittèrent la table et s'approchèrent, attirées par cet événement marquant dans la vie des femmes.

-C'est quoi, les fleurs? demanda Hélène aux deux hommes.

-C'est des bégonias hybrides, répondit le fleuriste.

-Roses comme un jeune visage timide, enchérit Pierre.

-Et, pardonnez-moi de le dire monsieur Lavoie, qui coûtent une fortune.

-Ah! come on! fit Pierre, l'épaule modeste et la paupière humble.

-Excusez-moi, je ne voulais pas vous offenser.

Les fleurs étaient maintenant le centre d'attention de tous les adultes regroupés de part et d'autre de la porte d'entrée et qui félicitaient la récipiendaire choyée.

-J'ai préféré cela à une gerbe qu'il faut jeter au bout d'une semaine, dit Pierre. Comme ça, chaque fois que tu vas les arroser, dans deux, trois, cinq ans, tu te souviendras d'aujourd'hui. Et tu auras une bonne pensée pas rien que pour moi, mais pour tous ceux qui sont ici.

-Bravo! bravo! s'écria Claire qui se mit à applaudir un si beau geste.

-T'es chanceuse d'avoir un bon mari comme Pierre! dit la mère d'Hélène qui riait et applaudissait elle aussi.

-J't'en donne pas souvent, moé, la mére, dit le vieil homme sans remords, mais la maison est déjà pleine, pis l'été, y en a tout le tour d'la maison...

-Et moi, d'ajouter Dugas à l'endroit de sa femme, je ne t'en donne pas non plus, mais c'est que je suis moi-même une fleur vivace...

-Tu devrais dire coriace...

-Ah! ça vaudrait un bec, là, vous autres et pas à travers le grillage, hein! dit la mère d'Hélène à sa fille et à son gendre.

-Mais certainement! approuvèrent en choeur les deux Dugas.

Pierre entra. Hélène ouvrit les bras. Il ouvrit les siens plus largement. Elle garda la bouche fermée. Les lèvres se touchèrent. Il sentit l'odeur d'alcool, plus tenace et sèche que celle du vin. Il se recula, fit un sourire à tous. Plus loin, François et Marc-Alain, après avoir assisté eux aussi à la scène, s'échangèrent un regard énigmatique. Hélène vivait un moment de bonheur simple et rafraîchissant que rien ne saurait adultérer. Rien, sauf un brin de nostalgie quant aux premières années de fréquentations et du mariage, une touche stérile en ce jour joyeux, et qu'elle ferait disparaître en s'égayant un peu plus quand l'épisode des fleurs serait terminé. Ce qui se produisit quand elle situa le pot sous une fenêtre en attendant de lui trouver une crédence quelconque car, avait dit le fleuriste: du soleil, du soleil!

Et dès que cela fut possible, sans regards inquisiteurs voire accusateurs posés sur elle directement ou à la dérobée, sa mère partie aux toilettes, les hommes retournés dehors et Claire en train de remballer des plats à moitié vidés, Hélène engloutit un autre verre de vodka. Elle commençait à se sentir drôle et drôlement grise.


Le ciel était devenu clair jusqu'au bout de l'horizon au-dessus du lac. Les hommes parlaient entre eux sur la véranda, assis, tétant une bière que seul Dugas goûtait avec un bel agrément. Pierre racontait une histoire de chantier: un accident banal qui aurait coûté deux doigts à un ouvrier dix ans plus tôt car ceux-ci ne tenaient que par la peau après que l'homme se soit fait coincer la main dans un engrenage de benne à ciment. On avait couru à l'hôpital de Saint-Eustache où un pansement de glace avait été réalisé. Puis à l'hôpital Notre-Dame quelques heures plus tard, les doigts étaient rattachés par un habile chirurgien.

-Ça, faudrait que je le voie pour le croire! dit monsieur Prince qui avait mis une année entière en 1969 avant d'accepter qu'il fût possible qu'un vrai homme ait marché sur la lune.

McEnroe passa un as à Jimmy Connors et ce fut la fin du dernier match du set décisif. François et Marc-Alain se consultèrent. S'entendirent pour aller chez les Dugas. François hésita en passant sur la véranda. Il jeta un oeil vers Pierre qui ne les vit même pas.

Les petites Latendresse étaient reparties. Manon continuait son Archie dans sa chambre. Valérie jouait dehors, marchant à cloche-pied sur un trottoir de pierre devant la véranda. Les trois femmes sortirent pour prendre elles aussi la mesure de l'air doux. Hélène se ravisa et rentra pour revenir quelques minutes plus tard, verre à la main, la démarche au ralenti, comme frileuse.

Pierre sut son état au simple coup d'oeil d'yeux qui avaient eu l'air de balayer trop vite la scène pour voir quelque chose de précis. Des plis méditatifs lui barrèrent le front. Il se mit à l'écoute de Dugas et de son beau-père, l'esprit pas toujours à leur conversation.

Hélène avait la tête qui bourdonnait et la gaieté s'enroulait en spirale autour de ses pensées, exhaussant vers différents ciels son espace intérieur. Elle avait pris trop de consommations coup sur coup et voilà que l'effet carambolage se produisait en elle.

-Il manque de musique, vous trouvez pas?

Un trou de lucidité dans le nuage de son ivresse lui avait permis de penser qu'on risquerait moins de le remarquer si elle en venait à hoqueter ou bégayer. Elle tâcha de concentrer du mieux qu'elle put toutes ses énergies pour se redonner contenance et se leva de sa chaise sans trop d'hésitation puis rentra et se rendit à la télé au-dessus de laquelle une tablette portait un système de son qu'un bouton permettait de relier à quatre petits hauts-parleurs situés dans le toit de la véranda.

Elle hésita un moment devant le rayon des cassettes. Ce n'est pas là qu'elle trouverait de la bonne musique c'est-à-dire des sons civilisés. Alors elle se tourna vers la petite discothèque sur sa droite plus haut. Il y en avait là pour tous les goûts: du classique au country en passant par le bon vieux rock de leur temps jadis. Il lui sembla qu'un disque roulait de son enveloppe et tombait entre ses mains. Voilà donc celui qu'elle devait choisir puisqu'il avait choisi pour elle! Qu'importe le nom de l'album et celui de l'interprète pourvu que tous les coeurs invités à la fête  montent dans le joyeux carrousel musical et se baladent en ballades!

Elle mit le disque en position et le mécanisme fit le reste. Rendue à la porte, elle se rendit compte que le son n'était pas véhiculé jusque dans les hauts-parleurs extérieurs et rebroussa chemin. Le bouton de réglage à cet effet, elle s'en souvint, était à part, posé haut sur la séparation de l'armoire des disques. Elle le tourna d'un coup sec mal contrôlé.

Dehors, Dugas sursauta comme si on lui avait écrasé les parties sensibles. Sa femme se boucha les oreilles. Un peu sourds, les deux vieillards ne furent pas incommodés outre mesure. Pierre fit une moue qui aurait pu exprimer plusieurs choses: étonnement, contrariété, paternalisme, regret et autres sentiments profonds n'appartenant encore qu'à lui seul.

Hélène se dit qu'il fallait remettre l'aiguille à zéro pour que chacun goûte les plaisirs particuliers de l'intro. Elle s'enfargea les doigts dans le bras de l'appareil qui fit glisser l'aiguille sur les sillons. Dehors, le bruit amplifié s'inscrivit en milliards de petites rigoles frissonnant sur la peau de chacun et en tremblements de dents de 8.8 à l'échelle de Richter.

-Qu'est-ce c'est donc ça? grimaçait Valérie de tous les muscles de son visage.

Scandalisée, horrifiée, elle courut vers la véranda en se proposant d'aller chicaner cet idiot de François plus gauche qu'un bébé de trois ans et qui était en train de rayer un beau disque qu'elle n'avait même pas le droit, elle, de toucher.

Le nez dans le moustiquaire qui ainsi bombait vers l'intérieur, Claire lança joyeusement:

-Je pense, Hélène, que la musique, c'est un peu trop haut. Y en a qui trouvent ça sur la galerie en tout cas.

-Tiens, viens donc m'aider à régler ça, là, toi! bredouilla Hélène qui adressa à l'électronique un signe de la main signifiant très certainement 'Au diable!'.

Claire connaissait ce système de son qu'elle avait déjà manipulé certains soirs de parties entre voisins. Elle s'en occupa.

Il fallait une autre vodka à Hélène. Elle se rendit à la cuisine et s'en versa une à l'oeil, de la mesure d'un doigt, qu'elle noya ensuite de jus de V-8 puis saupoudra de poivre, animée du dessein sinueux de réduire les effets tout en masquant au moins par la couleur et peut-être par l'odeur, la vraie nature du contenu du verre. Et, les poumons gonflés d'une assurance factice, elle retourna à sa chaise dehors, précédée de la voisine qui, par solidarité féminine, lança pour la couvrir:

-J'ai eu un peu de misère avec le système de son. Pierre, faudra que tu renouvelles ça, toi, un jeune vieux riche, hein! On n'est plus dans les années soixante, là, mais au bord des années quatre-vingt.

-C'est vrai, approuva Hélène en déposant son verre sur la garde sur laquelle son bras droit était accoudé. Mais Pierre a pour principe que tout doit être usé au maximum, à la c... corde...

-Pis après? dit le père d'Hélène en se penchant en avant. C'est ça qu'il faut. C'est que ça donne de tout gaspiller?

-Le chalet, ça nous permet justement d'user nos vieilleries encore bonnes, dit Pierre.

-Toi, Aurèle, dit Hélène à son père qu'elle n'aurait jamais tutoyé à jeun, retournerais-tu aux chevaux, hein?

L'homme se redressa dans un sourire conciliant:

-C'est entendu que j'aurais pas pu venir icitte aujourd'hui avec la Ricaneuse.

La Ricaneuse avait été sa fierté de jeunesse dans les années trente. Elle trottait comme pas une et lui arrachait son chapeau avec sa gueule pour lui faire savoir qu'elle désirait de l'avoine. Rien que d'y penser, le vieil homme en avait l'eau à l'oeil.

-Pis toi, Alexandrine, dit Hélène à sa mère, vivrais-tu sans réfrigérateur, hein?

-C'est entendu qu'il faut s'adapter aux changements. Pis quand c'est pour le mieux-vivre... encore plus.

Naissait en Hélène une impulsion bizarre. Une sorte de grand besoin d'éclater. D'exploser. De crier n'importe quoi, sans colère ni douleur, sans peur ni démence. Crier pour crier. À contresens! Bégueter, braire, bramer, secouer la norme. Réunir en un cri tout le livre de sa philosophie, de sa vie, de ses contradictions comme un auteur cherche, sans toujours y parvenir, à résumer six cents pages de passion en deux ou trois mots simples qui intituleront son ouvrage en lui donnant sa suprême image.

Pour s'aider à se reprendre en mains, elle porta son verre à ses lèvres, mais le liquide sternutatoire refusa de se laisser boire et ses émanations, comme des milliers de lutins malins, se lancèrent à l'assaut des cellules olfactives qu'elles titillèrent à coeur joie et jusqu'au premier éternuement qui siffla entre les doigts de la main gauche de la femme. Elle posa son verre. Un 'scusez' lui monta à la bouche mais jaillit en un drôle de 'viouchhh'. Puis un autre. Et encore.

La musique entraînante bien que douce et tolérable était espagnole mais interprétée par un orchestre populaire allemand. Ses notes avaient le même effet dans l'âme d'Hélène que les petits diables dans ses fosses nasales.

La serviable Claire, elle-même enhardie par les effets du vin, crut bon de venir à sa rescousse encore une fois. Elle sauta sur ses pieds, fit quelques pas de danse à l'espagnole, chaque fesse emprisonnée dans son short blanc rebondissant comme un punching-ball, et elle se pencha sur Hélène dont elle prit les mains pour l'inviter à danser avec elle. Ainsi, elle camouflerait l'ivresse d'Hélène sous ses propres gaucheries, dût-elle s'enfarger sur une ombre et tomber elle-même sur les planches.

-Ollé! cria Hélène en ramassant ses muscles pour se lancer sur ses jambes à son tour.

-Ollé! répéta Claire.

Son intention était de faire bouger l'autre le plus possible mais en évitant de la faire tourner sur elle-même. Une sorte de flamenco-mazurka qu'elle-même conduirait. De mauvais psychologues osent dire que ce sont les bonnes gens qui, bien plus que la drogue, rendent les intoxiqués fous. La maîtrise du jeu échappa aussitôt à Claire. En Hélène, un animal ressemblant à un cheval, à la fois sauvage et pourtant sans agressivité, s'élança à fond de train à la poursuite de grands espaces, et sans même qu'elle n'ait eu besoin de lâcher la bride.

Elle fit trois pas de flamenco puis, paradoxalement dégourdie dans son engourdissement, elle contourna sa partenaire pour prendre à elle seule tout le plancher. À l'ahurissement de tous, elle entreprit de piocher et piaffer sur la musique de James Last. Au coeur ou au bout d'une soirée de danse, la chose n'eût pas offensé le bon goût, mais là, devant de vieux yeux et en plein air de plein jour, ça ne passait pas la rampe. Comme une fille en bikini servant la messe. Mais c'était exactement ce vers quoi avait voulu aller sa demi-conscience du moment d'avant, demi-conscience maintenant libérée, fougueuse, débridée.

-Ollé! répétait-elle en tournant.

Au pied de la véranda, Valérie la regardait, dubitative. Pierre avait croisé ses doigts sous son nez. Monsieur Prince promenait ses yeux sur des valeurs sûres comme les arbres, le chalet des Dugas, le bleu pâle du ciel. La mère d'Hélène, allongée de travers sur une chaise longue, tirait vers le bas sa robe à motifs mauves et roses. Et Claire se mordait les doigts tout en batifolant des mains au-dessus de sa tête dans un mouvement maladroitement synchronisé avec le rythme de la musique.

Dugas était le seul que le spectacle amusait. Il pouvait admirer les formes de sa voisine sans la moindre retenue. Il trouvait beaucoup d'harmonie dans le balancement des seins et de la hanche. Ses yeux se faisaient mains pour palper; sa pensée devenait peigne pour s'introduire dans la chatoyante chevelure qui bougeait comme une crinière superbe; son coeur changeait de forme sous l'effet de profonds tourbillons.

Chacun croyait qu'il restait en la jeune femme une capacité décisionnelle qui mettrait fin à la scène au bout de quelques secondes seulement, mais la danse dura plus d'une minute, puis, son regard tombant sur le bras de la rampe où se trouvait son verre, il vint à l'esprit d'Hélène un fantasme à réaliser. Dansant toujours, elle passa devant Pierre qui avait le pied trop long, et marcha dessus, mais, par miracle, ne perdit pas son équilibre. Toutefois elle en prit conscience et dit en enjambant la garde:

-Les femmes... servent... depuis des... siècles... de marchepieds... à ces messieurs. Pour une fois que c'est le con... contraire, hein, Pierre!

-Tention! tu vas te casser le cou, avertit Aurèle d'une voix sèche et pointue.

-Ouiiiii, gémit Alexandrine.

-Je pense que t'as un coup de trop, hein? dit Pierre qui se frottait le pied endolori.

C'est à son père qu'elle voulut d'abord répondre:

-Aurèle qui s'inq... quiète pour sa fille. C'est toi, papa, qui... qui... m'a appris à me tenir... sur un cheval.

À califourchon sur la rampe, des guides imaginaires dans les mains, elle imita la gestuelle d'une écuyère, le derrière se soulevant au son de sa propre voix:

-Tiguidap, tiguidap, tiguidap...

Par une association d'idées qui se fit spontanément, elle prit soudain une attitude qui n'était guère selon son coeur.

-C'est moi, Nicole Prince... chevauchant aux c... côtés de Zza Zza Zza...

-Hélène, protesta sa mère en pleurnichant, moque-toi pas de la femme de Jacques, elle est snob un peu des fois, mais elle n'est pas méchante pour deux sous.

Pierre sourcilla un peu. Dugas souleva sa bouteille de bière vide et la secoua comme pour signaler à son voisin d'y voir. Claire s'approcha d'Hélène dans des gestes dansants fort mitigés maintenant; elle, plus que tous, craignait que l'autre ne tombe en bas de la véranda et se blesse sérieusement. Les vieux Prince ne savaient que faire; leur pouvoir décisionnel à eux n'avait-il pas pris une retraite forcée et prématurée avec la poussée des enfants et de leurs vies gadgétisées?

Un sursaut de conscience permit au remords de lever le petit doigt dans l'âme de la femme ivre. Elle délaissa la douteuse imitation pour se livrer à une démonstration. Soûle, elle? Pourquoi avait-on peur qu'elle tombe? Il fallait leur montrer... Elle soulèverait ses jambes et les croiserait en les alignant parfaitement avec son verre posé plus loin. Ce qu'elle fit en même temps qu'elle étirait les bras devant, sûre d'elle, sous le regard ébahi de Valérie en bas, fillette interdite, éblouie par le soleil et par sa mère.

-Att... tention! s'écria Claire qui s'appuya à la garde.

Le corps d'Hélène oscilla, vacilla comme une flamme sous le vent. Elle éloigna ses jambes en les rabaissant, ses bras faisant office un moment de barre d'équilibre. Un mélange de voix invitant l'acrobate amateur à la prudence ajouta à l'énervement de Claire qui, jugeant mal un angle du corps et trop précaire son équilibre, tendit les bras pour porter secours. La rampe craqua sous le poids des deux femmes. Hélène se rejeta vers l'intérieur de la véranda mais sa main heurta celle, secourable, de la voisine. Tout son univers bascula. Ni l'audace, ni la chance, ni les réactions pas plus que le ciel ou les voeux de ses parents ne la retinrent de vider les arçons. Pierre eut beau s'élancer vers elle, il était déjà trop tard. La malheureuse chutait, l'intérieur de sa cuisse puis de son mollet s'écorchant le long de la garde, emportée l'épaule la première.

De cette hauteur, elle risquait plusieurs sortes de blessures allant de simples égratignures à des lésions mortelles. Une fracture du crâne en s'écrasant la tête sur une pierre de l'allée. Une rupture des vertèbres du cou même en tombant sur la surface plus molle de la pelouse et ce, en raison de l'angle de son corps au point d'impact. Une déchirure interne grave. Un membre cassé, passe toujours, cela lui servirait de leçon, fut-il pensé par certaines âmes dans les quelques secondes qui suivirent.

Valérie fut frôlée par la jambe. Sa mère s'écrasa à ses pieds en travers sur la pelouse, épaule et hanche absorbant apparemment le coup. Pas un cri, pas une plainte, Hélène bougea en grimaçant comme cherchant à se libérer d'une grande douleur en se mettant sur le dos et ce fut tout. L'enfant se pencha, la toucha, la secoua, lui ordonna d'ouvrir les yeux: peine perdue. Des pieds s'abattirent à côté d'elle. Pierre avait sauté par-dessus la rampe. En haut, toutes les têtes s'alignaient, incrédules. Personne n'osait le moindre mot. Tous sans exception étaient assommés.

Claire fut la seule assez prudente pour se mettre à prier. Même Alexandrine était tiraillée entre la peur et la colère que l'adversité suscitait en elle.

Pierre se montra d'un sang-froid rare et remarquable. Il tâta la tête, toucha le cou, reprit son mouvement avec d'infinies précautions, regarda les spectateurs et annonça:

-Si son dos est intact, le pire qui pourrait arriver serait une épaule démise ou un bras fracturé. Jetez-moi une serviette d'eau froide, je me demande si elle n'est pas... ivre-morte plus que blessée. D'un autre côté, je ne veux pas la bouger à cause de sa colonne.

Valérie trépignait, gémissait. Pierre la rassura:

-Maman est juste sans connaissance. Elle va revenir tantôt. Pleure pas!

-Viens ici, viens voir grand-maman, dit sa grand-mère à l'enfant alors que la voisine courait à l'intérieur quérir ce que Pierre avait demandé.

Dugas passa la rampe à son tour et se laissa glisser en bas. Pierre frappa doucement le visage de sa femme. Elle restait au pays des rêves. Il demanda de l'aide au voisin pour lui soulever le dos tandis qu'il en profiterait pour lui ausculter la colonne vertébrale. Dugas ne sachant pas trop comment s'y prendre, Pierre qui avait déjà vu la manoeuvre exécutée par des gens d'urgence-santé sur les lieux d'un accident de chantier, le lui indiqua. L'homme dut se mettre à genoux à la tête de la femme, s'accroupir sur elle, plaquer ses mains sur les côtés de la cage thoracique et donc de la poitrine avant de les glisser sous ses omoplates.

-Tout est beau! dit Pierre après avoir examiné le dos d'Hélène. Et je connais chacune de ses vertèbres. C'est connu, quelqu'un en boisson absorbe les chocs dix fois mieux...

Décompressé par cette constatation, Dugas prit soudain conscience de sa position, son ventre presqu'au bout du nez de la femme; il se remit sur ses genoux pour ne pas risquer de tomber dans les pommes à son tour.

Pierre transporta la blessée dans la maison. Les femmes l'entourèrent. On lui épongea le front. Elle bougea l'épaule mais ne se réveilla pas. Fallait-il la conduire à l'hôpital? On en discuta.

"Ça serait une précaution! Une hémorragie interne, on sait pas?"

"Bah! si la cage a résisté, ce qu'il y a dedans itou. Tu te rappelles, la mère, j'avais tombé de pas mal plus haut... justement en bas de la Ricaneuse dans la batterie de la grange... ben justement, Hélène pouvait avoir l'âge de la petite Valérie."

"Non, je pense pas. Elle a un bon respir. C'est plutôt la boisson qui l'a coupée d'avec le réel..."

Pierre fut le seul à ne rien dire. On l'interrogea du regard quand le silence général se fit.

-Moi, je pense comme madame Prince: faut qu'elle cuve un peu son vin. Si on pouvait la faire revenir à elle juste deux minutes, qu'elle nous dise si elle a mal quelque part, je veux dire si elle ressent une grande douleur... Mais on ne va pas prendre de risques et je fais venir une ambulance...

Il tarda à le faire et ce qu'il avait souhaité se produisit. Hélène se réveilla, regarda dans le vague, bégaya:

-Je suis soûle raide...

-As-tu mal quelque part? lui demanda sa mère assise à sa tête.

-Partout... des cheveux... aux orteils...

Chez tous les assistants, la pression baissa. Hélène roulait les paupières, hochait la tête. Claire lui raconta sa gaucherie: en cherchant à l'empêcher de tomber, elle l'avait aidée à le faire. Valérie s'approcha de l'autre côté du lit et toucha le front de sa mère.

-Ma petite maman, tu as fait la folle, hein!

Hélène grogna un oui puis demanda qu'on la laisse dormir.

-Allons-nous en! Je vas revenir la voir de temps en temps, dit la grand-mère.

Manon quitta la chambre la première en se faisant raconter une fois encore par son grand-père ce qui s'était passé. L'homme en profita pour entraîner la fillette en 1948 dans une batterie de grange de Saint-Placide avec la Ricaneuse qui hennissait...

Montrant qu'il voulait mitiger le comportement catastrophique de sa femme, Pierre demanda à tous de considérer l'incident comme oubliable le plus tôt possible.

Au fond des yeux d'Hélène, des mains de géant abaissèrent aussitôt les rideaux de ses paupières en même temps que celles de son mari refermaient la porte de la chambre sur Valérie, dernière sortie avec lui.

Son rêve tourmenté l'emporta elle aussi en 1948, là où son père s'était écrasé sur les madriers de la grange. La scène était la même que celle décrite à Manon par son grand-père au salon sauf... sauf qu'il y avait un personnage étrange sur la Ricaneuse, un être hybride, rose comme les bégonias livrés le midi, à deux têtes dont celle de Zsa Zsa Gabor et l'autre, beaucoup plus familière, mais qu'elle ne parvenait pas à identifier pourtant malgré l'absence de casquette. Et cette incapacité-là la torturait...

∞∞∞∞∞∞∞∞∞∞

# Chapitre 4

Un homme et une femme s'entradmiraient, se regardant dans les yeux l'un de l'autre après l'amour, couchés dans un vaste lit d'une suite particulière d'un grand hôtel de Laval. Il s'abreuvait à la sauvage beauté de son regard céleste. Elle lisait l'avenir en lui et cela ne passait par aucune science occulte.

Chacun savait que le temps de la cache-cache achevait et, cela s'ajoutant aux effets physiques de l'après-amour, se sentait noyé par la détente, par une profonde sérénité. Lui avait cent raisons de l'aimer, certaines relevant d'elle, d'autres de lui-même, plusieurs dues aux circonstances et quelques-unes de l'autre femme, la sienne qui était à une heure et trois quarts, au chalet du lac du Cerf.

Elle n'avait qu'une seule raison de l'aimer: et c'était lui, cette raison-là, ce qu'il était et représentait pour elle. Oh, Nicole Prince se sentait à l'aise et heureuse sur un cheval dans l'un ou l'autre des centres d'équitation opérés par son mari mais le problème, c'était d'y travailler alors qu'elle aurait voulu s'y trouver comme cliente. Les affaires de son mari devenaient de plus en plus dures, les dépenses augmentant sensiblement plus vite que les entrées de fonds depuis trois ans. Et il y avait au bout, sinon faillite, du moins perte de contrôle et donc simple salariat. Et cette situation financière de Jacques, personne, pas même Pierre devenu son amant un an plus tôt, n'était au fait. Pierre pourrait se sentir dévalorisé, pourrait penser que l'ambition seule conduisait son amour pour lui

77

par la bride. Le bon moment viendrait bien de lui dévoiler la vérité sans qu'il ne pense à mal.

Nicole n'avait jamais eu d'enfants et n'en voulait pas. Ceux que Jacques avait eus de son premier mariage étaient restés avec leur mère. Si elle ne désirait pas en concevoir, par contre, elle s'était résignée à accepter ceux de Pierre qu'il ne voudrait jamais quitter, abandonner à leur mère alcoolique. Combien de fois l'avait-elle testé là-dessus et elle n'avait découvert aucune brèche dans sa détermination. Il divorcerait d'avec Hélène et garderait les enfants ou bien ne divorcerait jamais pour aucune femme au monde. S'il fallait payer ce prix pour avoir l'homme, elle était prête. Une fois les deux pieds bien ancrés dans sa vie, elle ferait en sorte que les enfants ne soient pas d'un grand poids. Et puis, un secret dessein mijotait dans sa tête. Si certaines conditions se réalisaient, elle pousserait Pierre à renflouer la compagnie de Jacques mais avec prise de son contrôle. Et ensuite, elle pourrait la mener à sa guise; et alors y oeuvrer comme patronne n'aurait pas la même signification que maintenant dans la servitude d'un bon gars mais qui manquait de panache à ses yeux comme tous les gens de la famille Prince.

Pierre avait pris Nicole comme maîtresse par simple goût d'une autre femme tout d'abord, sans se douter qu'en fait, elle l'avait choisi par calcul. Leur première rencontre amoureuse avait été celle d'un pénis bouffi d'orgueil et d'un vagin jaugeant la mesure sans toutefois que ni l'un ni l'autre ne sache la motivation profonde de l'autre. Elle s'était produite dans la maison même de son beau-frère alors que Jacques se trouvait en Floride et Pierre avait trouvé à sa belle-soeur cent fois plus d'ardeur amoureuse qu'en Hélène. On s'était entendu sur un protocole, celui que se donnent généralement les nouveaux amants: le secret à tout prix et une relation qui ne mettrait pas en péril la vie familiale actuelle de chacun. Et Nicole, une fois en place les premiers fils, avait prudemment continué à tisser la toile à sa façon. Trois jours plus tôt, le vendredi soir précédent, jour de l'anniversaire de François, dans les bras de sa maîtresse, Pierre avait presque basculé; il avait été au bord de prendre la décision de demander le divorce. Nicole avait voulu battre le fer et elle était venue le visiter chez lui à Lorraine le samedi avant-midi. Et cette fois, elle avait pris toutes les initiatives de l'amour et ils s'étaient retrouvés dans le lit conjugal d'Hélène, l'absente qui alors s'occupait des enfants au lac du Cerf.

"Je me donne encore un peu de temps pour y songer," avait-il dit après avoir comparé les deux femmes dans un dialogue habilement guidé par les lèvres incomparablement douces de Nicole et les deux vies qu'elles étaient capables de lui offrir et de lui faire partager.

Pierre était un homme d'action, physique, friand de rencontres sociales, de soirées mondaines brillantes, un homme d'argent, d'entreprises concrètes, de compétition et de hockey, et aux sens aiguisés, avec, pour coiffer sa personnalité d'homme, un appétit charnel très ouvert. Hélène était fondamentalement une femme de valeurs intérieures, un être sentimental, intellectuel, créatif qui lui paraissait vivre bien mieux dans sa tour d'ivoire ennuyeuse que dans un quotidien éclatant qui paraissait lui peser lourd, l'emprisonner. Elle s'était mise à boire pour fuir la réalité et se retrouver dans son univers égocentrique. C'était ça, leur couple à son point de vue et il n'avait pas besoin d'une encyclopédie pour l'expliquer avec de longs et larges palabres d'intellos.

De plus en plus, surtout depuis un an, Hélène était devenue la femme tolérée alors que Nicole, bien avant leur relation amoureuse, lui apparaissait déjà comme la femme rêvée, celle-là répondant parfaitement à ses aspirations.

"L'évidence a beau être là, un divorce, ça se prépare," avait-il confié à sa maîtresse ce samedi-là.

Nicole avait alors compris que la partie était presque gagnée. Oh, elle était lucide sur les discours d'amants! Combien de maîtresses ne les entendaient-elles pas, ces promesses de divorce bourrées d'excuses et de délais, farcies au conditionnel! Mais en additionnant l'évolution de leur liaison, son état actuel, celui de la relation entre Pierre et sa femme, le ton calme de son discours, sa conviction de pouvoir bâtir un divorce à sa mesure comme on bâtit une maison, elle sut que le fruit était mûr.

Et ce lundi soir, devant une bonne table, il lui avait raconté l'incident de la veille au chalet alors qu'Hélène avait mis entre ses mains de l'excellent matériel à divorce. Elle s'était soûlée devant ses enfants une fois encore mais aussi devant ses parents et surtout elle avait eu une conduite dangereuse pour elle-même. Pareil événement s'ajoutant au reste et dans la bouche d'un avocat bien payé trancherait comme le couperet de la guillotine à la Cour.

Ensuite, ils avaient scellé leur contrat tacite par leur acte d'amour physique, le plus formidable qu'ils aient jamais partagé.

-Quelle heure est-il? murmura la femme de sa voix la plus suave.

-Quelle importance?

-Juste pour me rendre compte de la ... comment dire... de la vélocité du temps quand je suis dans tes bras.

Il rit:

-Sors-moi pas de grands mots, tu vas me faire croire que c'est Hélène qui est là et que toi, tu n'es qu'un fantasme.

-Ai-je eu l'air d'un fantasme tout à l'heure?

-Ni maintenant non plus!

Il souleva sa tête sur son coude pour la voir d'un peu plus loin et donc mieux. C'est le mystère de ce regard profond qui l'envoûtait d'abord, se dit-il. Et le nez, et la bouche, et la ligne du visage et les cheveux blonds... Tout cela était si régulier, si harmonieux que le plus minutieux des écrivains n'aurait pas su quoi en dire de peur de déformer les traits.

Nicole esquissa un sourire et ferma les yeux, disant, langoureuse:

-Je n'étais qu'une enfant et tu as fait de moi une femme. Et je t'aime pour ça et pour des milliers d'autres raisons.

Mais son esprit était ailleurs. Elle se demandait si le moment était approprié -pas à l'instant mais plus tard avant de partir- pour lui parler de la situation financière de Jacques.

Pierre fut pris du désir de lécher son visage. Ses paupières surtout où il y avait une fine teinte de rose; mais une autre pensée traversa son esprit et le conduisit ailleurs. C'est à New York qu'ils feraient leur premier voyage quand ils seraient ensemble. Ou peut-être au Japon. Vivre quinze jours dans une ville en ébullition, en partager la fièvre...

-Comment Hélène va-t-elle le prendre? s'enquit soudain Nicole sans rouvrir les yeux.

Il se rejeta sur le dos, la tête dans son oreiller, l'oeil dans le lointain du plafond sombre.

-Bah! comme n'importe quelle autre femme devant l'évidence. Elle va ouvrir le coffre aux sentiments: les larmes, la grande colère, les grosses menaces, les tristes supplications, les promesses et quoi encore.

-Tu ne seras pas trop dur avec elle au moins?

-Plus je serais mou, plus ce serait difficile autant pour moi que pour elle.

-Pour toi?

-Dans le sens que je serais obligé d'en céder trop et ça, je ne veux pas. Ce que j'ai gagné est à moi. À moi et aux enfants, je veux dire. Elle a un travail. Et le chalet lui appartient. La seule obligation qui lui restera sera de se faire vivre elle-même. Si elle veut vivre avec plus de luxe, elle se trouvera un autre homme mieux fait pour elle. Après tout, c'est moi qui ferai vivre les enfants...

∞∞∞∞

Hélène devait revenir à Lorraine le mardi seulement afin de récupérer un peu de son aventure du dimanche qui l'avait laissée rompue, brisée dans tous ses muscles et son amour-propre.

Elle l'avait dit à Pierre à son départ, tôt le matin. Curieusement, il ne l'avait pas houspillée. Au contraire, il avait dit qu'on avait eu peur pour elle. Et ce 'on' voulait dire lui également, elle en était certaine. Le seul reproche qu'il lui fit en souriant possédait un petit air un peu sadique, c'était que du jus de tomates lui ferait beaucoup de bien.

Malgré la gueule épouvantable qu'elle devait avoir et préférait ne pas voir dans un miroir et sûrement une haleine de cheval, il l'embrassa quand même avant de partir. Elle s'excusa de ne pas lui servir à déjeuner. Il irait au restaurant. Le coeur patraque, la tête remplie de petits chevaux sauvages qui distribuaient des ruades par tout son pauvre crâne, Hélène s'était retournée pour se rendormir après avoir dit qu'elle n'aurait pas les forces de rentrer à la maison avant le lendemain et peut-être le mercredi. Elle aurait bien encore une bonne semaine pour se remettre le nez dans ses paperasses de professeur. Pierre avait approuvé sa décision.

Avant de replonger dans un sommeil semi-comateux, elle avait eu le temps d'une réflexion furtive. Pierre avait beau être autoritaire, agressif parfois, il ne l'était jamais quand elle vivait un dur moment. Il n'était pas homme à mettre le couteau sur la gorge de quelqu'un dans un état de faiblesse... Pas homme à cela... Elle avait de la chance au fond... Beaucoup de chance...

Deux ou trois heures avaient suffi à lui redonner une certaine vigueur. Elle s'était levée, avait vu le temps chagrin qui s'étendait au-dessus du lac et, avec les enfants, unanimement, on avait décidé de partir la journée même c'est-à-dire tôt après un souper pris à bonne heure, de sorte que dans l'entre-temps chacun pourrait accomplir ce qu'il s'était proposé de faire ce jour-là.

Comme prévu, elle mit la clef dans la porte à six heures du soir. Bourrée jusqu'aux yeux, la familiale s'engagea dans la pente qui débouchait sur la route.

-Tiens, Marc-Alain qui nous fait signe, envoie-lui la main, François.

Assis derrière, le garçon agita sa main molle par la fenêtre. Pour lui, c'était la fin d'un commencement qui le laissait pantois.

Manon avait demandé à s'asseoir devant pour mieux allonger

sa jambe. Et Valérie, première montée dans le véhicule, la tête accrochée dans ses lulus, s'était plongée dans un livre d'images, quoiqu'elle fût capable de bien lire depuis, déclarait-elle, une éternité.

Une mouche voleta devant le nez d'Hélène. La femme abaissa sa vitre un peu plus pour l'inciter à sortir ou pour qu'elle soit aspirée dehors. Des gouttelettes pénétrèrent et atterrirent sur Valérie qui protesta. Il tombait une pluie fine. La conductrice mit les essuie-glace en marche. Leur flic flac avait quelque chose d'étourdissant pour une tête aussi fragile que la sienne. Par chance qu'on ferait une grande partie du parcours à la lumière du jour quoiqu'à cette époque par ciel bouché, la brunante soit précoce, surtout dans les vallées profondes que suivent les routes des Laurentides.

L'on se rendit à Sainte-Agathe sans rien à signaler. Les pensées d'Hélène furent entremêlées, vagues comme les ritournelles de la route. Là, il fallait faire le plein et elle quitta l'autoroute après le poste de péage. À la station libre-service, François se rendit remplir le réservoir. Un motocycliste s'arrêta de l'autre côté des pompes. Il descendit et lorsqu'il aperçut Hélène restée au volant, il s'approcha en contournant la pompe. Et il lui adressa un sourire penché. Un sourire vaguement familier pour elle mais d'une tête méconnaissable à cause du helmut et des verres fumés à la Elvis.

-Bonsoir, belle Hélène, on ne reconnaît pas son monde?

La lumière se fit dans l'esprit de la femme. Oui, c'était André Morin, un collègue du Collège qui lui avait manifesté beaucoup d'intérêt toute l'année précédente. Trop pour un homme marié en tout cas!

-Tiens, salut toi, comment ça va?

-On ne peut mieux!

-Ah!

-Comme disait le poète western: je chante à cheval -sur ma moto- m'accordant sur ma guitare, et surtout libre comme l'air...

-Y en a qui ont de la chance.

-Eh oui! Non, ce que je veux dire, c'est que... ben il s'est produit un gros changement dans ma vie durant l'été... J'ai repris ma liberté. Ouais. Bah! faut dire que ça s'est fait sans grands heurts... D'un commun accord comme on pourrait dire. Vient un jour où il faut prendre un embranchement. Faut changer de métier une fois dans sa vie au moins. Faut aussi changer de compagne de route. On fait toutes nos erreurs avec la première d'autant plus que le premier choix est pas nécessairement le plus éclairé, hein, et on vit heureux avec la deuxième.

-Tu t'es déjà mis en recherche?

Il se mit le pouce et l'index sous le nez sur la moustache et les éloigna l'un de l'autre en lissant les poils avant de dire, le ton complice:

-Ben... je pensais que tu savais que j'avais commencé à chercher dès l'année passée.

Elle se sentit mal à l'aise.

-Écoute, garde ça pour dans deux semaines et tu me raconteras au cégep.

De plus, François vint à sa rescousse afin de demander de l'argent pour payer l'essence. Elle avait déjà sorti sa carte American Express et gaspilla le prétexte qu'elle aurait pu avoir en allant payer elle-même, pour se défaire de l'interlocuteur qui risquait d'en dire plus et trop devant les enfants. Elle avait eu un peu de remords parfois de ne pas l'avoir remis à sa place avec un bâton au Collège au lieu que de lui servir de l'humour en réponse à ses métaphores frisées et enjôleuses.

Soudain, tout sentiment autre que la honte disparut du coeur et du visage d'Hélène. Elle n'avait pas coiffé ses cheveux, ne s'était guère maquillée et encore, tôt dans la journée. Il la prendrait pour une grébiche effarouchée. Ah! que François revienne donc! Ah! que la pluie pleuve donc doublement! Ah! que neige la neige! Puis elle se ressaisit. Pourquoi une femme qui veut tenir un homme à distance refuse-t-elle de se montrer affreuse devant ses yeux? Pourquoi une femme est-elle si fragile et vulnérable devant sa propre image et devant l'opinion qu'on peut s'en faire?

-Et alors, même tâche, même lieu dans deux semaines?

-L'enseignement, c'est ce que je fais de mieux. De toute manière, je ne sais pas faire autre chose.

-Ce deuxième métier, que sera-t-il, puisque tu dis qu'il faut changer de vie professionnelle au moins une fois...

-Tourner en rond sur ma moto dans une sphère fermée dans un cirque.

-Il y a beaucoup d'avenir là-dedans, c'est vrai, dit-elle pince-sans-rire.

-Non, je ne sais pas... Peut-être homme au foyer...

-Décidément, tu veux faire le clown?

Il s'esclaffa en grattant son helmut comme quelqu'un qui réfléchit profondément:

-Te prendrais-tu pour une clown... ou clownesse si on peut

dire?

-Une femme au foyer, ce n'est pas un clown, c'est une femme normale...

-Ah! ça, c'est vrai!

-Normale aux yeux des gars... si tu m'avais laissé finir ma phrase.

Valérie s'était penchée en avant et accoudée au dossier derrière l'appuie-tête de sa mère. Elle fusillait du regard cet importun aux allures menaçantes qu'elle pouvait voir par le petit espace laissé entre les montants des portières, la banquette et la tête d'Hélène.

-Salut toi! lui dit l'homme. Laisse-moi deviner, je gage que tu t'appelles... Manon.

-Non, elle, c'est Valérie, dit Hélène.

L'homme qui apercevait les genoux de l'autre fillette, se pencha pour lui dire un mot:

-Donc Manon, c'est toi!

-Oui, dit l'adolescente dans un demi-rire embarrassé.

-On peut dire que tu leur as donné en héritage quelque chose d'extraordinaire, dit Morin en se redressant.

-Le sexe féminin, je suppose?

-Non... Oui mais c'est pas ce que je voulais dire. Je voulais dire les yeux...

Personnage disert, séducteur, l'homme qui avait un grand jardin, rêvait depuis longtemps d'une femme avec une petite touche d'inégalité dans les yeux. Hélène l'avait. Chez les fillettes, c'était imperceptible à moins de comparer dans un mouvement rapide comme il venait justement de le faire.

François revint et remit à sa mère sa carte de crédit et la facture à signer.

-Salut François! dit le motocycliste.

-Salut!

-Je suis professeur au cégep et ta mère, qui est fière de ses enfants, nous parle souvent de vous autres. C'est pour ça que je sais vos noms...

-Tu savais pas le mien, protesta durement la voix penchée de Valérie.

L'homme chantonna en bougeant la tête au rythme des mots pour apprivoiser l'enfant:

-J'étais juste mélangé avec Manon. Je prenais Valérie pour Manon et Manon pour Valérie. Voi... là!...

Le visage de l'enfant se détendit. Hélène signa. François retourna à la caissière. L'homme jugea qu'il devait se retirer un peu. Il décrocha le bec-verseur de la pompe qu'il tint tourné vers Hélène en lui disant:

-Bon... à bientôt... en supposant que tu seras au poste au cégep comme moi?

-À moins d'un événement majeur entre-temps, je serai au poste moi aussi.

Il salua du bec-verseur:

-Bon, ben, bye! Bye Manon! Bye Valérie!

On lui répondit dans des voix mélangées. François fit un détour par l'arrière pour l'éviter.

L'automobile reprit la route. Hélène fit un geste vague de la main. L'homme salua le bras allongé devant en biais, les doigts écartés dans un geste auquel il chercha à imprimer confiance et amitié. Puis il plongea le bec dans l'entrée du réservoir de sa moto tout en jetant sa pensée dans un excitant fantasme sensuel.


Manon se fit rassurer par sa mère sur l'identité de cet homme. Hélène comprit qu'elle voulait connaître les raisons de ses attitudes si familières avec elle, comme s'il eût été un proche voisin ou un ami de longue date. Elle dit qu'il était le boute-en-train du département des langues et qu'il n'avait même pas été à son naturel et raconta des anecdotes qui en donnèrent une image rassurante d'enfant terrible, joueur de tours, raconteurs d'histoires...

Le silence revint dans l'auto. Un silence de pneus qui chuintent sur une chaussée mouillée, du va-et-vient des essuie-glace, d'une radio en sourdine. Hélène rentra en elle-même. Pierre recommencerait-il à lui parler de cure de désintoxication à cause de l'incident de la veille? Comprendrait-il qu'il s'était agi d'un excès occasionnel ou bien lui-même tombant dans l'excès se ferait-il intransigeant? La faute n'était pas si grande après tout, et elle était très rémissible. Mais il était le seul maître à bord de leur ménage et c'est en luttant exagérément qu'il finissait par accepter non sans maugréer des redites chaque semaine, de partager cet ascendant qu'il avait sur elle avec une occupation non centrée sur lui ou quelques verres d'un alcool pas si méchant et esclavagiste que ça puisqu'elle le contrôlait comme elle avait bien en mains son véhicule en ce moment même...

Les kilomètres se déroulèrent sous la familiale dans une régularité confortable. On arriva bientôt dans le quartier aisé que décrivaient un réseau de rues labyrinthiques ombragées par des ormes et de grands érables, et des maisons à personnalité propre, toutes différentes les unes des autres et qui démontraient blanc sur brun, bois sur brique et spécifiques mesures que leurs propriétaires étaient des gens exceptionnels planant à quelques pouces au-dessus de l'humanité.

Dans ses pierres grises et son style massif, la demeure familiale semblait avoir été construite pour la pérennité. Et donc pour la postérité. Hélène se sentit un peu soulagée quand elle commanda 'électroniquement' l'ouverture de la porte du garage double. Le retour à la maison n'est-il pas aussi un peu le retour à l'utérus? Et puis les vacances ont de bon qu'elles finissent par lasser et par faire regretter la vie normale qui elle, offre le grand avantage de permettre de rêver de vacances.

Elle fut étonnée mais pas trop de constater que l'auto de Pierre n'était pas là. De toute manière, il n'était qu'un soir sur deux à la maison, ce dont elle ne se plaignait pas du reste puisque les périodes où on se voyait trop étaient plus fertiles en accrochages. Leur couple, selon ses évaluations, avait à ce chapitre la juste mesure compte tenu de sa composition par deux partenaires aussi foncièrement différents.

On entendait les aboiements sourds du chien et qui révélaient que l'animal avait une taille moyenne: ni la voix gratte-ciel d'un épagneul ni celle, caverneuse, d'un saint-bernard. Sans doute un boxer se serait dit en aboyant un visiteur berger allemand.

-François, tu vas m'aider à vider l'auto.

-Ah! pas ce soir! Suis fatigué, moi.

-On le fait ce soir à deux ou bien tu le fais demain tout seul. Choisis!

-Même si je le fais ce soir, c'est tout moi qui vais le faire pareil. Aussi bien attendre à demain!

-C'est la première chose que tu feras demain matin, ne l'oublie pas!

-Juré... sur la tête de Valérie.

Et il mit sa main sur la fillette qui le repoussa. Manon descendit la première et courut en boitant à la porte d'entrée qui reliait la cuisine de la maison au garage, et qu'on ne fermait jamais à clef. Elle disparut dans la maison puis dans sa chambre où elle s'empressa de téléphoner à Claudine, sa meilleure amie, pour lui raconter tout ce que l'autre ne savait pas déjà et prendre de ses nouvelles.

-Ben moi, je vais rentrer mes affaires, décida Valérie qui descendit puis se chargea les bras de choses diverses traînant dans son coin de la banquette.

François se rendit prendre sa bicyclette à l'autre bout du garage et il s'apprêta à partir.

-T'es pas trop fatigué pour ça? s'étonna Hélène.

-Heu... c'est justement pour me dégourdir un petit peu les muscles. Et en revenant, ben je vais commencer à vider l'auto.

-Tu vas où sur ce train-là?

-Vais voir David.

-Tu ne penses pas que tu devrais l'appeler avant?

-Heu... non. Je m'en reviendrai s'il n'est pas là.

Hélène soupira, soliloqua:

-Ils viennent juste d'arriver et les voilà qui disparaissent comme des fantômes. Ouais, le neuf de la rue des Grives, c'est une maison hantée... hantée par des enfants qui passent en coup de vent...

Elle referma la portière. Plantée devant elle, les mains pleines, Valérie lui dit:

-Je suis là, moi, maman!

Le visage d'Hélène se rembrunit. Un frisson parcourut ses bras. Elle dit:

-Mais pour combien de temps? Les années passent vite, si vite...

Valérie haussa les épaules.

-Maman, on a toute l'éternité...

La fillette adorait utiliser ce mot qui émerveillait toujours ceux devant qui elle le disait. Hélène demeura songeuse un instant puis lui sourit. Contente, la fillette tourna les talons en disant:

-Entrons chez nous!

Le chien les accueillit en se tortillant comme un chanteur rock, désireux absolument de se faire valoir après la frustration qu'il avait subie à cause de Manon et de son indifférence échevelée. Faute de ne pouvoir obtenir une caresse de Valérie, il lui lécha le visage en réponse à ses salutations pointues.

-Allô! Pancake. Hein, tu nous aimes quand on te laisse à la maison!

-C'est vrai pour les gens, ça aussi, Valérie. Une personne seule est toujours plus aimante qu'une personne bien entourée.

-Je pense que oui, hein, maman! dit la fillette sur un ton adulte et méditatif.

Hélène fit le tour des lieux. Tout était à l'ordre comme si personne n'était venu dans la maison durant les quinze jours où elle-même n'était pas venue. Quelques graines de pain grillé laissées sur un comptoir disaient que Pierre avait déjeuné à la maison ou bien lunché durant la soirée. Elle ouvrit le lave-vaisselle. Tout là était propre et sec. Puis elle traversa au salon, pièce longue à décor lourd, royal, et qui ne servait, semble-t-il, qu'à offrir aux visiteurs l'image de marque du propriétaire. Personne n'y demeurait bien longtemps. Personne n'y écoutait la télé d'autant que le téléviseur de l'étage se trouvait dans la salle de séjour. Il y avait là une grande peinture réaliste d'un ancien moulin à eau dans un bucolique décor automnal. Et des meubles de style provincial français comprenant canapé, fauteuil, causeuse, fauteuil d'appoint et plusieurs tables à tabliers façonnés en festons. La plus grande, celle à cocktail, de forme ovale, se trouvait devant le canapé. Deux sous-verre y avaient été laissés. Pierre a fait visiter la maison par un client, pensa aussitôt Hélène. C'était fréquent avec ceux-là qui voulaient se faire bâtir au-dessus de la moyenne: on ne pouvait tout de même pas leur faire voir une de ces maisons-modèles de série B. Mais c'est surtout une sorte de désir coupable qui parut en elle à la vue de ces témoins d'un acte professionnel: celui de se servir à boire. Elle avait physiquement et psychologiquement soif.

Elle eut beau se rendre ensuite à la salle de séjour où il y avait un bar, la tentation fut réprimée, rejetée dans ce contrôle d'elle-même qu'elle affirmait posséder. Et puis Pierre risquait de revenir d'une minute à l'autre; n'était-il pas déjà plus de vingt heures? Elle consulta sa montre à deux reprises, oubliant la seconde fois qu'elle venait tout juste de le faire.

Le restant du soir fut tout aussi banal. François qui revint et vida le véhicule. Manon qui décida d'aller bâiller son ennui dans son lit. Valérie que sa mère fit coucher peu de temps après leur arrivée. Et Pancake, resté nerveux suite à cet abandon incompréhensible dont il avait été victime cette dernière semaine, ne dormait que d'un oeil sous la table de la salle à manger, sa tête naturellement grimaçante posée sur ses pattes en alerte.

Hélène se rendit à sa chambre située au rez-de-chaussée. Là, par exemple, tout n'était pas dans le meilleur ordre possible. François avait mis valises et sacs de vêtements n'importe comment sur la moquette ou sur le lit encore défait. Pierre avait laissé traîner des pantalons sur son fauteuil de chevet. Elle rangea tout et il ne resta plus que le lit qui avait l'air d'un champ de bataille tant il était sens dessus dessous. Pierre ne l'avait sans doute pas fait depuis plusieurs jours. Quant à y être, autant changer les draps! Elle dégagea en détordant le premier drap à quadrillage bleu emmêlé avec la couverture et jeta les deux morceaux séparément, l'un avec les oreillers d'un côté et l'autre avec le couvre-lit sur la moquette. Puis elle libéra les quatre coins du drap-housse qu'elle tira à elle, s'arrêtant tout à coup au milieu du geste. Il y avait de ces cernes en plein centre! Pierre dormait si fort par nuits de grande fatigue qu'il avait parfois des mictions involontaires, héritage qu'il avait légué à Valérie, pensa Hélène.

Elle finit son travail avec l'idée fixe de se mettre au lit le plus vite possible tant elle se sentait lasse. Pierre finirait bien par arriver; ça ne changerait rien de l'attendre...


Il fut là passé minuit. Quand il se rendit compte que la famille était revenue, Pierre eut le temps de se fabriquer un alibi pour son arrivée un peu tardive en plein lundi soir. Il avait dû négocier un contrat de tourbe chez un entrepreneur de Saint-Eustache.

Hélène s'éveilla à peine quand il se glissa sous les couvertures.

∞∞∞∞∞∞∞∞∞∞

# Chapitre 5

Pierrette et Suzanne furent les premières arrivées. Sans s'être concertées, elles étaient quand même un peu en avance sur l'heure du rendez-vous. Et leur complicité à cet effet transparut quand elles se serrèrent la main et s'étreignirent à la table du restaurant où l'une retrouvait l'autre.

On avait ainsi l'habitude de prendre un repas à trois amies une fois par mois; c'était une promesse, un contrat moral, presque une religion mais aucune ne le percevait comme une obligation ou une tâche. Non, c'était plutôt un grand plaisir et un besoin à combler. Un besoin des grandes amitiés!

Pierrette avait choisi un coin isolé près d'une large fenêtre où l'on pourrait se faire des confidences au grand jour avec pour témoin silencieux un ciel cotonneux bourré de grosses boules nuageuses glissant doucement à la queue leu leu sur une immense toile de fond d'un bleu tranquillisant.

De l'autre côté de l'aire de stationnement sur laquelle donnait la vitre, se trouvait une succursale bancaire en briques brunes, bâtisse trapue, solide, donnant l'air d'un bison couché.

-Je tenais bien gros à te voir avant l'arrivée d'Hélène, dit Suzanne aussitôt après les salutations et en consultant sa montre.

-Ça adonne très bien parce que moi aussi, répondit Pierrette, le regard anxieux.

90

Il y avait une ressemblance vague entre ces deux êtres sans aucun lien du sang. Avec son nez retroussé et sa tête haute, Pierrette avait l'air un peu snob mais elle ne l'était pas, et son visage, même au repos souriait subtilement. Le front haut, le regard provocateur, les cheveux très courts et presque lisses, elle était parfois prise pour un mannequin professionnel. Suzanne révélait le même canevas derrière pourtant des cheveux plus longs et légèrement gonflés mais de couleur identique d'un auburn lustré. Son regard naturel possédait aussi une certaine hauteur mais dans une mer de nostalgie. En ne se fiant qu'aux apparences, un observateur eût juré que Suzanne était une femme chosifiée ou bien possédait toutes les caractéristiques pour le devenir. Il se serait fourvoyé tout à fait puisque Suzanne et Gilles formaient un couple fort bien assorti dans lequel chaque partenaire avait conscience de ses propres limites et de celles de l'autre.

Une serveuse vêtue de rouge et de noir, tous sourires dehors, vint prendre leur commande d'apéritifs.

-On attend Hélène? fit Pierrette sans réfléchir.

-Non, moi je commande tout de suite, fit Suzanne en se disant qu'il fallait le moins possible entraîner Hélène à boire car elle faisait flèche de tout bois sans avoir besoin qu'on lui torde le coude pour le lever.

-Dans ce cas-là, je commande aussi... Un moitié-moitié de n'importe quoi...

-Cinzano pour moi.

-Beau temps aujourd'hui! dit la serveuse, une blonde au nez anguleux, busqué.

-Oui, dommage que ça achève, dit Pierrette.

-Bah! on s'attend toujours que le beau temps va finir avec la rentrée et souvent septembre et octobre sont plus beaux que les mois d'été, dit machinalement la serveuse qui notait distraitement.

-En tout cas, c'est moins humide.

-Aujourd'hui qu'il y a l'air climatisé partout, on devrait travailler l'été et prendre nos vacances après les grosses chaleurs épaisses et pesantes.

-Nous faudrait un parti politique avec des articles comme ça à son programme. Le parti d'une vie meilleure. Hein, et puis ça serait plus profitable et intelligent que de se chicaner pour une histoire d'indépendance...

-Ça par exemple, c'est une autre histoire justement, dit la serveuse, une militante convaincue.

Suzanne restait silencieuse et fouinait dans le menu en prêtant oreille à l'échange. Pierrette pencha la tête, fit un oeil taquin:

-Tiens, vous êtes une vraie Québécoise... et moi pas!

-Non, je ne dis pas ça. Les idées de chacun évoluent selon chacun. Certains vont plus vite que d'autres, c'est tout.

-Ah bon! Je suis donc une lente d'esprit alors?

La serveuse pensa à son pourboire qui ne serait ni fédéraliste ni séparatiste, lui, et elle pirouetta:

-J'parle pour parler! La politique, c'est pas ça qui apporte à manger, hein!

-Une bonne serveuse comme vous, c'est bien meilleur pour apporter à manger, ça, c'est vrai! dit Pierrette mi-figue, mi-raisin.

La serveuse s'esclaffa et tourna les talons en approuvant du rire et du pied.

-Bon, soupira Pierrette, et si on parlait d'Hélène avant qu'elle n'arrive.

Chacune connaissait le problème d'alcool de leur amie et depuis quelques mois, l'on savait aussi que Pierre avait une liaison avec Nicole. Suzanne les avait vus se rejoindre sur le stationnement d'un centre commercial et partir ensemble. Ils avaient beau être parents, le comportement ne trompait guère. Ensuite, des regards, des mots, des réactions de l'un ou l'autre devant elle, avaient marqué leurs sentiments du sceau de l'évidence.

Pierrette était la seule à partager ce lourd secret et elle le demeurerait. Les deux femmes avaient analysé le problème et trouvé qu'Hélène devrait prendre conscience de son alcoolisme et s'en guérir pour que son ménage ne tourne pas à la catastrophe. Jamais la conduite de son mari ne lui serait révélée, pas le moindre souffle sous le voile. C'est devant elle-même qu'on la mettrait et l'incident du dimanche qu'Hélène avait raconté à sa soeur au téléphone, servirait d'excellent prétexte. Ce n'est pas d'une garde de galerie qu'elle tomberait mais de très haut au fond d'un précipice.

∞∞∞∞

Pierre entra dans le bureau de son avocat. L'homme de loi le reçut comme un vieux copain, la main solide, la claque de complicité dans le dos. Et il reprit sa place, jambe croisée, chaise grand luxe renvoyée en arrière.

-Bon, avant que tu ne parles, sache que tes deux causes bougent. Nos oiseaux commencent à parler d'un règlement hors cour. Ils se sentent battus. On a le gros bout du bâton exactement comme je te l'avais dit.

-Les Lafrenière, c'est des enculeurs de maringouins.

-Oui, mais tu vas voir, Pierre, qu'avec nous autres, ils vont se tenir les fesses serrées.

L'avocat, petit personnage à la voix grande, culotté, lunetté, le corps toujours droit comme un échalas, l'oeil proéminent sans cesse planté au coeur de sa cible, se rejeta en avant et saisit le premier dossier d'une des deux grosses piles sur son bureau.

-Tu vois, j'ai justement travaillé sur ton dossier récemment, dit-il en pensant qu'il l'avait tiré d'en dessous de la deuxième pile en consultant son agenda du jour le matin même.

-Tant mieux, mais ce n'est pas la raison de ma visite.

-Ouvre-toi à ton humble serviteur.

-Je ne viens pas te confier un mandat, je viens discuter.

-Prends le temps qu'il faut. Tu sais que mes clients, je ne leur fais pas cracher cent dollars pour une simple demi-heure de pla-cotage même si... c'est du placotage des plus sérieux.

Et l'avocat consulta sa montre pour signifier que du temps gra-tuit, tout de même, il ne fallait pas en abuser.

-Secret?

-Total.

-Je pense au divorce. J'ai dit: je pense.

-Tu ne me surprends pas. Je vous ai vus souvent tous les deux, Hélène et toi, et ça cloche! Une bonne personne, ah ça...

-Écoute, je suis en train de grandir et j'ai pas envie de me faire culbuter ni de perdre mes enfants.

-La meilleure façon, je te l'ai déjà dit à mots couverts un peu là, c'est de se servir de son alcoolisme.

Pierre devint carrément inquiet:

-Mais je ne t'ai jamais parlé de divorce. Comment peux-tu dire que tu m'as déjà dit quelque chose sur le sujet et comment sais-tu qu'elle prend un coup?

-Les murs parlent, les murs parlent.

-Ça ne me suffit pas comme réponse, Raymond.

-Pour te dire toute la vérité, j'ai su à une soirée de la Chambre de Commerce où vous étiez tous les deux que ta femme lève le coude un peu fort, ce qu'elle avait fait cette fois-là. Et ce même soir, je t'avais glissé dans une conversation que les juges dans les cas de divorce ont un préjugé favorable aux femmes et très défa-vorable aux alcooliques reconnus qu'ils soient d'un sexe ou de l'autre. Je vais te dire ceci, un avocat est aussi et surtout un psychologue légaliste si on peut dire... Et voilà!

-Oui, ça me revient maintenant! s'exclama Pierre dont le visage songeur le moment d'avant s'éclaira et laissa entrer la confiance à forte dose.

-J'ai frappé dans le mille? dit l'avocat en songeant aux mille dollars et plus que la cause lui rapporterait.

-En plein coeur!

-Bon, trace-moi son historique de toxicomane depuis deux ans et dis-moi si c'est une chose reconnue ou non.

-Elle boit tous les deux jours.

-On va la faire boire tous les jours.

-Vingt onces par jour au moins.

-Elle en boira quarante.

-Bon, faudra pas non plus la massacrer inutilement...

-Tu veux garder ce qui t'appartient? Tu veux la garde de tes enfants? Va falloir frapper sur le bon clou et l'enfoncer jusqu'au bout.

-Si c'est de même.

-Tu l'aimes encore, ta femme?

-Franchement non!

-Ça ne me regarde pas, mais as-tu quelqu'un d'autre?

-Franchement oui!

-L'autre est d'accord pour reprendre les enfants? Remarque bien que ça ne change rien à la cause, là, ça...

-Oui! Elle n'en a jamais eu d'enfants et ça lui manque. Et puis, ce que j'aime, elle l'aime aussi, hein; c'est pour ça qu'on est ensemble.

L'avocat ouvrit les mains comme celles d'une statue du Sacré-Coeur montrant naïvement ses plaies prodigues de ses dons:

-Tout est parfaitement clair! T'es rendu là où arrivent la moitié des gars d'aujourd'hui dans leur vie. Tu dois recommencer avec une femme à ta mesure, ce qui n'enlève rien à Hélène, remarque bien. Tu as trouvé cette femme. Tu veux garder tes biens et tes enfants. Hélène est alcoolique. Tous les éléments d'un divorce, d'un bon divorce et je dirais même d'un divorce intelligent sont là. La clef, c'est l'alcoolisme de ta femme...

Pierre raconta l'incident du dimanche précédent. L'homme de loi se frotta les mains:

-Point majeur! Qui aurait pu imaginer mieux? Et maintenant, tu vas lui parler de cure de désintoxication d'un côté, mais pas trop, et surtout faire prendre conscience à l'entourage qu'elle boit. Faire éclater la vérité, ce n'est pas la déformer, hein!

-Je dois te dire que c'est un peu ça que j'ai fait depuis un an. Mais... je ne pouvais tout de même pas lui cadenasser la bouche pour l'empêcher de s'empiffrer de vodka. Elle a voulu se mettre à boire, c'est elle qui en subira les conséquences.

-Puis, ça serait pas mauvais non plus si vous faisiez chambre à part pour un bout de temps... Histoire de dramatiser un peu, je sais pas... Encore là, tu peux prendre sa boisson comme raison et c'est une maudite bonne raison, faut le dire, hein, il faut le dire...

Pierre devint songeur à nouveau.

∞∞∞∞

Hélène pleurait. Elle n'avait mangé que du bout des doigts. Ses deux amies s'étaient relayées pour lui taper dessus. On exagérait tout. On s'alarmait inutilement pour elle. Comment pouvait-on oublier qu'elle était une femme de trente-six ans, au meilleur de sa vie, mère de trois enfants, professeur, assez instruite, et pas dépourvue d'intelligence? Se pouvait-il que ces deux-là moins favorisées qu'elle-même par la vie soient jalouses au point de la pousser à la perte d'estime de soi? Pourquoi s'acharnaient-elles à lui infliger toutes sortes de griffures sur le coeur?

-Un deuil? questionna sinistrement la serveuse qui se croyait chez elle dans n'importe quelle peine, n'importe quelle âme, quand elle aperçut les larmes embrouiller le regard d'Hélène.

-Des problèmes rien qu'à nous autres! dit Pierrette avec hauteur.

-Excusez-moi, je ne veux brusquer personne!

-Ne revenez que quand on vous fera signe!

-Certainement!

Hélène s'essuya, se moucha, regarda sa montre. Elle n'avait même pas pris d'apéritif encore et on l'accusait d'ivrognerie. Mais sa résistance avait maintenant la fragilité du verre; mieux, d'une fleur plongée dans de l'eau régale. Pierrette et Suzanne s'échangèrent un regard. Il fallait passer à l'offensive suprême. Il fallait à tout prix qu'elle reconnaisse sa maladie, qu'elle l'envisage et là même, sur-le-champ, sans plus tarder.

Suzanne dit dans la plus grande douceur:

-Hélène, juge-nous toutes les deux et fais-le tout haut. Crois-tu que nous voulons te faire du mal? Nous sommes tes deux amies, tes deux grandes amies. Ce qui te fait mal nous fait mal, ce qui te fait rire nous fait rire. Nous n'avons pas à nous mesurer avec toi. Chacune a son bonheur à sa façon, plus ou moins grand.

-Je ne vous juge pas mal... Vous savez, il y a ma voisine de chalet, je vous l'ai conté, qui a failli me faire casser le cou en cherchant à me sauver du déséquilibre... alors que je n'étais même pas en déséquilibre...

-Tu l'es pourtant, dit Pierrette. Un: tu dois l'admettre. Deux: tu dois en évaluer les conséquences désastreuses possibles. Trois: tu dois vouloir t'en sortir. Tu vas prendre les moyens. Une cure s'il le faut. Et nous allons t'aider. Tu n'es pas seule; tu as tes enfants, tes parents, nous autres et cetera...

-Pierre n'est pas un deux de pique, il pourra m'aider aussi, dit Hélène en se palpant les paupières du bout des doigts.

Ses deux amies se regardèrent. Enfin Hélène venait d'envisager son grave problème. Alors il fut possible d'échanger sur autre chose. Il fut question de métempsycose, du chat de Pierrette et de la venue prochaine à Montréal du célèbre cirque de Moscou.

Tout le temps qu'elles furent là, la serveuse se fit fort obséquieuse.

∞∞∞∞∞∞∞∞∞∞

# Chapitre 6

Hélène avait été sobre toute la journée: un exploit! Car même les jours où elle prétendait l'être ne se terminaient jamais sans deux ou trois consommations. Elle n'avait rien bu la veille non plus; en fait le régime sec durait depuis l'avant-veille alors que ses deux meilleures amies lui avaient servi une douche si glaciale.

Glaciale, c'était bien le mot, pensait-elle entre deux paragraphes de 'Anna Karénine'. Assise dans son fauteuil de chevet, la jambe croisée sur une chemise de nuit courte, bleue avec noeud sur la poitrine, la femme rayonnait malgré ses inquiétudes et malgré le verre de vodka posé sur la table voisine. Elle s'était maquillée de façon plus prononcée que de jour, d'une manière un peu outrageante qui différencie les femmes quant au poids de leurs moeurs. C'est que Pierre aimait cela dans leur stricte intimité. Sa fougue redoublait alors et il chevauchait comme si lui-même avait été un mustang sauvage.

Pourvu qu'il rentre bientôt! Sa montre indiquait onze heures. La maison dormait. Le silence du soir laissait entendre au loin parfois le bruit feutré d'une voiture respectueuse comme le sont toutes celles qui circulent dans Lorraine, du moins celles appartenant au quartier. Il en vint une. Hélène tendit l'oreille, en regardant vers la fenêtre voilée d'épaisses tentures classiques, comme si l'oeil s'était transformé en sens de l'ouïe. Mais l'auto passa son chemin. La lectrice replongea.

*"Dolly emmenait ses enfants à la campagne pour y vivre à meilleur compte. Elle s'établit à Iergouchovo, domaine qui faisait partie de sa dot et dont son mari venait de vendre la forêt. Le Pokrovskoié de Levine..."*

Créer, c'est organiser une foule d'éléments existants dans un nouvel ensemble, hétéroclite ou pas; lire, c'est comparer la nature des choses des autres à celle des siennes propres. C'est ainsi qu'elle définissait créativité active et créativité passive quand elle donnait ses cours. Une théorie qu'elle avait inventée et que les phrases de Tolstoï lui rappelaient. Car elle imagina sa vie en veuve au chalet avec les enfants... Une rêverie abracadabrante n'ayant aucun lien avec le réel. Pierre n'était pas homme que la fatalité court, bien au contraire. Il vivrait un siècle. Ce qui voulait dire deux puisque vivre en moyen et aisément, c'est vivre doublement, disait-il quand on parlait, mais rarement, de misère humaine.

Elle n'entendit pas sa voiture et ne prit conscience de son arrivée que par le bruit de la porte du garage qui avait beau rouler sur la pointe de ses roulettes bien huilées... À la lumière des veilleuses, il se rendit tout droit à la salle de bains contiguë à leur chambre et qui y donnait par une seconde porte. Il prit une douche rapide en repensant à sa décision de divorcer qu'il avait prise la veille de façon irrévocable et dont il avait fait part à sa maîtresse dans une longue conversation téléphonique qui avait fait rougir la ligne des vibrations les plus intenables. Puis, revêtu de sa robe de chambre prise d'un crochet dans la porte, il entra, sachant par la raie de lumière que sa femme veillait, espérant qu'elle soit en train de boire.

-Salut! dit-elle la première.

Il y avait juste assez de lumière pour tout voir mais assez peu pour empêcher Hélène de lire dans son regard. Il lui trouvait ce don de tisser elle-même la corde servant à se pendre... ou à se faire pendre. Elle se conduisait elle-même à sa perte sans besoin qu'on lui pousse dans le dos, et cela apaisait sa conscience. Pourvu que ça continue! Il n'imaginait pas à quel point il avait raison comme il s'en rendrait compte dans les minutes suivantes.

-Salut!

Il resta debout un moment, la poignée de la porte dans une main, le commutateur de la salle de bains sous un doigt de l'autre, interdit, cherchant à mesurer la scène, à jauger la situation.

La chambre se définissait par des reflets divers. Ceux d'abord des poignées des meubles, plaquées laiton et des garnitures du même ton. Ceux-là de ce mobilier lui-même, au style contemporain d'inspiration européenne en panneau noir luisant. Un vase de cristal sur une commode. Le grand miroir qui bissait le flot d'étoiles sombres s'y jetant. La couverture lustrée du livre d'Hélène qu'elle déposa sur la table et dont il put reconnaître le titre. Ce verre qui vint s'inscrire dans les profondeurs secrètes du regard de l'homme en lueurs de satisfaction. Et puis les lèvres rouges, violemment écarlates d'une femme qui se sent le désir de recevoir quelque chose.

Il lui ferait l'amour une dernière fois en tant que mari. Les suivantes, s'il devait y en avoir d'autres, seraient en tant qu'homme en instance de divorce et pas un iota de plus que cela. Ça aiderait Hélène à se mieux noyer dans sa vodka et dans ses rêves russes.

-Tu as eu une bonne journée? s'enquit-elle de sa voix la plus affable.

-Comme d'habitude!

Il referma la porte, fit quelques pas, riva ses yeux sur le verre de boisson. C'était pour donner une preuve qu'elle l'avait mis là, et pour aller droit au but.

-Détrompe-toi, je n'ai pas bu une seule goutte depuis trois jours... deux jours et demi.

-Quelle victoire! ironisa-t-il.

-C'est mieux que rien, non?

-Je te dirai que j'aime mieux que tu boives un peu ou même beaucoup que tu cherches à te valoriser avec des combats qui ne sont même pas dignes de mention. Qu'est-ce que c'est, deux jours et demi...

Elle coupa:

-Pour une toxicomane, pour une alcoolique comme moi, chaque journée est une grande conquête.

-Qui t'a dit que tu étais une alcoolique? se surprit-il de cet aveu, son premier.

-Toi souvent et... Suzanne et Pierrette. Et le moment est venu pour moi de faire face à la situation, de prendre le taureau par les cornes...

"La vache," rectifia Pierre dans son esprit, mais retint-il au bord de ses dents serrées.

Il s'assit sur le lit, dos à elle, contrarié par ce qui arrivait. Flairait-elle le danger? Voulait-elle s'amender et lui couper l'herbe sous les pieds quant à sa démarche vers le divorce?

-Pourquoi un verre d'alcool avec toi si tu ne bois pas? C'est bizarre. Tu tentes le diable ou bien tu te complais dans du masochisme?

-Pour te montrer que c'est mon dernier.

Il grimaça, le visage dans l'ombre.

-J'ai pas besoin d'une démonstration; suis capable de comprendre ce qu'on me dit avec des mots.

-Chicane-moi pas, j'ai quelque chose d'assez important à t'annoncer, quelque chose qui va te plaire, je pense.

-J'écoute.

-Je vais faire une cure de désintoxication au Centre d'Oka. Tu m'en as déjà parlé et malheureusement, je ne voulais pas t'entendre mais là, ma décision est prise.

L'homme devint furieux. Il avait planifié de lui en parler devant des témoins, les enfants surtout, sachant qu'elle refuserait une fois encore d'admettre la vérité. La voilà qui décapitait son projet au moment où il s'y attendait le moins. Et c'était sans doute la faute de ses deux amies. Il fut sur le point de se mettre à jurer tout haut mais elle reprit dans l'enthousiasme:

-Tout est arrangé. Je vais aller au Centre toute la semaine qu'il me reste avant la rentrée des classes puis à temps partiel pendant les trois semaines suivantes. C'est ça, la cure. J'ai appelé. Ma place est réservée. Ma chambre m'attend à Oka.

Oka, le lieu de résidence de sa maîtresse, ajouta à l'injure en l'âme compressée de Pierre. Un instinct diabolique guidait sûrement Hélène. Cette décision qu'elle avait prise riait de lui à grande gueule. Cette fois il commença à jurer:

-Non mais sacrement, depuis des mois et des mois que je te parle d'une cure et il a fallu que tu prennes l'avis de tes amies sur la question. Ce qu'un mari dit à sa femme, c'est pas bon; ce que disent ses voisines ou ses amies, ça, c'est de l'or en barre. Ensuite, vous vous surprenez qu'on vienne la rage dans le corps et vous traitez les hommes de tous les noms. Maudites pas bonnes que vous êtes!

-C'est pas de même qu'il faut voir ça, dit-elle en se lançant vers lui.

Elle s'agenouilla sur le lit et mit sa main en douceur sur son épaule, ajoutant:

-C'est comme le joueur d'échecs qui ne voit pas le chemin qu'il doit prendre mais que des observateurs peuvent éclairer parce qu'en dehors du jeu, ils sont plus clairvoyants, c'est tout. Suzanne et Pierrette m'ont simplement fait prendre conscience que toi, toi, Pierre Lavoie, tu avais raison et moi, moi, Hélène Prince-Lavoie, j'avais tort.

-Tout le bobo est exactement là, dit-il en se dégageant de sa main. Vous autres les femmes, en tout cas toi, tu prends ton homme pour un adversaire à vaincre au lieu d'un partenaire à soutenir... et à croire quand c'est le temps parce que lui aussi est un peu en dehors de ton jeu et peut voir tes erreurs.

-Je comprends ta réaction, je la comprends. Mais tu ne peux tout de même pas me reprocher ma décision en elle-même quel que fut le cheminement pour y arriver?

Il était cerné. Tenter de la dissuader de faire sa cure se retournerait contre lui devant la justice. Au contraire, il valait mieux se rallier officiellement et travailler en sourdine par des pressions psychologiques à faire avorter le projet. Autant commencer maintenant et il joua le jeu de la colère noire:

-Tu fais dur en sacrement, oui, laisse-moi te dire que tu fais dur, Hélène Prince, de venir me m'annoncer: "T'étais dans les patates, mon cher Pierre Lavoie, mais Suzanne et Pierrette, elles, ont raison," même si elles disent la même maudite affaire.

Il avait ce ton de la rage et de l'amertume avec lequel cette fleur qu'elle avait préparée pour lui depuis deux jours se faisait écraser en mille miettes. Une douleur profonde née d'un sentiment de culpabilité plus profond encore, jaillit en l'âme d'Hélène qui resta assise sur ses talons, pantelante, le coeur dans les larmes, le visage incrédule.

-J'aurais fait mieux de ne pas t'en parler, c'est sûr, mais puisque c'est fait maintenant, je te demande ton aide. J'ai besoin de ton aide, Pierre. Sans toi, je ne réussirai jamais à m'en sortir de mon esclavage.

-Ça, ma chère... je ne vais pas te nuire, mais... il va falloir que tu t'en sortes par tes propres forces comme tu t'es fourrée là-dedans par tes propres faiblesses.

-Oui, mais si je manque de forces? La tienne me soutiendra...

-On en parlera demain. Je m'endors et je suis fatigué. Et si je me mets à t'en dire, je vais trop t'en dire.

-Regarde-moi, Pierre, regarde-moi. Regarde comme je suis démunie. Aide-moi. Je t'en prie. Je t'en supplie...

Il fit la sourde oreille, jeta sa robe de chambre sur son fauteuil de chevet et se mit sous les couvertures en lui repoussant durement les genoux avec ses pieds vindicatifs.

Elle éclata en sanglots.

L'homme gagnait du terrain. Il dit:

-Là, tu t'arranges pour que je t'en dise un voyage, hein! Je vais t'en dire un voyage en deux mots pas plus longs que ce que tu mérites: tu m'écoeures. C'est clair?

-On dirait que ça t'arrange que je boive, gémit-elle. Je veux juste de l'aide de l'homme que j'aime, moi. En quoi c'est trop demander? Le mariage, ce n'est pas le meilleur ou le pire, c'est le meilleur mélangé avec le pire...

-Achale-moi pas avec tes sornettes d'Église! Et couche-toi au plus sacrant que je dorme!

Il s'enveloppa la tête dans ses bras comme un chimpanzé afin de montrer qu'il n'écoutait plus mais il voulait absolument qu'elle refasse une dernière fois sa demande d'aide. Mais elle pleurait doucement sans rien dire comme une enfant battue, abusée, malheureuse jusqu'au bout des ongles, déconfite, décrépite, le visage presque grotesque dans ce maquillage de prostituée qui se défaisait sous l'enflure, les larmes et les morsures des lèvres.

Pierre devait renverser son opinion voulant que de la voir boire l'arrangeait; il dit:

-Tu la veux, mon aide, tiens. Je ne vais plus coucher avec toi tant que tu ne seras pas guérie. Nous allons faire chambre à part à partir de demain...

Il se jeta sur ses pieds hors du lit et fit des pas vers la porte en ajoutant:

-Et même à compter de cette nuit. C'est une motivation que je vais te donner, qui va me coûter à moi parce que je suis le seul à aimer le sexe dans ce ménage-là, mais je vais le faire quand même pour t'aider.

-Non, ne t'en va pas, cria-t-elle au paroxysme du désespoir et de la peur.

Elle se jeta à sa suite et le retint par le bras en le secouant:

-C'est ton aide positive que je veux, Pierre, pas des coups sur les doigts. Je veux que tu me tiennes la main pas me la faire broyer; autrement, je ne tiendrai pas le coup. Aide-moi à m'en sortir et le moment venu, je t'aiderai quand la vie te portera des coups durs. En affaires, on ne sait jamais... Une invalidité... Je suis en train de bâtir une petite sécurité pour la famille...

Il se retourna et lui montra ses poignets en déclarant, l'oeil sadique et suffisant:

-Regarde ça, ma petite, ce sont mes poignets. Les poignets à tit-Pierre. C'est grâce à ça que j'avance dans la vie, pas en m'asseyant sur une paye de gouvernement comme un fonctionnaire ou ta gang de Russes que t'as l'air de tant aimer...

Il ouvrit ses mains, poursuivit:

-Dans la vie, c'est en se crachant là-dedans qu'on s'en sort. Je n'ai besoin d'aide de personne et surtout pas de la tienne. T'as voulu te mettre à travailler pour toi-même, pour te réaliser comme tu disais, alors travaille pour toi-même et laisse-moi faire le reste. Je suis capable de faire vivre la famille. Bois, toi.!...

-Alors aide-moi pour une vie meilleure, pour un quotidien meilleur, pour nos enfants. Empêche-moi de sombrer. Tu les aimes, tes enfants. En m'aidant, tu leur tends la main.

Il pencha la tête, ouvrit les mains, dit en détachant chaque mot, chaque syllabe:

-O.K.! O.K.! mais à mes con-di-tions!

Elle sourit à travers ses larmes:

-À tes conditions... Sauf une... je veux dire que j'ai besoin d'en poser une, moi aussi...

-Déjà de la négociation?

-Non, tu seras d'accord, je le sais.

-Parle.

-On ne va pas dire aux enfants que je vais en cure de désin-toxication. J'ai une id...

Il lui prit les poignets et serra pour lui faire mal en disant:

-N-O-N! Pas de mensonges, pas d'hypocrisie! Tu fais face à la réalité telle qu'elle est.

Elle retraita, pencha la tête.

-Tu as raison, tu as raison. Tu vois que ce n'est pas si difficile de m'aider.

Pour le remercier, elle le toucha par-dessus le slip. Il la trou-vait rebutante ainsi piétinée. Ses souvenirs lui remirent en mé-moire la Bette Davis de 'Qu'est-il arrivé à Baby Jane?'

-Je suis prête, et toi?

-Ça serait pas mal difficile que ça vienne pas, à faire ce que tu fais là.

-Tu ne veux pas que je continue?

-J'ai pas dit ça, j'ai pas dit ça. C'est la manie que t'as de lire entre les paragraphes.

-Pour ce qui est de faire chambre à part, ce sera automatique cinq jours sur sept puisque je vais coucher au Centre d'Oka. Mais je ne veux pas que tu me le fasses prendre pour une punition, tu veux, Pierre?

Ils retournèrent au lit. Elle ne le lâcha plus. Elle avait grande envie de lui: une envie du coeur, de l'âme. Il la voulait. Comme un homme désire... une fille de rue.

∞∞∞

-Je commence à réaliser que j'étais en train de perdre mon mari, dit Hélène au groupe réuni en cercle.

Elles étaient six autour de la psychothérapeute, une femme dans la moyenne quarantaine, rescapée de l'enfer de l'alcoolisme qui, forte de sa propre expérience et d'une formation spécialisée en Californie, donnait des signes de piste à ces femmes désireuses de remettre leur vie en voie et le train de leurs émotions en gare devant un nouveau départ.

Dernière des six à se vider de ses passés, Hélène avait entendu toute la journée des récits émaillés de faits marquants. Donc déterminants selon les psy et leurs investigations glorieuses!. Deux avaient été abusées sexuellement durant l'enfance. Une avait culbuté toute sa jeunesse d'un foyer d'accueil à un autre. La quatrième avait la bouche rétrécie par une timidité maladive. Et la cinquième, par son adolescence de marie-couche-toi-là, démontrait une sorte de besoin à se faire chosifier par les nombreux hommes de sa vie encore courte.

Alors quoi, mais suis-je donc la seule personne normale ici? avait fini par se dire Hélène durant le dernier commentaire de la thérapeute et qui précédait sa prestation à elle. Car elle n'avait rien à raconter d'exceptionnel sur elle-même. Aucun traumatisme à la naissance. Pas d'abus d'aucune sorte durant l'enfance à part les mémorables claques sur les fesses dont chacun de ces décennies-là porte fièrement le souvenir dans ses mémoires. La pire tragédie dont elle avait été le témoin avait consisté en la chute de son père à ses pieds dans la grange quand elle avait cinq ans.

"Peut-être y a-t-il eu là traumatisme, pensa la thérapeute. Cet homme couché et qui grognait de douleur n'avait-il pu rappeler à l'enfant un abuseur vicieux en train de jouir?" Malgré tous ses efforts et sa fixation hypnotique sur la chose sexuelle ainsi que toutes ses pirouettes intellectuelles, la pauvre ne réussit pas à trouver dans la vie d'Hélène quelque chose qui relie son alcoolisme à sa sexualité et force lui fut d'admettre qu'elle buvait par la bouche et non pas par le vagin.

Au chapitre des maux d'enfant, rien de spécial non plus. Les oreillons... au niveau du cou. La rougeole un peu partout. Et les menstruations...

-Précoces ou tardives? s'enquit la thérapeute derrière ses lourdes lunettes à vitres épaisses et montants noirs et larges.

-À leur heure, je pense, répondit Hélène.

L'autre dont les traits du visage auraient pu s'inscrire en fioritures plaquées or dans le livre de la bonté humaine, reprit:

-Voilà justement le problème, mesdames. On croit, on pense... Et on se trompe...

On était dans une pièce dépouillée. Plutôt vaste. Des murs en bois naturel noueux. Une moquette épaisse d'un brun pâle, sans taches, impeccable. Ni tabagisme, ni breuvages à base de quelque chose, pas de nourriture ou de grignotines non plus, tout ce qu'on avait le droit d'entrer avec soi et ses vêtements dans ce lieu de strip-tease mental, c'était de l'eau. Et il fallait garder son verre avec soi sans utiliser la table de salon à dessus de verre mise au centre et qui symbolisait la 'tabula rasa' où poser son âme afin de la restructurer.

Trois femmes, la timorée entre les deux abusées, avaient pris place sur un divan. Deux autres dont Hélène leur faisaient face en fauteuil de l'autre côté de la table et Yolande, la thérapeute, se berçait dans une chaise grand-mère bardée de coussins au bout du cercle face à la blonde frivole qui aimait l'humanité tout entière sauf elle-même.

-Et quand tu étais jeune, demanda l'orpheline du groupe, à qui aurais-tu voulu ressembler plus tard?

-Je ne sais pas... à une hôtesse de l'air.

"Il y a quelque chose de phallique dans le dessin et le dessein d'un avion," se dit Yolande l'oeil au triomphe, mais la pensée s'envola dès qu'une précision fut apportée par la questionneuse.

-Je veux dire un personnage connu, dit donc la femme en rouge ressemblant trait pour trait à Jane Fonda et qui aurait aimé qu'on le lui répète pour la millième fois.

-Je ne sais pas trop... On admirait bien Marilyn mais ça ne veut pas dire qu'on aurait voulu lui ressembler...

Chacune du groupe en vint à penser que cette femme trop normale était donc anormale et qu'elle serait par conséquent une source de problèmes dans la thérapie de groupe. «Rebel without a cause».

-Te sentais-tu inférieure aux gars de ton âge? osa demander la timorée, petit être au nez interminable, sécurisée par son entourage.

-Sais pas trop... Le rôle de chaque sexe était plus... circonscrit, mais la notion de servilité ou comme on dit de dominant-dominé n'était pas... disons répandue. Chacun, chacune dictait sa conduite sur celle généralement admise.

-On sait bien, mais encore? dit la thérapeute.

-Heu... non, je ne me suis jamais sentie pire ou mieux que les gars de mon âge.

-Et Dieu dans ta vie? demanda Yvette, une fille dans la trentaine qui avait fait plusieurs rechutes mais qui se relevait toujours grâce au ciel.

Hélène scruta son regard comme pour chercher à savoir ce que l'autre voulait entendre mais la vérité eut le dessus:

-Ben... le Dieu de tout le monde, là. Le Dieu de l'habitude quoi! Je me suis mariée à l'église... Mes enfants sont baptisés. On va à la messe parfois sans imposer ce qui nous fut imposé. Pierre dit, et je suis d'accord, qu'il appartiendra aux enfants de choisir leurs appartenances.

-Tu ne demandes jamais de faveurs au Seigneur?

-S'il me répond à moi, cela veut dire qu'il me favorise. N'as-tu pas dit faveurs? Et ça veut dire aussi qu'il m'aime plus que des milliards de personnes dans le monde dont des millions d'enfants, qui ont plus de misère que moi. Non, s'il ne sauve pas de la faim, de la cécité, de la mort tous ces gens-là qui sont pour la plupart plus innocents et certainement meilleurs que moi, comment pourrait-il intervenir en changeant ma vodka en eau? Prier Dieu pour soi-même, je m'excuse, mais je trouve cela ridicule et surtout prétentieux. C'est se juger meilleur que les trois quarts de l'humanité.

-Mais c'est épouvantable de penser comme ça! se scandalisa Yvette, les yeux démesurément incrédules comme ceux d'une fillette.

-Ne sommes-nous pas ici parce que nous sommes des femmes épouvantables? Ne sommes-nous pas ici pour nous convaincre mutuellement de cesser de boire et de changer moralement?

-Oui, mais il faut d'abord la foi en... disons en quelque chose... un être supérieur qui peut nous aider...

-Et la table rase, là?

-Oui, mais c'est tout de même une table avec des pattes!... Elle ne se tient pas debout toute seule...

-Non, j'exagère, dit Hélène devant tous ces yeux-baïonnettes pointés sur sa tête. Je suis croyante au fond de moi. Mais je voudrais faire valoir quelque chose d'exceptionnel dans ma vie plate...

On la trouva sympathique et prévenante, tout compte fait.

Si la guérison d'un alcoolique s'obtient mieux avec l'appui des autres, chacun doit se faire l'instrument principal de sa propre thérapie, disait un principe du Centre que Socrate n'avait pas fondé, certes, mais dont il avait inspiré la philosophie sans le savoir. Et puis la ciguë n'est-elle pas en somme que de la vodka au carré?

Chaque malade avait donc sa chambre particulière. C'est là qu'il apprivoisait la solitude de son sevrage. Hélène y pleurait doucement en regardant le lac des Deux-Montagnes par la fenêtre. Un lac sombre aux airs obliques sous le soleil penché. Elle n'était guère satisfaite de sa première journée de cure. On frappa discrètement à la porte. C'était la thérapeute qui lui apportait des biscuits secs, du lait frais et du réconfort sucré. La femme posa le plateau sur la table de chevet. Hélène qui regrettait de n'avoir pas emporté 'Anna Karénine' en parla avec la femme qui s'objecta. Il fallait qu'elle se repose de tout son routinier:

-Table rase, table rase, chantonna-t-elle.

-Je ne peux tout de même pas tout oublier, jusqu'à l'existence de ma famille, ma culture, mon vieux moi comme on disait en bas aujourd'hui.

-Non, mais il faut que tu le regardes avec un espace de recul, comme... si tu étais l'observatrice d'une partie d'échecs que tu joues pourtant toi-même... et contre toi-même...

La comparaison plut à Hélène qui s'en était servie récemment mais qui lui avait valu un blâme de Pierre, sans doute parce qu'elle faisait trop russe.

Les deux femmes étaient debout de chaque côté du lit, Hélène découpée dans son jean par le jour déclinant de la fenêtre derrière elle et l'autre perdue dans une sorte d'uniforme indescriptible d'un bleu incertain.

Celle à qui l'autorité et la sagesse étaient dévolues par les circonstances s'accrocha une fesse au bord du lit et invita du geste Hélène à faire pareil. Elle dit quand l'autre eut obéi:

-Des six... malades du groupe, tu es la seule qui ne devrait pas être ici.

-Mais je buvais...

Elle fut interrompue:

-Ce n'est pas ce que je veux dire. Mais c'est que tu n'es pas un personnage à grandes tempêtes. Tu es madame-tout-le-monde et madame-tout-le-monde ne vient pas en cure de désintoxication pour la bonne raison qu'elle n'est pas intoxiquée. Que se passe-t-il ou que s'est-il passé dans ta vie que tu n'as pas voulu ou pas pu dire aujourd'hui? Laisse-toi aller, abandonne-toi, abandonne complètement ta volonté... Je suis là, moi, pour t'aider à y voir clair, pour t'aider...

-Si mon alcoolisme est absurde, il est donc inguérissable, n'est-ce pas?

-Rien n'est absurde! Il suffit de trouver la cause, la vraie.

-Et si ce n'était que physique? Une substance trop abondante sécrétée par mon cerveau et qui a fait que l'alcool m'a accrochée?

-Pas impossible, mais certainement pas la cause principale!

-Pourquoi une maladie comme l'alcoolisme doit-elle être forcément attribuée à un événement marquant de la vie?

La thérapeute fit des gros yeux globuleux amplifiés par les verres voulant dire 'mais cela va de soi'. Elle patina, philosopha et quand elle quitta pour se rendre visiter une autre éclopée de la vie, Hélène était au moins deux fois plus triste qu'à son arrivée.

Elle se rassit devant la fenêtre. L'autre rive du lac s'allumait d'étoiles qui allongeaient leurs éclats dans l'eau calme. Les maisons, les unes après les autres, refoulaient le soir dans la nuit. Le visage de Valérie se dessina sur le noir canevas fluide. Hélène rêvait. Ce n'était pas la première fois qu'elle était séparée des enfants mais la distance n'était pas la même. Cette fois-ci, elle se sentait coupable... coupable d'éloignement...

Elle philosopha à son tour sans perdre de vue l'image floue de sa fillette à lulus souriants. Qu'est donc le mal sinon une accélération trop brutale du changement? Et n'y a-t-il pas qu'un seul arbre du bien et du mal? Le bien et le mal, loin de s'opposer, ne se composent-ils pas comme la lumière et la chaleur du feu? Aurait-on idée d'imaginer un feu froid ou noir? Baudelaire lui tendit la main, mais pas avec une vraie fleur du mal. Ce fut *L'Invitation au voyage* qui lui revint en mémoire.

Après un tour d'horizon de son enfance où la joie était partout campée, elle suivit le poète *là où tout n'est qu'ordre et beauté, luxe, calme et volupté.*

La mélancolie en vint à maquiller sa beauté et à fondre ses nuances dans le visage d'enfant qui dormait sur l'eau paisible...

∞∞∞∞

-Tu sais de quoi je m'ennuie le plus quand tu n'es pas là? C'est de ta voix...

Après avoir eu une conversation téléphonique avec Hélène, Pierre parlait maintenant avec Nicole depuis son bureau de chantier en l'absence de la secrétaire à l'heure du repas du midi. Sa maîtresse se fit encore plus précautionneuse et duveteuse:

108

-Tu sais que je suis couchée sur mon lit en ce moment?

-Ah? Et comment?

-Sur le ventre... mais si tu préfères, je peux me mettre sur le dos pour que tu puisses m'emprisonner mieux.

-Oui, tourne-toi mon petit minou.

Pierre était assis derrière un bureau dans une pièce à toit cathédrale. On s'appelait de plus en plus souvent: une fois, deux fois par jour. Parfois en plein dos de la secrétaire qui faisait semblant de n'y rien entendre.

Après les mamours d'adolescents, on s'entretint de la cure d'Hélène.

-L'important selon mon avocat, c'est que son alcoolisme devienne notoire, je te l'ai dit. Plus les gens sauront, moins elle ne pourra nier devant le juge. Elle voulait le cacher aux enfants; je vais faire le contraire et les conduire au Centre d'Oka ces jours-ci. J'ai le prétexte, elle m'a demandé de lui apporter un livre qu'elle va peut-être finir par finir; ça fait un mois qu'elle l'a entre les mains, on croirait qu'elle lit une page par jour.

-Tu vas te rendre à Oka et tu ne pourras pas venir m'embrasser? gémit-elle capricieusement.

-Que veux-tu, ma chouette, ça ne sera pas par manque de désir.

-Mais quoi, les enfants ne savent pas que leur mère est une femme malade par sa propre faute?

-Oui, ils savent qu'elle est en cure, mais je veux qu'ils le voient.

Il lui apprit ensuite au cours de la conversation que le groupe d'Hélène se retrouverait à un restaurant d'Oka le soir même pour y prendre le souper. Nicole en prit bonne note sans pourtant le faire remarquer. Et lorsque, Pierre eut raccroché, elle composa le numéro de sa meilleure amie pour l'inviter à dîner... Puis elle commença à appeler les restaurants d'Oka pour savoir lequel aurait à souper un groupe du Centre de désintoxication.

∞∞∞∞

-Ah! de ce que le monde est petit! Veux-tu bien me dire, Hélène, qu'est-ce que tu fais ici? Depuis des semaines que je veux t'appeler et voilà que je te rencontre à Oka, presque chez moi. Je voulais vous inviter, toi et Pierre, à venir nous voir. On vous voit jamais! La dernière fois, c'était quand? Dans le temps de Noël?

Hélène souriait mais elle jurait contre le sort. Pourquoi diable le hasard les avait-il fait se rencontrer à ce restaurant?

Nicole et son amie venaient d'y entrer. La femme avait aussitôt repéré le groupe d'Hélène mais avait marché comme dans la plus parfaite ignorance et on avait même pris place à une table tandis qu'Hélène se demandait quelle attitude prendre si on s'apercevait, ce qui ne pouvait manquer dans une salle à manger aussi peu achalandée.

La voix de sa belle-soeur l'avait quand même fait sursauter puisqu'Hélène ne l'avait pas vue venir. Nicole ne lui laissa pas le temps de répondre et poursuivit en la touchant d'une main faussement affectueuse en arborant un de ces sourires dont certaines personnes rares sont capables, si hypocrite jusqu'au fond du regard, qu'il ne laisse transparaître que de la sincérité bon enfant et que Freud en personne n'aurait jamais pu y lire quoi que ce soit, même avec des lunettes à cent foyers:

-T'es ici pour un bout de temps: vous n'avez pas mangé encore. Écoute, j'ai des choses à régler avec une amie, la personne qui se trouve avec moi, et ensuite, si tu veux prendre une dizaine de minutes, on trinquera ensemble. Hey, que je suis donc contente de te voir!

Hélène ouvrit la bouche. L'autre ne la laissa pas parler et reprit en quittant pour s'en aller aux toilettes:

-Je te revois tout à l'heure, O.K.?... Que je suis donc contente de te voir!

Hélène maugréa:

-Que j'aurais donc pas voulu la rencontrer ici!

-Qui est-ce? demanda la thérapeute.

-Une belle-soeur.

-Elle a l'air bien pourtant.

-Elle est très bien, s'exclama Hélène. Trop bien même! Comment lui expliquer ce que je fais ici avec vous autres?... Vous comprenez, je ne veux pas que toute ma famille... je veux dire ma famille élargie, mes parents, mes frères, mes belles-soeurs, sachent que...

-Tut, tut, tut, tut, fit la thérapeute en niant d'un index qui bougeait comme un essuie-glace. Tu dois faire face à chaque situation et c'est merveilleux, ce hasard qui te met en face d'une belle-soeur.

Hélène se désespéra:

-Oui, mais Nicole est une femme exceptionnelle et je me sens si... si petite à côté d'elle avec mon problème. Pendant qu'elle fait de l'équitation, moi je fais de la désintoxication...

-C'est à ta famille que tu veux cacher ton problème ou à elle précisément.

-Mais à tous! En quoi ils ont besoin de savoir?

La thérapeute soupira:

-Si tu n'es vraiment pas prête à te révéler, dis-lui que nous travaillons toutes avec toi au cégep.

-Oui, je pense que c'est ça que je vais faire, fit Hélène soulagée, expirant de l'air comme si le poids de toute la bâtisse venait de lui être enlevé des épaules.

-C'est une belle femme, ta belle-soeur.

-Heureusement qu'elle est fidèle, sinon elle aurait pas mal d'hommes à ses pieds!


Nicole passa à nouveau près de la table de la bande des six toxicomanes. Elle fit un large sourire disponible à toutes mais un signe particulier de la main droite, de ses doigts imitant la vague, à l'endroit d'Hélène: un salut amical, affectueux, complice. Et retourna s'asseoir, reçue par les bons mots de sa compagne de table:

-Ta robe est splendide, chère toi, simplement ravissante. Et ravissante parce que simple justement.

-Oh! ma chère Jeannette, si tu savais le prix, tu ne dirais pas ça!

Nicole portait une robe en coton blanc imprimé de fleurs bleues, très ample, légère, à corsage cintré, à encolure arrondie qui magnifiait son port de tête. Sa compagne reprit:

-J'ai cru me rendre compte que tu connais quelqu'un là-bas?

-Seulement une d'entre elles qui est ma belle-soeur. C'est la soeur de Jacques. Je l'aime bien...

Nicole se pencha en avant et poursuivit à mi-voix:

-Elle aime lever le coude... un peu trop à ce que j'ai su. Ce qui, bien entendu, n'enlève pas les qualités d'une personne. Justement, je vais lui faire servir une vodka-jus d'orange, c'est son verre favori.

La serveuse revenait une seconde fois à la table après qu'on l'eut renvoyée la première pour donner le temps à Nicole de se rendre à la salle de toilettes. Elle repartit avec la commande d'apéritifs. Et Nicole poursuivit sa conversation avec Jeannette, une femme aux cheveux sucre à la crème, coupés court, et dont une vague barrait le front en travers jusqu'au-dessus de l'oeil gauche. Un visage à la Grace de Monaco à mâchoires découpées et aux légères fossettes près des commissures des lèvres. Elle ignorait que son amie l'utilisait en ce moment en faisant d'elle la complice d'un crime psychologique.

L'homme cruel torture sa victime physiquement; il connaît d'instinct toutes les règles de l'art. La femme cruelle torture psychologiquement. Et préfère s'occuper d'une victime à la fois pour mieux raffiner ses soins sinistres et concentrer son plaisir. Facile à dissimuler derrière toutes sortes d'écrans en couleur, invisible, efficace, ne fournissant aucune pièce à conviction, la torture mentale est de plus en plus utilisée. Elle ne dévalorise pas le bourreau aux yeux des autres qui, du reste, n'y voient que du feu, ne génère donc pas de témoignages, et souvent la victime elle-même prend sa tortionnaire pour une sainte, ce qui décuple alors son sentiment de culpabilité et accélère la perte d'estime de soi. Nombre de divorces trouvent là leur fondement mais cet accomplissement à petit feu échappe tout à fait à la société derrière l'abominable spectacle des abus physiques, lequel constituera pour ces tortionnaires de l'âme le triomphe suprême. Le crime parfait quoi!

Depuis l'appel de Pierre, Nicole avait réfléchi et s'était bâti une stratégie. Hélène voulait camoufler son vice, avait-il révélé. Elle avait donc honte et il fallait utiliser cela. C'est pourquoi elle avait arrangé ce hasard de la rencontre. Il n'y avait que deux chemins devant Hélène. Ou bien elle avouerait ou bien elle dissimulerait. Dans le premier cas, elle ne saurait mentir à la Cour comme le disait Pierre. Mais de plus, cet aveu même risquait de la confiner au secret ouvert, c'est-à-dire qu'elle se bâtirait des abris verbaux pour excuser son penchant, montrer la rapidité de sa guérison. Un simple coup dur alors, une seule consommation et son alcoolisme reviendrait avec des forces décuplées. Dans le second cas, ce serait le secret fermé: il ne fallait pas cela qui garderait Hélène beaucoup plus forte, peut-être trop.

Quel formidable plaisir de jouer ainsi au chat et à la souris avec cette rivale qui ignorait l'existence du chat, cette pète-sec d'intellectuelle qui ne méritait pas les millions que Pierre disait qu'il posséderait dans cinq ans à moins d'un impensable pépin comme une crise économique suite à une sécession du Québec de la confédération canadienne par exemple. "Mais il n'y aurait pas de crise économique à cause des péquistes car le Canada resterait le Canada," ajoutait-il toujours.

Nicole n'écoutait Jeannette que d'une oreille et ne la regardait que d'un oeil. Son attention allait de ses propos à sa réflexion sur son avenir avec son amant en passant par la serveuse qui reviendrait bientôt avec les apéritifs, espérant qu'elle vienne d'abord à leur table avant de se rendre livrer son verre de vodka à Hélène.

Pour en être plus sûre, elle fit un signe à la serveuse quand elle la vit revenir avec son plateau de service et l'autre vint déposer les consommations à leur table d'abord.

-C'était juste pour vous dire que la personne à qui je veux payer la traite s'appelle Hélène. C'est celle à côté de la dame... grassette qui porte de grosses lunettes.

-Très bien, merci!

-Dites-lui que c'est de la part de Nicole.

-D'accord.

Le serveuse fit ce qui avait été demandé. Hélène, par son regard, demanda secours à sa thérapeute.

-Tu n'as plus le choix, dit la femme, tu dois faire face à la musique.

-Mais je ne suis pas prête, pas prête du tout! gémit Hélène à mi-voix.

La serveuse se retira et laissa libre le champ de vision entre les deux belles-soeurs. Hélène dut se retourner. Nicole levait son verre en direction de celui de Jeannette, regardant pourtant dans l'autre et quand ses yeux rencontrèrent ceux d'Hélène, elle lui fit 'santé' avec un immense sourire injecté d'une effervescence née dans les basses-fosses de son âme perverse.

-Mais je ne veux pas boire, dit Hélène à sa voisine.

-Lève ton verre et fais semblant!

Hélène prit la suggestion. Nicole but. Hélène frôla le verre. Nicole but encore. Hélène posa le verre. Nicole fit une moue à la fois négative et questionneuse. Hélène sourit avec des hochements affirmatifs qui ne parurent pas satisfaire sa belle-soeur. Nicole se leva, le verre à la main et se rendit auprès d'Hélène en disant:

-C'est bien une vodka au moins? Il me semble que c'est ce que tu prends d'habitude.

-Oui, mais je n'ai pas soif pour le moment. J'ai surtout faim, tu sais.

-Ah! mais ça ouvre l'appétit: c'est pour ça un apéritif.

-Plus tard.

-Tiens, viens donc jaser cinq minutes à ma table. Vous permettez, mesdames, que je vous l'emprunte un peu. C'est ma belle-soeur préférée, je dirais même chérie, et on ne se voit que par hasard, imaginez. Viens, Hélène. Tiens, je vais emporter ton verre.

Coincée, Hélène dut suivre après un ultime regard à la thérapeute qui la supplia de se tenir droite. Elle fut présentée à Jean-

nette mais le courant ne passa pas librement entre les deux femmes. Qu'importe puisque Nicole faisait tourner la planète autour
de la personne d'Hélène:

-Tu sais, je viens ici pas mal souvent et je ne t'ai jamais vue,
bien sûr. Toi, c'est une occasion spéciale sans doute?

-Je viens rarement à Oka.

-Elles ne t'en voudront pas de venir à notre table quelques
minutes au moins?

-Non, bien sûr que non!

-Sais-tu, la personne avec des grosses lunettes, il me semble
que je la connais.

-Penses-tu?

-Il me semble que je l'ai vue ici déjà.

-Elle vit à Sainte-Marthe, ce n'est pas loin. C'est des personnes qui travaillent au cégep...

-C'est bien ce que j'avais pensé. Surtout que les classes sont
sur le point de rouvrir.

Hélène avait honte de mentir. Elle eut le réflexe de boire et
prit son verre mais le remit sur la table. Nicole qui remarqua le
geste comme elle absorbait tous les autres de sa belle-soeur, leva
le sien en disant avec enthousiasme et de sa belle voix bourrée de
conviction:

-Je suis assez contente de te voir; on se croirait dans le temps
de Noël. Levons nos verres!

Hélène hocha la tête:

-Comme je te le disais, je n'ai pas soif.

-Alors juste une petite goutte pour faire semblant.

Une petite goutte, qu'est-ce que cela pourrait changer dans une
thérapie qui venait à peine de commencer, se dit Hélène. Et puis
elle n'avait pas le choix. Il fallait boire ou bien avouer la raison
de son refus. Elle leva son verre tout en jetant un coup d'oeil à la
dérobée vers la table des alcooliques. Personne ne lui portait attention. Alors elle but. Une fois. Deux. Trois.

Nicole exultait. Elle riait de bonheur dans son verre de cinzano
aux glaçons musicaux.

-Pour une fille qui n'a pas soif...

-C'est de se décider, hein!

-Et puis comme ça, ce sont des personnes qui travaillent au
cégep de Sainte-Thérèse?

Hélène sentit le besoin d'expliquer leur présence dans un restaurant d'Oka.

-Il y en a une qui reste à Saint-Joseph et elle nous a invitées ici, à deux pas de chez elle.

-À Saint-Joseph? s'exclama Jeannette, mais j'ai grandi là, moi, et je connais pas mal de monde.

Elle regarda en direction du groupe, plissa les yeux, demanda:

-C'est laquelle?

Hélène était traquée une fois de plus dans son maudit mensonge. Elle avait envie d'abandonner, de se jeter dans les bras de Nicole, de la remercier pour sa bonne humeur et sa sollicitude et pour lui demander pardon de la tromper aussi regrettablement.

-De toute manière, je vois aussi loin qu'une taupe, rajouta Jeannette. Même avec mes lunettes quand il fait aussi sombre, je ne reconnais personne. Je dois justement aller aux toilettes et je vais en profiter pour mettre mon nez. Excusez-moi!

Elle quitta la table. Hélène demanda sa main à Nicole. Elle l'enveloppa dans les siennes et lui dit, le regard catastrophé:

-Je voudrais... te faire partager un secret... un pénible secret... D'abord, je suis en train de te mentir à pleine bouche et ça me fait honte. Pour te dire la vérité, j'ai entrepris hier une cure de désintoxication au Centre d'Oka. C'est un groupe de personnes comme moi, sauf notre thérapeute.

Nicole hocha la tête. Elle retira sa main pour se frapper la tempe. Quelque chose de désespéré s'inscrivit dans les traits de son visage. Elle gémit comme Jeannette le faisait si bien parfois:

-Quelle idiote je suis! C'est épouvantable! Je te fais parvenir un verre de vodka et ensuite, je te force quasiment à boire avec moi. Je ne me suis jamais sentie aussi mal de toute ma vie, moi.

-C'est aucunement de ta faute, dit fermement Hélène qui reprit sa main entre les siennes. Mentir, n'est jamais bon. Suis tombée dans mon propre piège, c'est tout. Et je te demande pardon...

-En plus, elle me demande pardon; mais c'est moi qui suis impardonnable, voyons! Hé! que je m'en veux donc!

Hélène se demandait comment elle avait déjà pu trouver Nicole un peu snob. Cela devait tenir uniquement à son costume d'écuyère qu'on lui voyait parfois quand on se rendait au Centre d'équitation. Elle était prise d'un autre remords maintenant: celui de l'avoir imitée lors de l'incident du dimanche au chalet. Leur échange du moment lui faisait prendre conscience de l'injustice qu'elle avait alors commise sous l'effet de l'alcool sans doute mais peut-être aussi d'une méprisable petite pointe d'envie mesquine devant la beauté incomparable de Nicole et l'harmonie intérieure que son visage disait avec tant d'éloquence.

Le mécontentement que sa propre image suscitait en elle diminua. Elle se sentait soulagée d'avoir fait face à la réalité comme le lui avait conseillé la thérapeute depuis son arrivée. On ne met pas d'emplâtre sur une fracture morale, on la laisse guérir au grand jour. Elle comprenait si bien maintenant!

Nicole avait l'impression d'avoir gagné le gros lot. Tout avait tourné en sa faveur et cent fois mieux que prévu. Non seulement Hélène s'était mise à nu devant elle mais de plus, par une chance inouïe, elle avait ingurgité le fameux premier verre de la rechute.

-C'est dans l'action qu'une femme grandit et je te félicite, dit Nicole à sa belle-soeur tandis que la bouche de son coeur s'adressait la même phrase à elle-même.

∞∞∞∞

Le lendemain, Pierre se rendit au Centre de désintoxication porter à sa femme son 'Anna Karénine' qu'elle avait réclamé. Il prit François avec lui de même que Valérie. Manon refusa de venir. Quelque chose en l'adolescente, une sorte de respect indéfinissable pour le mal dont souffrait sa mère, lui disait qu'elle ne devait pas accompagner son père là-bas.

Hélène reçut son mari et Valérie dans le vestibule d'entrée. François salua de loin de la main. Pierre la prit dans ses bras et la serra sur lui sans passion.

Après avoir embrassé la fillette, Hélène raconta à son mari sa rencontre avec Nicole mais en omettant tout ce qui avait eu un rapport avec la vodka. Le hasard les avait réunies au même restaurant; elles s'étaient parlé longuement.

-Je pense que je la connaissais mal, cette belle-soeur-là, tu vois. Elle a été si gentille, si compréhensive!

Pierre devint songeur et n'écouta la suite que d'une oreille. Cette action de sa maîtresse le contrariait fort. Il ne lui appartenait pas d'intervenir dans le processus devant le conduire au divorce. Il devait savoir pourquoi Nicole avait agi de la sorte.

Une heure plus tard, il réussit à la rejoindre au téléphone depuis une boîte publique enterrée par les bruits du rond-point de Saint-Eustache. Nicole vit à le faire parler d'abord. Il répéta ce qu'Hélène lui avait raconté.

-Je sais que tu ne vas pas me croire, mon chéri, mais c'est

116

purement et simplement le hasard qui m'a conduite à ce restaurant. En réalité, c'est Jeannette qui m'a emmenée là. Au nombre
de restaurants qu'il y a dans la région et puis je ne pensais absolument pas à ta femme...

-Si c'est de même, alors c'est très bien.

-Le destin est là qui nous rapproche malgré nous autres, mon
grand, que veux-tu?... Quand est-ce qu'on se voit? Si tu savais
comment je me sens...

∞∞∞∞∞∞∞∞∞

# Chapitre 7

La première semaine de cure enfin terminée, Hélène se sentait gagnante. Après cette ultime vodka à la table de Nicole, elle avait adopté une attitude moins punitive à l'égard d'elle-même, forte de cette sollicitude à l'improviste dont elle avait fait l'objet de la part de sa belle-soeur, comme si la Providence l'avait mise sur son chemin ce soir-là pour l'aider à affronter le pire.

Toutes sortes d'histoires concernant des circonstances impromptues, inexplicables à s'être produites dans la vie de ses compagnes de cure avaient affermi un peu sa foi en l'humanité, recommencé à bâtir sa foi en elle-même et remis à la hausse sa foi non pas en Dieu en qui bien sûr elle croyait mais en ses interventions possibles dans le quotidien, ce Dieu qui, dans sa logique récente encore, ne pouvait chasser un moustique du nez d'un millionnaire s'il laissait mourir de faim un petit Africain innocent dans la même seconde.

Jean Lapointe, l'alcoolique national des Québécois, avait contribué à ébranler ses convictions. N'avait-il pas obtenu un gros contrat à Radio-Canada grâce à deux Notre-Père? Et Péladeau, autre repenti de l'alcoolisme, ne réalisait-il pas de bien meilleures affaires depuis qu'il s'était tourné vers le Seigneur? Les grandes figures américaines du domaine des arts et de la politique ne se déclaraient-elles pas redevables à Dieu pour leurs succès éclatants?

118

Dieu dont on se fait l'image d'un soleil, d'un être de pure énergie, ne choisit-il pas de rayonner à travers les gens brillants de la planète et qu'il rend encore plus lumineux?

Sa restructuration émotionnelle passait par la tabula rasa, se disait-elle chaque jour comme on le lui conseillait depuis le premier moment; il fallait qu'elle abandonne ses structures de pensée qui l'avaient menée jusqu'au bord du gouffre et qu'elle s'abandonne à un soutien extérieur. Les résultats ne prouvaient-ils pas qu'elle s'était mise sur la bonne route?

L'espérance et des souliers noirs la chaussaient quand elle entra au cégep pour la troisième journée de cours. Elle marchait le corps droit sur le blason de l'institution imprimé dans le parquet de céramique du grand hall rond. Jamais elle ne s'était mieux préparée à une année scolaire. Le Centre d'Oka lui avait donné du temps pour le faire. Elle avait imaginé une nouvelle approche pour aborder son enseignement de la littérature québécoise contemporaine: prendre une oeuvre de qualité inférieure voire médiocre et en faire imaginer la refonte par un auteur reconnu. Bon, le problème, c'est qu'il n'existait pas de répertoires d'auteurs médiocres. Tiens, avait-elle pensé alors, pourquoi pas un Harlequin passant par le cloaque de Michel Tremblay et régurgité à la mode des Belles-Soeurs. Magnifier l'insipidité en la faisant transiter par nos racines les plus profondes comme les plus belles fleurs se composent à partir d'éléments qui se décomposent. Un beau dépaysement dans le pays même! Un garden-party misérabiliste! Un rêve québécois! Le problème avec les romans Harlequin, c'est que leurs auteurs sont étrangers. Elle trouva donc une maison d'édition locale spécialisée dans la littérature du même genre mais made in Quebec.    On l'arrêta sur une fleur verte du blason. Quelqu'un venu de biais et qu'elle n'avait pu remarquer tant elle entrait solidement, le regard droit comme une flèche et le pas juste: une étudiante qu'elle avait eue dans ses cours l'année précédente, petite, mignonne, souriante, à la noire chevelure à texture soyeuse, et qui lui dit:

-Salut, Hélène! Comment ça va?

-Allô! toi, dit la femme avec un bref éclat de son rire le plus bienveillant.

Le joyeux verbiage des retrouvailles suivit. On se reverrait bientôt. On se salua. Hélène, hélas, devait se laisser guider par sa montre comme si l'objet avait été une boussole. Elle reprit sa marche pressée puis bifurqua vers l'escalier large en spirale menant au deuxième. Des attachés-cases croisèrent le sien sans s'arrêter.

Dans un couloir d'école, un professeur timide, indifférent ou poussé par le temps le montre en regardant ses pieds aller. Mais si le couloir est beaucoup trop étroit comme souvent dans les vieilles institutions recyclées, l'échappatoire achoppe à l'enthousiasme des plus émotifs, surtout sur la dernière marche d'un escalier.

-Bonjour, madame Prince, comment allez-vous?

Hélène leva la tête. Un étudiant blond qu'elle avait vu pour la première fois à son premier cours de l'avant-veille l'interpellait en souriant comme s'il avait été un ami de longue date. Elle jugea bon de lui montrer qu'elle ne pouvait s'arrêter à tout venant depuis l'entrée du cégep jusqu'à son bureau du département de français. Elle plissa le front pour répondre:

-Bonjour!... Est-ce que je devrais te connaître?

-Je suis dans votre cours... J'étais là avant-hier.

-Ah!

-Je pense que ça va être plaisant d'étudier avec vous cette année.

Elle rit sans sourire:

-Mais attends tout à l'heure, tu ne vas pas chanter la même chanson. Avec madame Prince, on travaille dur, tu sais, très dur...

-Quelqu'un qui aime beaucoup son travail ne travaille jamais dur!

Ce trait de sagesse parvint à extraire un sourire du visage d'Hélène. Elle lui demanda son nom.

-Daniel Gauthier.

-Bon... rien d'autre de spécial? Parce que tu vois, je serai en retard si je niaise trop... je veux dire si je placote trop dans les escaliers.

-Ah! je comprends, madame, je comprends. Au prochain cours, là!

-C'est ça!

Elle poursuivit son chemin en pensant à lui le temps de quelques pas. Les pommettes, la lèvre, lui donnaient le type russe mais le sourire n'avait rien à voir. Et elle se plut à imaginer l'Union Soviétique changeant tout à coup son visage et sa langue de bois pour de l'affabilité et des expressions plaisantes, troquant les chars d'assaut pour les chars du sourire lancés sur le monde occidental... Le temps reprit ses pas et ses pensées. Elle arriva enfin au local du français. On ouvrit la porte au moment même où elle arrivait. Quelqu'un sortait, un professeur d'âge moyen au bouc poivre et sel, et qui s'arrêta, et qui parla très obligeamment:

-Ça adonne bien, je voulais justement te voir. J'avais un dossier sur mon bureau, des papiers personnels dans une chemise verte, tu n'aurais pas mis ça dans ta serviette par inadvertance? Étant donné la proximité de nos bureaux, des fois, on sait jamais...

-Tu vas trouver ça bizarre, Denis, mais je suis comme allergique à tout ce qui est vert. Pas une allergie physique, mais c'est une couleur qui me tombe sur la rétine. Ça m'aurait fait étrange de mélanger une chemise verte aux miennes. Mais je vais vérifier quand même. Peut-être que je deviens daltonienne.

-Si tu trouves, tu n'auras, s'il te plaît, qu'à la mettre sur mon bureau.

-Évidemment!

-Merci beaucoup, fit-il à répétition dans un dernier sourire révérencieux.

Elle se rendit à son bureau, l'esprit contrarié. On qualifiait de 'mémère' un homme pareil dans le temps et maintenant on appelait ça 'tèteux', et aux yeux de tous, le personnage possédait le diplôme des 'tèteux' et en portait la médaille. Mais avec son individualité propre et bien particulière, il avait sa place dans le groupe dont il ajoutait des points au dynamisme. Par ses différences marquées justement.


Elle consulta sa montre. Huit heures. Son premier cours débutait dans un quart d'heure; elle avait donc tout son temps pour remplir le tableau des notes du jour qui serviraient ensuite de squelette à son exposé. Et elle se mit à écrire un peu machinalement, confortable dans ses pensées et sa houppelande blanche, l'âme à l'harmonie.

Une voix se fit entendre dans son dos, discrète, prudente, au bord de la retraite, une voix dans le besoin:

-Madame Hélène, est-ce que je pourrais m'entretenir avec vous une minute?

Songeant au temps limité qu'elle avait avant le cours, Hélène fut sur le point de répondre sans se retourner mais touchée par le ton, elle se ravisa. C'était une jeune fille.

-Oui?

-C'est que je voudrais prendre un rendez-vous...

-Ah?

-Pour vous parler... plus longuement qu'ici.

-C'est urgent?

-Oui... Ben... non, pas vraiment. C'est pour quand vous aurez

121

le temps.

-Tu étais dans mon cours hier, n'est-ce pas?

-Oui.

-Quel est ton nom?

-Sophie Parent.

Hélène pensa à quel point elle était pressée après ses cours à cause de la nécessité de se rendre à Oka. Elle risqua une proposition:

-Pas la semaine prochaine ni dans l'autre mais dans trois? Est-ce que c'est trop loin?

-Non, non, c'est très bien.

-Tu viendras me voir le lundi.

-Oui. Merci, madame!

Il y avait un sourire de satisfaction sur le visage de l'adolescente quand elle quitta la salle de classe. Hélène en eut un aussi puis elle continua son travail en se remémorant l'image aérienne de Sophie, une jeune fille de vingt ans, au regard indécis. Sans doute vivait-elle une période d'adaptation à quelque chose et avait-elle besoin de conseils. Mais pourquoi avoir choisi un professeur qu'elle connaissait de la veille seulement? C'était flatteur.

Et les étudiants commencèrent d'arriver. Certains saluaient, la voix jetée. D'autres se rendaient en silence au dernier bureau libre. Les jeunes filles préféraient le devant de la classe. Plusieurs couraient les cendriers dont ils ne se serviraient guère puisque la plancher donnait l'air d'une maquette travaillée pendant six mois par un pyrograveur à la main abstraite. Des chevelures blasées succédaient à des jeans troués. Certains bâillaient d'une nuit tronquée; d'autres grognaient devant des exigences que personne encore ne leur avait posées, des pancartes syndicales plein la tête, l'oeil à l'affût d'un motif de grève.

Parmi la vingtaine d'étudiants qui furent finalement prêts à recevoir la science, la plupart arboraient de belles gueules sympathiques. Et ils étaient de leur temps désordonné.

Daniel Gauthier était de ce cours. Il prit la table près de la fenêtre et entreprit aussitôt d'écrire les notes. En même temps, il avait le dessein de sortir après les autres après la période pour, si Hélène en avait le temps, discuter d'une chose, n'importe laquelle, dont elle aurait parlé.

Les passants se faisaient rares maintenant dans le couloir. Hélène se dit que le groupe devait être complet. Elle se rendit fermer la porte. À l'extérieur de la classe, deux étudiants entrèrent sans le

122

vouloir dans son champ de vision. Ils procédaient à un échange. L'un glissait de l'argent dans la main de l'autre et il reçut en retour un sac contenant certainement de quoi fumer. Comment les arrêter, les accuser, pensa-t-elle? Comment une société intoxiquée par le tabac, l'alcool, l'argent, les biens matériels pourrait-elle prétendre extirper de son sein d'autres maux tout aussi pareils? La scène montrait un acheteur et un vendeur d'esclavage aussi coupables l'un que l'autre. Le monde entier, capitaliste ou communiste, masculin ou féminin, jeune ou pas, trouvait dans ce pattern depuis la nuit des temps l'équation fondamentale de sa condition. Elle retourna à ses oignons et à ses moutons, après avoir vérifié à deux reprises si la porte était bien refermée car dans de vieilles bâtisses on ne peut jamais présumer de la qualité des poignées...

Expertement et avec la ferveur combien touchante des enseignants dont l'esprit est encore sur la garantie et dont pas une seule pièce n'est déjà usée, Hélène se lança dans Buzzati et l'analyse de son oeuvre maîtresse, *Le Désert des Tartares*.

Le temps disparut, enterré par le présent.


Les jours filèrent à vive allure, emportés par un train d'enfer qui, toutefois, reprenait son souffle au Centre de désintoxication, le soir venu. Au milieu de la deuxième semaine, un nom disparut d'une liste d'étudiants mais Hélène ne le remarqua point. Pas plus qu'elle n'avait remarqué l'absence d'untel ou d'unetelle depuis le début des classes et comme toujours depuis qu'elle enseignait là. En fait, à chacun des cours, il manquait deux ou trois personnes. Après l'appel des présences, il appartenait aux gens de l'administration de quantifier les absences et de les comptabiliser.

Un matin, il fut dit devant elle qu'une cégépienne s'était suicidée au cours de la fin de semaine précédente. Quelqu'un affirma même croire que la jeune fille en question avait pris un cours ou deux avec eux. Hélène écouta sans porter une attention particulière car elle repassait les notes du cours sur le point de commencer. Une voix féminine ajouta qu'elle savait son nom: Sophie Parent. Elle s'était jetée à l'eau dans la rivière des Mille-Iles. Des témoins l'avaient vue faire. Même qu'elle s'était attaché deux sacs de pierre à la taille. On l'avait repêchée dès le lendemain. Le Journal de Montréal avait rapporté le fait en deuxième page. C'est qu'on avait mis à la une ce lundi-là deux crimes du plus haut intérêt, l'un par la hache et l'autre par le couteau.

Tout cela bourdonnait dans les oreilles d'Hélène. Les derniers jours avaient été si énormes. Il y avait en elle l'intense satisfaction de gagner chaque heure du terrain sur l'alcool, celle de nouveaux agréments professionnels, les joies de découvrir de nouveaux visages, des êtres neufs, les tracasseries quant au quotidien... Il lui semblait, oui, avoir prononcé ce nom de Sophie Parent à quelques reprises lors d'appels. Mais elle n'arrivait pas à mettre un visage sur le nom. Une description physique pourrait sans doute l'aider. Elle demanda au trio qui en parlait de la décrire.

-Je ne me souviens pas, dit une adolescente aux cheveux ramassés sur le pignon de la tête.

-Moi non plus, dit son amie.

-Ben, me semble qu'elle se mettait pas mal toujours au milieu de la classe, là, pis qu'elle était maigre comme un cure-dents, crut se rappeler le jeune homme des trois, ce qui raviva la mémoire d'une des deux filles.

-Oui, oui, on aurait dit qu'elle était anorexique, cette fille-là.

Les notes de cours s'étaient remises à voleter dans l'esprit du professeur. Les étudiants entraient, entraient. Elle tâcherait d'en savoir plus plus tard...

∞∞∞∞∞∞∞∞∞∞

# Chapitre 8

Les prédateurs humains se liguent et s'entraident quand ils ne visent pas la même proie ou bien si la proie est suffisamment charnue pour les gaver et leur donner l'énergie requise pour tendre de nouveaux pièges. Échange de bons procédés généralement profitable qui fait la grandeur de l'homme et le succès de ses justices.

À une table de restaurant, deux femmes en habits de cavalière se parlaient. L'une avait une idée derrière la tête, une idée qui deviendrait, l'espérait-elle, un complot en vue de la solution finale.

Nicole avait suivi l'évolution de la cure d'Hélène par les confidences de Pierre. Elle se savait face à deux possibilités seulement. La première qui se dessinait très nettement et qui l'inquiétait au plus haut point: Hélène s'en sortirait, délaisserait l'alcool. Et pour longtemps sans doute. Et sûrement qu'elle s'appliquerait à redresser son ménage, même et surtout si Pierre lui annonçait son intention de divorcer. Une intellectuelle avec un travail à l'extérieur de la maison n'aurait pas trop de mal à considérer l'aventure de son mari comme un simple écart de conduite ne valant pas qu'on lui immole un foyer. La deuxième voie serait que la cure échoue, ce à quoi elle-même devrait mettre une main solide en sourdine. C'est la raison pour laquelle, ces derniers temps, elle s'était beaucoup rapprochée de son amie Jeannette, l'avait cajolée, mignotée, conditionnée.

Son plan était simple. Quelqu'un -elle avait choisi Jeannette pour le faire- téléphonerait à Hélène pour la prévenir. Un appel anonyme jetant dans son âme le doute quant à la conduite de Pierre. Mais cela devait être accompli avant qu'Hélène ne quitte le Centre dans quelques jours à peine. Quarante-huit heures avant. Si ça devait être plus tard, quand Hélène serait de retour à la maison, une confrontation se produirait entre elle et Pierre. Et il nierait probablement. Alors on risquait de plâtrer la fracture en faisant semblant qu'il n'y avait pas de fracture. Car Pierre aurait peur, dirait que le bon temps pour rompre n'était pas arrivé et il menti-rait, se sentirait coupable, deviendrait donc vulnérable. Surtout, une nouvelle routine prendrait racine, un autre dynamisme dans lequel Nicole, elle, risquait de devenir une simple roue de secours. Non pas! Elle tiendrait le volant et c'est ainsi qu'elle conduirait le véhicule là où elle le voulait.

Tandis que deux jours avant le départ d'Hélène du Centre de désintoxication, c'était en plein là qu'il fallait donner le grand coup de merlin. Dans les premières vingt-quatre heures, elle vivrait sa crise émotionnelle puis en femme de tête, elle voudrait réfléchir, prendre la situation en mains, se remettre en selle avec les guides tenus fermement. Et alors, seule dans sa misère et surtout ses frus-trations, elle surveillerait Pierre. Les mauvais sentiments travaille-raient en sourdine. Peut-être même se confierait-elle à son terrible vieil ange gardien, la dive bouteille, et la vodka signerait pour elle alors et définitivement son arrêt de mort.

Quant à Pierre, il ignorerait tout, absolument tout. Il ne se surveillerait pas spécialement. Les hommes n'ont pas le moindre flair dans ces choses-là. Trop tournés vers leur bourse et leur sexe! Il ne resterait plus que la découverte par Hélène du pot aux roses soit par son enquête personnelle soit par aveu de la part de son mari. Bref, il fallait donner une piqûre à Hélène; il fallait qu'elle se gratte, s'infecte, essaie de se soigner elle-même; que se forme un abcès qui l'empoisonne et la condamne à sa perte!

Nicole pensait à tout cela une fois encore en échangeant avec Jeannette sur des banalités entre deux gorgées d'apéritif. Elle vou-lait obtenir la complicité aveugle de son amie c'est-à-dire donc ne pas lui révéler l'identité de la rivale. En tout cas, pas maintenant. De plus, elle préférait ne pas exposer tous les tenants et aboutis-sants de la situation de même que les perspectives et probabilités. Un petit service entre femmes, au nom de la solidarité féminine, c'est tout ce qu'elle désirait. Mais encore, fallait-il exposer le pro-jet avec les bons mots.

Ce qui réunissait déjà les deux femmes, c'est que chacune savait que l'autre vivait une liaison. Mais après leur aveu mutuel l'année précédente, on en avait peu parlé et ni l'une ni l'autre n'avait révélé l'identité de son amant. En cas de chicane, aucune ne pourrait donc trahir l'autre avec sérieux et, d'autre part, l'aveu constituait entre elles un solide contrat d'amitié, un contrat dont chacune pourrait tirer profit le moment venu. Pour Nicole, ce moment était venu.

Quand le serveur fut retourné passer la commande aux cuisines, Nicole but un peu et, sans donner suite au sujet superficiel qui alimentait la conversation, elle plongea abruptement:

-Jeannette, j'ai besoin d'un petit service.

L'autre questionna d'une pause avant de dire:

-Une telle demande, c'est toujours un peu... comment dire, inquiétant, mais aussi, ça peut tenir une place dans l'amitié. Car petit service veut toujours dire grosses conséquences, n'est-ce pas?

-Je sais que l'amitié ne souffre pas les questions d'argent mais ça n'en est pas une. C'est personnel, tout à fait personnel.

-A priori, je ne peux rien te refuser. Et la raison, c'est parce que je sais qu'une demande émanant de toi ne peut être que raisonnable.

-Et son exécution faisable.

-Ça aussi, acquiesça Jeannette avec un signe de tête légèrement en biais qui affirmait à quatre-vingt pour cent.

-Je voudrais que tu fasses... un appel anonyme.

Jeannette secoua la tête, mais le mouvement ne signifiait rien. Nicole poursuivit:

-Bon, dès qu'on dit appel anonyme, quelque chose sort la tête de notre sac à préjugés. Mais un appel anonyme est un moyen comme un autre et parfois bien meilleur d'obtenir du résultat quand on a entrepris quelque chose.

-Si je comprends bien, tu en es venue à vouloir prendre une nouvelle orientation, à vouloir vivre avec ton... copain?

-C'est à peu près ça, dit Nicole, le ton détaché.

-Et tu veux mon aide. Mon petit coup de pouce pour ne pas dire mon petit coup de fil.

-Entre amies, on se comprend vite.

-Je ne suis pas une sainte, mais j'imagine qu'on me fasse la même chose, à moi...

-Chère Jeannette, voyons, mais ça fait partie de la 'game' comme disent les gars. Je dirais de la 'game' des femmes. C'est pareil chez les gars dans leurs propres relations avec ceux de leur sexe, en politique, en transactions et le reste. Tu te souviens de ma belle-soeur Hélène? Rappelle-toi de ce qu'elle nous disait l'autre jour: le bien et le mal se composent, ils ne s'opposent pas.

Jeannette sourit d'un seul côté du visage. Elle pencha la tête un peu, la releva et scruta le regard de son amie:

-Vas-tu me dire qui est la rivale ou bien préfères-tu que je continue de croire que je ne la connais pas.

Nicole sentit que la chose avait de l'importance pour Jeannette. Elle baissa les yeux, hésita puis lança tout simplement:

-À toi de choisir!

-Tu n'as pas envisagé la lettre?

-Ceux qui écrivent manquent du courage requis et de la détermination de dire. Il nous faut convaincre et laisser un minimum de... traces. Mais surtout, la lettre n'arriverait pas au bon moment et au bon endroit. Il ne suffit pas de poser un geste à tort et à travers de nos jours, il faut en mesurer le contexte, tout le contexte.

-Et... si tu ne fais pas le travail toi-même, c'est que tu ne veux pas qu'on reconnaisse ta voix, n'est-ce pas?

-Bien sûr!

L'oeil un brin malin, Jeannette renchérit:

-Entre parentes de vieille date, on ne peut pas aisément camoufler sa voix.

Nicole s'aperçut qu'elle était tombée dans le piège. Elle se pinça les lèvres, leva les sourcils pour s'avouer nue. Jeannette dit:

-Tu m'as dit de choisir et moi, je préfère savoir qui est l'autre. J'ai eu des doutes l'autre fois; tu n'étais pas à ton naturel avec ta belle-soeur.

-Alors, c'est oui ou non? Même si tu disais non, ça ne changerait rien dans notre amitié, tu sais, rien du tout, hein! Je t'assure. Et tu ne dois pas te sentir mal à l'aise...

-Nous risquons de la replonger dans sa vodka.

Nicole se mit droite comme un I pour dire simplement:

-Oui!

-Et ça aussi, ça t'aiderait?

-Autrement, les choses pourraient être très difficiles. Trop dures...

-Quand dois-je procéder à... l'acte de chirurgie?

-Tout de suite. Ce soir même.

-Ça va frapper dur, oh oui!.... J'ai une petite objection qui vaut ce qu'elle vaut. Sais-tu que si tu entreprends une nouvelle vie l'an prochain, cela va forcément nous éloigner, toi et moi. Tu quitteras le centre équestre, le Club et tout...

Le visage de Nicole s'éclaira:

-Au contraire probablement! Jacques s'en va tout droit à la faillite et je veux que mon... enfin que Pierre investisse et récupère le centre que je conduirai ensuite à ma manière à moi.

-Ah! voilà qui est mieux, beaucoup mieux! Et pour le reste, eh bien, adoptons le mode de pensée de ta belle-soeur et n'envisageons que les résultats obtenus... ou à obtenir!

Et c'est ainsi que certaines femmes heureusement très rares sont capables de huiler les glissières d'une guillotine destinée à décapiter une troisième de gros sang-froid et avec une logique toute masculine.

∞∞∞∞

On décida de téléphoner depuis le bureau du Club d'équitation et on y fut une demi-heure après le repas. Quand Jeannette sut qu'il fallait appeler au Centre de désintoxication, elle souleva une objection qu'elle croyait majeure:

-Elle va aussitôt mettre ton nom sur l'appel.

-J'ai réfléchi à cela et je pense que non. Bien au contraire, elle croira que c'est la maîtresse de Pierre qui lui parle, quelqu'un de n'importe où, de Saint-Eustache ou tout aussi bien de Montréal, mais quelqu'un qui est drôlement au courant de sa vie, donc sûrement intime avec son mari.

-Et si elle reconnaissait ma voix?

-Jamais de la vie! Tu n'as même pas dit vingt mots au restaurant l'autre fois, rappelle-toi!

Les événements de ce soir-là revinrent à l'esprit de Jeannette qui prit conscience de tout ce qui s'était alors passé. Elle sourit en se disant que Nicole était une femme très très avisée.

-Et que dois-je lui dire?

Nicole esquissa un sourire, regarda au-delà des choses physiques et prononça lentement:

-Une seule phrase: «Madame Hélène Lavoie, quand le chat n'est pas là, les souris dansent.» Rien de plus! C'est la plus belle phrase anonyme qui soit dans toutes les cultures du monde.

∞∞∞∞

La rencontre du soir avait pris fin. Hélène était dans sa chambre. Contente. Elle corrigeait des copies d'étudiants. De l'expression sur une conception de Buzzati ayant trait au poids du destin. En fait, elle ne redressait pas les pensées des jeunes mais signalait tout simplement leurs fautes d'orthographe.

Elle regrettait presque de devoir rentrer à la maison dans deux jours car elle abattait une grosse besogne au Centre. Cette atmosphère de réhabilitation, de restructuration émotionnelle, lui permettait d'absorber très vite le début, toujours fastidieux, d'une année scolaire. Tout allait plus vite, tout était plus net. Le temps lui laissait le temps, tout juste assez mais assez.

La disharmonie des sentiments qui avait empoisonné son été avait fait place à une sorte de sérénité neuve qui atteignait déjà sa vitesse de croisière, vitesse qu'une sérénité réelle ne doit pas, bien entendu, dépasser afin de ne pas foncer tout droit dans la passion. Une fois revenue à la maison, demeurerait-elle dans son âme au-delà des vicissitudes du quotidien, des bobos de Valérie et de Pierre, des tristesses de François et des cachotteries de Manon? Elle se rassurait devant la copie de Daniel Gauthier, la première à ne contenir aucune faute et que, pour cette raison, elle relut une seconde fois.

Pour se sentir encore plus solide sur les patins du bonheur, elle avait mis de la fantaisie dans ses vêtements ce jour-là. Un ensemble deux pièces d'un kaki frôlant le vert, couleur qu'elle avait acceptée de porter en signe de victoire sur elle-même. Une demi-heure plus tôt, un appel de Pierre lui avait permis de parler aussi avec Manon et Valérie. On avait hâte qu'elle revienne. Le pain de boeuf de leur grand-mère qui allait cuisiner une fois la semaine était trop épicé à leur goût et chacune était fatiguée des restaurants.

Finalement, elle trouva deux virgules qui auraient eu leur place dans le texte de l'étudiant. Elle les suggéra en rouge. Le téléphone sonna. Il était à portée de la main. Elle décrocha machinalement. On lui fit dire son nom. Puis la phrase de Jeannette coula dans son oreille comme du plomb fondu et le son injurieux d'une ligne qui se ferme et met le point final fit office de bouchon définitif pour laisser en son esprit un questionnement infernal.

Ce n'était qu'une farce montée dans une autre chambre du Centre, pensa-t-elle d'abord. Au téléphone, on avait dit Hélène Lavoie pourtant en lui demandant de confirmer son nom. Or là, on la connaissait sous le nom de Prince. Ses mains tremblaient. Elle voulait réfléchir. Le stylo tomba de ses doigts. La femme crispée se rendit à la fenêtre et chercha dans la nuit irrésolue délinéamentée par les ombres chinoises des collines se profilant au fond de l'horizon ouest. Ses pensées se comportaient comme des éclairs violents zébrant le noir, se divisant en embranchements pour se mieux multiplier puis se fondre quelque part dans sa tête. Tout était à la fois nébuleux, incandescent et inaccordable puis revenait l'accalmie avant une nouvelle pagaille.

Quelqu'un quelque part lui voulait du mal, lui faisait la guerre. Peut-être distillait-on depuis longtemps du poison dans sa vie. Cette femme au bout du fil la savait en cure. On le lui avait appris. Ce ne pouvait être que Pierre qui avait fait une confidence. À quelqu'un de très proche forcément. Elle implora le ciel. Pas de ça maintenant! Plus tard peut-être quand elle serait redevenue forte, mais pas maintenant!

Bah! c'était sûrement une des personnes du Centre... Pourtant, aucune de ses compagnes de cure n'avait envers elle la moindre agressivité ni ne possédait le profil d'un être cruel. Quand on se refuse d'envisager la réalité, on s'accroche à la première absurdité venue; elle appela donc à la réception. On le lui confirma: l'appel venait bel et bien de l'extérieur. Hélène retourna à sa fenêtre, à sa nuit profonde.

La voix n'avait plus vingt ans, loin de là. Quel était donc le calcul derrière cet appel? Que voulait-on provoquer en elle? L'image de Nicole lui passa tout à coup par la tête. Elle s'en voulut. C'était le comble de l'incohérence de penser que sa belle-soeur aurait pu l'appeler. Nonobstant sa gentillesse et son bonheur avec Jacques, jamais elle n'aurait été stupide au point d'appeler au Centre puisque c'était Hélène elle-même qui l'avait mise au courant de sa cure. Et puis de toute manière, ce n'était pas sa voix.

Des larmes de colère et d'impuissance lui montèrent aux yeux. Elle avait le nez dans un mur. Il n'y avait pas d'échappatoire. On savait où elle était et en y téléphonant, on savait exactement ce qu'on faisait. Bref, Pierre avait une aventure et qui d'autre aurait voulu qu'elle le sache sinon sa propre maîtresse? Et pour quel motif? L'évincer. Tout le cauchemar commençait là.

-Et va finir là! dit-elle tout haut en pensant à son amie Pierrette qui avait si bien su prendre en mains le même événement, lequel avait fini par la servir au lieu de la desservir comme cela arrive à tant de femmes qui se prennent pour le nombril du monde et... de leur mari..

Elle frotta ses yeux avec les revers de ses pouces et les essuya sur son chemisier. Et elle dit à sa propre silhouette dans la vitre:

-Hélène Prince, on ne va pas te faire la peau aussi simplement! Oh! non, oh, que non!

Un, elle retrouverait sa personnalité propre que les méthodes du centre tendaient à rayer de sa planète tête. Ce n'est pas décérébrée et dépersonnalisée qu'elle traverserait la crise qui s'annonçait mais avec ses forces vives, celles héritées des Prince depuis des siècles d'atavisme, et les autres, celles-là même que la vie lui avait fait cultiver. Deux, elle ne jouerait pas à la victime devant Pierre. Il n'y aurait même pas de confrontation. Elle serait alerte sans plus. Pas de drame! Pas de cris! Surtout pas de larmes! Certes, il y aurait crise mais ce serait une révolution tranquille dans son couple. Une crise silencieuse dont elle sortirait gagnante, pas battue. Et pour cela, elle devait se comporter en gagnante. À la Pierre!

Ses intentions les plus musclées, ses projets les mieux arrêtés ne l'empêchèrent pas de passer une nuit blanche. Et bien peu de sentiments amis la visitèrent jusqu'au matin noir. Elle fut sur le point de ramasser toutes ses affaires pour quitter définitivement le Centre. Puis elle se ravisa. Il fallait tenir jusqu'à la fin soit encore vingt-quatre heures. Mais comment traverser la soirée des adieux? Et comment donner des cours normaux avec un tel état d'âme écrit dans ce visage défait qu'elle regardait dans son miroir? Par bonheur qu'il ne se trouvait pas de vodka dans sa chambre, se dit-elle. Aussitôt un sursaut d'énergie vint à sa rescousse. Et même s'il y en avait, elle ne toucherait pas à l'alcool.


Après avoir misérablement contemplé sa tristesse et les ravages de cette injection malicieuse qu'on lui avait faite de force la veille au soir, regard hagard, traits allongés et tombants, cheveux tordus, elle tendit les mains vers sa propre image comme pour s'en emparer, et elle se rendit à la fenêtre sans baisser les bras, et elle jeta ce piteux portrait d'elle-même au milieu du lac froid. De retour au miroir, elle retrouva la même image. Alors elle s'en empara de nouveau, ferma les yeux et mit ses mains en panier sur ses tempes: gestuelle signifiant que, loin de rejeter une partie d'elle-même comme un calice de la passion, elle l'absorbait dans sa volonté propre. Aussi femme qu'elle soit, la tête mènerait le coeur.

Elle se fit une longue et belle toilette. On la verrait rayonner ce jour-là. Comme un soleil! Il fallait qu'elle s'habille avec quelque chose de blanc. Sa robe la plus blanche portait des fleurs bleues et ressemblait, le souvenir lui vint tout à coup, à celle que portait Nicole quand elle l'avait rencontrée au restaurant le premier soir de sa cure. Mais ça ne convenait guère pour aller donner des cours dans une classe pas trop propre devant des étudiants à la tenue négligée. Alors elle se rabattit sur un pantalon jeune femme et un polo blanc.

Il restait quinze minutes avant le petit déjeuner. Elle s'allongea sur son lit et prit un marabout flash sur sa table de chevet ainsi qu'un crayon. Un signet lui indiquait qu'elle arrivait à sa dix-neuvième leçon. C'étaient des mots sur la famille. Père: *atiets*. Mère: *mats*. Soeur: *siestra*. Se marier: *jiénitsa*. Elle referma le livre et le remit sur la table. Décidément, même du vocabulaire russe n'arrivait pas à accaparer son esprit comme par le passé. Puisque s'achevait son séjour au Centre, elle entreprit de faire le bilan de sa cure...

Malgré des moyens fort critiquables s'apparentant aux méthodes de lavage de cerveau, le stage, dans son cas, lui avait fait atteindre l'objectif. Elle avait maintenant son problème bien en mains, elle se contrôlait et ça n'avait pas été une grosse montagne à escalader non plus. Surtout qu'elle retrouvait sa volonté propre.

-Et puis merde, ce coup de masse sur la tête! gémit-elle tout haut comme si un barrage venait de céder en elle sous la pression de sentiments désordonnés.

Et elle se jeta la face dans l'oreiller, et elle pleura par soubresauts durant quelques minutes. Et à nouveau un regain d'énergie vint à son aide. Elle se releva, refit son image avec du maquillage. Passa un peu droit dans ses gestes: pas autant que Pierre le voulait dans leur intimité mais plus que de coutume par jour de cégep.

À la table du déjeuner, elle mangea pour cacher qu'elle n'avait pas faim. Cela eut de bons effets sur ses forces physiques. Sur l'autoroute menant à Sainte-Thérèse, en frôlant le développement domiciliaire de la compagnie de Pierre à Saint-Eustache, la colère naquit en elle pour la première fois vraiment depuis cet appel maudit de la veille. S'il y avait des choses à défaire, à démolir, on y mettrait la hache maintenant. Elle traquerait Pierre et lui ferait sortir de la gorge la vérité, toute la vérité. Car le mensonge et la dissimulation ne sauraient qu'envenimer la situation. On réduirait cette aventure à sa dimension purement et simplement sexuelle. Il regretterait, deviendrait plus tendre ensuite, plus respectueux. Ce devait être le remords qui lui suggérait ses violences verbales hebdomadaires depuis quelques années. Elle jouerait gagnant, elle jouerait gagnant. À la Pierre! À la Pierre Lavoie!

Son talon se fit plus bruyant sur l'écusson de pierre du collège, plus mordant sur les marches de l'escalier, plus long dans le couloir. Et son regard fendit le flot des étudiants quand elle se rendit à son local de classe. Elle commença à écrire des notes sur le tableau. Il lui restait cinq minutes avant le cours et au moins trois avant l'arrivée du premier étudiant.

Dans son dos, une voix douce se fit entendre. Celle d'un jeune homme.

-Madame Hélène, est-ce que je pourrais vous parler une ou deux secondes?

Elle baissa le bras, toucha la tablette d'aluminium avec la craie, s'arrêta de bouger. L'espace d'un éclair, le temps lui dit qu'il n'avait pas le temps, ni pour elle ni pour lui. Puis un second éclair traversa son âme. Fulgurant, effroyable! Le souvenir de la jeune fille qui lui avait mendié un peu d'elle-même un mois auparavant lui vint aux yeux de l'âme: net, tragique, déchirant. Et elle entendit son nom comme le gigantesque craquement du tonnerre quand il tombe sur soi: Sophie Parent. Elle la vit, lestée à la taille, enjamber le parapet du pont de l'autoroute et se jeter dans la nuit éternelle.

Sous son pouce, la craie se brisa en deux puis un morceau s'effrita, écrasé par une chair devenue rage impuissante. Elle n'avait pas eu le temps de répondre à cette voix dans le besoin. Et Sophie, par une autre voix, venait le lui rappeler. La dimension des choses changea de façon aussi brutale et radicale que lors de l'appel anonyme. Hélène fut envahie par un besoin immense. La vérité qu'il lui importait de connaître maintenant n'était pas celle de Pierre, mais celle de Sophie. Qui était-elle? Pourquoi cette mort? Pourquoi cette fuite? Cela avait-il été une fuite? Seulement cette vérité pourrait la soulager de ce remords affreux qui grimaçait au bout de son nez en lui criant échec et mat.

Elle se tourna. Daniel Gauthier, dans son sourire rose et blond, la regardait affectueusement en ayant l'air de dire qu'il la trouvait belle. Elle en fut choquée au plus haut point. On devrait avoir peur du monstre qui l'habitait; pourquoi ce don, cette espèce de caution? Il répéta sa question. Elle appuya sur lui des yeux si bigarrés des sentiments les plus sombres qu'il sentit le besoin d'ajouter en hésitant:

-Ben... c'est pas urgent du tout. Je pourrais vous voir à la cafétéria... non, à votre départ... Vous finissez... quand aujourd'hui?...

C'était vendredi donc. Une seule nuit à faire au Centre. D'abord un repas de graduation. Et le diplôme qui couronnerait un mois de régime sec. Un diplôme fait de mots aptes à fouetter le sentiment d'auto-admiration mais qui, ainsi que le langage nationaliste, faisait appel à un vocabulaire d'apparat. Des mots exaltants: défi relevé, tête haute, fierté, parmi lesquels se glissaient parfois pour faire plus fondamentalement vrai des 't'es capable toé-tou'.

Toutes les filles avaient réussi leur cure. La thérapeute animait la tablée. On était au même restaurant, au même lieu dans la salle, que le premier soir.

-Mais personne n'est à la case départ, dit la femme à lunettes, et toutes, vous avez cheminé comme c'est incroyable. Vous êtes le premier groupe à qui je dis ça...

-Moi, je suis en retard de vingt-quatre heures sur vous autres, avoua Hélène. Le premier soir, ici, j'ai bu. Je m'excuse de casser votre plaisir, mais je vous dois la vérité.

C'est qu'il y avait au fond d'elle-même, au-delà de son entendement, un devoir impérieux: celui d'obtenir du pardon. Pour n'importe quel motif, mais d'en avoir. Se nourrir de pardon faute de pouvoir s'abreuver de vodka. Or, elle n'avait trouvé spontanément aucune faute à dire. Car comment avouer Pierre, comment avouer Sophie?

On l'arrosa de pardon. Elle était la femme la plus riche, la plus instruite du groupe: elle méritait plus que les autres. On l'inonda d'excuses. Ç'avait été le pas en arrière pour bondir en avant comme s'élancent les coureurs olympiques et les moins bons qui les imitent. Son erreur même confirmait son statut de meilleure.

Son cas réglé, sa niche retrouvée, on se lança dans des chansons à boire et à répondre. Cela faisait partie du folklore québécois et, même à l'eau claire, on ne pouvait s'y soustraire les soirs de triomphe.

-Ma chère Hélène, c'est à ton tour de te laisser parler d'amour, ma chère Hélène... Ma chère Hélène, c'est à ton tour...

Elle dut quitter la table et aller aux toilettes où, sans pleurer, elle pissa des larmes et du dépit.

∞∞∞∞

L'accueil des enfants fut ordinaire. Pierre n'était pas à la maison. Censément qu'il passait son samedi après-midi au chantier de Saint-Eustache. Tant mieux, elle avait envie de le voir le plus tard possible. Elle se rendit droit à sa chambre avec sa petite valise et l'enveloppe de ses vêtements en espérant que Pierre ait tenu sa promesse de coucher dans l'autre chambre du rez-de-chaussée tant qu'elle ne serait pas sortie de sa bouteille. Sinon, elle lui demanderait d'y aller au moins une nuit ou deux pour qu'elle puisse récupérer d'une grande fatigue dont elle se plaindrait.

Le lit était fait. La femme de ménage avait pu s'en occuper le matin même. Hélène posa ses choses et reprit le couloir jusqu'à la chambre d'invités. Tout y était à l'ordre mais un livre de tables de versements sur hypothèque posé sur le meuble de chevet lui fit croire que Pierre avait sans doute dormi là. Le contenu de la garde-robes confirma qu'il avait installé ses pénates dans cette pièce.

En elle, le soulagement fit place à de l'angoisse. Cette volonté de faire chambre à part serait-elle pour eux l'antichambre du divorce? Divorce: elle évoquait ce mot pour la première fois avec sérieux. Il sonnait étrange, comme faisant partie d'un autre monde.

L'image de Pierrette lui vint à l'esprit. Peut-être devrait-elle l'appeler, lui faire raconter une fois encore cet épisode tragi-comique de sa vie alors qu'elle avait lutté contre la perdrix de son mari et l'avait complètement déplumée. Elle porterait plus d'attention, remarquerait les trucs, noterait les intonations, se souviendrait de l'esprit à revêtir pour se battre glorieusement.

-Maman, maman, viens voir ma poupée, cria Valérie. Elle ne pleure plus.

-C'est pas grave, ça fait moins de bruit.

-Voyons, maman, une poupée qui pleure, c'est plaisant quand ça pleure!

Une autre voix, celle de Manon, prit la relève:

-Maman, va falloir que je soupe de bonne heure parce que je vais voir Claudine après souper.

-Tu as toute la soirée.

-Ah! d'abord, je vais me faire un sandwich au beurre de peanuts.

-Y a plein le frigo de mangeaille à grand-maman, c'est elle qui me l'a dit au téléphone.

-Bah... ça...

Les deux fillettes étaient restées dans le couloir et quand Hélène sortit de la chambre elles avaient déjà disparu avec leurs doléances. Elle retourna dans sa chambre et dispersa le contenu de sa valise afin que chaque objet retrouve sa vieille place. Dans un tiroir, elle trouva un signe de piste qui aurait dû lui rappeler quelque chose. Une petite cuiller à café entre deux petites culottes. Sa mémoire flanchait. Elle consulta sa montre; il était quatre heures. Il aurait fallu qu'elle s'attelle aux chaudrons. Un autre sentiment pénible fondit alors sur les épaules déjà cruellement flagellées de son âme: celui d'une grande injustice commise envers elle par... par la vie tout court.

Elle prit la décision de se donner une demi-heure. Elle avait le goût de faire un peu de méditation sentimentale. Pour empêcher le déraillement du train de ses passions, le mieux était de l'éclairer afin de voir quelle était la nouvelle place de chacune dans le convoi. D'abord, quelle était donc la locomotive de son âme? La colère, la peur, l'orgueil, l'envie, la jalousie...

-Et dire qu'on appelait ça des péchés capitaux! marmonna-t-elle en même temps qu'elle s'étendait sur le dos sans ôter le couvre-lit.

Tout le problème était là: elle ne parvenait pas à savoir ce qui la menait. Elle n'avait aucun doute sur la culpabilité de Pierre. Des histoires d'autruches, elle en avait déjà entendu plusieurs et on ne l'embarquerait pas dans ce club-là. Le refus de la douleur morale lui avait fermé les paupières à deux reprises la veille mais c'était fini, ça. Comme Pierrette, elle avait eu sa nuit blanche, sa journée de tempête, mais la seconde nuit, elle avait retrouvé le sommeil... Un certain sommeil...

Elle laissa son coeur bouillonner durant quelques minutes, chauffa la chaudière en tisonnant ses passions l'une après l'autre au rappel des événements récents puis elle coupa court. C'était nettement le regret qui lui faisait le plus de mal, celui de n'avoir pas tendu la main à une malheureuse pour simplement la position des aiguilles d'une montre, sacrifiant une des dernières lueurs d'espoir d'une enfant perdue à cette ennuyeuse et débilitante folie d'une société auto-destructrice, le tic tac infernal de la vie moderne.

Faute d'avoir secouru Sophie, c'est Hélène qu'elle devait maintenant secourir. Elle avait soif non plus de vodka mais d'un rêve neuf. Les souvenirs brillants et les rêves seraient ses bouées de sauvetage. Un Harlequin peut-être? Non. Comme professeur de français et surtout de cégep, elle avait trop décrié cette sous-littérature lénifiante... Mais un rêve bien à elle. De sa propre création. Fruit de ce qui lui restait encore peut-être de beauté intérieure.

Hélas! le cerveau refusa de livrer la marchandise. Le rêve éclatant désiré demeura lettre morte. Vint occuper le wagon de tête la froide éventualité d'un divorce. Avec trois enfants dans un six-et-demi, la vie serait plus lourde à porter. Car elle n'imaginait pas un seul instant que Pierre, si on en venait là, réclamerait la garde des enfants, du moins de Manon et de Valérie. Encore moins qu'il obtienne! Il faudrait combiner salaire et pension alimentaire, tâcher d'obtenir un poste à plein temps...

Soudain, elle se mordit une lèvre, se tourna sur le côté, frissonna. Comment donc s'était-elle laissé emporter l'esprit vers cette pensée extrême? Finirait-elle donc par apprendre à marcher sur la poutre sans tomber d'un bord ou de l'autre? Il y avait un côté maniaco-dépressif dans son cheminement depuis deux jours. Elle s'en pardonna à l'idée que les causes ne manquaient pas.

La poutre lui rappela les exploits de Nadia Comaneci puis le souvenir d'Olga Korbut qui, lui-même, la transporta à Moscou dans un stade imaginaire devant des Jeux que l'Amérique et Pierre avaient déjà décidé de boycotter. Il avait même été question d'annuler les représentations du cirque de Moscou au Canada auquel cas elle se ferait rembourser ses trois billets.

Et voilà tout à coup que par la magie des neurones, elle se retrouva vingt ans plus tôt dans l'érablière de Saint-Placide sur la ferme familiale, courue dans la neige en sel par son premier amoureux, rattrapée, embrassée, renversée dans le rire, les yeux bourrés d'avenir et la jeunesse éclatante de santé et d'espace. 1959: l'année aussi de son premier chagrin d'amour, chagrin immense qu'elle avait bercé dans son coeur en écoutant son disque préféré, *'Donna'*, puis vécu une seconde fois et tout aussi intensément à la mort de Ritchie Valens qui, lui, en plus de perdre sa blonde avait aussi perdu les ailes comme quoi, avait-elle alors compris, il y a toujours plus malheureux que soi, piètre réconfort qui ne l'avait guère consolée d'ailleurs.

Qu'il était blond, ce premier amour de Gaston Leclerc! Tiens, il lui rappelait quelqu'un de beaucoup moins lointain, mais qui donc? Elle finit par trouver.

-Daniel Gauthier! s'exclama-t-elle à voix haute mais retenue.

Ce mouvement presque spontané l'irrita. Ce jeune homme imposait trop son visage et sa présence. Et il avait le don de lui rappeler quelque chose d'irrémédiablement perdu... en tout cas les folies de cabane à sucre et la pauvre main fragile de Sophie Parent dont la voix furtive rôdait dans sa tête quand les neurones se décantaient.

Les aiguilles de sa montre titillèrent son sens du devoir. Elle se leva. Il fallait aller préparer le repas du soir. Et en même temps, se composer une attitude, une marche à suivre, une recette improvisée pour affronter le tricheur.

∞∞∞∞∞∞∞∞∞∞

# Chapitre 9

Il gara sa voiture dans l'entrée devant le garage. C'est qu'il avait deux raisons pour le faire, premièrement de repartir une heure après le souper et secondement de pénétrer à l'intérieur par la porte du salon. Ainsi donc, Hélène comprendrait sa première intention quand elle verrait sa Buick dehors et puis il n'aurait pas à lui faire face d'entrée de jeu, de plein fouet. Car un certain remords apparenté à de la faiblesse se promenait çà et là dans son esprit et parfois s'arrêtait et prétendait vouloir s'asseoir pour y faire la sieste un bout de temps. Il avait passé trois heures avec Nicole au restaurant puis dans une chambre de motel et cela aurait pu ombrager ses regards dans les premières minutes avec sa femme légitime, et lui mettre la puce à l'oreille et le doute à l'oeil.

Hélène entendit l'auto puis le bruit de la porte. Elle ne put s'empêcher d'aller à la salle de bains comme pour repenser à nouveau sa stratégie et lui donner encore un peu plus de lustre. Elle lui ferait la guerre du sourire sans jamais jeter les hauts cris, sans même jamais élever la voix d'un seul cran, ni surtout lui révéler qu'elle savait ou même le lui laisser deviner.

Son geste fit l'affaire de Pierre et lui donna une certaine assurance. Il s'avança dans le couloir, jeta un oeil dans leur chambre par la porte ouverte et devina où elle se trouvait. Il lui cria à travers la porte:

-C'est moi, Hélène. Tu es arrivée tôt?

Elle marmotta:

-Depuis une couple d'heures, je pense.

Chacun chercha en vain à lire dans le ton de l'autre. Elle se dit qu'il revenait d'avec sa maîtresse. Il pensait à un élément de sa propre stratégie. Son ami l'avocat, lui avait rempli une prescription. Adopte un langage en mohair, ne crie pas, ne bouscule pas! Si tu veux proférer des injures, enrobe-les de sucre ou d'une belle apparence de velours. Qu'elle ne puisse pas invoquer la cruauté mentale ou quoi que ce soit du genre devant la Cour, qu'elle soit privée de tout argument! Et c'est l'attitude que Pierre avait adoptée depuis lors. Chaque jour, ils s'étaient parlé par téléphone et pas une seule fois il n'avait critiqué, maugréé, montré la plus petite forme de mécontentement. Il reprit:

-Je m'en vais dans... Tu sais, j'ai continué de coucher dans l'autre chambre même en ton absence. Le matelas est drôlement moins dur que le nôtre, hein!

-C'est pas recommandé.

-Ah ça! Je me suis sincèrement demandé si la prolifération des matelas fermes ne faisait pas partie du complot féministe... Les femmes, vous traînez votre moelleux avec vous autres, tandis que nous autres, avec notre poids, nos muscles durs et nos épaules larges, on prend ça mal, les surfaces de béton pour dormir...

"Espèce de comique!" pensa-t-elle avec une moue de travers que le miroir où elle se regardait dirigea en biais vers l'homme invisible. Mais elle dit:

-Les matelas, c'est probablement conçu par des hommes... comme le reste.

-Sauf que c'est les femmes qui les magasinent!... En tout cas, je vais me reposer un peu. Tu me sonneras pour le souper s'il te plaît.

-O.K.!... Pierre, sais-tu où est François?

-Mais il est à l'aréna. Son équipe a déjà commencé son entraînement depuis deux samedis et il ne viendra donc pas manger.

-C'est vrai, j'avais oublié...

"Quand l'alcool prend toute la place, il n'en reste guère pour les enfants," se dit-il en fermant les yeux. Et il voulut que l'échange prenne fin:

-Ta cure, tu as tenu jusqu'au bout, jusqu'à la dernière minute?

-Évidemment!

-Good! Very good!

Non, mais faut-il donc être hypocrite! rumina-t-elle en s'arrachant un poil de sourcil. Ça devait faire son affaire quand je buvais: ça lui permettait de tricher avec moins de remords. Et elle en arracha un second avec plus de détermination en serrant les dents à bouche ouverte. Mais elle secoua la tête et se rebâtit un ton tout miel:

-J'ai pris conscience qu'une bouteille d'alcool devient une tierce personne dans la vie d'un couple. Faut bien le dire, elle était comme... un amant. On ne sacrifie pas une vie de couple comme la nôtre pour une maîtresse, n'est-ce pas?

Et elle ajouta pour son reflet dans le miroir, les lèvres explosives mais sans sonorité:

"Bang!"

Aucune réponse ne lui parvint. Elle questionna:

-Tu es toujours là, Pierre?

Le silence vint lui répliquer qu'elle avait donné un coup d'épée dans l'eau. Qu'à cela ne tienne, elle se fourbirait d'autres phrases à double tranchant: le scélérat ne perdait rien pour attendre!


Manon quitta vite. François ne rentrerait pas pour le souper, il avait appelé. Sautillante, cheveux nattés dont la tresse lui battait la colonne, Valérie s'amena dans la salle à manger, la faim dans l'oeil.

-Va dire à papa... à ton père de venir manger.

L'enfant repartit sur le même train et revint aussitôt.

-Il n'est pas là.

-Il est dans la chambre des invités à l'autre bout.

-Qu'est-ce qu'il fait là?

-Ben... c'est sa chambre maintenant.

La fillette fit des yeux ronds, cherchant dans son entendement si cela était normal dans la norme ou bien normal dans l'exceptionnel. Puis elle se lança à nouveau dans des pas qu'elle imaginait du patinage de fantaisie comme celui de Manon et accompagna sa progression dansante de 'la la la' chantonnés. Jusque là silencieux dans son univers du sous-sol, Pancake vint siler sous la porte qu'il griffa doucement pour mendier un peu de considération. Hélène alla lui ouvrir. L'animal se tortilla de reconnaissance, tournoya, reniflant la table sans le laisser voir. Sa maîtresse en fit un prétexte pour éviter d'envisager Pierre quand il arriverait afin de mieux cacher son agressivité. Le chien eût bien voulu trouver les mots à inscrire dans le secouement de sa tête et ses éternuements esquissés mais Hélène avait l'air de les comprendre quand même puisqu'elle s'était penchée sur lui et caressait ses os bosselés entre les deux oreilles en lui parlant comme à un bébé:

-Le beau Pancake à sa maman, il s'est-il ennuyé un tit-peu?

L'animal sila.

-Ouiiiii, bon chien-chien à nous autres...

Prisonnier de cette démonstration affectueuse, Pancake lorgna du côté de Pierre quand son maître parut mais il demeura poliment à la disposition d'Hélène qui répétait les deux mêmes phrases qu'elle aussi accentuait de hochements de la tête mais dans l'autre direction soit d'arrière en avant.

Son manège fit en sorte que l'on put, en feignant l'oublier, s'abstenir de l'hypocrite rituel du baiser d'accueil qu'une longue absence d'Hélène rendait quasiment nécessaire. Pierre tira la chaise et prit place devant une table sans apparat.

-Y a pas grand-chose à manger, je te jure, dit Hélène qui se rendit à sa chaise à l'autre extrémité. Oui et non. C'est du réchauffé de ce que vous a cuisiné maman ces jours-ci..

Le regard de Pierre tomba sur le pain de viande bourré de sauge et de thym, et que les enfants et lui-même avaient conspué sans le dire devant leur grand-mère, et qu'il aurait bien fallu donner à finir au chien avant le retour d'Hélène.

Valérie fut la dernière à s'asseoir après quelques caresses à Pancake. Son père lui dit sur le ton du reproche bienveillant:

-Chérie, tu devrais te laver les mains après avoir touché au chien, ça serait plus hygiénique, tu sais.

La flèche ricocha vers Hélène qui se sentit en faute.

-Et maman, elle?

-Ton père a raison, dit Hélène qui se rendit à l'évier et se passa les mains sous l'eau.

Valérie se pressa de l'imiter et on fut bientôt à table à nouveau. Elle regarda successivement son père et sa mère et s'exclama:

-Je suis chanceuse, moi, j'ai mes deux parents pour moi toute seule.

"Si tu savais avec combien d'autres personnes tu les partages!" se dirent en même temps Hélène et Pierre au secret de leur âme.

-À toi d'en profiter tandis que c'est encore possible! dit Hélène.

Pierre envisagea sa femme pour la première fois; elle ajouta:

-L'enfance grandit vite, tu sais.

-L'enfance grandit? questionna Valérie sur un ton scandaleux. Mais maman, c'est pas l'enfance qui grandit, c'est moi.

-C'est une figure de style, dit doucement Hélène.

-C'est quoi, une figure de style?

-Ben... c'est une manière de dire les choses en les laissant un peu deviner... comme tu as fait. Quand la personne qui l'entend découvre le sens caché ou semi-caché, elle est alors contente d'elle-même et elle trouve ça forcément beau. Beaucoup de figures de style saupoudrées dans des phrases et des livres, ça donne de la bonne littérature.

-Une figure de style, ça? dit Valérie pensive.

-Une synecdoque.

"Qu'est-ce que tu veux qu'une enfant de cinq ans comprenne là-dedans?' lança Pierre mentalement. Mais il se contenta d'affirmer:

-Profite de ce que ta mère est savante pour t'instruire.

Un bref sourire un tantinet rengorgé, Hélène persifla dans son for intérieur:

"Toi, tu n'as pas fini de te faire assommer à coups de métaphores allusives bourrées de venin sécrété par ta vipère logeuse d'appels anonymes." Elle dit pourtant, la voix feutrée:

-Cette petite peste, elle sait déjà lire entre les lignes, le croirais-tu, Pierre?

-C'est utile aussi aux femmes dans leur vie, que de se fier à leurs yeux autant qu'à leur nez!

-Qu'est-ce qu'il y a à manger, maman?

-Tu vois: des patates pilées avec du bon pain de viande de grand-maman.

"Elle le sait pourtant que du boeuf, je déteste ça! Je peux bien avoir une maîtresse, elle le fait exprès."

-Laisse, Hélène, je vais servir Valérie.

-Je veux me servir toute seule, voyons.

-Mais laisse-toi gâter, chérie, chanta Hélène avec une voix pralinée, car ton temps achève et dans peu d'années et alors pour toujours, c'est toi qui devras servir ces messieurs.

L'enfant haussa une épaule et se recula sur sa chaise. Mais elle dit, l'oeil adulte, mesurant la portion:

-Pas trop trop, hein, papa! Du boeuf, moi... je n'aime pas beaucoup ça.

"Bien sûr qu'il a dû conditionner les enfants pour leur faire détester la cuisine de maman!"

La guerre civile se poursuivit ainsi tout le long du repas, mais Valérie, contrairement aux dires de sa mère, n'entendit pas le sifflement des balles et rien en elle ni au-dessus de la table ne vint troubler son bien-être. Rien sauf ce goût fort du pain de boeuf qu'elle abandonna pour se bourrer de patates pilées. Le pire moment fut quand Pierre mit en position sa batterie principale, sa grosse Bertha à longue portée:

-Chérie, je voulais savoir... crois-tu que ce serait préférable pour toi si on faisait disparaître toutes les bouteilles de boisson de la maison pour un bout de temps? Crois-tu que cela pourrait t'aider à... disons le mot, résister à la tentation? Moi, je peux très bien m'en passer...

Elle accusa le coup sans broncher mais la fuite du sang bleuit son visage. Il voulait l'humilier devant Valérie. Elle devait à tout prix riposter avec une réplique ouvragée capable de le réduire à quia et de le forcer, lui, à hausser le ton comme se sentent obligés de le faire ceux qui tombent en panne d'idées à cause de l'indigence de leur cervelle ou en raison d'un blocage émotionnel. La question lui rappela ces deux sous-verre qui traînaient dans le salon à son retour du lac du Cerf et leur véritable signification lui donna une chiquenaude sous le nez. Elle dit le ton faussement pleurard:

-Mais Pierre, chéri, quand tu viens à la maison avec un client ou... une cliente? L'acte de boire un verre est tout à fait social, c'est celui de boire toute la bouteille qui ne l'est pas.

Il ouvrit les mains, fut sur le point de parler négativement, de lui dire: «mais tu m'as demandé mon aide, la voici». Mais il déclara en expirant de l'air retenu:

-D'accord! Merveilleux, je vois bien que tu nous es revenue solide sur tes patins. Finalement, tu as eu raison de prendre cette cure et moi, j'avais tort de m'y opposer.

-Mais tu ne t'y es pas opposé! Tu m'en parlais depuis longtemps déjà.

-Bien sûr, mais...

Et ils continuèrent ainsi de se piétiner dévotement, chacun s'appliquant à sophistiquer son agressivité et à en fignoler le style en

144

moirant les apparences. Une chicane de grands aristocrates britanniques! Ou d'écrivains français devant l'innocence provocante de Bernard Pivot!

Après les travaux consécutifs au repas, elle trouva refuge dans sa chambre tandis que Pierre s'installait confortablement devant la télé derrière son journal, les douillettes pantoufles négligemment posées sur le repose-pied de son fauteuil.

On présentait un match de hockey des Canadiens à la télé. La rondelle n'avait pas été mise au jeu encore. Il y avait une cérémonie officielle sur la patinoire. On honorait deux défenseurs de la grande équipe de 1960. Pierre apprenait le nom des joueurs des Nordiques dont on présentait l'équipe au complet dans une page sportive du journal. Tout était bien. Le Québec avait considérablement agrandi sa patinoire dont la ligne rouge passait maintenant à Trois-Rivières. Que de bons moments on aurait entre hommes sur les chantiers à s'échanger la rondelle ou, mieux, à se la disputer! Et comme cela stimulerait les travailleurs! Qui saurait jamais évaluer l'augmentation de productivité de toute la province de Québec grâce au hockey? Tricotant dans tous les sens, l'esprit de Pierre alla même jusqu'à concevoir que l'on puisse subventionner les Canadiens et les Nordiques grâce auxquels la société progressait autrement plus profitablement que par tous ces braillards du monde culturel incapables de se financer eux-mêmes...

L'esprit d'Hélène était plus que jamais depuis deux jours un véritable capharnaüm. Son cerveau lui apparaissait comme un film documentaire en noir et blanc de la seconde guerre mondiale et montrant le pilonnage d'une position terrestre par des bateaux de guerre. Par dizaines, les canons crachaient l'agressivité, l'amertume, la douleur, les promesses de revanche aussitôt abandonnées, les décisions incongrues vite rejetées. Le pire, c'est que la moitié du temps, après une noirceur aussi brève que l'éclair, les bouches de feu redevenant visibles, la visaient en pleine tête. Il restait néanmoins des éléments de réflexion pour s'enchevêtrer inextricablement avec toutes ces fardoches émotionnelles sous forme de questions torturantes. L'odieux de la situation provenait-il de l'acte posé par Pierre ou bien de la réprobation des femmes quant aux sottises mâles? Avaient-ils bâclé un mariage rudimentaire basé sur le seul attrait physique mutuel? Le Pierre qu'elle aimait était-il donc mort? Ou bien un mariage est-il comme une rivière dans laquelle l'aventure de l'un ou l'autre des partenaires déverse un produit toxique qui demande tout simplement une épuration des eaux? La tricherie constitue-t-elle un vice rédhibitoire qui rend la suite d'un ménage inconsommable?

Le visage effaré d'une femme trompée, désertée comme à jamais par la quiétude, Hélène tâchait d'exister, assise dans son fauteuil de chevet, 'Anna Karénine' inutilement ouvert à la page cent trente-trois. *"Presque toutes les nuits elle faisait le même rêve. Elle rêvait que tous deux étaient ses maris et lui dispensaient leurs caresses..."* Décidément Tolstoï était un homme pour avoir écrit pareillement. Et l'orage avait augmenté.

La rançon du bonheur n'est-elle pas faite de périodes expiatoires? La souffrance n'est-elle pas la marque inéluctable des grandes littératures et des peuples héroïques? Qui mieux qu'elle, russophile et professeur, aurait pu le comprendre avec plus de noblesse et de stoïcisme? Tout à coup, sans avertissement, il lui revint en tête leur voyage foufou en République dominicaine une semaine après leur retour d'Haïti d'un séjour qui les avait laissés sur leur faim de couleurs vives. Ils avaient dansé avec des natifs. Elle avait été bouleversée par l'exotisme séduisant d'un Dominicain sans soutane. Cela ne plaidait-il pas en faveur de Pierre? Seule là-bas, aurait-elle muselé ces étranges et puissants attraits? La rapport Hite aussi plaidait. Soixante-dix pour cent des hommes vivent une aventure extra-maritale un jour ou l'autre et les trente pour cent qui restent y pensent.

Mais comme l'ego lui faisait mal par-delà tous ces raisonnements faussement rassurants; et plus l'ego souffre, plus la raison perd son nom! Elle avait beau sans cesse rebâtir sa définition de l'amour: communication spirituelle, émotionnelle et charnelle, une nouvelle mine aussitôt la faisait sauter. Il y a un côté grandiose et viscéral au sentiment, et que seule la souffrance fait ressentir. Et celui-là accuse, tire à boulets rouges sur l'être pour le faire se désintégrer. En quoi avait-elle donc failli? Où était son démérite?

Non, elle n'arrivait pas à laver son entendement de toute cette gangue sentimentale sans cesse renouvelée et qui l'ensevelissait comme une avalanche, et qui lui serrait la gorge, et qui l'étouffait sans la tuer! Si au moins elle avait pu s'y encroûter comme dans son vieux bonheur tranquille d'avant l'appel anonyme.

Son âme craqua.

Enfin!

Nés dans sa lointaine substance, des sanglots immenses, grossis par leur refoulement depuis quarante-huit heures et maintenant par leur propre ressac, envahirent ce qui d'elle restait hors de l'eau, bousculant, arrachant, détruisant, crevant les yeux avec des fétus de paille transformés en fléchettes acérées.

146

Devenu infectieux, putréfié, l'amour empoisonnait, gangrenait son coeur qu'en plus rongeait une équipe de vers voraces.

Les Canadiens entrèrent à la file indienne sur la patinoire du Forum de Montréal. Pierre se cala plus profondément dans son fauteuil. Mais il n'était pas entièrement à son bien-être. En fait, il était à son mieux-être, à sa vie anticipée avec Nicole sous ce même toit, devant ce même appareil et des Canadiens plus forts que jamais, certes les meilleurs au monde, glorieux et éternels. Pourtant il y avait une inconnue quelque part. Une espèce d'incertitude indésirable. Une indécision quelque part entre l'indignation et l'indifférence que sa femme lui inspirait. Tout cela était-il trop merveilleux pour être réalisable?

Il se secoua. Se tourna en biais. Tout de même, il n'avait pas à se plaindre à l'avance que la mariée pourrait être trop belle. L'arbitre se pencha en avant et se laissa glisser sur ses patins sur la ligne rouge jusqu'au cercle central de la mise en jeu. Les palettes se frappèrent en claquant. La rondelle échut à Lafleur plus loin que le vent emportait déjà, toute chevelure dehors, vers le but adverse. Il lança du poignet et compta, comme ça, sans autre forme de procès, à quatorze secondes. Le Forum exacerbé se leva debout et Pierre se redressa...

Son trop-plein de tristesse amoureuse déversé, Hélène se rendit à la chambre de bains où elle se démaquilla avant de prendre une douche. Puisqu'il ne servait à rien de pleurer sur le passé, elle se demanda pour la centième fois quelle attitude adopter, chaque décision antérieure ayant été balayée par n'importe quel détail. Lui faudrait-il materner Pierre un peu plus ou bien exercer envers lui une vengeance créatrice et prendre un amant plus jeune? La carotte ou le bâton? Pierrette l'aiderait à s'y retrouver. Elle eut envie de l'appeler. Les chances de la rejoindre en plein coeur d'un samedi soir étaient plutôt minces mais elle essaierait. Si elle ne réussissait pas, elle reviendrait se laver la tête. Ce à quoi elle dut se résoudre car son amie était absente pour toute la soirée, apprit-elle plus tard de sa gardienne.

Le hockey dura jusque près de onze heures. Les enfants étaient tous à la maison. Valérie dormait dans l'insouciance de ses nuits. Dans sa chambre, Manon classait pour la centième fois de la bijouterie de pacotille dans un coffre blanc à quatre tiroirs. Et François, épuisé, était pourtant resté devant la télé jusqu'à la sirène annonçant la fin du match. Une victoire sans surprise qui fit dire

147

à Pierre:

-Les Habs auraient même pas besoin de jouer cette année. Ils vont tout rafler: le championnat et la coupe Stanley. Et cent milles à l'heure!

-Ils sont trop forts.

Pierre montra du scepticisme:

-Ben... non...

-C'est moins le fun de les voir jouer.

-C'est toujours mieux gagner que perdre, hein!

-Je le sais, papa, mais...

Pierre ne ressentait pas l'envie de discuter longtemps. Une certaine anxiété existait toujours en lui depuis le repas du soir. De plus, il n'avait pas vu Hélène de toute la soirée. Elle avait beau ne pas aimer le hockey, elle venait toujours deux ou trois fois le voir auparavant pour lui offrir à boire ou sous un autre prétexte. On se disait deux, trois mots et elle repartait dans la chambre lire un autre chapitre de roman. Peut-être qu'alors, c'était la vodka qui la conduisait au salon, se dit-il, et cette pensée le contraria. Elle avait parlé de fatigue, de migraine: c'était cela sans aucun doute.

Il se leva et confia le téléviseur à François qui l'imita et ferma l'appareil puis s'en alla dans sa chambre au deuxième étage de la maison.

Pierre hésita. Devait-il coucher dans sa nouvelle chambre ou dans la leur, c'est-à-dire celle d'Hélène. Chambre à part, avait dit l'avocat. Il éteignit la lumière de la salle à manger, resta dans le noir. Des lueurs de réverbère vinrent allumer son regard à travers la vitre de la fenêtre. Il sourit un peu. Chambre à part ne voulait pas dire forcément se priver de sexe. Hélène avait pu récupérer, relaxer. Ils n'avaient pas couché ensemble depuis un mois maintenant; sûrement qu'elle devait être en manque d'autant plus qu'elle n'avait pas fini sa période de sevrage d'alcool. Il sourit un peu plus, expira beaucoup d'air de ses poumons. Jouer gagnant sur deux tableaux et pourquoi pas? Chambre à part, oui, et sexe, oui aussi! Il marcha en tâtonnant quelque peu. Devant la porte de chez Hélène, il s'arrêta, se questionna. Peut-être devrait-il frapper avant d'entrer? Cela montrerait encore un peu plus qu'on avait maintenant chacun son chez-soi pour dormir. Et puis non! N'était-il pas chez lui, dans sa maison, devant la porte de la chambre conjugale où il était entré sans frapper depuis douze ans? Il prit la poignée, tourna, poussa...

Que diable se passait-il donc? Le porte refusait de s'ouvrir. Sa première pensée fut de se dire qu'il avait mal tourné, mal tiré puis mal poussé. Il lui avait semblé il n'y avait pas si longtemps qu'un ajustement n'aurait pas nui... Il refit la manoeuvre. Rien encore. Le nez rivé.

-Sacrement! veux-tu me dire?

Aucune lumière sous la porte. Dormait-elle? Tant mieux, elle serait reposée. Il décida de faire le tour par la salle de bains. Là encore, il se cogna la face sur une porte refusant de lui ouvrir. Sans hésiter, il frappa des jointures à hauteur de la cuisse. Plusieurs coups vivement répétés, disant:

-C'est moi, par hasard, est-ce que je pourrais entrer dans ma chambre?

Il n'obtint aucune réponse.

-Hélène, Hélène, dit-il en frappant à nouveau.

Une voix pâteuse se fit entendre:

-Je suis couchée pour la nuit, tu as besoin de quelque chose?

-Je... je veux te parler. D'abord je trouve ça bizarre que tu fermes les portes à clef... comme si j'étais un... un voleur.

-On s'est entendus pour coucher chacun dans notre chambre et je t'ai dit que j'étais fatiguée.

-Puis?

-Ben c'est ça: à demain.

Couchée sur son lit, enrobée dans une robe de chambre, Hélène n'était pas vraiment installée pour la nuit. Elle laissait maintenant ses malaises intérieurs discuter entre eux dans le noir de son âme.

Ce refus de le laisser entrer, cette manière de s'opposer bêtement à lui, fit s'accroître la difficulté morale de Pierre. Il se sentait au bord de la colère. Il se contint.

-Je pensais qu'après un mois de... d'abstinence, un couple marié devrait commencer à penser à ...

Elle en fut révoltée. Se jeta en avant sur le lit, tomba sur les genoux de travers sur le couvre-lit que sa main tordait derrière elle, ouvrit la bouche pour maudire sa conduite. Mais son ego prit une longue inspiration. Il y avait les enfants devant lesquels on s'était jamais jeté des hauts cris vraiment; des mots durs mais jamais de véritables éclats. On ne commencerait pas maintenant. Et puis elle se devait de contrôler la situation, de ne pas faiblir, de ne pas découvrir ses cartes...

-C'est que tu as fait la promesse de...

-Comment ça, tu as bu?

Elle mentit:

-Oui.

-Ce soir?

-Non, la semaine dernière. Je ne suis pas encore guérie si tu veux savoir.

-Ah! come on...

-Je t'assure.

-Écoute là, pour le moment, oublions tout ça et viens ouvrir. On va se parler un peu...

-Je ne veux pas.

Il rusa, se fit suppliant:

-Écoute, si tu veux pas qu'on couche ensemble ce soir, d'accord, mais on ne peut toujours pas continuer à se parler à travers la porte.

Elle crut deviner une certaine angoisse chez lui. La sienne propre ne diminuerait pas à tenir la porte fermée à clef. Coupler leurs états d'âme ne signifierait pas accoupler les corps tout de même. Elle fut longue à se décider néanmoins, descendit du lit, s'approcha de la porte, attendit dans le maigre éclairage de la veilleuse, respira à plusieurs reprises.

Inondé de lumière blanche et froide, le visage de Pierre rougissait. L'impatience y montait quatre par quatre. S'il devait exploser, il donnerait dans cette porte un coup d'épaule qui ferait sauter d'une seule fois ce maudit verrou. Enfin, il sentit la poignée lui tourner dans la main. Il était temps.

La première chose qu'il vit, ce fut le lit froissé mais non défait:

-Tu n'as pas trop l'air de quelqu'un qui dormait, s'enquit-il soupçonneux mais quand même sur un ton acceptable pour la circonstance.

-Je me suis assoupie comme ça...

Elle s'en alla vivement à son fauteuil et alluma la lampe puis s'assit sans lever les yeux sur lui. Il laissa la porte entrebâillée de sorte qu'une certaine lumière puisse pénétrer dans la pièce et il se rendit à son propre fauteuil.

-C'est quoi, Hélène, l'idée de t'embarrer comme ça dans la chambre?

-Je ne pensais pas que tu...

Il sauta sur la contradiction qu'il sentait venir:

-C'est justement, si tu pensais que j'étais pour coucher dans l'autre chambre, tu n'avais pas à verrouiller les portes, les deux portes...

-Me suis pas fait tout un discours pour poser le geste. J'ai fait ça comme ça...

-Il y a toujours un message dans une porte fermée à clef.

Elle eût voulu courir à lui, le griffer au visage et en même temps pleurer sur son épaule, le menacer et le caresser, lui cracher dessus et l'embrasser, l'étreindre pour l'étouffer.

Il fit une pause. Une femme qui ouvre sa porte ouvrira bien aussi ses jambes.

-Je ne crois pas ça, que tu as déjà recommencé à boire.

Elle ne répondit pas. Il insista:

-Quand? Ce soir?

-Le premier soir là-bas quand j'ai rencontré Nicole.

-Ah! mais ça ne compte pas.

C'est vrai qu'il lui avait promis son aide à ses conditions, se rappela Hélène. D'ailleurs il avait toujours tout fait à ses conditions dans ce ménage-là.

-Pour moi, ça compte.

-Écoute, il est tard; faisons un marché: oublions tout et on parlera de tout ça demain.

-C'est ce que je voulais mais tu as insisté pour entrer afin de me parler. Sais-tu ce que tu veux au juste?

-Y a que les imbéciles qui ne changent pas d'idée.

Hélène avait adopté un ton modéré qu'elle conserva pour échapper une phrase à l'allure définitive:

-Si c'est pour faire l'amour que tu es là, tu ferais mieux de t'en retourner. Je ne veux pas le faire et j'ai mes raisons, plusieurs raisons.

La colère revint rôdailler dans sa tête, mais Pierre dit d'un grand calme:

-On n'a pas l'habitude de se faire des cachettes. Dis-moi tes raisons et je vais aller me coucher.

L'ego d'Hélène lui jeta des vociférations à la bouche. Elle les ravala et même les cacha dans un rire à deux temps cachottier:

-J'ai mal à la tête, au ventre, aux pieds, au dos, aux dents, aux os et je manque terriblement de sommeil.

-Sacrement! c'est une drôle de cure que tu as vécue... pas une

151

cure de repos en tout cas...

-Que veux-tu?

-Tu t'es pas trop fait monter la tête contre les hommes là-bas, j'espère?

Hélène sentit un autre bouillon de colère douloureuse. Mais sa voix monocorde et douce suivit un autre rire à deux temps:

-Là-bas, c'étaient toutes des femmes amoureuses... et heureuses en ménage.

-Heureuses?

-La bouteille en moins, oui...

Il soupira, ajouta:

-T'as rien à me dire sur... ta cure à part de ça?

-Ce qu'il y a de plus éloquent à dire sur une cure de désintoxication, c'est justement ça: rien.

-Bon... comme ça, je vais te laisser dormir.

Il se leva, poursuivit:

-Excepté les problèmes de forme physique, tout va en dedans?

-Ouais.

Ce ouais disait non; il enquêta aussitôt:

-On dirait que tu as une bibitte quelque part dans la tête depuis que t'es revenue.

-Ça va passer. Un problème au cégep. Une jeune fille m'a demandé de l'aide et j'ai remis à plus tard... à trop tard et elle s'est jetée dans la rivière...

Il se composa un rire en hochant la tête:

-Avec les jeunes d'aujourd'hui, faut s'attendre à ça à tout moment. C'est mollasse, sans courage devant la vie... Je te dis que dans notre temps...

Elle écouta son propos. Il finit par s'en aller. Toute la nuit, elle pleura douloureusement d'un oeil et rageusement de l'autre.

∞∞∞∞∞∞∞∞∞∞

152

# Chapitre 10

Les jours qui suivirent parurent à Hélène à la mesure de ce qui se passait dans sa tête: bousculades, décisions, reculs, reprises, tous raisonnements induits par les tempêtes émotionnelles.

Pierre ne chercha plus à coucher avec elle, ce qui eut pour effet de la soulager d'une part mais aussi d'ajouter une angoisse nouvelle à la liste déjà longue de ses vieilles et récentes angoisses. Un amour douloureux l'est sous tous ses angles.

Au cégep, André Morin, ce collègue de travail aux assiduités plus évidentes que l'année précédente, fut remis à sa place comme elle aurait dû le faire déjà. Un midi, il l'arrêta dans le hall d'entrée pour lui dire son étonnement devant la beauté particulière de ses enfants. Ce à quoi elle lui répondit:

-Tu les as vus deux minutes à une station-service de Sainte-Agathe et à travers des verres fumés. Tu te sers d'eux pour tâcher de me faire le tour de la tête, sachant bien que les femmes sont toujours sensibles à ce genre de valorisation quant à des circonstances ou des choses qui pourtant ne relèvent aucunement de leur mérite personnel. Les idiots, les paresseux, les égoïstes, les maniaques, les criminels et même... les prétentieux sont capables de faire des enfants beaux. Rien n'est plus facile mon cher et ça n'exhausse pas l'image que j'ai de mon ego.

-Je disais ça comme ça, avec plein de sincérité, sourit-il mal-

153

gré tout.

-Non, mon cher, tu ne disais pas ça comme ça, tu investissais. Personne ne donne jamais rien à personne; chacun mise, c'est tout. Et je dois t'avouer que j'ai de la misère à blairer ceux qui prétendent le contraire. Nous sommes tous des prédateurs, et toi plus que les autres.

Pour ne pas perdre la face, il retraita en blaguant dans l'imitation gauche d'un fauve:

-Tu as raison, Hélène, grrrrrrr... Je suis le prédateur et c'est toi qui fais grrrrrrrr...

∞∞∞∞

Un tigre parut dans l'entrée des joueurs de hockey qui donnait ce soir-là sur l'arène du cirque de Moscou. Le Forum de Montréal était rempli. D'enfants surtout, venus frissonner de rire. De parents les accompagnant et venus penser, oublier le temps présent, se rappeler celui de leur enfance perdue dans l'usure de l'accoutumance.

Valérie colla sa tête contre l'épaule de sa mère puis se redressa honteuse d'une attitude aussi enfantine. Le tigre rugit. La petite réagit. Mais cette fois, elle retint son mouvement. N'y avait-il pas des clôtures entre les bêtes sauvages et le public?. Et puis la dompteuse semblait bien plus appétissante pour l'animal, avec ses grandes cuisses roses et son joli visage de 'matriochka' à joues rouges.

La fillette avait pris le siège entre Hélène et Manon, là où se trouvait sa plus grande sécurité. Il y avait eu tout d'abord un numéro de chevaux que n'avait guère apprécié sa mère, trop accaparée par ses malheurs qui dépassaient et de loin sa magnifique obsession pour la culture russe dont elle pouvait pourtant goûter un élément important toute une soirée en plein Montréal, à trois portes de Lorraine. Non. La vieille scène cauchemardesque de son frère piétiné par une jument sauvage lui avait voilé la vue des bêtes blanches comme un janvier sibérien, rutilantes dans leurs cuirs lustrés, boutonnés d'éléments métalliques, et qui avaient exécuté des routines superbement préparées et synchronisées, presque des entrechats parfois.

Le fauve se rendit prendre sa place sur une espèce de podium à trois étages. Un second, un troisième apparurent et coururent nerveusement jusqu'à l'espace inscrit dans leurs réflexes conditionnés. La dompteuse cria un ordre, fit claquer son fouet et commença un autre ballet fait de sauts des bêtes par-dessus des obstacles, des menaces de l'une envers la dompteuse, ce qui faisait aussi partie de la prestation et lui ajoutait du piquant, et, en apothéose, d'élans des tigres du Bengale qui traversèrent tous des cerceaux enflammés.

Un peu blasée, Manon aussi était absente. N'avait-elle pas déjà assisté à maintes représentations semblables dans le passé, aussi bien en personne que devant la télé? Elle pensait à Claudine et à ses nombreuses autres amies de l'école privée.

Puis ce fut un numéro de chiens savants. L'un d'eux accrocha le sourire d'Hélène. Il répétait un mot de son dresseur habillé en clown dans un micro qui le transmettait à toute l'assistance: 'Pajalousta', le mot le plus utilisé dans la langue russe.

-Qu'est-ce qu'il dit? demanda Valérie à sa mère.

-Il dit 'pajalousta' et ça veut dire 'je vous en prie' ou 's'il vous plaît'.

-Ah ben, un chien qui parle! Pancake aurait les deux yeux dans le même trou d'entendre ça, hein, maman?

-Tu lui diras.

Valérie éclata d'un grand rire sonore semblable aux meilleurs de sa mère, si vif qu'il se répercuta dans trois sections des gradins et sauva le dresseur de l'indifférence générale causée par la barrière de la langue. D'autres petits furent envahis par le bonheur de Valérie, et, sûrs qu'il fallait rire là, ils suivirent; et alors l'effet domino finit par se transformer en un grand applaudissement général qui s'amenuisa vite, un danois à la galipette digne d'un politicien reprenant toute leur attention.

Un ours brun vint danser. Muselé par une bride, il planta le poireau dans une culbute familière à tous les enfants et que plusieurs voudraient imiter sur leur lit ou une moquette épaisse de la maison à leur retour après la représentation et l'inévitable arrêt chez McDonald's qui suivrait.

Hélène, grâce à une sorte d'ouïe périphérique, applaudissait avec les autres par des mains détachées de son corps, lointaines. Elle se voyait comme l'ours, sans liberté, chosifiée, objet et pire, une muselière sur la bouche. N'était-ce pas là le prix que toutes les femmes du monde consentaient à payer pour assurer le bonheur de leurs enfants? La pauvre bête, elle, ne se rendait même pas compte qu'elle faisait rire les petits et ignorait qu'on la promenait autour du monde rien que pour ça...

Elle avait lu quelque part qu'en Union Soviétique, ce sont les hommes qui font les lois mais les femmes qui font la loi. "Chez nous, pensa-t-elle, le pouvoir, c'est celui de l'homme." Puis elle renia cette idée non pas à cause de son contenu mais en raison de la motivation qui l'avait poussée dans sa tête. Non, elle n'inscrirait pas ses problèmes de femme dans la grande guerre des sexes. Ce serait trop facile. Et puis la chère maîtresse de Pierre n'était-elle pas une femme elle aussi?

Il y eut une pause. Toutes les lumières furent éteintes. Quelque chose se tramait sur la piste. Un roulement de tambour et le bruit des cymbales laissaient deviner un numéro de clowns. C'est alors qu'Hélène remarqua une épaule contre la sienne. Et une de ses mémoires, comme celle qui dit l'heure à peu près juste la nuit aux gens qui se réveillent, lui rappela que ce voisin qu'elle n'avait pas une seule fois regardé en plein visage la serrait de près depuis un bon moment déjà. Non pas qu'elle en fût offensée, mais sa curiosité se mit à l'oeuvre. Bon, elle avait bien vu qu'il s'agissait d'un couple avec un jeune enfant entre les deux, mais quel air avaient ces gens dont elle se faisait quand même une assez juste représentation par l'esprit. Elle s'éloigna l'épaule et tourna la tête en biais vers cet homme, attendant que l'éclairage revienne. Son indiscrétion passerait pour un accident.

Et la lumière revint. Elle se gratta un genou et remit sa tête à l'attention en analysant l'image qui y était restée. La femme n'avait pas trente ans et elle portait des boudins blonds satinés à la Shirley Temple tandis que son compagnon était visiblement un aveugle par ses yeux qui, comme ceux de la cécité, donnent l'air de regarder à l'inverse d'yeux réguliers, c'est-à-dire vers l'intérieur de la personne plutôt que vers l'extérieur.

Hélas! elle n'avait pas eu le temps de poser son regard sur l'enfant. Un petit gars, c'est tout ce qu'elle put percevoir. Elle déduisit qu'il devait y voir quelque chose, lui, sinon qu'est-ce que ces gens-là seraient venus faire au cirque?

Valérie nagea dans tous les rires. Les clowns rendaient leurs gaucheries à merveille, coups de pied au derrière, disparitions soudaines, complicités avec la foule et surtout l'oeuf qui s'évanouit sous le naïf des deux quand il s'assied innocemment sans savoir que l'autre, pour s'amuser à ses dépens, a posé cet oeuf sur la chaise qu'il lui a offerte et a placée derrière lui. Même Hélène fut accrochée quand, après une triple répétition du tour de passe-passe par son pleure-misère de compagnon, le clown d'intelligence supérieure voulut à son tour s'asseoir sur l'oeuf magique, lequel comme chacun des enfants s'y attendait, lui éclata sous les fesses. L'éternelle histoire de l'arroseur arrosé mais agrémentée d'un suspense qui décuplait la joie du public!

Le reste du spectacle échappa tout à fait à Hélène.

La conscience de la réalité ne lui revint qu'à mi-chemin de la maison, sur l'autoroute des Laurentides. Un accident s'était produit à peu de distance du pont de la rivière des Mille-Iles à hauteur d'un motel connu par ses chambres à prix modique pour courtes rencontres. Le nombre de feux clignotants annonçait la gravité de la situation. À cause du bouchon de circulation que cela créait, bouchon quand même limité à cause de l'heure tardive, elle dut ralentir considérablement l'allure comme ceux qui la devançaient. Trois ambulances et autant de voitures de police se trouvaient sur place. On se partageait les blessés, peut-être les morts, ainsi que les émotions fortes. Hélène n'avait pas le goût de traîner par là ni d'en savoir plus, et elle accéléra sitôt la scène dépassée.

∞∞∞∞

Cinq cents pieds plus loin, dans une chambre du motel, Nicole et Pierre venaient de sceller un pacte. Un pacte définitif. Chacun d'eux avouerait la vérité à son partenaire dans la semaine suivante. Et aussitôt, on demanderait aux avocats d'enclencher les procédures de divorce. La passion amoureuse était devenue dévorante, du moins pour lui, et malgré tout ce qui avait été dit précédemment, prévu, pensé, un commun accord né de tous les désirs s'était réalisé plus vite qu'on ne l'eût cru. Désirs de brillance, de neuf, de sécurité, de folies, d'une touche de perversité, des plaisirs charnels, de l'ostentation: désirs comblés et sans cesse renouvelés. Il fallait pérenniser tout cela. Ensemble, ils deviendraient trois fois plus riches trois fois plus vite. Le moment était venu. La déconfiture financière de Jacques et la suggestion de Nicole de le racheter par personne interposée donna le coup final au clou qu'elle enfonçait dans la tête de son amant depuis des mois.

∞∞∞∞

Dans sa chambre, Hélène passa sa colère sur son oreiller qu'elle frappa à dix reprises avant de s'étendre sur le dos, regard planté dans le clair-obscur qu'elle fusillait de lueurs intempestives. Il n'était pas encore rentré. Il était donc avec elle, cette maudite putain-là. Quand il serait là, elle lui ferait cracher le morceau. Il viderait son sac à malice, à reproches non mérités, à tout... Si ce n'était qu'une histoire de sexe, elle le viderait chaque matin et chaque soir à deux mains; il deviendrait sec comme un squelette de tôle. À court d'idées, elle fit appel à ses racines québécoises et se mit à jurer, retenant les sons entre ses dents à cause des enfants:

-Christ de calvaire de christ de... d'eucharistie de sacrement... de mariage de mes fesses...

Il fallait à tout prix qu'elle parle à quelqu'un et pas n'importe qui: Suzanne ou Pierrette et personne d'autre. Sa montre lui dit

157

qu'il était trop tard. Sa rage envoya l'heure en enfer. Elle décrocha le récepteur et composa le premier numéro qui se présenta à sa mémoire. Suzanne répondit, la voix molle. Non, ça n'avait pas de sens de parler à sa soeur. Gilles voudrait savoir quelle folle appelait sa femme passé minuit. Elle raccrocha sans rien dire en s'excusant mentalement auprès de Suzanne. Puis elle fit le numéro de Pierrette en se disant que son tricheur de chasseur à elle n'oserait pas se faire indiscrètement questionneur. C'est lui qui répondit, le ton scandalisé de celui qu'on dérange en plein amour physique. Elle raccrocha une fois encore sur son mutisme incoercible.

Pierre rentra une demi-heure plus tard. Comme depuis plusieurs jours, il se fit silencieux, vint à peine à la salle de bains, fit couler doucement l'eau d'un robinet, se brossa les dents, se lava les mains probablement puis s'en alla dans sa chambre. Hélène fut un long moment près de la porte donnant sur la salle de bains alors qu'il s'y trouvait encore, le coeur battant, l'oeil fulgurant mais le lobe gauche de son cerveau bloqua le flux d'énergie produit par le droit et expédié dans tous les muscles de son corps. Malgré la température climatisée de la maison, elle se mit à avoir chaud.

∞∞∞∞∞∞∞∞∞

# Chapitre 11

Au Centre équestre, Nicole et Jacques disposaient de bureaux individuels séparés par la réception et d'autres bureaux administratifs. On avait décidé cela d'un commun accord afin de ne pas s'enfarger les pieds l'un dans l'autre et garder une autonomie qu'une promiscuité excessive risquait de détruire comme il arrive souvent chez de tels couples qui travaillent au même endroit. Puis les obligations de Sainte-Adèle et de la Floride étaient arrivées. Et la liberté d'action de chacun pour laquelle on avait craint prit alors une toute autre tangente dans un imprévisible retournement de situation. Pour se parler maintenant, il fallait presque prendre rendez-vous.

La rencontre demandée par Nicole aurait lieu dans son bureau, une pièce étroite avec pour décoration un superbe Remington tout noir au poitrail puissant dans une cage de verre. Et derrière elle, une murale de laine jaune et rouge en forme de fer à cheval.

Depuis une heure qu'elle s'y trouvait, personne n'était encore venu. Le Centre était désert. Dehors il pleuvotait. Les feuilles jaunes et rouges qui, la veille encore ne demandaient qu'à tomber, chutaient maintenant par milliers chaque heure, emportées lentement par le poids de la pluie qui les plaquait sur le noir pavage du stationnement ou les pelouses mouillées.

Jacques avait du retard. C'était contre ses habitudes. Et il ne

159

téléphonait pas non plus. Soucieuse, Nicole écarta les tentures un peu plus et se mit à la fenêtre comme si le geste avait pu inciter son mari à venir plus vite. On était lundi. Les rares réservations de personnes désireuses de faire de l'équitation ce jour-là avaient été annulées. L'homme des écuries avait accompli son travail tôt le matin et il était reparti pour jusqu'au soir. Et finalement l'endroit était plus désert qu'un cimetière.

Jacques arriverait de Sainte-Adèle. Un accident avait pu causer un embouteillage et c'est la raison pour laquelle il n'appelait pas. Elle sentit de la fraîche sur ses bras. Par réflexe, elle les frotta avec ses mains puis décida de hausser le degré de température du thermostat de la pièce. De plus, elle noua autour de son cou les manches d'un chandail en coton molletonné qu'elle avait ôté plus tôt et accroché au dossier de son fauteuil.

La journée serait dure, terriblement dure. Elle avait beau posséder une très grande détermination, annoncer son intention de divorcer à un homme au bord de la faillite, demandait une forte dose de dureté morale. Or, elle n'était tout de même pas un personnage de roman, toute noire ou toute rose, une sorcière de qui ne peuvent émaner que les concoctions les plus létales... L'admiration qu'elle avait déjà ressentie pour son mari l'avait désertée à cause de ses faiblesses mais il restait au fond d'elle-même une espèce de bon sentiment un peu flou, indéfinissable, sans contours, et qu'elle aurait certes pu qualifier de résidu d'amour. Non, il y avait sa peau à sauver, ses ambitions à réaliser et le futur de Pierre Lavoie promettait mille fois mieux que celui de Jacques. Pas besoin d'une calculatrice pour démontrer cela!

Jacques et sa soeur Hélène s'en sortiraient. Ils étaient des êtres forts beaucoup plus capables de se passer des biens matériels importants pour survivre. Et puis leurs réactions leur appartenaient: elles étaient leur problème, pas le sien! Ainsi va la vie! Ils pourraient même s'entraider dans les mois d'adaptation...

Mais jusqu'où irait la colère inévitable de Jacques? Sans personne autour, se laisserait-il aller à l'explosion de sentiments excessifs... destructeurs? Les êtres calmes sont de ce fait imprévisibles car on ne peut évaluer en se fiant à l'expérience, la mesure de leurs épanchements.

Sa voiture blanche glissa enfin entre les arbres dégoulinants et vint se garer devant l'entrée. Il descendit, resta un moment debout dans le crachin, le regard attiré par la monotone splendeur des feuillages à leur déclin. Nicole détailla quelques éléments du personnage. Il portait une veste rouge clair très voyante qui lui seyait bien comme tous ses vêtements. Il fallait bien concéder à cet homme beaucoup de dignité dans les traits du visage, et qui ajoutaient une touche particulière à son élégance. La tête toujours haute, une bouche large, des cheveux bruns abondants et soignés, il plaisait au premier coup d'oeil aux femmes qui, justement, prolongeaient cette oeillade d'une fraction de seconde. Cette fraction de seconde est responsable de bien des mariages, mais hélas! aussi, de bien des divorces. Nicole n'avait tout de même aucun regret des années passées avec lui. Sauf que ces années-là, elles étaient passées...

Il entra sans grand bruit et s'amena droit au bureau de sa compagne. Sa porte étant déjà entrouverte, il frappa discrètement sur le chambranle et n'attendit pas de réponse pour pénétrer dans la pièce en disant:

-Je suis en retard, je le sais, mais j'ai une très bonne excuse...

Restée à la fenêtre avec l'intention de puiser à la grande nature les mots pour lui parler, elle commenta:

-Qu'importe, il n'y aura personne ici aujourd'hui excepté nous deux!

-Tu n'as pas fait de café?

-Non.

-Je vais en faire.

-Pas maintenant!

-Bon.

On mit cinq minutes à échanger sur des banalités: la température, des problèmes mineurs à Sainte-Adèle, le repas de poulet qu'on se ferait livrer...

Il restait debout, les mains appuyées au dossier d'un petit fauteuil de bureau, attendant le coup d'assommoir. Car il pressentait l'événement. C'était la raison de son retard. Il avait déjeuné de plusieurs cafés en se composant des arguments pour la convaincre de rester avec lui. Il aimait Nicole au point de ne jamais envahir son territoire ni chercher à la museler; au contraire, il favorisait tout ce qui était apte à la rendre plus libre dans l'espoir de se l'attacher davantage. Les problèmes financiers, les exigences du quotidien l'avaient désarmé et un jour il en était venu à la certitude qu'elle voyait quelqu'un d'autre, mais il n'avait pas cherché à en savoir davantage. Le ton de sa voix quand elle avait voulu cette rencontre avait allumé un feu rouge dans sa tête. Si elle lui annonçait son départ, comment donc s'y résoudrait-il? Que se passerait-il alors en lui?

-As-tu une idée de la raison pour laquelle je voulais te voir aujourd'hui?

-Oui... et non...

-Je pourrais te parler des feuilles qui tombent mais tu pourrais me répondre que les branches, elles, ne tombent pas. En tout cas pas chaque automne. Je pourrais te parler de la fécondité du changement que tu penserais peut-être à la sécurité du long-terme. La pluie remplace le soleil et la neige transforme la pluie. Tout change, tout coule, tout court. Je n'ai pas envie de m'excuser d'avoir envie de changer, de prendre une autre route, un embranchement, une direction nouvelle. Ce qui veut dire que... je vais quitter la maison dans quelques semaines. C'est comme ça!

Il demeura silencieux, gardant la tête haute malgré son coeur délabré. Pressée par son mutisme, elle se montra légèrement impatiente:

-Il faut que tu le comprennes parce que c'est une décision finale.

Il ne dit toujours rien, le regard rivé sur son chandail, hypnotisé par ces manches vertes qui lui entouraient le cou comme les bras d'un autre homme, tout l'être pris dans le ciment, écrasé par une colère immense qu'il fallait pétrifier, enraciner comme le pied d'un érable pour que l'arbre ne tombe pas sous les effets de la tornade.

-On peut divorcer à l'amiable ou bien prendre des avocats. À quoi ça servirait de nous battre puisque nous n'avons rien à nous partager?

Jacques se rappela qu'il n'avait guère fait état de sa situation financière réelle devant Nicole. Avait-elle fouiné dans les livres de la compagnie? L'irritation ajouta à son angoisse. Puis une rage douloureuse entra dans le décor. Abandonnait-elle le bateau dans le pire moment pour une question d'argent? N'avait-elle donc vécu à ses côtés que pour ses biens matériels? Le nouvel homme de sa vie était-il un pigeon mieux lardé? Il devait obtenir réponse à tout cela mais il ne parvenait pas à formuler les questions.

Elle poursuivit encore:

-Suffira de comparaître devant le juge et de faire un aveu d'adultère... Et puis cette question-là pourra bien attendre. L'important, c'est de savoir à quoi s'attendre, n'est-ce pas?

-Qui est mon... remplaçant? réussit-il à prononcer enfin.

-Faut-il que tu le saches aujourd'hui?

-Il le faut.

-Peut-être qu'il vaudrait mieux attendre...

-Nicole, c'est sûrement quelqu'un que je connais et tu as peur de me l'identifier...

Elle coupa:

-C'est Pierre...

-Pierre? Pierre qui? Je connais des tas de gens, de clients du Centre, de toute la région, et cinq ou six Pierre pas moins... Pierre Turcotte sans doute?... Ou Pierre Martel? Deux Pierre à succès...

-Pierre Lavoie.

-Pierre Lavoie... connais pas...

Elle s'impatienta encore plus:

-Pierre Lavoie, le mari d'Hélène, ton beau-frère depuis quinze ans...

Jacques chancela. Il ouvrit la bouche qui resta béante. Ses doigts bougèrent le long de ses cuisses dans un mouvement involontaire. Nicole pencha un peu la tête en avant mais la releva aussitôt et rajusta son chandail en tirant sur le noeud. Elle n'avait plus rien à dire et ne dirait plus rien quoi qu'il fasse, quoi qu'il dise. Pas maintenant. Jacques devait digérer l'épreuve et elle son courage.

L'homme groggy fit un pas puis un autre de travers et il quitta la pièce, décérébré, marchant comme un zombie. Il se rendit à son bureau et fut bientôt assis, incapable de se souvenir qu'il venait de trouver la bonne clef dans son trousseau pour ouvrir la porte, qu'il avait manipulé l'interrupteur et le graduateur de façon à demeurer dans un profond clair-obscur accentué par la massivité des meubles de style en bois brun, et qu'il était maintenant à déverrouiller un des tiroirs du bureau.

Il fouilla jusqu'au fond, sous une masse de papiers sans importance et trouva une arme, un revolver .22 qu'il s'était procuré aux États-Unis quelques années auparavant et avec lequel il pratiquait le tir occasionnellement. Ses doigts trouvèrent des balles; il n'en prit qu'une et la mit dans le barillet...

Dans son bureau, Nicole commençait à connaître les joies du soulagement et elles s'exprimaient par des lueurs dans ses yeux. Après tout, la pluie avait ses charmes; aussi les feuilles mortes...

L'arme pantelante, pointant vers le plancher, Jacques marcha jusqu'à la porte et s'arrêta. Une petite lumière encastrée dans le plafond tombait sur son regard. Quelque chose de lucide montra le doigt au fond de son âme. Non, il ne se suiciderait jamais sur un mouvement spontané, sorte de coup de tête qui n'était rien

163

d'autre pourtant qu'un coup de coeur. Il avait beau se sentir très mal dans sa peau depuis le pire de sa dégringolade financière et avoir songé souvent à effacer à jamais tous les tracas insoutenables, c'est après une analyse exhaustive de tout ce qui lui arrivait qu'il prendrait une décision finale, pas avant. Il referma la porte restée ouverte depuis son arrivée et retourna à son bureau.

∞∞∞∞

Pierre reçut un appel au bureau du chantier. La voix féminine tomba, laconique:

-C'est Nicole, ça y est, c'est fait.

-Ah!

-C'est maintenant ton tour.

-Ouais?

-On dirait que ça ne fait pas ton affaire?

-Je ne pensais pas que ce serait aussi vite.

-Des regrets?

-Non, non... mais c'est que j'ai plusieurs problèmes ici... Celui-là en plus...

-Règle celui-là et ceux du chantier vont te paraître enfantins ensuite. De toute façon, Jacques risque d'appeler Hélène dans les heures qui suivent. Tu ferais mieux de prendre les devants.

-C'est sûr... ouais... Je vais m'arranger pour que ça se fasse ce soir... autrement, tu me prendrais pour plus faible que toi, hein!?

-Et j'aurais bien raison, non?

Une raison pratique les empêcha de poursuivre leur conversation. Pierre devait quitter le bureau. Sur le perron de la maison, il prit une longue inspiration. L'humidité le transit. Un long frisson le parcourut. Un sentiment d'impuissance le rendait mal à l'aise. Il ne pouvait plus reporter à plus tard l'inévitable. Autant s'y faire! Inutile de s'y préparer! Hélène saurait la vérité le soir même. La donne était complète, il ne restait plus qu'à montrer ses cartes. Mais pas toutes quand même!...

∞∞∞∞∞∞∞∞

# Chapitre 12

Pierre manqua du courage requis pour aller souper à la maison. Il manqua du courage nécessaire pour entrer par la porte de la cuisine où il risquait de croiser Hélène. Il n'eut pas les couilles non plus de la demander à une chambre ou l'autre afin de lui dévoiler toute la vérité. Et il s'enferma dans sa chambre où les demi-heures passèrent, longues et terriblement nerveuses.

Près de neuf heures, le téléphone sonna. Il se précipita sur l'appareil. On ne devait pas le devancer, ni Jacques ni personne. Au moment de décrocher, la chair de poule courut sur ses bras et sa nuque: et s'il fallait qu'Hélène décroche aussi dans sa chambre et qu'à l'autre bout du fil, ce soit son frère. Ou pire, que ce soit Nicole qui, elle n'en doutait pas, ne se retiendrait plus de l'appeler à la maison désormais.

-Pierre, c'est Pierrette.

-Ah! Ouais...

-Ça va bien, toi?

-Heu... ben...

-Tant mieux, hein! Hélène est libre?

-Oui... Non! Non!

-Oui ou non?

-Non, que je te dis!

165

-Je suis libre, dit Hélène qui avait décroché à son tour et reconnu son amie.

Pierre trouva plus facile de donner rendez-vous à sa femme au téléphone. Il dit:

-Hélène, tâche de ne pas parler trop longtemps parce que...

Il s'arrêta. Il ne pouvait tout de même pas lui dire devant Pierrette sur une ligne téléphonique à quelques pas d'elle qu'il voulait avoir un entretien. Il bifurqua:

-C'est que j'attends un appel de mon frère.

-Quand il saura que c'est occupé, il téléphonera plus tard, laissa tomber Hélène sur le ton de la plate évidence.

Pierre raccrocha sans mot dire.

Que se dit-il entre les deux femmes? Il l'ignorerait toujours. Pendant qu'elles conversaient, il prit une douche, se revêtit d'une robe de chambre et s'allongea sur son lit, le nez dans son journal, l'esprit dans les orteils. L'échange avec Pierrette n'inclut aucune confidence d'Hélène sur ses difficultés du moment. Elle questionna son amie sur ses propres problèmes passés, en se surveillant pour ne pas avoir l'air d'insister, ce qui aurait mis la puce à l'oreille à l'autre femme. Or, elle n'était pas prête, ce soir-là, pour en discuter, car son sentiment dominant voisinait la colère sourde.

Quand elle raccrocha, quelque chose, une espèce d'impulsion incontrôlée, l'emporta, la transporta vers la chambre de Pierre. Elle fonça dans la salle de bains puis entra sans frapper dans la chambre d'invités. Il mit son journal de côté. Ils se regardèrent sans trop comprendre ni se comprendre non plus. Le duel eut lieu sans préambule. Froidement, sans hauts cris comme il le fallait à cause des enfants. Hélène l'agressa tout d'abord:

-Je suis venue te dire que tu es un être double, hypocrite, misérable, déclara-t-elle en tremblant de toute sa personne et la voix à l'avenant.

Le choc libéra l'homme d'une bonne part de sa peur et de son remords. On l'attaquait et ses forces vives se réunissaient pour établir une défense. Une défense qui passerait par la contre-attaque et le délivrerait de son message pesant.

-Assieds-toi et prouve-moi tout ça!

Elle n'avait pas envie de s'asseoir. Elle désirait marcher, marcher sans arrêt tant qu'il n'aurait pas avoué, tant qu'il n'aurait pas demandé pardon, tant qu'il n'aurait pas juré en pleurant de mettre un terme à sa liaison et promis de ne jamais recommencer de toute sa vie.

Hélène portait un pantalon noir et un chemisier rouge, combinaison de couleurs qui, dans la pénombre, lui conférait une allure de femme fatale, quasiment infernale. Surtout qu'elle avait le feu à la bouche: une flamme mesurée qui n'en était que plus intense.

-Non, mon cher, ce n'est pas à moi de le prouver, c'est à toi de le faire. Dis-moi ce que tu as à me dire. Dis-le que tu sors avec une femme. Crache-le donc. Et ensuite, on verra si je divorce ou bien si je t'empoisonne la vie jusqu'à ta mort.

Pierre se redressa et prit place au bord du lit. Il se pencha en avant et mit ses mains sur son visage. Quel soulagement, pensait-il, qu'elle le sache déjà! Mieux: qu'elle parle de divorce. Tout devenait bien plus facile pour lui. Une fois de plus, et ce n'était pas la moindre, une difficulté s'aplanissait à moitié, aux trois quarts, d'elle-même rendant si dérisoire et infertile la peur qu'elle avait suscitée en lui.

Hélène s'affermissait à le voir ainsi dans l'attitude honteuse d'un enfant pris après un mauvais coup. Elle frappait du talon mais la moquette absorbait le choc et le geste ne servait qu'à elle seule, à la défouler un peu à travers les autres voies pour y arriver.

-Les choses adonnent bien: je m'apprêtais justement à te l'avouer.

-Peuh! t'imagines de me faire croire ça? Si je n'avais pas découvert le pot aux roses, tu aurais continué ton petit jeu, ça je le sais.

-Là, tu te trompes! C'était prévu que je te parlerais ce soir, tu peux en être certaine.

-Parle, parle et ça presse; j'ai pas trop de temps à perdre à entendre ça...

-C'est ça: j'ai une maîtresse depuis plusieurs mois, je dirais plus qu'un an...

-Qu'est-ce que je t'ai fait, moi, coupa-t-elle sèchement. Tu vas dire que c'est parce que je buvais de temps en temps, je suppose. As-tu déjà manqué un repas à cause de ça? Et tes petits repas de sexe au lit, en as-tu déjà manqué un. Tu me fais l'amour dans trois minutes après m'avoir fait habiller comme une donzelle... Les enfants ont-ils manqué de quelque chose? C'est plutôt moi qui ai manqué de pas mal de choses dans ce mariage-là, pas toi, Pierre Lavoie...

Elle parlait comme un moulin, avec les mots habituels des femmes trompées qui, au paroxysme du dépit amoureux, orchestrent leur propre procès psychologique en moins de trente secondes. Il dit, désolé:

-Et c'est pour ça qu'il faut y mettre un terme, à ce mariage-là! Il y a inégalité entre nous deux. Tout est à mon avantage comme tu le dis et rien au tien.

Hélène sentit les deux mâchoires d'un piège claquer sur elle, un piège d'acier qu'elle-même avait tendu sans le savoir. Elle avait brandi la menace du divorce et cela avait l'air de lui convenir. De plus, elle venait de se rembarrer en faisant valoir l'injustice dont elle était la victime. Il triomphait. Elle dégringolait vite. À quoi s'accrocher? Elle tourna le raisonnement contre lui:

-À force de me sacrifier, j'ai gagné un mariage à partenaires égalitaires, justement. Et c'est ça qu'on va mettre sur pied à certaines conditions, je dis bien certaines conditions...

-Il ne saurait y avoir de conditions, Hélène, puisque nous allons divorcer.

-Divorcer? Non, non, minute là... Attends un peu tit-gars, on va discuter...

Pierre était devenu très sûr de lui maintenant que l'aveu principal, celui de l'existence de sa maîtresse et de son intention de divorcer était fait, ce qui, il ne cessait de se le redire, le dégageait d'un poids énorme. De plus, chance inespérée, l'état passionnel d'Hélène lui rendait un fier service en le confortant. Il avait redouté une crise de larmes et elle ne semblait pas devoir en verser une seule. Il préférait et de loin l'affrontement coléreux à l'affrontement douloureux. Surtout si le ton devait rester dans un registre acceptable entre partenaires adultes intelligents.

-Hélène, la décision est prise et elle est définitive. J'ai déjà vu mon avocat. Ce n'est plus qu'une question de semaines, de mois au maximum et nous allons prendre chacun notre route...

La femme croyait rêver. Les meubles tournoyaient devant ses yeux. Son pas ne portait plus d'intentions; il devenait automatique. Chaque phrase qu'elle disait, chaque mot qu'elle prononçait lui revenaient en pleine face comme des boomerangs. Rien n'avait le sens prévu. Elle avait l'impression de se désincarner, de mourir sans cesser de vivre, de voir son être hors d'elle-même sombrer dans la fange de l'impuissance totale, impuissante à l'en sortir... Elle ne garda pas son sang-froid, c'est le sang-froid qui la garda:

-Écoute, là, on ne va pas sauter les étapes comme si on était emportés par des chevaux, on va discuter, voir ce qui nous a conduits où nous sommes, faire le point, prévoir, prendre des décisions. Tu m'arrives avec une décision finale et on n'a même pas commencé à se parler. Ça fait que... prenons pas le mors aux dents trop vite...

Ce choix d'expressions 'chevalines' mit dans la tête de l'homme la flamboyante image de Nicole chevauchant une jument blonde nerveuse et racée. Il s'allongea sur le lit, le corps tourné vers le coin le plus sombre de la pièce, disant:

-De nos jours, entre personnes de qualité, il y a moyen de traverser tout ça sans drames à n'en pas finir. Ce sera dur autant pour l'un que pour l'autre, mais nous allons passer au travers, tu verras bien.

La colère toujours présente en Hélène lui fit adopter le ton du gémissement:

-Mais c'est quoi, cette maudite histoire de fou que tu me racontes? On ne dit pas bonjour comme ça un bon matin à sa femme et à trois enfants...

Il l'interrompit:

-Procédons autrement. Depuis quand sais-tu qu'il y a quelqu'un d'autre dans ma vie?

-Ça me regarde.

-En tout cas... Depuis que tu le sais, tu y as pensé toi-même au divorce, tu me l'as dit tout à l'heure.

-Ça rime à quoi, ça?

-Ça veut dire que tu aurais pu m'arriver toi-même avec une histoire de fou en supposant que je n'aurais pas planifié un divorce. Nous sommes donc à égalité.

-Je ne comprends pas tes raisonnements boucaneux comme tu dis si souvent de ceux de René Lévesque.

-Laisse faire: je me comprends.

-Maudite vie, que c'est donc pas drôle par bouts!...

-Y a des hauts et des bas, hein!...

Il y eut une longue pause. L'esprit d'Hélène était bombardé par toutes sortes de projectiles, miné, écartelé, comme précipité dans un miroir déformant.

-Mais dis quelque chose, bon Dieu de bon Dieu! finit-elle par siffler entre ses dents.

-Il ne reste rien à dire, Hélène, rien du tout. Tout est dit. Tout est écrit.

-Mais ça n'a aucun sens!...

-Pour toi peut-être, mais pas pour moi.

-Donne-moi au moins des raisons à tout ça.

-Mettons-nous à remonter dans les causes et on va tourner en rond pour revenir au bout du compte à la case départ.

-Je n'ai pas besoin de te poser la question pour savoir si tu m'aimes encore, hein?

-Je ne te déteste pas, mais on n'est pas bâtis pour vivre ensemble. La compatibilité n'est pas là ou n'est plus là. La complémentarité non plus...

-Elles ne sont plus là parce qu'il y a quelqu'un d'autre avec qui, tu crois que tu en auras plus... Mais ça, fais bien attention, mon cher, on a quinze ans d'adaptation que tu ne vas pas pouvoir remplacer aussi facilement...

-Ça, c'est mon problème et pas le tien.

-Tu es cynique, parfaitement cynique.

Elle s'arrêta un moment au pied du lit, empoigna le montant métallique et secoua:

-Mais Pierre, te rends-tu seulement compte de tout ce que tu as et que tu vas perdre? Ta femme passe toujours puisque tu en as une nouvelle, mais tes enfants. Tu ne sais pas qu'un divorce, c'est quelque chose de ruineux pour un homme... ou pour une femme? Penses-tu que tu vas me jeter dehors comme ça avec les enfants? Non, mais pour qui tu te prends, Pierre Lavoie?

-Arrête de me brasser comme ça, les montants vont se déboîter.

-Je vais te brasser les idées qu'une autre t'a virées complètement à l'envers...

Pierre se redressa puis se mit debout.

-Tu as l'air ridicule.

-Écoute, commençons par l'amour... Assieds-toi et commençons par régler cette question, tu veux... Assieds-toi... je ne vais plus toucher au lit... Et elle reprit sa marche, les mains ouvertes de chaque côté de son visage et qui bougeaient de réflexion. Bon, l'amour, c'est la denrée la plus périssable qui soit au monde. Pour le garder en partie, il faut le travailler, le faire cuire, l'épicer, le congeler parfois... mais il perd son goût premier, ça, c'est sûr. Mais il y a toutes sortes de flammes, de petites flammes qui viennent remplacer la grande, des plaisirs quotidiens, des habitudes qu'on aime quand on s'en soustrait régulièrement, des bonheurs à bon marché pas nécessairement de pacotille ou achetés chez le marchand d'illusions ou de farces et attrapes...

-Non, mais veux-tu ben fermer ta grande trappe d'intellectuelle! dit-il en se rasseyant, bougon.

-C'est pas intellectuel, ce que je te dis là, c'est de l'évidence, de l'évolution normale d'une vie de couple...

-Te rends-tu compte que dans la même phrase, tu as fait de l'amour un steak, un feu et un pétard... C'est ça, l'intellectuel de l'affaire: vous n'êtes jamais capables d'appeler les choses par leur nom. Tout le temps vos sacrement de détours, vos comparaisons qui tiennent pas debout... Une maison, ça tient debout avec des deux par quatre pis des clous... pis du ciment pis de la pierre... pis du gyproc pis du plâtre... L'amour, ça serait-il un deux par quatre dans un ménage... ou ben un clou... ou du plâtre? Qu'est-ce que tu dirais si je te faisais des comparaisons niaiseuses de même, hein?

-J'essaie de te faire comprendre, c'est tout.

-Dans ce cas-là, faut pas me prendre pour un maudit cave. Va droit au but avec des mots directs. Je t'ai dit ce qu'il y avait à dire; y a-t-il d'autres choses que tu voudrais savoir?

Elle lança, déjà vengeresse:

-Qui c'est, ta pelote?

Il jeta aussi bêtement:

-C'est Nicole Labelle... ou Nicole Prince si t'aimes mieux... Et je te conseille de ménager des paroles.

Il n'aurait pas eu à le lui dire. Hélène venait de s'arrêter en plein milieu de sa marche et de la pièce. Sa tête tourbillonnait dans un étourdissement semblable à celui que l'on ressent au sortir d'une force centrifugeuse de fête foraine. Un haut-le-coeur physique voulait l'aspirer dans l'inconnu. Tout son être appelait à la morphine, au népenthès ou tout au moins à la vodka. L'entière panoplie des sentiments les plus affreux la pressaient de toutes parts, se traduisant en toute la gamme des émotions insoutenables. C'est sa raison qu'il aurait fallu bloquer par une drogue ou une autre, cette raison qui alimentait ses effrois et ses rages déchirantes en lui braquant l'inexorable en pleine figure: Pierre était perdu pour elle et son mariage sombrait de façon irréversible.

-Non, mon Dieu, pas elle! N'importe qui, mais pas la femme de mon frère! Tu es fou, Pierre Lavoie, fou, malade, complètement malade...

C'est elle qui l'était le plus en ce moment. Son amour-propre sortait de la cage où elle l'avait enfermé tant bien que mal ces derniers jours et tout le reste échappait entièrement à sa vue.

La femme était blessée au coeur de sa race.

Elle fit de longs pas désespérés, comme quelqu'un qui a reçu un coup violent au plexus solaire, et, contournant le lit du côté opposé à celui où était son mari, elle s'effondra en se jetant sur le couvre-lit où elle se roula en foetus, l'estomac pressé par ses bras croisés l'un près de l'autre.

Tout son corps se transforma en un long sanglot interminable, impossible. Pierre se durcit le plus qu'il put, puis des larmes d'Hélène s'infiltrèrent par des interstices de sa carapace et il en vint à s'inquiéter de sa souffrance morale indicible.

-Écoute, des millions de personnes à travers le monde divorcent chaque année. Ça fait simplement partie de la vie maintenant.

L'effet nul lui fit chercher autre chose:

-Ne te replie donc pas sur toi-même comme ça! Et puis tu as toujours dit que j'étais macho, possessif, tu trouveras quelqu'un qui te laissera toute ta liberté... Ce n'est pas la fin du monde...

Lui vint en tête l'idée qu'il lutterait pour obtenir la garde des enfants et force lui fut de se dire que ses paroles étaient creuses.

Pire qu'un enfant qui hurle sa peine dans des mots inintelligibles, Hélène devait contenir sa voix et en même temps tâcher de se faire comprendre à travers cet inextricable réseau d'ordres et de contre-ordres, de courts-circuits, de blocages, de flux incontrôlés qui se partageaient son cerveau physique et son âme. Il y avait en elle un spectre de mort à tuer avant qu'il ne la tue. Tout à coup abandonnée par toute velléité d'amour-propre, elle se mit à supplier:

-Donne-moi un peu de pitié, s'il te plaît?

-Quoi?

-De la pitié, de la pitié...

-Je ne comprends pas ce que tu veux. Cesse donc de te recroqueviller comme ça et parle plus clair!

-Prends-moi en pitié, Pierre... s'il te plaît...

-Mais comment?

-Prends-moi dans tes bras... fais-moi l'amour une... dernière fois, la dernière...

Il pensa à Nicole, eut un mouvement de recul. Mais il s'agissait là d'une proposition qu'un homme comme lui ne pouvait refuser. De plus, il perçut lui aussi qu'il y aurait dans cet acte une dimension unique, inoubliable, éternelle.

∞∞∞∞∞∞∞∞∞∞

# Chapitre 13

Il était retourné dans sa chambre après l'amour, laissant Hélène se débattre seule dans les affres consécutives à l'abandon, pareilles à celles d'un deuil cruel et subit s'ajoutant des insupportables meurtrissures de l'amour-propre, de la culpabilité qui rapetisse et du sentiment d'avoir été trompée, abusée, bafouée, utilisée, chosifiée, idiotifiée...

Elle n'avait alors réussi à faire que de prendre une décision, une seule: il lui fallait quinze jours de cure morale dans un enfermement avec elle-même, une réclusion qui lui permettrait de composer un peu avec ces terribles données nouvelles de sa vie pitoyable.

Seule au lac du Cerf, elle pourrait au moins crier, hurler ses rages aux meubles pour s'en vider, frapper sur les murs, lancer des objets à toute volée: sortirait d'elle ce pus du pire grâce au temps et à une solitude le moindrement libératrice.

Car les enfants ne sauraient lui être d'un grand réconfort en ce moment. Certes, lui manqueraient les beaux grands yeux buvards de Valérie, par contre sa traversée du désert l'aiderait à bien situer dans leurs trous ces regards fourbes et pansus du parvenu capricieux que l'égocentrisme avait poussé à heurter autant d'âmes d'un seul coup de poing.

Et que l'eau froide de novembre en vienne à exercer sur elle une fascination suffisante...

∞∞∞∞∞

Alors que toute la maisonnée silencieuse dormait encore, elle quitta la maison tôt le lendemain après une nuit blanche plus noire que le ciel chargé qui continuait d'environner la terre comme une chape de plomb. Les cheveux emmêlés, le visage exsangue, elle prit la route avec trois fois rien comme bagage: ni trousse personnelle ni vêtements de rechange. De toute manière, il y avait au chalet tout le nécessaire à maquillage et une garde-robe de campagne pour le cas fort peu probable où elle en aurait besoin.

Quelque part en route, elle téléphonerait au cégep pour signaler une absence qui se prolongerait jusqu'au début de décembre. Et Pierre trouverait la note qu'elle avait laissée sur la table de la salle à manger, l'informant de la thérapie du silence qu'elle entreprenait. Il verrait à faire fonctionner la maison comme il avait appris à le faire, du moins un peu, lors de sa cure de désintoxication.

Les kilomètres se firent monotones, comme toutes ces montagnes nues, décharnées, dont les rondeurs s'étaient aplanies depuis que la routine de les traverser avait bâti son ennui dans son âme ankylosée. Et pourtant elle faisait l'autoroute pour la première fois un mardi d'automne. Les êtres rencontrés différaient considérablement de ceux de la fin de semaine. Les camions semi-remorque et d'autres de livraison foisonnaient dans les deux sens. Rien de tel le vendredi alors qu'un flot de citadins commandés par une seconde nature se répandait sur les Laurentides pour en revenir dans un raz-de-marée de toutes les lenteurs deux jours plus tard: ressac hebdomadaire de villégiateurs en quête d'énergies nouvelles que la cité-vampire leur aspirait chaque jour de la semaine.

Rendue à Saint-Jovite, elle se surprit à se rappeler qu'elle avait déjà réussi à faire table rase de tous ses problèmes depuis son départ. Son esprit avait folâtré, erré sans but ni passion. Le temps par contre restait présent, préoccupant. Elle consulta sa montre et bifurqua vers le village plutôt de prendre la route d'évitement. D'une pierre deux coups: elle déjeunerait et appellerait au cégep. Après avoir tout d'abord réglé la question du téléphone, elle prit place dans une banquette de ce restaurant dont les qualités étaient annoncées par le nombre de camions arrêtés dans la cour. Elle sentit des regards posés sur elle, aperçut des têtes qui se tournaient furtivement et cela lui donna l'envie de se laisser aller à sa curiosité. Car la curiosité occupe l'esprit. Pourquoi ces gars-là regardaient-ils une femme aussi désorganisée? Parce que justement, ils la trouvaient désorganisée? Elle osa dévisager le profil de ceux dont la position n'exigeait pas qu'elle tourne trop la tête, et prêter l'oreille à gauche, à droite. Tous des hommes finalement: au grand comptoir en U aussi bien qu'à cinq tables occupées et deux autres banquettes. Ils auraient pu constituer une équipe de hockey ou une troupe de soldats tant ils se ressemblaient dans leurs différences. Elle commanda à la serveuse, une rousse dépoitraillée aux gentillesses garçonnières, un copieux déjeuner d'oeufs au bacon comme elle n'en avait pas avalé depuis vingt ans. Elle n'en mangerait que le quart mais qu'importe puisqu'elle aurait eu le plaisir de dire n'importe quoi d'anormal pour elle.

Se sentant épié, un jeune homme dont l'uniforme vert foncé disait qu'il était livreur de quelque chose, tourna lentement la tête vers elle depuis sa place au comptoir. Hélène soutint son regard une fraction de seconde puis elle baissa la tête vers son café en se composant un sourire énigmatique, juste pour voir ce que ça donnerait. Elle releva aussitôt les yeux et le vit murmurer quelque chose à l'oreille de son compagnon en faisant des signes de tête significatifs dans sa direction. Elle sourit à nouveau mais de l'intérieur de l'âme seulement. Il pourrait toujours s'admirer dans le miroir double de ses oeufs ou bien rire jaune quand il chercherait à obtenir un second sourire dont elle le priverait perversement.

Puis elle prêta attention à un langage ordurier qui se tenait dans son dos. Avec toutes sortes de mots ignobles, un homme jurait contre des gens, des voisins semblait-il, qu'il accusait d'avoir tenté d'empoisonner son chien. Il leur réglerait le portrait à son retour d'Abitibi.

En biais, à une table, un personnage dans la quarantaine, visiblement satisfait de lui-même, sifflotait en feuilletant son Journal de Montréal dont il tournait les pages avec fracas.

-Madame, il n'y a plus aucune place de libre sauf à votre table, dit une voix proche de son oreille.

Un homme penché, l'air taquin et triste à la fois, quémandait une place. Incrédule, elle jeta un regard panoramique et vit bien que même les tables qu'elle venait pourtant de voir libres s'étaient remplies.

-Je ne veux pas vous déranger, madame, si ça vous chante pas, là...

-Non, non... Comme vous voyez, je n'ai même pas de journal et puis j'accapare en fait quatre places à moi toute seule, hein, alors...

Il se glissa sur le siège. Elle l'embrassa d'un seul regard. Le pauvre avait tout contre lui: un visage bourré de rides prématu-

175

rées, une petite taille et le regard terne. Mais son sourire reconnaissant et exclamatif eut tôt fait de mettre son usure évidente derrière un voile d'aise léger et bon enfant. On parla naturellement de la pluie qu'il trouvait agréable certains jours comme celui-là précisément. Puis de Sainte-Thérèse que chacun connaissait fort bien puisqu'ils y travaillaient tous les deux, lui comme gérant de caisse populaire. En période de convalescence, il se rendait à son chalet à Saint-Donat. D'un café à l'autre, on se connut mieux. Il comprit par leurs longueurs d'ondes qu'il pouvait lui donner sa confiance et il avoua que la maladie dont il était à se guérir s'appelait simplement l'alcoolisme. Elle-même parla de sa cure de désintoxication. On fut bientôt au milieu de l'avant-midi dans un restaurant désert à échanger sur des expériences communes, des sentiments comparables, des idées compatibles. L'homme connaissait Lavoie Construction donc, d'une certaine façon, Pierre Hélène tut ses graves déboires conjugaux dont par ailleurs, elle faisait attention de ne jamais penser plus d'une fraction de seconde à la fois depuis la veille dramatique.

Au moment du départ, il dit:

-Faudrait pas penser que je fais du recrutement de clientèle, mais quand ça adonnera, passez à la caisse. On prendra un quart d'heure pour poursuivre une conversation, ma foi, fort enrichissante.

-La meilleure manière, c'est encore d'aller ouvrir un compte chez vous!

Il tendit la main. On était dehors. La pluie avait cessé.

-Ça sera un grand plaisir, madame Hélène.

Elle continua sa route. Cette rencontre lui avait procuré du contentement, bien moins à cause de la facilité des échanges que par le temps qu'elle n'avait pas calculé au compte-gouttes.

Dans la cour du chalet, son coeur éclata soudain sans avertir, d'une manière tout à fait imprévisible. Depuis le matin qu'elle avait muselé la horde sauvage de ses sentiments en les ignorant, voilà que le lieu venait de leur ouvrir à tous des portes toutes grandes. Son côté gauche de l'épaule à la hanche lui sembla se pétrifier. Les larmes arrivèrent. Elle les accueillit. Pleura tout son soûl dans l'auto. Qui la verrait? Les arbres étaient devenus sourds, les chalets voisins muets et le lac aveugle.

Quand elle fut un peu soulagée, elle entra alors même que le téléphone sonnait. Qui donc excepté Pierre aurait bien pu l'appeler? Elle ne répondrait pas. Il s'inquiéterait. Qu'il s'inquiète! Non, il ne s'inquiéterait pas, il s'en ficherait totalement à moins que le lave-vaisselle ne lui donne des problèmes à la maison. Ce pouvait être Suzanne ou Pierrette... Elle répondit. Erreur de numéro.

À nouveau, elle se réfugia dans l'absence d'idées. Elle évaluait à trois jours la première étape du phénomène de décantation senti-mentale. Les personnes endeuillées qu'elle avait vues déjà, malgré l'irrémédiable qui leur labourait le coeur, en faisaient la démons-tration involontaire. Aux alchimies de son cerveau, il fallait don-ner du temps catalyseur. Tout le secret résidait dans la manipula-tion du temps. Quant au reste, viendraient bien d'autres Lucien Latreille, ce personnage du matin, mais en plus jeune et au physi-que plus agréable. En viendrait-il? Et puis cet homme avait-il été lui-même? Et puis un homme peut-il être lui-même quand il se trouve devant une femme ou ne cherche-t-il pas toujours à s'en faire aimer pour la consommer ensuite avant de l'échanger pour une neuve?

Les heures s'allongèrent: indolentes et vides. Elle en dormit la moitié soit au salon soit dans la chambre des maîtres. Le déjeuner qu'elle avait fini par avaler au complet avait suffi à la combler et elle oublia de manger jusqu'au bord du soir, en fait le milieu de l'après-midi.

Alors elle fut assaillie par un immense besoin de boire. Il y avait toutes les sortes de boissons alcooliques dans le bar et une armoire de cuisine. Le souvenir de sa chute en bas de la véranda lui revint en mémoire tandis qu'elle regardait dehors par la porte d'entrée. Puisqu'elle avait vaincu l'alcool, ce n'est pas un verre ou deux qui la dérangeraient. Quinze jours la séparaient de son re-tour à la maison; elle se remettrait à son régime sec plus tard. Ne maîtrisait-elle pas la situation? Et puis tout l'intérieur de son âme prendrait d'autres teintes... Cet homme du matin avait avoué en être à sa quatrième cure en vingt ans.

Elle se rendit à la salle de bains et se regarda dans un miroir vertical qui lui renvoyait tout son physique. Oui, Nicole Labelle avait plus fière allure qu'elle, affichait plus d'équilibre dans les formes... Non, elle ne prendrait pas un verre, pas un seul...

Peut-être qu'une marche dans la brunante et le grand calme dans des vêtements chauds mais lâches parviendrait à la brancher avec l'invisible vitalité de la nature, elle-même en train de se cal-feutrer dans ses quartiers d'hiver?

Elle trouva un grand chandail noir à motifs bleus et rouges, et l'enfila par-dessus son chemisier beige puis elle quitta la maison et prit la route dans une direction que ses pas seuls décidèrent malgré son indécision à elle. Tout lui paraissait tant décousu de-puis la veille. Pas le moindre continuum dans ses pensées ou dans ses actes! Cela lui parut nécessaire et elle s'attacha à parler à ces pauvres arbres endormis dans leur attente du temps pareille à la sienne. Plus le jour baissait à l'autre bout du lac, plus elle le colorait de mots et de métaphores pour en présenter le souvenir aux âmes perdues des érables noirs et des ormes sombres.

Quand elle revint dans la cour du chalet, il ne restait plus que des lignes floues devant toute exploration visuelle. Et c'est par un détour sur la pelouse qu'elle évita les petites ornières encore mouillées des derniers pas du chemin conduisant au pied de la véranda. Là, un peu de lumière de l'intérieur vint la chercher pour la conduire à la chaise de Pierre sur laquelle, sans penser qu'elle la respectait toujours comme un bien réservé même en son absence, elle se laissa choir en soupirant.

Par un autre geste semi-automatique, elle se retrouva au même endroit, quelques minutes plus tard, mais avec sur la table un verre de vodka. Puis, malgré la faiblesse de l'éclairage, ses yeux commencèrent à briller. Des larmes tranquilles coulèrent. Elle prit le verre, le porta à ses lèvres puis le remit sur la table sans avoir bu encore. Parler à quelqu'un, n'importe qui, aurait, comme l'abstinence, bien meilleur goût. Elle décrocha le récepteur du téléphone et, péniblement à cause du peu d'éclairage, elle réussit tout de même après trois tentatives vaines à composer le numéro du cégep.

-Oui, je voudrais parler à monsieur André Morin s'il vous plaît, s'entendit-elle dire.

Pourquoi ce phallocrate de profession, se disait-elle en attendant qu'on le rejoigne, ce qui, par bonheur, lui apparaissait de la plus grande improbabilité à une heure aussi tardive de la journée. C'est qu'il montait au nord les week-ends d'après ce qu'il avait dit à la station-service de Sainte-Agathe en fin d'été puis plus tard au cégep; peut-être pourrait-il lui apporter une pile de travaux qu'elle devait corriger afin de remettre les notes sans faute début décembre.

-Veuillez attendre un moment encore, dit la réceptionniste du collège.

-C'est que je peux le rappeler demain, s'empressa Hélène.

-Non, il n'est pas loin... il vient justement.

Hélène fut sur le point de raccrocher. Le récepteur toucha le verre de vodka dont le tintement lui servit un avertissement; elle se le remit sur l'oreille.

-André Morin, dit la voix masculine.

-André Morin?

-C'est moi, oui.

-Je gage que tu ne t'imagineras pas qui est à l'autre bout du fil...

Mais elle apposa aussitôt sa nette signature sur sa voix par un rire à trois éclats que l'homme connaissait bien. Pourtant, c'est le regard de la femme qui revint le plus vivement dans la tête du professeur. Puis il se souvint de la panthère qui avait rugi contre lui tout récemment. Alors un sourire triomphant s'inscrivit dans sa voix:

-Mais c'est ma chère princesse!

Il avait l'habitude de déformer ainsi le nom de Prince qu'elle utilisait à l'école à l'égal de celui de Lavoie.

-En chair et en âme!

-Quoi de neuf? J'ai su en français que tu serais absente une semaine ou deux et d'ailleurs, je vais même te remplacer demain.

-Bah!... Un petit problème de... de surmenage.

-De ménage ou de surmenage?

-Commence pas, là, toi!

-Non, non... j'ai vu l'autre fois que tu as l'air pas mal fatiguée. Tu fais bien de te reposer parce que c'est le temps le plus déprimant de l'année...

-Et j'ai un autre petit problème que tu pourrais peut-être régler pour moi...

-Jase-moi ça, je t'écoute.

Elle lui fit part de sa demande et glissa par la même occasion qu'elle se trouvait seule là-bas pour la quinzaine, ce qui lui donnait le temps de corriger ces travaux qu'elle avait laissés dans son tiroir de bureau et qu'elle lui aurait bien demandé de laisser chez elle mais qu'elle n'aurait pas eus de toute façon puisque son mari ni personne d'autre n'iraient troubler sa quiétude... Il fallut bien aussi qu'elle l'informe de ses coordonnées et de son numéro de téléphone. Il promit de s'arrêter chez elle sans faute au début du vendredi soir.

Quand elle eut raccroché, elle prit le verre d'alcool et se rendit aux toilettes. Elle le pencha et le liquide s'écoula doucement de haut dans l'eau du bol et avec bruit. Des gouttelettes éclaboussaient le siège, les abords...

-Tiens, Pierre Lavoie, tu ne réussiras pas à me faire boire mais tu ne m'empêcheras pas de rire. Tiens, Pierre Lavoie, tiens... À ta santé, mon grand!

∞∞∞∞∞

Elle ne versa plus une seule larme de toute cette journée-là. Même qu'elle parvint à se plonger dans l'étude du russe à même une méthode dite rapide qu'elle avait abandonnée et remplacée par une autre moins rapide mais plus efficace. C'était le seul à sa disposition au chalet.

*"Samii balchoï prazdnik vsavietskam sayouzié: praznik vièlikoï aktiabrskoï sacialistitcheskoï riévalioutsï"*

Pour la première fois elle lisait d'un coup une longue phrase sans buter sur les mots comme elle le faisait habituellement sur ces terribles caractères cyrilliques. Puis elle lut la traduction qu'elle avait partiellement devinée:

*"La plus grande fête de l'Union Soviétique est la fête de la Grande Révolution Socialiste d'Octobre"*

-Ah! de ce qu'ils sont fatigants de tout politiser, même les cours de langue! s'exclama-t-elle avant de poursuivre.

Et un moment, elle se demanda si le Québec n'était pas lui-même en train de se livrer à un énorme lavage de cerveaux nationaliste mené par les penseurs carriéristes de la politique, des syndicats et de la presse. Un proverbe russe qu'elle avait appris par coeur lui vint en tête: *'Vsiakii koulik svaio balota khvalit'* soit *'Chaque bécassine vante son marais!'* Effleurée seulement par ces considérations, elle reprit son étude qui dura une demi-heure, puis elle eut faim.

La solution la plus expéditive, c'était le spaghetti. Le spag comme disait Manon et 'gaspetti' ainsi que Valérie parvenait à le dire plus jeune. Le temps que cuiraient les pâtes, la sauce décongèlerait au micro-ondes puisque rien de périssable n'avait été laissé au réfrigérateur.

Dans son travail de préparation, elle repensa à André Morin et commença d'avoir un peu peur. Il croirait dur comme fer qu'elle lui avait lancé une invitation à faire l'amour. Certes, elle n'avait pas peur de lui et c'est pourquoi elle le recevrait... mais comme un ami et un passant, pas comme un amant. Peut-être devrait-elle le rappeler le lendemain? Mettre d'avance les points sur les I, sur tous les I. Sa peur, c'était de le frustrer, de devoir heurter son orgueil masculin.

Mais le lendemain, elle ne téléphona pas au cégep, même si elle y pensa à quelques reprises à travers ses larmes et ses colères. André serait une présence utile, c'est tout. Et qu'il s'arrange avec ses désirs! C'est elle qui s'amuserait à ses dépens, qui rirait grâce à lui, pas l'inverse. Et il n'aurait qu'à s'en contenter et à repartir chez lui avec son petit bonheur! Pourquoi cette fixation des hommes sur l'amour physique? Ce qui lui donnait le plus de satisfaction, c'était la perspective de passer une heure ou deux avec un homme auquel elle ne devrait rien par contrat de mariage culturel ou par les discutables vertus d'un rôle social dévolu aux femmes mariées. Et puis, elle se donnerait l'illusion -aussi valable que celle de la vodka- de tromper Pierre et de se venger de lui.

Dans la journée, elle se rendit à Mont-Laurier pour y faire un peu d'épicerie et acheter un élément décoratif en son nom personnel et celui des enfants, ce qui excluait donc Pierre. Ce serait une marque personnelle, le symbole d'une identité propre retrouvée ou à refaire. Elle choisit la reproduction d'une jeune femme d'un autre siècle enfermée dans un cadre ovale à fioritures dorées qu'elle accrocha ensuite sur une petite portion de mur entre le réfrigérateur de la cuisine et la bibliothèque de la pièce intermédiaire.

Quand la routine est brisée, les événements nouveaux se précipitent et donc aussi le temps. Sauf qu'il s'écoule plaisamment ou bien terriblement. Mais dix fois plus vite qu'auparavant. Elle prit conscience de ce tourbillon au souper du second soir. À travers ses rires amers, ses rages considérables et ses larmes de la défaite, elle avait accompli cent choses durant la journée. Elle en fit le bilan et en fut relativement contente.

Son jeudi fut plus tranquille et plus physique aussi. Un rêve matinal au bout du quai, les pieds gambillant au-dessus de l'eau noire. Puis une longue marche sur le chemin désert balayé par des bourrasques subites comme si les fantômes des environs traversaient eux aussi des chicanes de ménage. Un arrêt chez des gens à la retraite et qui vivaient à leur chalet les trois quarts de l'année, sauf leurs mois de Floride de décembre à avril. De vieux complices à qui il fit bon de parler de rien.

Il traînait une caméra au chalet. Elle termina la film à moitié utilisé qu'elle contenait encore par des photos prises non pas sous un angle touristique mais artistique. Pour l'une, elle se coucha entre deux arbres et visa le ciel entre leurs branches. Pour une autre, elle saisit un vol d'outardes à travers les doigts écartés de sa main gauche au risque de ne pas voir les oiseaux déterminés. Pour une troisième, elle s'étendit sur le ventre sur le quai et capta le silence des eaux frissonnantes.

Au début de la soirée, elle reçut un appel de Lorraine. Manon et Valérie lui parlèrent. Elles avaient reçu de leur père  défense de l'appeler. Il ne fallait pas la déranger, avait-il dit. Mais en son absence, elles avaient désobéi, inquiètes à cause du départ inopiné de leur mère l'avant-veille. Elle les rassura. Ce serait bien moins long que la cure de désintoxication. C'était pour éviter un burnout, dit-elle à Manon en lui expliquant les dangers de ce mal psychologique. Et Valérie fut satisfaite d'entendre deux, trois bons rires et quelques gros becs qui grésillèrent sur la ligne.

Dans la nuit, elle rêva à Pierre. Il la serrait dans ses bras puis il la repoussait en disant que tout était fini. Un rêve d'une absolue simplicité, sans mystères ni rien d'abracadabrant, comme une pensée du jour. Un rêve incompréhensible pour un intellectuel, trop évident pour lui. Mais navrant pour elle et si douloureux qu'il la réveilla. Elle tourna et se retourna durant deux heures avant de reperdre conscience.

Elle flâna au lit jusqu'à huit heures ce vendredi matin. Son premier mouvement après avoir mis une robe de chambre fut de se rendre à une fenêtre du salon, celle qui donnait le mieux sur le ciel afin de voir ce qu'elle savait déjà du temps par sa perception du matin, celle de l'intensité lumineuse intérieure et du taux d'humidité de même que la clarté ou la paresse de ses pensées. Le ciel était parfaitement net, bleu et brillant comme un regard d'enfant, pur comme la mort et plus beau qu'une belle métaphore.

Elle fut alors emportée par un de ces déferlements de larmes aussi impromptus qu'intolérables et qui prit fin quelques instants plus tard quand elle se rappela qu'André Morin viendrait ce soir-là. Elle se dit qu'elle devrait finir par appeler Pierrette pour lui confier ses malheurs comme son amie, elle, l'aurait sans doute déjà fait à sa place. Et puis elle lui demanderait de lui téléphoner durant la soirée, ce qui, se dit-elle, lui permettrait de mentir au visiteur qui devrait alors retraiter par crainte de l'arrivée de quelqu'un...

André Morin ne prit pas de chance. Il connaissait bien les avances à reculons des femmes, leurs 'je veux mais je veux pas', leurs excuses planifiées d'avance, et cela lui avait valu quelques victoires dans le passé. À midi, il prenait son repas dans un restaurant de Mont-Laurier. Il se présenta chez Hélène une heure et demie plus tard, le coeur à l'aise et l'oeil content.

La femme était dans la douche quand elle entendit un véhicule dans la cour. Pas un seul instant, elle ne pensa à lui. Ce devait être le voisin qui arrivait pour la fin de semaine. Et cette pensée la contraria fort. Elle n'avait pas songé à eux en appelant le professeur. Fouineurs, ils trouveraient sa visite un peu bizarre. Et puis quelle importance puisqu'ils finiraient bien par savoir que Pierre fichait le camp avec sa propre belle-soeur, cette salope de Nicole Labelle avec ses airs supérieurs, son hypocrisie, son ridicule accoutrement de cavalière dans lequel elle se donnait l'air de se péter les bretelles...

-Mon Dieu, mon Dieu, gémit-elle soudain. C'était donc ça, c'était donc ça...

Lui revenait à l'esprit ce cauchemar qu'elle avait eu souvent et dans lequel Jacques était piétiné par une jument sauvage. Elle secoua la tête; c'était trop racinien. Mais quelle étrangeté cruelle! L'eau sur sa peau devint désagréable et elle ferma les robinets. Appuya sa tête casquée sur la céramique du mur, l'âme ruisselante, inerte. Elle crut entendre le bruit de pas sur la véranda. Puis l'on frappa à la porte: c'était sourd mais sûr. La voisine avait sans doute quelque chose à dire et comme d'habitude, elle choisissait le mauvais moment.

Elle n'avait même pas le temps de s'assécher et pour faire plus vite, dut s'enrouler dans son immense serviette de bain qu'elle noua sur sa poitrine. De nouveaux coups à la porte la pressèrent encore. Elle se jeta hors du bain inséra son pied droit dans sa pantoufle gauche et vice versa puis attrapa sa robe de chambre pendue dans la porte et l'enfila tout en se hâtant à l'extérieur vers la porte d'entrée.

-Merde, c'est le voisin, se marmotta-t-elle en apercevant la silhouette masculine imprécise.

Elle noua davantage la ceinture de sa robe et ouvrit. Le professeur tout sourire fit une moue voulant dire 'tu ne m'attendais pas si tôt, hein?' Qu'elle émergeât du bain lui sauta aux yeux; il se plut à le constater de haut en bas. Elle serra encore une fois et davantage la ceinture de sa robe. Il se mit la langue en travers au coin des lèvres, dit, joyeux et solennel:

-Je ne suis pas le Seigneur, je ne suis que son pauvre précurseur.

-Non, je ne t'attendais vraiment pas si de bonne heure, dit-elle avec un soupir de contrariété.

-Et si de bonne humeur? fit-il pour lui faire oublier son incorrection.

-T'aurais peut-être dû m'avertir, mais c'est pas grave...

Au fond, c'était pour le mieux, évalua-t-elle. Il pourrait repartir bien avant l'arrivée des voisins. Elle n'aurait pas de prétexte à lui servir: le coucher du soleil suffirait.

-Entre et prends place à ta guise tandis que je me mets présentable.

Il prit sa valise dans laquelle se trouvaient les travaux d'Hélène et entra en disant, le regard coquin:

-Présentable? Mais je te trouve très bien comme ça.

En se reculant, elle sentit sa serviette se dénouer sous sa robe et glisser vers le bas. Elle la retint en resserrant encore le noeud du ceinturon. Il poursuivit:

-Étant donné que je te prends par surprise, à toi de me surprendre en prenant tout le temps dont tu as besoin.

-Quand je veux, je peux être très rapide...

-Ah oui?

Selon son habitude, il sautait sur la moindre chance de se faire allusif et cela agaçait Hélène qui le laissa se débrouiller et retourna à la chambre de bains. Avant la porte, elle lança:

-Si tu veux te servir à boire, il y a le bar et l'armoire, et des glaçons dans le réfrigérateur...

Être capable de dire ces mots sachant qu'elle avait passé trois jours entiers sans boire, à côté de la tentation et malgré les pires tempêtes émotionnelles à jamais avoir secoué sa vie, lui donnait beaucoup de satisfaction. Elle y mit le temps voulu et reparut après quelques visites brèves dans sa chambre.

Le professeur fouinait dans le livre de russe, assis sur la causeuse, le regard intéressé, mais la pensée toute aux mots qu'il dirait quand Hélène reviendrait. Il ne fallait surtout pas en mettre trop. Que resterait-il alors pour le désir? Maintenant qu'elle lui avait ouvert sa porte, le jeu devait se raffiner sinon elle la refermerait sur sa faim.

Il ne leva même pas la tête tout d'abord et lui dit quand elle parut dans son champ de vision périphérique:

-Ne va pas croire que je lise le cyrillique, hein! C'est leur façon de publiciser leur régime qui me fait toujours sourire...

-Ça oui, pour en mettre, les propagandistes soviétiques en mettent.

-C'est comme pour une femme: trop maquillée et on cesse de croire en ses vertus...

Il leva la tête et poursuivit:

-Mais je ne dis pas ça pour toi étant donné que je ne t'avais pas encore vue.

Légèrement embarrassée, elle changea le propos:

-Tu n'as rien trouvé à te servir?

-Je n'ai pas cherché.

-Tu veux que je te serve? fit-elle sur un ton féministe.

-Ce n'est pas la raison. C'est que je n'avais pas soif.

-Tu n'as pas eu de mal à trouver mes paperasses?

-Non.

Hélène trouva quelque peu étonnant qu'il porte si peu d'intérêt à sa personne, lui qui l'avait si souvent enveloppée de compliments au cégep. Peut-être que de se trouver chez elle et non en territoire neutre, raccourcissait un peu ses ailes de tombeur? Ou alors trouvait-il sa présentation bien ordinaire. Elle se regarda dans un miroir mental. Rien sur elle ne flamboyait mais rien ne clochait pourtant non plus. Elle portait son pantalon en flanelle noire et un maillot sport rayé à épaules tombantes rouge et noir. Et son maquillage était discret et le brossage de ses cheveux avait bien réussi...

Elle descendit les marches et se rendit jusqu'au fauteuil de Pierre où elle prit place à côté de la table du téléphone. Il remit le livre près de l'appareil et se rassit plus loin de façon à s'éloigner d'elle.

-Tu es sûr que tu ne veux rien boire?

-Peut-être tout à l'heure, mais pas maintenant.

-Pas eu de mal à trouver l'endroit?

-Quel problème aurais-je pu avoir?

-C'est que les gens ont tendance à passer tout droit avant Mont-Laurier et donc à se rallonger la vie.

En professeur de français, elle s'attachait à deux ou trois traits caractéristiques du personnage. Visage d'enfant triste quand il gardait son sérieux. Barbe rase mais très noire donc très dense. Un pneu de moto à la taille et un de bicyclette au menton. Le prototype du Québécois qui sent venir la quarantaine mais ne veut pas y croire.

Pendant plus d'une demi-heure, on s'échangea des banalités. Puis on aborda un sujet sérieux, le suicide de Sophie Parent. André dit que l'adolescente avait pris nombre de rendez-vous avec des professeurs mais qu'elle n'en avait finalement rencontré aucun. Cette révélation soulagea l'âme d'Hélène d'un certain poids; elle en aurait bien voulu d'aussi bonnes quant à tout ce qui d'autre lui pesait sur le coeur.

André jugea que le moment était venu de l'entraîner sur un terrain carrément émotionnel. Il consulta sa montre et annonça:

-Bon, va falloir que je continue mon chemin. En fait, je ne suis pas pressé mais je ne veux pas t'accaparer...

Elle avait du mal à comprendre. Depuis des mois et même des années qu'il cherchait à l'approcher, à lui parler, à l'enjôler, une chance s'offrait à lui et il ne la saisissait pas.

-Prends un verre avant de partir même si je ne vais pas t'accompagner...

-Si tu m'accompagnes, peut-être.

Elle se désola:

-Je ne peux pas... Je te fais une confidence, je viens de sortir d'une cure de désintoxication.

-C'est pour ça tes deux semaines de repos?

-Non... c'est pour autre chose...

-Dans ce cas, donne-moi n'importe quoi de ton choix et accompagne-moi avec de l'eau.

-D'accord!

Elle se rendit préparer les breuvages tandis qu'ils se parlaient de loin.

Il se redit qu'il devait la pousser à parler de sa vie sentimentale. Et il plongea:

-Je ne veux pas faire une de mes farces plates, Hélène, mais tu ne penses pas que nous aurions un drôle d'air si ton mari se montrait tout à coup?

Elle bondit:

-Celui-là, pour ce que je m'en sacre.

Il relança sa ligne à l'eau:

-Toi, tu me fais drôlement penser à une fille séparée...

-Qu'est-ce qui te fait dire ça?

-Vrai ou faux?

-Vrai... jusqu'à un certain point. Qu'est-ce qui te l'a fait deviner? Si c'est parce que je t'ai demandé de m'apporter mes travaux, tu te trompes, là, hein! Parce que ça n'a rien à voir...

-Non, c'est pas ça. C'est... tes yeux. Oui, tes yeux, Hélène. J'ai vu tout de suite en arrivant. Tu as une sorte de blessure profonde de l'âme dans les yeux. Ça coule devant toi comme... comme quasiment des larmes...

-T'es pas mal bon d'avoir vu ça.

Il se fit sérieux:

-Tu sais, je présente l'image d'un gars farfelu comme ça, mais j'en cache dans le ciboulot. J'ai mes souffrances pis... bon, je m'intéresse aux souffrances des autres, ça, personne pourra nier ça.

Hélène fut ébranlée par ce propos inattendu. André Morin avait-il donc du coeur? L'isolement incite à la confidence quel que soit

186

l'interlocuteur. Les affres et le silence de ces derniers jours trouvaient un exutoire. Elle décida de se confier. Il saurait bien un jour de toute manière, autant que ce soit à la sienne.

-Parle-moi donc de ta séparation à toi! Comment ça s'est fait?

Le professeur prenait conscience de la fragilité de cette rencontre, de la vulnérabilité de cette femme, mais il se refusait à croire qu'il profiterait de sa faiblesse momentanée, à vouloir coucher avec elle. Au contraire, il apporterait une nouvelle et nécessaire dimension à sa vie de femme mariée d'âge moyen, de quotidien moyen, de passé moyen, ce je-ne-sais-quoi qui devient une sorte de symbole d'un esclavage terminé. Lui-même pourtant avait esclavagé sa femme, mais il se le pardonnait comme sont enclins à le faire tous les machos du monde pour qui toutes les femmes sauf la leur doivent être libérées.

Sauf que pour obtenir son consentement, il devrait user d'infinies précautions en lotionnant ses plaies d'une manière à la fois incomparablement douce et désirable. Il devait d'abord lui faire l'amour à l'âme et le reste suivrait de soi, sinon la femme demeurerait imprenable. Puisqu'elle ne buvait pas, tout reposerait sur son discours.

Hélène revint et lui présenta son verre qu'il prit en grande discrétion, détachant vite son regard d'elle pour le projeter dans son passé. Et il raconta les événements relatifs à son divorce, les causes, les faits, les détails... Il prit la plus grande part de responsabilité sur son dos. Il accusait sa femme mais sitôt après, s'empressait de la défendre. Et il finit par conclure la phrase classique des grandes âmes:

-Je pense simplement que nous n'étions pas faits l'un pour l'autre.

Il fit une pause en enchérit:

-Mais j'ai souffert de cela et je souffre encore beaucoup et c'est certainement pourquoi je me donnais une image de lovelace... Faute de me faire aimer à la maison, j'avais besoin de l'être au cégep par le plus de monde possible.

Hélène était touchée. Les jambes repliées sous elle, l'épaule au fond du fauteuil, elle touchait souvent le bord de son verre du bout du médius.

-Tu as essayé de discuter, de parlementer pour tâcher de signer un nouveau contrat... un contrat tacite mais peut-être plus durable?

-Je te l'ai dit, les discussions tournaient toujours à la guerre des mots. Chaque fois qu'on se promettait une conversation fouillée,

187

on prenait une de ces fouilles... J'aurais pas fait pire en moto.

-Parlant de moto, je ne l'ai pas entendue tout à l'heure.

-En novembre, je ne prends pas de chance et je la remise pour l'hiver. Suis en auto.

-C'est mieux de même, les voisins vont se poser moins de questions.

-Les voisins? Vu personne à côté.

-Vont arriver quelque part après souper. Sont pas mal fouines...

-Ne t'inquiète pas, je serai parti bien avant qu'ils n'arrivent.

Hélène se rendit compte que cette phrase la sécurisait et du même coup l'incommodait. C'était à elle maintenant d'y aller de ses confidences.

-Quant à moi, ce fut tout à fait brutal. Il m'est arrivé voilà quelques jours en me disant qu'il avait une maîtresse, qu'il avait entrepris les procédures de divorce, que tout était fini entre nous. C'est comme ça qu'une vie saute en l'air un bon matin: pouf!

-Tu n'as rien vu venir?

-Non... Ah! nous avions nos engueulades hebdomadaires comme tout le monde mais pas plus... D'autant que moi, je ne répliquais presque jamais. Je me disais qu'il avait besoin de se vider l'âme comme... comme le reste si tu me passes le mot... Et voilà!

-Comment le prends-tu?

-Terriblement mal bien sûr!

-Tout est-il définitif?

-Je vais t'en dire une bonne: la maîtresse, c'est ma propre belle-soeur, la femme de mon meilleur frère et ces chers amants ont leurs projets bien arrêtés... Quand je pense, la vache, qu'elle est venue me niaiser au restaurant le premier soir de ma cure. C'est lui qui l'avait renseignée. Elle savait tout ce qui se passait chez nous et probablement même dans notre chambre à coucher.

-Tu n'aurais pas dû quitter la maison tout de suite après son aveu. Si c'est vraiment terminé, il te faut maintenant préparer ton divorce. Parce qu'un divorce, ça se prépare, hein! La personne qui s'en va donne toujours mauvaise image.

-C'est pour quinze jours, pas plus.

-Et tu sortais d'une cure de désintoxication quand il t'a annoncé la «bonne nouvelle»? De leur côté, tout a l'air réfléchi, planifié, on dirait bien.

Hélène devint plus songeuse encore. Elle avait l'impression de se réveiller aux choses terre à terre. Les amants s'arrangeaient pour tout garder. Les biens accumulés durant douze ans resteraient à Pierre si elle n'y voyait pas de plus près. Heureusement qu'André était venu! La colère fit briller son regard.

-Nous sommes mariés en séparation de biens et il n'y a que ce chalet qui soit à mon nom.

-C'est encore un atout en sa faveur...

André se dit que le moment était venu de s'approcher d'elle. Il se glissa sur la causeuse et lui prit la main. Leurs genoux se touchèrent puis reprirent une petite distance. Il dit:

-Ma pauvre amie, ce que je vais te dire est pénible, mais il faut que tu l'entendes. Imagine un instant que je suis le juge. Je vous ai devant moi. Son avocat fait valoir que tu es une femme... alcoolique, que tu as même fait une cure, que tu es celle qui a quitté le foyer... Les biens actuels sont en partie à lui, en partie hypothéqués. Et la grande partie de ce qu'il possède, lui, est en fait une compagnie dûment incorporée... Tu as ce chalet que tu peux vendre un très très bon prix. Qu'est-ce qu'il me reste à dire? D'autant plus que vous êtes mariés en séparation de biens.

-Bah! s'il faut en venir là, tout ce que je veux, c'est mes enfants et une pension pour aider à leur entretien.

-Et s'il demandait la garde des enfants? On sait jamais...

Hélène devint blanche. Elle hochait légèrement la tête en murmurant des mots bourrés de rage:

-Qu'il demande et obtienne la garde des enfants et je le tue...

L'homme enveloppa la main féminine dans les siennes:

-Pardonne-moi, je ne voulais pas briser quelque chose en toi...

Leurs regards se rencontrèrent. Il lâcha sa main. Elle rattrapa les siennes. Les yeux ne se quittaient pas.

En Hélène, il y avait une autre tempête émotionnelle. Grandiose comme un ouragan des Caraïbes. Dans les tourbillons de la colère, naissait le désir de se laisser emporter tout entière vers autre chose, vers le monde fabuleux du rêve. Elle se sentait Dorothée du Magicien d'Oz. Cet homme avait le pouvoir de la transformer en lui faisant chausser des pantoufles de verre. Mais elle ne serait pas sa chose, c'est lui qui deviendrait un outil pour lui permettre d'accéder à... elle-même...

Mus par l'irrésistible, leurs visages se rapprochèrent doucement au-dessus de l'appareil de téléphone. Puis se perdirent de vue parce que trop près l'un de l'autre. Et les chaleurs du corps et de l'esprit s'unirent par leurs lèvres tremblantes. Le baiser fut long, profond,

189

avait un goût de victoire en la bouche de chacun.

Il osa une main sur sa cuisse. Elle l'attendait. Mais il retourna à ses mains pour montrer sa pudeur. Tout, en cette femme, se transformait en désir. La peine des derniers jours, la rage des dernières minutes, l'immense besoin de couper avec la réalité et un certain passé, celui de se venger de son mari: tout cela fondit comme de la neige, de la glace, du frimas, et devint eau. Une eau incomparable, fraîche, désaltérante qui l'abreuvait puis ensuite qui allait mouiller tous ses sens, tous ses sens...

L'une de ses mains se rendit fouiller la chevelure de l'amant pour mieux bâtir sa puissance. L'homme sut alors qu'il n'avait plus à jouer un autre jeu que celui de l'amour charnel et de s'y livrer à fond avec une femme qu'il avait conduite à crier, à hurler son oui primal.

Il ne fallait pas user la passion des lèvres. Il murmura à son oreille, la voix tout juste audible:

-Quand deux coeurs se rencontrent autant et dans une si grande intensité, alors les corps doivent se rejoindre, n'est-ce pas?

Elle fit un signe de tête affirmatif et leurs bouches se cherchèrent encore et encore.

Il devint passionné:

-Hélène, Hélène, allons nous aimer... dans la chaleur d'un bon lit, veux-tu, le veux-tu?

-Tu le sais... tu le sais bien...

La frénésie s'installait en soupirs, en mots répétés, en touchers désordonnés et pourtant adroits. Leurs bras s'aidant, ils furent debout dans leur intention délicieuse, prêts à marcher vers cette chambre d'Hélène et Pierre devenue depuis trois jours celle d'Hélène seulement.

Il restait en lui une dernière crainte d'un revirement subit qu'un homme ne comprend pas aux femmes. Et dans les circonstances de ce jour, il fallait prévoir l'imprévisible. Pour apprivoiser sa peau à celle d'une autre peau, sa chaleur à une nouvelle chaleur, il l'étreignit et lui massa la nuque et le cou en l'embrassant sur le même ton qu'elle le faisait, en démontrant la même faim nerveuse.

Puis en galant homme, il lui enveloppa les épaules et ils marchèrent en silence, leurs pas s'accordant, vers ce qu'il savait déjà être la chambre de l'infinitude.

Ils se dévêtirent mutuellement, les mains mêlées en mal d'amour. Chacun garda les derniers dessous. Puis l'homme qui se faisait un point d'honneur de conduire d'abord sa partenaire au sommet du plaisir, entreprit un long marivaudage sur son corps maintenant enduit des moiteurs d'une passion débridée.

Hélène n'avait jamais été caressée, comblée, dévorée de cette manière et, comme sur une montagne russe, elle atteignit plusieurs sommets successivement entre des descentes vertigineuses et formidables qui occasionnaient des remontées spectaculaires mais sans rompre avec la pulsion motrice. Cette analyse par comparaison disparut vite de son esprit et pas une seule fois l'image de Pierre n'y vint. Sa chair vibrait; elle portait les pantoufles de verre.

Quand il se glissa en sa substance, elle était totalement là. Les sens, les sentiments, les émotions, tout enveloppa l'homme, l'absorba au chaud de sa chair. Tout n'était plus que douceur, tendresse et divine volupté...

∞∞∞∞

Sous un drap blanc pour se protéger de l'air devenu frais par leurs sueurs s'évaporant, ils se parlèrent ensuite de la place de l'amour physique dans la littérature.

-La gestuelle amoureuse dont se privent les littérateurs qui craignent les scrupules et l'hypocrite pudeur des masses, n'a jamais la même signification selon les circonstances qui ont amené à l'action et compte tenu des partenaires en présence. Malgré l'immensité de sa variété et de son sens, elle donne -en Amérique- l'air de souiller une page comme le sperme et les sécrétions vaginales souillent selon eux les draps de l'amour. On ridiculise cette gestuelle, on la bafoue, on l'ignore et on se refuse même à l'imaginer; et pourtant, on la pratique toute sa vie à moins d'être eunuque ou d'avoir l'âme lobotomisée par une croyance religieuse effarante et diabolique. La plupart des couples s'en parlent encore à mots couverts...

-La beauté de l'amour charnel a toujours mille fois moins sa place dans l'oeil humain que le sang, le meurtre et la mort; et la 'bonne' littérature ne doit pas s'y abreuver faute d'y perdre sa réputation.

-Dommage!

Elle eut un éclat de rire:

-Je serais la première mal à l'aise de présenter devant des étudiants la scène qu'on vient de vivre, fût-elle écrite de main de maître. Je me demande bien comment Hugo aurait écrit ça, lui.

-Tu aurais dû dire de main de maîtresse parce qu'avec la féminisation de la littérature... Tout ce qui prend au Québec est ou bien écrit par une femme ou bien par un homme qui massacre les hommes. L'art viril est en train de râler ses derniers râlements.

Elle dit, hésitante:

-Ça, faudra en discuter, mon cher!

∞∞∞∞

Ils refirent l'amour une autre fois durant l'après-midi, s'assoupirent un temps puis se préparèrent à manger. À table, il fit une suggestion:

-Je vais aller garer mon auto quelque part dans une entrée de forêt, tu viens me prendre et on passe la nuit ensemble ici. Qu'en dis-tu, belle Hélène?

Elle fronça les sourcils:

-J'en dis que...

Il leva les mains:

-Tu sais, je disais ça comme ça...

-J'en dis qu'on va en profiter pour aller... à Mont-Laurier...

-Dans quel but?

-Sans aucun but.

-Why not?

-Pourquoi sans but?

-Non... pourquoi ne pas y aller. Si le magasinage nous en dit, si le cinéma nous en dit, si quoi que ce soit nous en dit...

-C'est ce que j'aimerais.

-Et ensuite, on se fera des... choses?...

Elle s'entendit:

-Toute la nuit sans dormir si tu veux...

∞∞∞∞

Mais l'homme s'épuisa le premier. Et après qu'il fut endormi, elle se sentit rattrapée par la solitude. Surtout qu'il ronflait et que les secousses qu'elle imprimait à son corps en le poussant sur l'épaule ne donnaient que des résultats mitigés et très éphémères.

Elle alluma sa lampe de chevet pour prendre 'Anna Karénine' dans un tiroir mais elle se ravisa. en pensant que Tolstoï méritait d'être goûté le corps plus reposé et l'âme plus en paix. Son compagnon étant nu jusqu'à la taille, sa noire et dense toison donnait à penser à une peau d'ours. Elle y glissa sa main, doigts écartés en se rappelant combien elle avait aimé cette sensation sur sa poitrine et sur son ventre. Mais la magie avait déjà fondu. Par-delà ce dernier et bien fugitif plaisir sensuel, l'obsession de ses jours revint la hanter. Le goût lui vint d'aller dehors, de marcher sur le quai sous le clair de lune pour écouter les silences pâles d'une

192

nuit devenue monotone.

Habillée chaudement, elle sortit sans s'inquiéter du bruit qu'il eût fallu gigantesque pour éveiller le dormeur. Finalement les voisins n'étaient pas venus. Ils arriveraient au midi sans doute. C'étaient des gens d'habitude. Elle se rendit au quai et y marcha jusqu'à l'extrémité, jusqu'à l'eau noire qui brillait sous les étoiles et qui étendait de larges moirures en direction de la lune pleine. Ses mains bougèrent comme des éventails au bout de ses bras levés comme pour s'emparer de l'air pur et frais qui pénétrait en elle et lui insufflait de la quiétude. Le mal qui était revenu la frôler quelques instants plus tôt et qui l'avait conduite là requitta son âme grâce aux charmes de la nuit se glissant en elle comme André l'avait fait avec sa chair à trois longues et belles reprises la veille.

Le souvenir des plaisirs entiers qu'elle avait connus alors frissonna par toute sa substance. Ni la honte ni le remords ne sauraient jamais la priver de ces brillantes et généreuses sensations inscrites pour toujours peut-être dans toutes ses mémoires.

Elle retourna sur la véranda et s'assit sur le banc contre la garde, là même où elle avait perdu l'équilibre et chuté ce dimanche d'août. L'image de chacun de ses enfants vint lui parler. Des mots agréables. Elle se sentait bien. Ses bras bien au chaud dans le chandail de laine se posèrent sur la garde et sa tête s'y appuya...

∞∞∞∞∞∞∞∞∞

# Chapitre 14

Au petit jour, André s'éveilla, content comme un général d'armée de jadis après une avance victorieuse et la prise d'une ville-forteresse. L'absence d'Hélène et tout le silence environnant lui révélèrent qu'elle avait dû aller finir sa nuit ailleurs à cause de son ronflement. Sans doute en fallait-il peu à la femme de ce temps-là pour la sortir d'un sommeil superficiel et agité!

En tenue légère, il se rendit à l'attique et visita toutes les chambres en vain. Revenant à l'étage, il l'aperçut dehors par la fenêtre du salon, mais indistinctement. Il retourna dans la chambre et chercha dans la garde-robe un vêtement plus seyant que la robe de chambre d'Hélène laissée par terre et qu'il avait voulu endosser mais sans succès. Celle de Pierre, la bourgogne, lui fit juste, de même que les pantoufles de monsieur. Il se dirigea vers la sortie puis se ravisa et entra dans la chambre de bains. Il se nettoya les dents avec un rince-bouche d'abord puis, pour un meilleur travail, avec la première brosse à dents qu'il trouva dans la 'pharmacie'. C'était pour le cas où Hélène aurait un goût matinal de se faire lutiner un peu. Après des performances dont la fierté lui faisait redresser le cou, elle en voudrait sans doute encore. Il regarda ses cheveux érigés en crête et se dit qu'ils avaient ainsi un charme particulier qui aurait donc sur elle un effet tout aussi particulier. Le mois précédent, il avait passé quatre jours d'affilée au lit avec une femme. On se faisait livrer en pizzas des repas entre lesquels on faisait l'amour. Hélène ne le laisserait pas s'en aller sans un dernier duel, d'autant que dans la cour du voisin il n'y avait aucun véhicule, signe que ces gens n'étaient pas là encore.

Et il sortit, étonné de constater qu'Hélène n'avait pas bougé de sa position depuis qu'il l'avait vue à cet endroit. Elle entendit le bruit et se réveilla, surprise de la lumière du jour et frissonnant à cause de la robustesse de cet air cru. Les paupières épaisses, elle le regarda venir. Son rire alors éclata dans une cascade vengeresse à voir un autre corps dans les vêtements de Pierre.

-Tu t'es débrouillé, à ce que je vois.

-Fallait... Dormais-tu là?

-Je me suis assoupie...

-Va faire une belle journée encore aujourd'hui.

-On dirait.

Il lui suggéra d'entrer et de s'étendre au salon tandis que lui-même préparerait le petit déjeuner avec sa touche spéciale pour les oeufs au jambon et le café auquel il ajoutait toujours un soup-çon de sel pour en rehausser la saveur, technique peu répandue, croyait-il, et qu'on lui avait apprise dans un chantier de Chibougamau à l'époque de ses études.

Une demi-heure plus tard, il venait la chercher au salon où elle somnolait dans ces arômes de cuisine dix fois meilleurs que d'habitude. À table, il lui parla de son expérience d'aide-cuisinier dont cette habileté à casser huit oeufs à la fois, quatre par main, et sans qu'un seul morceau de la coquille ne tombe sur la plaque chauffante ni même briser un seul jaune. Il répondit à son incré-dulité en proposant un pari dont l'enjeu serait une douzaine d'oeufs. Il tenta le coup en utilisant une tôle mais l'expérience rata de plu-sieurs façons: deux oeufs ne se cassèrent pas, trois jaunes crevè-rent et il y eut assez d'écailles dans le visqueux liquide pour cons-tituer une dose de calcium propre à ossifier un organe sexuel masculin. De la manière dont il s'y était pris, elle concéda qu'il avait dû le faire déjà et l'exempta de lui rembourser les huit oeufs.

Quand elle eut fini de manger, elle croisa ses mains sous son menton et lui dit, l'air définitif:

-Maintenant mon loup, je vais te demander de partir. Non pas que tu m'embarrasses, mais parce que je dois à nouveau rester seule avec moi-même. Et puis ce que tu m'as dit hier sur la néces-sité de préparer un divorce me trotte dans la tête. Je ne voudrais pas qu'en plus du reste, il puisse m'accuser d'adultère. Et avec les voisins qui vont se pointer le nez cet avant-midi, on sait pas...

Il se leva sans rien dire d'autre que de parler mystérieusement par un sourire en coin et il se rendit lentement derrière elle. Il commença à lui masser le cou, le dos, le crâne...

-Je comprends et... dans une heure, je suis parti. Laisse-moi juste te faire un peu de bien avant.

Ses doigts imprégnés de tendre fermeté, la voix compréhensive et le ton douillet, il investissait en vue d'une dernière session amoureuse, laquelle lui prouverait qu'il avait bel et bien été à la hauteur la veille.

Elle se laissa faire sans broncher, butée dans sa décision, froide comme l'eau du lac, imperméable. Il comprit mais poursuivit quelques minutes pour montrer que ses intentions étaient pures et avant de la lâcher, il lui demanda à l'oreille:

-Quand même contente de ce qu'on a fait j'espère?

-Oui mais... ça ne veut pas dire que l'on va recommencer, hein! Et je te dois combien?

-Quoi? s'écria-t-il tout en gardant le ton bas.

-Je te dois combien pour ton détour par ici?

-Écoute, je peux revenir te porter tout ce que tu voudras et quand tu le voudras.

Elle se dégagea et se leva.

-Dépêche-toi avant que les voisins n'arrivent...


Il partit fier quand même puisqu'elle l'avait chassé affectueusement. Il était temps car un quart d'heure après l'avoir reconduit à sa voiture, celle du voisin arrivait. Occupée à remplir le lave-vaisselle, elle la vit par la fenêtre de sa cuisine.

-Toi, tu peux toujours aller te faire voir, s'entendit-elle lui dire en se rappelant ses regards de convoitise. Ce n'est pas Hélène Prince qui va dévaliser le ménage d'une autre femme...

∞∞∞∞

Dans l'après-midi, elle appela enfin Pierrette. Lui glissa à mots couverts ses problèmes matrimoniaux. Son amie sut qu'elle devait l'aider par une présence et une écoute attentionnée. On ébaucha un projet. Pierrette le compléta en arrangeant les choses à la maison et elle rappela pour dire à Hélène qu'elle serait au lac du Cerf pour le souper et jusqu'au lendemain soir.


Hélène lui dévoila tout. Comme André Morin la veille, Pierrette prit conscience du fait que la situation du couple d'Hélène était irréversible et sa division certaine. Il restait à sensibiliser au

196

maximum son amie aux problèmes de partage des biens et de la garde des enfants. Ce deuxième son de cloche en autant de jours réveilla tout à fait Hélène à une dure réalité. Si bien qu'elle décida de rentrer à la maison prématurément soit le mardi au plus tard, une semaine après son départ. On ne pourrait tout de même pas l'accuser d'avoir déserté le domicile conjugal pour sept jours de repos à son chalet.

∞∞∞∞

Plusieurs surprises désagréables l'attendaient. Des réparateurs étaient venus. On avait scellé la porte de sa chambre donnant directement sur la salle de bains; désormais, elle devrait faire un détour par le couloir. Mais Pierre avait gardé la sienne. Il dit que les gars s'étaient trompés et qu'à son retour le soir du jour des réparations, il avait trouvé les lieux ainsi refaits, que si elle y tenait, ils n'auraient qu'à changer de chambre. Elle n'acheta pas son explication mais n'en dit rien.

Il avait aussi fait installer une deuxième ligne de téléphone. Chacun en attendant la séparation pourrait mieux vivre à sa manière. «Ta maudite vache va appeler ici», pensa Hélène qui ne dit mot pourtant. Il l'avisa du même coup que la carte de crédit commune qu'ils avaient depuis plusieurs années de même qu'un compte de banque fort peu utilisé depuis longtemps avaient été fermés à sa demande.

Hélène trouva inopportuns et surtout bien hâtifs ces gestes qui dès lors lui parurent des plus irritants. Il en posa d'autres dont le plus fâcheux fut de commencer à déménager des choses censément de sa propriété exclusive en un endroit qu'elle ignorait, sans doute le sous-sol d'une maison neuve appartenant à sa compagnie et pas encore vendue ou peut-être dans un local d'entreposage quelque part.

Le vendredi, il revint aux petites heures de la nuit. Hélène l'attendait dans sa chambre à lui, assise à une table à cartes qu'elle avait montée du sous-sol et installée au beau milieu de la pièce.

Il se hérissa après avoir sursauté et dit, pressentant l'orage:

-Comment as-tu pu entrer? J'avais fermé à clef.

-Simplement en défonçant TA porte qui donne sur la salle de bains.

-T'es malade ou quoi?

-Non, c'est que cette nuit, on va mettre les cartes sur table. Tu as bouché ma porte et j'ai défoncé la tienne: on est quitte.

-Je t'écoute, mais moi, je n'ai rien à dire. Chacun sa vie. Si tu veux me reprocher de rentrer tard, tu n'as qu'à retourner au chalet.

-Ça t'arrangerait, hein, que je quitte la maison?

-Au contraire, ça me dérange. Les enfants à s'occuper, les repas, le lavage, tout...

-Depuis des années que je vois à tout ça et je ne me suis jamais plainte.

-Justement, tu as l'habitude que je n'ai pas, moi.

Elle fit une pause le temps qu'il s'approche et ôte son veston puis desserre le noeud de sa cravate. Puis elle dit, la voix froide mais un peu chevrotante:

-Ta pute, elle t'a donné un bon service au moins?

-Si tu commences de cette manière, tu peux fiche le camp dans ta chambre et ça presse.

-Ben... une femme répudiée veut savoir ce qu'une autre fait de mieux qu'elle: c'est pas correct?

Il ne répondit pas et s'assit en se laissant tomber pour montrer sa lassitude et l'inconvénient que cette conversation lui donnerait.

-Fatigué de ta performance?

-Pouahhhhhh!

De ce qu'il la trouvait blême dans ce clair-obscur! Un visage de craie. Nicole vint se comparer dans sa tête. Si flamboyante, si désirable: une vraie bête de race!

-On va parler de divorce puisqu'il le faut.

Il consulta sa montre, fit une moue.

-Si t'as eu le temps d'aller monter ta jument, t'as celui de parler à ta femme.

-Bon... si tu veux mais à une condition. Donne-moi trois minutes pour aller aux toilettes et va faire du café. Sinon, je te dors dans la face.

Il n'attendit pas sa réponse et se rendit à la porte de la chambre de bains et s'arrêta pour examiner la serrure forcée. Il dut répéter:

-Je te le redis: pas de café, pas de conversation. Et du fort s'il te plaît!

Elle maugréa mais se rendit à sa demande en se disant qu'il valait mieux accepter sa condition qui après tout était mineure. Et elle partit. Aussitôt Pierre se hâta vers son lit au bout duquel se trouvait un pouf fini cuir. Il le transporta jusqu'à la chaise qu'il occuperait à la table, le mit sur le côté et, un genou à terre, il inséra sa main dans la partie creuse où son doigt trouva quelque chose qu'il fit bouger. Puis il remit le petit meuble dans un angle où il pourrait s'y poser les pieds comme il l'avait si souvent fait dans leur chambre depuis douze ans. Hélène verrait le tabouret mais ne remarquerait certainement pas en raison de la plus grande obscurité à cette hauteur et à cause de son état d'âme ces grillages noirs de la grosseur d'une pièce de vingt-cinq cents sur les quatre faces au centre. Il avait fait transformer le petit meuble de façon à s'en servir comme table d'écoute cachant un magnétophone à piles. Qu'une confrontation se passe chez Hélène et il y emmènerait son pouf après avoir mis la machine en marche! Chez l'avocat, on écouterait les bandes, ce qui pourrait aider à préparer la cause mais surtout, avait dit l'homme de loi, forcerait Hélène à dire toute la vérité sur son alcoolisme et son départ de la maison que Pierre avait alors prévu beaucoup plus long.

Hélène utilisa une cafetière métallique à deux tasses et qui fabriquait le café en trois minutes. Elle fut à nouveau là rapidement avec serviettes de table et tasses remplies.

-Tu penses pas que c'est une bonne idée?

-Ce qu'on va se dire va nous tenir bien réveillés de toute manière.

Il prit sa tasse et se glissa sur sa chaise de façon à s'allonger les jambes pour accrocher ses pieds au tabouret. Hélène fonça tout droit comme la première fois à son arrivée:

-Alors, qu'est-ce que t'as dans la tête concernant le divorce?

Il prit une gorgée et posa la tasse sur la table, disant:

-On s'entend pour ne pas élever la voix, hein!?

-Les enfants ont pas à connaître les détails, ils auront bien assez de subir les grandes lignes.

-Je veux un divorce amical, c'est tout.

-Ce qui veut dire?

-Que ce qui est à moi est à moi et ce qui est à toi est à toi, rien d'autre.

-Et les enfants?

-Les enfants?

-Ouais, les trois enfants qu'on a faits ensemble pis qu'on élève, tu les connais?

-Ben... le juge décidera.

La colère se décupla en Hélène:

-Donc tu vas en demander la garde?

-J'ai pas dit ça...

-Tu as dit que le juge en décidera.

-Il n'est pas sûr qu'il voudra laisser la garde de trois enfants à une mère... alcoolique.

Elle s'élança pour crier mais contint encore sa voix:

-Je ne suis plus une alcoolique.

-Comment savoir puisque tu ne bois plus officiellement depuis moins d'un mois?

-Je savais que tu étais pour me renoter ça mais je te dirai que je m'en sors de mon problème, que ce problème ne m'a jamais fait négliger ma famille...

Il l'interrompit à voix pointue:

-Tu penses ne pas avoir négligé ta famille, mais ça, c'est toi qui le dis. Faudrait demander aux membres de la famille. Et si je parle en leur nom, je te dirai que les enfants ont dû se débrouiller plus souvent qu'à leur tour pendant que tu dormais... ou plutôt que tu cuvais ta vodka... Pour les repas. Même pour se préparer pour l'école...

-J'ai jamais pris un verre le matin.

-Non, t'étais toujours trop soûle de la veille au soir.

-Si je sais lire entre les lignes, là, mon grand, tu vas tâcher de me faire passer pour alcoolique devant le juge pour garder les enfants, hein!?

-Je ne suis pas l'avocat.

-Alors, je vais me défendre, hein! Je vais plaider moi aussi. Dire tout ce que tu faisais de travers. Tes agressions verbales chaque semaine du bon Dieu. Ça aide une femme à boire, ça.

-Celui qui pourra prouver que je t'ai négligée pourra toujours me lancer la première pierre. Il pourra même me lapider que je ne dirai pas un maudit mot.

-T'es même pas capable de faire l'amour à une femme. Si je ne m'étais pas conditionnée à jouir par moi-même, j'attendrais encore mon premier orgasme.

La flèche la plus acérée d'un carquois de femme porta droit au but. Mieux, elle atteignit deux cibles du même coup: la tête et le coeur. Pierre sentit ses mains devenir moites. Il serra les mâchoires. On voulait l'émasculer. On en paierait le prix. Mais ce magnétophone le condamnait au calme, un calme qu'il lui faudrait calculer et vite, dans le moindre détail. Il voulait en enregistrer davantage quitte à régler ses comptes après...

-Je ne suis pas en mesure trop trop de faire de comparaisons,

hein. Tu peux pas dire que j'ai passé mon temps à courir la gali-
pote depuis que nous sommes mariés. J'ai travaillé pour gagner ce
que j'ai et dont tu n'as même pas su profiter et que tu gaspillais au
fond.

-J'ai travaillé autant que toi pour gagner tout ce qu'on a, autant...

-À faire quoi? Du ménage ou des repas quand t'avais pas un
verre dans le nez?

Hélène se sentait plus forte depuis qu'elle l'avait frappé entre
les jambes. Il avait une voix affaiblie et tremblante. Elle voulut en
profiter:

-L'agression psychologique, c'est dans les mots, mais c'est aussi
dans l'abus d'une femme.

Il jeta négligemment:

-Et qu'est-ce que t'en sais, toi, des autres hommes finalement?

-Peut-être plus que tu penses, mon cher.

Elle ouvrait un autre front pour s'attaquer à son amour-propre
mais il tint encore le coup, surtout qu'il n'avait pas encore commencé à douter de sa conduite irréprochable:

-Nomme-les, tes amants, au point où nous en sommes, je suis
capable d'en prendre encore.

-Tout ce que je peux te dire, c'est que si tu te connaissais
mieux, t'aurais la tête moins haute... et autre chose aussi...

-Bon... t'as vu quelques films pornographiques ou tu t'es mis
le nez dans des livres de recettes de l'amour physique écrits par le
pirate Maboule et tu penses que tu vas m'impressionner avec ça.

La jalousie naissait en lui, mais Pierre, toujours guidé par cette
idée de l'enregistrement à réaliser, la musela avec le même mors
que son orgueil frappé si durement.

Elle se contenta d'un rire en quatre temps injecté de hauteur et
de mépris.

Il avait envie de lui hurler la supériorité de Nicole en matière
de lit mais ne le pouvait. Pas encore.

-Revenons à quelque chose de plus sérieux, là, pour ce qui est
des enfants, si tu veux savoir, oui, je vais en demander la garde et
oui, je vais l'obtenir.

Frappée à son tour à l'endroit le plus sensible, Hélène persifla:

-T'as besoin de te lever de bonne heure, mon christ d'écoeu-
rant!

-Hélène, Hélène, personne ne nous entend, c'est vrai, mais un
peu de décence tout de même, un peu de tenue. Moi, je ne suis

qu'un gars de la construction et je te parle de manière civilisée et toi, professeur de cégep qui devrais avoir un langage cul-de-poule, tu te laisses aller. Tit, tit, tit, tit, tit...

-La décence? C'est toi, Pierre Lavoie que j'entends parler de décence? Ha, ha, elle est bien bonne!

Mais ses grands airs supérieurs qui venaient de lui écraser les nerfs et qu'elle sentait une fraction de seconde en retard lui firent ajouter:

-Et laisse-moi te dire que je connais des tapettes de professeurs de cégep qui se comparent avantageusement à des 'big boss man' de la construction.

Il prit une gorgée de café qui vida complètement la tasse. Un oeil à la CIA et l'autre à la KGB, les paupières serrées à la ligne, il la canonna à nouveau avec une autre provocation:

-Des professeurs de cégep, je peux en acheter dix et les revendre en solde au marché aux puces. Avec même en plus quelques professeurs d'université pour agrémenter un peu l'étalage. C'est pas ces gens-là qui changent la société même s'ils le pensent...

La goutte d'eau fit déborder le vase. Toutes les frustrations d'une vie de ménage, grossies mille fois pour avoir toujours été comprimées, éclatèrent dans des mots devenus irrépressibles. Elle s'avança sur la table et donc vers le pouf, et dit dans un sourire de tous les grands sentiments négatifs:

-T'en verrais pas un dans tes pantoufles, hein? Ni dans ta robe de chambre, hein? Ben je vais te dire un secret, mon grand fendant de prétentieux, y'en a eu un dans tes pantoufles et ta robe de chambre... pas plus tard que vendredi passé, entends-tu ça, là, entends-tu bien ça?...

Elle s'arrêta pour mieux savourer son triomphe.

Sans le magnétophone, il se serait rué sur elle et l'aurait étranglée. Par contre, elle n'aurait pas pu lui faire une révélation plus pertinente. Comme toujours, elle avait construit elle-même son propre échafaud, tressé la corde, se l'était passée autour du cou et, retenue seulement par un pied sur le bord de la trappe ouverte, il suffisait d'une chiquenaude pour la faire tomber dans le vide. De toute sa vie, il n'avait jamais ressenti au profond de son âme un pareil mélange aussi puissant d'exultation sauvage et de rage vindicative.

-Madame est allée s'offrir un amant dans le nord: ce n'est pas exceptionnel, dit-il avec une moue exprimant l'indifférence tranquille. Et tant mieux s'il a pris mes vêtements et mon lit! Content pour toi et pour lui!

-C'est ce que tu dis.

-Je t'assure. Avec un homme comme moi, si peu capable au lit...

-Tu l'as dit.

-Alcoolique, infidèle, pas trop souvent à la maison: ça va être beau devant la cour tout ça.

-Si tu penses, mon cher, que tu vas me le faire avouer, tu te trompes royalement.

-Parce que tu as l'intention de mentir devant le juge!?

-Oui, oui, oui... comme je t'ai menti sur tes performances sexuelles pendant des années.

Elle portait une robe de chambre en ratine délavée qui s'égueu-lait parfois à l'encolure et dont elle avait à resserrer les pans et la ceinture; mais cette fois, elle s'en abstint pour parler aussi avec cette partie d'elle-même, cette poitrine féminine que les hommes trouvent toujours si éloquente dans leurs mots à eux.

Il fut sur le point de rétorquer une insulte sur ces seins usés, mollasses mais cela lui aurait valu un mauvais point plus tard par les auditeurs de la bande magnétique. Il poursuivit son retranche-ment sous des airs détachés:

-Bon... pour me démontrer mes faiblesses autrement que par des mots dictés par la frustration, parle-moi des forces de ce que je ne peux même pas appeler un rival puisque tout est fini entre nous.

-Va au diable!

Il pouffa d'un rire éraillé:

-Mais je t'offre une occasion en or de régler tes comptes. J'ai les jambes écartées: frappe!

-Il a revalorisé la pas-grand-chose que j'étais grâce à toi si tu veux savoir.

-Et c'est ça qui te rend aussi agressive. Une piqûre là, de ca-féine ou d'adrénaline par un petit prof de ses amis. Mon Dieu, mais tu aurais bien dû t'en faire donner une avant...

-Tu me donnes la nausée. Tu as le don d'abîmer tout ce qui peut fleurer l'amour et les bons sentiments. Les femmes qui te passent entre les mains ne sont rien d'autre que des objets à pos-séder, jetables, vendables comme une maison...

-Les femmes? Mais ça contredit ce que tu dis de ma virilité. Les femmes?

Trop secouée par l'émotion, elle ne sut pas lire en lui, d'autant qu'il jouissait de la complicité de l'éclairage et de son piège caché dans le pouf. Le dérisoire de ses aveux lui fut jeté en pleine face par l'impassibilité ricaneuse de ce personnage cruel et diabolique. Le soulagement immense qu'elle avait ressenti en parlant de l'autre homme puis le plaisir de l'humilier cédèrent toute la place à une compression morale pire que la précédente. Exorcisée d'un démon, un autre plus grimaçant le remplaçait mais elle se voyait sans munitions, sans projectiles à lui lancer. Ses aveux agressifs avaient constitué ses deux balles d'argent tirées droit au coeur du vampire mais elles avaient rebondi dérisoirement sur sa carapace d'homme indifférent.

Traquée, la bête en elle se dressa. Pour survivre, une seule voie: l'attaque aveugle. Ouvrir d'instinct une valve devant les énergies du malaise, insupportables et hautement destructrices comme celles accumulées dans les entrailles de la terre, capables de jeter au sol les plus solides ouvrages de l'homme.

Un fusil à la main, elle aurait tiré sans hésiter parce que sans réfléchir. Dans un mouvement involontaire vif comme l'éclair, elle lui jeta au visage ce qui restait de café dans sa tasse.

S'essuyant tant bien que mal, il fut à un cheveu de lui jeter la table mais le geste d'Hélène lui donna l'idée de la pousser plus loin pour qu'elle le frappe, qu'elle crie et agresse physiquement.

Il tourna son index sur sa tempe pour mettre en doute sa santé mentale, disant haut mais calmement:

-Tu me jettes du café par la tête. Envoie la tasse avec. Tant qu'à faire. Si tu penses que je vais répliquer, tu vas te tromper. Tue-moi là et je vais te laisser faire.

-En plus tu es un lâche, une pissette molle comme vous dites dans votre jargon sophistiqué de gars de la construction.

Il s'étira par-dessus la table, le visage encore dégouttant.

-Frappe!

Elle le fit avec un plaisir évident. Le coup cingla comme une lanière de cuir sur la fesse d'une jument.

-Plus fort.

Elle le fit encore, s'imaginant qu'elle frappait aussi sa belle-soeur, la 'suborneuse'.

Il tendit l'autre joue.

Cette fois, elle arrêta son mouvement à mi-chemin. Ils se regardèrent jusqu'au fond de l'âme, les yeux allumés des feux de l'enfer les plus exaltants, eurent l'air de réfléchir comme pour s'arrêter mais c'était pour mieux reprendre l'escalade. Il dit, la voix égale:

-Alcoolique, infidèle, déserteuse et maintenant batteuse de mari: ça va être beau devant la Cour...

Jusque là, elle l'avait frappé sur les côtés du visage; c'est droit sur la gueule qu'elle devait cogner pour lui rentrer ses paroles au fond de la gorge. Elle roula un poing et le jeta devant elle. Il le reçut sur le nez puis en travers sur la lèvre supérieure. Du sang jaillit aussitôt des deux endroits. Elle sentit une grande douleur dans les jointures et se frotta la main.

Il ferma les yeux, serra le bord de la table dans ses mains, lança pour le magnétophone:

-Ça fait mal, Hélène, même si je suis un homme. Très mal...

-Si tu peux assez saigner... on va se rendre compte que t'es un homme... Malgré que les cochons saignent facilement eux aussi...

Il garda les yeux fermés, compta jusqu'à dix. C'est là que se terminerait l'enregistrement. Il ne pouvait pas en supporter davantage.

La table vola sur Hélène, poussée par la force de l'homme et par son cri, sorte de hurlement guerrier, et presqu'en même temps par son pied. Elle bascula vers l'arrière et tomba à la renverse avec sa chaise. Sans avoir encore pris conscience de ce qui lui arrivait, elle fut soulevée comme un fétu de paille et poussée, poussée sans même que ses pieds ne touchent la moquette jusqu'au mur où elle fut clouée, crucifiée par ce poing qui lui enfonçait l'estomac comme un terrible bélier. Alors, elle cria: c'était son ultime ressource. La peur choisit les mots qui furent provocateurs:

-Laisse-moi tranquille... Tu es complètement malade... Tu vas te faire enfermer...

Il relâcha son emprise une fraction de seconde pour la reprendre, mais à la gorge. Elle eut beau se soulever sur le bout des pieds, ces doigts effroyables l'étouffaient. Le coup de genou qu'il lui infligea entre les jambes n'eut guère de résonance en ses douleurs qui se résumaient toutes en une peur panique de manquer d'air.

Dans son sous-sol, Pancake se mit à gémir.

À l'étage, François fut le premier à se réveiller quand le hurlement de Pierre lui parvint. Il ne fut pas surpris outre mesure de ce qu'il sut être une violente querelle entre ses parents. Des années de mots durs, puis, récemment, plus durs encore mais camouflés sous un enrobage mielleux, la cure de sa mère, son départ préci-

205

pité: l'adolescent avait additionné tout cela.

Dans un silence parmi les éclats de voix, il entendit Manon ouvrir sa porte de chambre puis répondre à Valérie. Elles ne devaient pas descendre ni même rester en haut de l'escalier à écouter. Il se leva, sortit et leur ordonna de s'en retourner se coucher.

-C'est quoi qu'il y a? questionna quand même Valérie qui tenait un ourson blanc sécurisant contre sa poitrine.

Index levé vers Manon, le garçon répéta son ordre avec une telle autorité qu'elle prit sa petite soeur par la main et l'entraîna avec elle. Et François retourna à sa chambre où il s'assit par terre dans la porte ouverte afin de surveiller et les fillettes et surtout l'évolution de cette bagarre dont le déroulement trop silencieux entre les cris lui faisait craindre la pire brutalité.


-Et maintenant, cracha Pierre sans jeter la voix au-delà des murs et servi par son registre masculin, tu vas apprendre qui est le boss dans cette maison et qui le sera jusqu'au jour où tu vas sacrer ton camp.

Il la laissa glisser. Elle reprit pied. De l'air lui parvint. Elle l'utilisa pour crier encore en sanglotant:

-Laisse-moi respirer, laisse-moi vivre...

Il remit la pression:

-Tant que tu vas chercher à hurler, je vais t'étouffer même s'il faut que tu crèves, ma salope...

Elle ne pouvait apercevoir que ses yeux de feu, terrifiants, des yeux de fauve. Vissée à sa volonté, elle réussit à faire un signe affirmatif. Il relâcha à nouveau la pression à la gorge, mais augmenta celle de son genou sur le sexe féminin que ne protégeait plus que la culotte fine puisque la robe s'était détachée après qu'il eut changé son emprise sur elle.

-Tu veux savoir ce que c'est qu'un homme, hein, eh bien je vais te le montrer.

Pour la première fois, elle réussit à se faire suppliante:

-Pierre, tu me fais mal à la gorge et entre les jambes... S'il te plaît...

-C'est quoi le sang qui me coule dans la face, moi, tu penses, hein? Du sang de cochon, hein?

-Je l'ai pas fait exprès.

-Ta main s'est levée toute seule, je suppose?

Elle lança dans un nouveau bouillon rageur:

206

-C'est pas pour ça que tu me fais mal, c'est à cause de ce que je t'ai dit...

Il fut repris d'une rage meurtrière au rappel de ce qu'il avait entendu. Elle s'était dépêchée de coucher avec le premier venu comme une ordure et une putain, se hurlait-il à lui-même. Et elle avait osé le comparer à un amant de circonstance qui l'avait fait jouir de vengeance.

-Je suis un lâche, hein, si je ne me défends pas. Et si je me défends, j'en suis un aussi parce que je suis plus fort que toi, hein?

Il la fit glisser jusqu'à terre où il l'allongea sur le dos. Elle s'abandonna, mit son âme en foetus, attendit qu'il finisse ce qu'elle devinait qu'il s'apprêtait à faire. Il multiplia les menaces à voix basse tandis qu'il lui arrachait sa culotte.

-Tu vas assez savoir ce que c'est un vrai homme que le goût va t'en passer pour le reste de ta vie...

Il se masturba trois secondes puis s'enfonça comme si son membre avait été un pieu et la chair féminine de la terre molle. Elle eut envie de rire. Pour une fois que sa voracité servirait à quelque chose. Il regretterait un jour. Et sans même qu'elle n'ait besoin de lever le petit doigt pour ça. La vie lui rabattrait le caquet un jour ou l'autre, un pressentiment le lui disait...

Quand il eut fini, il s'enferma dans la salle de bains sans rien dire. Elle quitta la chambre et se rendit dans la sienne où elle s'allongea sur son lit sans rien dire non plus, sans pleurer, sans faire: anéantie...

∞∞∞∞∞∞∞∞∞∞∞

# Chapitre 15

-Commence dès maintenant, sans attendre une seule seconde de plus, à te lancer à corps perdu dans l'oubli, dit Pierrette. Et pour ça, regarde droit devant.

-Facile à dire.

La conversation téléphonique durait depuis une bonne demi-heure. Les deux amies avaient fait le tour de tous les événements récents, mais pas une seule larme n'avait mouillé les yeux d'Hélène. Une sorte de dureté coulait doucement dans ses émotions. Comme si des gouttes de plomb étaient à se distiller dans son âme ou que les événements sombres de l'avenir immédiat fussent à exiger qu'elle se prépare une armure du coeur pour se protéger des coups de lance.

-Trouve-toi un chum. Cherche-toi un bel appartement. Rebâtis et laisse-le faire.

La porte de la chambre s'ouvrit très lentement comme par une main de fantôme. Valérie mit doucement son nez quémandeur et ses yeux profondément tristes dans l'entrebâillement. Sa mère lui fit des signes d'accueil. L'enfant en pyjama rose rejoignit Hélène qui parlait depuis son lit. Elle grimpa et se coucha la tête contre l'épaule maternelle.

-Y a ma chouette qui vient de me rejoindre. Elle fait un peu de fièvre, hein? dit Hélène aussi bien à son amie qu'à sa fillette.

208

De sa main libre, elle toucha le front; il y avait sûrement un degré ou deux de trop. À la fin de l'appel, elle prendrait sa température. Au bout de quelques minutes, la petite s'endormit. On se donna rendez-vous pour une soirée de magasinage. Pour le surlendemain. Pierrette multiplia les phrases simples de soutien et de stimulation. Des phrases dont le contenu était inutile et dérisoire mais dont l'intention aidait hautement à la nécessaire thérapie que la femme blessée avait entreprise dès le premier jour, celui de l'appel anonyme... de quelqu'un, elle n'en doutait plus une seconde maintenant, de l'entourage de Nicole Labelle et d'aussi vicieux.

Quand elle eut raccroché, Hélène caressa longuement les cheveux et le front de Valérie. Jamais plus elle ne pourrait tancer cette enfant quel que soit son excès.

∞∞∞∞

Un de ces jours sombres et froids de la fin novembre, elle conversa avec Jacques pour la première fois depuis le coup du même gourdin que chacun avait reçu de la vie. Car chacun de son côté s'était senti coupable envers l'autre. On se promit de communiquer sur une base régulière. En tout cas jusqu'à la fin de l'année puisqu'il ne partirait pas pour la Floride avant janvier par exception cette année-là pour régler certains détails avec Nicole qui, quelques jours seulement après ses aveux, avait quitté le domicile conjugal en attendant Pierre au complet, c'est-à-dire libre et plutôt bien nanti parmi les gens de la classe moyenne à condition qu'il garde pour lui tous les biens de son mariage sauf le chalet du nord sans grande valeur.

À la maison, Hélène garda le silence en la présence de Pierre. Que l'utile sinon le strict nécessaire! Les enfants savaient. La mère avait parlé à son fils et par lui, Manon avait su, et par elle, Valérie. La perspective du divorce de leurs parents avait soudé quelque chose de particulier entre eux, un lien que les enfants d'un 'bon' mariage ne connaîtraient jamais. Les rires avaient mûri. En chacun, le futur avait acquis une signification bien réelle.

Au moment de renouveler ses pilules contraceptives, elle hésita. Prendre la pilule, c'était se mettre au service des hommes dans un sens symbolique et même réel. Ne pas la prendre lui garantirait qu'ils resteraient à distance, aussi bien les violeurs comme Pierre que les serveurs d'apparat comme André Morin. Et puis le jour lui semblait si loin où un de ces machos l'approcherait. C'est l'habitude qui eut le meilleur. Il valait mieux prévenir que guérir. Faute de boire, elle s'offrirait peut-être une étourderie un de ces soirs comme avec le professeur au chalet. Une ligature comme le lui conseillait Pierrette: elle n'était pas prête à cela par simple

209

crainte de l'intervention et de ses exigences. Plus tard quand elle serait dans son logement.

Le vendredi, elle reçut avis légal de la date d'audition du couple suite à la demande de divorce logée par Pierre. Elle s'y attendait d'une journée à l'autre mais qu'on le lui fasse parvenir au cégep par voie de huissier lui donna sur la bouche une autre de ces claques dont son mari était capable plus que tout autre homme.

Elle en parlait avec Pierrette à une table de restaurant du centre commercial où elles avaient peu magasiné encore malgré les joyeuses intentions qui les y avaient menées une heure plus tôt.

L'endroit était animé. Il y avait quatre sections, toutes fort occupées. L'une servant aussi de bar était remplie de même que la salle à manger voisine. Même densité dans une petite section de banquettes familiales en demi-cercle. On avait cherché en vain par là puis on s'était rabattu sur une banquette à quatre places de la salle ouverte sur le mail où les gens allaient et venaient, commandés par leur assuétude à la consommation.

On parla longuement du destin, de ses oeuvres et ses pompes.

-On n'y peut rien, c'est écrit dans le ciel, disait Pierrette.

-C'est écrit, soit, mais ça le fut par sa propre main à soi. La voie est tracée d'avance peut-être mais par soi-même quelque part antérieurement....

-Oui, mais si Pierre a écrit le sien aussi, et que sa volonté est contraire à la tienne, quel destin l'emporte alors dans la suite des événements qui vous concernent tous les deux. Et s'il y a aussi les destins de tes proches qui interviennent. Et celui de... de l'autre femme par exemple.

Pierrette s'arrêta, intriguée par le regard terriblement crispé de son amie qui semblait apercevoir un spectre par-delà les portes grandes ouvertes auxquelles cependant elle-même faisait dos.

-Ah non, non, non, non, marmonnait sans arrêt Hélène entre ses dents en penchant la tête vers l'autre comme pour lui faire part d'un épouvantable secret.

-Qu'est-ce qu'il y a?

-La jument qui passe...

Pierrette tourna la tête. Il était déjà trop tard.

-Ah! j'ai envie d'aller l'assommer, la maudite jument à monsieur Pierre. Mais j'aime autant pas, elle va l'écraser avec ses sabots comme elle a écrasé Jacques... et ce jour-là, j'aurai mon premier véritable orgasme que le bon Pierre m'aura donné de toute sa vie... et ce sera malgré lui...

210

Pierrette comprit de qui il s'agissait.

-Tu ne l'as pas revue, pas appelée?

-J'aurais voulu l'appeler, mais elle a disparu de chez elle, évidemment.

-Et Jacques?

-Quelques mots cette semaine. Il est effondré, le pauvre. En plus du reste, ses affaires vont très mal. C'est pour ça qu'elle s'est placé les pieds... plutôt les pattes, la chère jument de mon cher mari.

La serveuse, une grande femme à cheveux gris et uniforme noir et blanc, vint réchauffer leur café à même un contenant plein qu'elle tenait sans broncher. On s'inquiéta pour la place accaparée. Elle les rassura. Il y avait une banquette libre dans l'autre rangée et puis le restaurant, loin d'expédier ses clients, les chouchoutait. Tandis qu'on échangeait, une personne dont Hélène ne voyait que les pieds derrière ceux de la serveuse, s'arrêta. Puis elle se remit en marche vers la table libre en même temps que la serveuse repartait; et les deux femmes se frappèrent de l'épaule mais sans dégâts. Elles se firent des excuses, ce qui permit à Hélène de voir que c'était encore une fois Nicole, sa belle-soeur bien-aimée qui par chance ne la vit pas et précéda la serveuse jusqu'à la place indiquée par elle.

-C'est elle, la jument, tu la connaissais?

-Non.

-Observe si elle me voit.

-Elle enlève son imper. Elle porte une robe pâle très seyante. C'est une jolie femme... Enfin... c'est pas une reine de beauté, loin de là, mais elle se défend... Toi, tu te défends autant qu'elle, je ne vous compare pas, là...

-Je sais. Non, c'est vrai qu'elle est jolie... belle comme une jument vicieuse.

-Tu crois qu'elle a rendez-vous avec...

-Avec Pierre? Ça se pourrait... J'ai envie d'aller lui parler...

-C'est inutile, elle va te faire mal.

-Juste aller aux toilettes et la saluer en passant.

-Tu es la première à dire que c'est une jument sauvage. D'un seul regard, elle va te ruer en pleine face et c'est à toi que ça va faire mal. Tu es maso ou quoi?

-Il me semble qu'il doit y avoir un moyen de lui faire savoir à quel point je la hais... je «la jadji» comme on dit en québécois...

211

-Tu dois faire exactement le contraire si tu veux absolument entrer en contact avec elle: lui montrer que tu l'aimes. Pis c'est pas une niaiserie de prêcheur ça, c'est un truc psychologique.

-Mais si je le ressens pas, je ne triompherai pas... face à moi-même en tout cas. J'ai le goût de la vengeance, tu comprends ça.

-Ceux qui montrent seulement leurs bons sentiments sont des hypocrites... et ils ne sont pas rares dans la vie. «J'ai mes défauts comme tout le monde», qu'ils disent pour justifier la vantardise qui a précédé leur déclaration de principe, mais demande-leur de préciser et tu les verras se gratter la tête longtemps. Le plus bel exemple, c'est nos deux premiers ministres. Lévesque et Trudeau, deux 'monsieur parfait' et qui se considèrent mutuellement comme des pourris... Allez savoir!...

-Change pas le sujet, ma grande! Et puis, j'ai pas besoin qu'on justifie mon désir de vengeance: je l'ai, je veux le garder et surtout l'assouvir. Et je prie le bon Dieu que ça arrive en espérant que s'il ne veut pas faire le travail lui-même, qu'au moins, il le confie au diable, ce qui sera d'ailleurs sans doute plus efficace.

Pierrette pouffa d'un rire retenu en poussant les épaules vers l'avant.

-Et si je lui disais que son salaud de futur mari m'a violée, ça lui ferait une belle jambe...

-Ce que tu m'as dit d'elle et ce que je vois en ce moment correspondent très bien et révèlent que c'est le genre de personne à s'en contreficher totalement. Il l'aurait fait devant elle qu'elle n'aurait pas bronché d'une ligne.

-C'est une femme ou non?

Pierrette gémit:

-Mais non, c'est une jument: mille fois que tu me le dis!

Il y eut une pause. Hélène devint triste:

-Le goût d'acheter des cadeaux de Noël, je l'ai loin.

-Elle nous fait dos: elle ne te verra pas. Finissons notre café. Je vais aller payer à la caisse et filons. Si jamais Pierre venait, chacun serait mal à l'aise...

Le visage d'Hélène perdit son rembrunissement, et s'éclaira doucement à la lumière d'une intention qui se raffermissait en elle.

-Je l'aime bien, ton idée de lui signifier que je l'aime. Demande à la serveuse de revenir.

Quand elle fut là, Hélène lui commanda d'ajouter à la facture le montant de deux vodkas-jus d'orange et de les servir à Nicole de la part, dit-elle sur le ton de la confidence complice, d'une 'jeune copine qui t'aime beaucoup'. Mais qu'elle attende sans faute après leur départ pour le faire.

-Pourquoi ça? s'enquit Pierrette par la suite.

-Ça va lui faire comprendre que je suis débarrassée de mon alcoolisme et du même coup lui annoncer que je vais me battre contre eux autres comme une déchaînée. D'ailleurs, j'ai téléphoné à un avocat aujourd'hui... Je t'en parlerai, tu vas voir...

∞∞∞∞

*C'est le règne du rire amer et de la rage*

*De se savoir un coeur et de n'être compris*

*Que par les clairs de lune et les grands soirs d'orage...*

En dépit des joies éphémères, Hélène traversait souvent des jours difficiles et certains soirs, l'énergie à la baisse, elle craignait même le naufrage. Par une nuit glaciale, Nelligan lui prit la main et la conduisit sur le pont de Saint-Eustache. C'était pour y questionner Sophie Parent même si la jeune fille s'était jetée à l'eau sous l'autoroute à un mille de là. Le choix de l'endroit importait peu en dehors de la question pratique. À Saint-Eustache, il était autrement plus facile de garer une voiture dans le voisinage et de plus, ils étaient nombreux à franchir à pied ce pont-là. Quant à l'eau, elle était la même: aussi noire et aussi froide.

Elle laissa sa voiture dans la cour arrière de l'église et marcha jusqu'au pont à proximité de là. Il était minuit passé. La température baissait depuis une heure et la rivière fumait en silence. Elle avança jusqu'à mi-chemin entre les deux rives, d'un pas qui parut suspect à des policiers en patrouille de nuit passant en voiture sur la rue, du côté d'où elle venait. Une vraie passante eût été plus pressée. Certes le froid n'était pas encore hivernal mais il pénétrait vivement les chairs à cause de l'humidité. L'auto-patrouille s'arrêta entre deux bâtisses d'où l'on observa la femme.

-Une autre sacrement de folle qui veut se sacrer à l'eau, je suppose, dit l'un.

-Ça pourrait se dire autrement, mais ça reviendrait au même, dit l'autre, le chauffeur.

Hélène ne se sentait pas dépressive au point de plonger dans l'irrémédiable. C'est une certaine perception physique de la mort qu'elle voulait avoir. Elle avait entendu Lemelin dire qu'on meurt cinq fois dans sa vie pour renaître meilleur. Se sachant dans une lente agonie psychologique, il fallait qu'elle partage les derniers sentiments de Sophie Parent s'il était seulement possible de les entrevoir à travers ce décor de tragédie si étourdissant qu'il en devenait presque nauséeux.

213

Elle s'accouda au parapet et regarda les environs. Les réverbères du pont jetaient sur la surface de l'eau des reflets fuligineux. L'onde noire et huileuse, lente comme de la mélasse, se fendait en deux parties sur un îlot de pierres gélives. Plus loin, près de la rive gauche, elle restait immobile sous le frasil naissant. Épaisses comme de la fumée d'encens, les vapeurs de gel paraissaient immuables et pourtant elles s'élevaient car les clochers blêmes de l'église, témoins gémellés de tous les secrets des nuits présentes et des temps héroïques, demeuraient, grâce à leur éclairage artificiel, les seuls signes de la bâtisse enténébrée.

Hélène n'aperçut pas la voiture des policiers malgré un regard sur la ville spectrale et qui avait l'air de vivre dans un autre monde. Elle revint à la fascination livide exercée sur son âme par la rivière tranquille venue de l'ombre et poursuivant son chemin vers les ombres. Ces miscellanées sinistres et floues ne seraient plus au matin que des mirages engloutis par l'indifférence du jour. Les beautés de la nuit mourraient toutes. Alors les gens brillants se croiseraient à toute vitesse, perdus dans leur recherche de temps à gagner.

Des cellules en elle voulaient dire. Ses lèvres se mirent à trembler pour dire. La femme dit, mais sans voix. Une mussitation d'être momentanément dément. C'est que son dire n'avait pas de mots. Néant.

-Elle est à la veille de sauter, on ferait mieux d'aller voir. Ils sautent dans les trois premières minutes ou bien ils s'abstiennent...

-À nous voir venir, elle risque de prendre sa décision. Attendons encore! Les chances sont plus grandes qu'elle ne saute pas à ce moment-ci.

Une minute suffisait à Hélène. Le temps était vraiment trop cru pour elle. La prochaine fois s'il devait y en avoir une autre, elle endosserait des vêtements plus isolants. Elle rebroussa chemin et reprit sa marche en se regardant les pieds.

Les policiers allèrent s'embusquer au coin d'une rue transversale d'où elle ne pourrait pas les apercevoir aisément. Si à la sortie du pont elle allait tout droit, ils la suivraient et si elle devait bifurquer vers eux, ils se caleraient au fond du véhicule pour le cas où il lui arrive de jeter un oeil en leur direction quand elle passerait devant leur gros nez.

À l'église, elle s'engagea sur le chemin longeant la bâtisse et menant au stationnement arrière mais s'arrêta au bout de quelques pas, ayant l'air d'explorer les alentours d'un regard inquisiteur. Puis elle se rendit sonder la grande porte qui, par mystère, s'ouvrit.

-Faut y aller, dit le constable chauffeur.

Hélène entra et s'arrêta dans le tambour. Il y avait un peu partout à l'intérieur des lumignons qui lui permettaient de distinguer les grandes lignes du lieu. Son imagination lui fit remonter le temps de cent quarante ans. Ils étaient là, les patriotes, là dans leur dernière nuit, les yeux mortellement inquiets mais se disant les uns aux autres que Dieu les sauverait d'une fatalité que l'ennemi, dehors, versait dans ses fusils et ses canons, et avec laquelle il enflammait ses torches...

Un bruit sourd se fit entendre, une voix dure éclata au même moment et une lumière vive frappa Hélène en plein visage.

-Qu'est-ce que vous faites ici, madame?

Quoi dire? Et à qui? Son coeur battait fort. Le policier abaissa un instant sa lampe de poche. Elle put voir que c'étaient des constables. On la prenait pour une voleuse? Que va-t-on faire dans une église?.

-Je suis venue... pour prier.

-Ma bonne dame, de nos jours, il y a des heures pour prier, dit le jeune policier.

L'autre, un beau personnage au grisonnement paternel et au bon naturel, particulièrement compréhensif avec les femmes dit:

-Quelqu'un, semble-t-il, a oublié de verrouiller les portes. Surprenant dans un sens et pas dans l'autre. C'est qu'il y a un enregistrement par l'orchestre symphonique de Montréal demain, et il y a ici des appareils électroniques de grande valeur.

-Écoutez, je ne suis pas une cambrioleuse. Je prenais une marche... Bon, ça paraît drôle comme ça en pleine nuit, mais, voyez-vous, ça me différencie du reste du monde.

-Nous vous avons vue sur le pont... On ne vous prend pas pour une voleuse, madame. Mais il faudrait quand même que vous nous disiez qui vous êtes et où vous allez.

Elle échappa une phrase un peu complexe pour l'oreille d'un policier perplexe:

-La contemplation de la mort tout comme celle de Dieu est un dormitif plus efficace que le valium...

S'ils n'en saisissaient pas le sens véritable, ils la prendraient encore davantage pour une désespérée. Comment leur expliquer que les soirs de grande déprime, elle préférait rester dans sa chambre et que son équipée de cette nuit-là relevait d'une chicane avec le temps bien plus qu'avec elle-même?

Elle les conduisit à son auto, leur montra plusieurs papiers

215

d'identité. Ils la suivirent jusque chez elle à Lorraine. Le lendemain, un des policiers s'entretint avec Pierre sur le chantier de Saint-Eustache... Plus tard, il confia à son camarade que la femme était une alcoolique à qui il arrivait parfois de se dégriser par le grand air et une longue marche nocturne.

-Pourtant elle n'avait pas bu, dit l'autre sceptique.

Il ajouta néanmoins la note au rapport des choses de la nuit.

∞∞∞

Comme tous les Noëls d'une maîtresse de maison, celui-là arrivait à la fine épouvante. Il y aurait le traditionnel réveillon chez les Prince mais Pierre ne serait pas là. Le bon goût le commandait. C'était là une de ses rares décisions qu'elle n'avait pas conspuées puisqu'elle faisait l'affaire des deux parties. Il fallait rayer ce personnage de la vie des Prince encore qu'il fût impossible de compléter la chose à demeure à cause des enfants. Et pour la même raison, Hélène ne recevrait pas chez elle.

Les cadeaux furent mis sous l'arbre dans la grande demeure blanche chez les grands-parents Prince. On les déballerait durant la nuit. Hélène lutta contre une certaine tristesse. Cela faisait partie de ce qu'elle appelait sa construction d'une âme de granit qu'il lui faudrait pour affronter l'empereur Pierre. Elle et Jacques se soutinrent sans en avoir l'air. Il la serra fortement dans ses bras quand ils se virent dans la soirée puis ils se parlèrent de tout sauf de leurs conjoints.

Ainsi vont les réveillons. À la table, on additionne et on soustrait. Un bébé tout neuf. Un jeune homme parti outremer. Une adolescente chez son chum pour faire un peu changement. Un couple brisé: et le conjoint absent. Hélène voyait à tout comme si le repas avait été sous son entière responsabilité. Elle regardait dans chaque assiette pour mesurer les appétits, voyageait de la table des adultes à celle des enfants, se faisait sourire pour ne pas pleurer, se faisait aimer...

Entre le dessert et les cadeaux, elle monta au deuxième étage et se réfugia dans sa chambre d'autrefois. Même lit, même prélart fleuri, mêmes meubles; seuls les rideaux avaient été changés depuis son départ. Pour oublier son coeur, elle se regarda dans le miroir de la commode et fut surprise d'y voir sur elle une jupe vert forêt qu'en compagnie de Pierrette elle avait achetée ce soir de magasinage. Cette couleur insidieuse s'introduisait donc dans ses goûts de plus en plus sans qu'elle ne s'en rende compte? C'était le modèle qu'elle avait aimé: beaucoup d'amplitude et une longue série de boutons devant, et portable agréablement avec un chemisier rayé... à fines rayures d'un vert coordonné. Puis elle s'assit au pied du lit, l'esprit perdu, écoutant les lamentations du vent dans les interstices des vieilles fenêtres. Trop occupé dans ses retranchements nordiques, retenu par le temps, l'hiver avait tardé mais voilà que soudain, ce soir-là, tel un fouet cinglant, il claquait dans l'air sec du pays.

On frappa à la porte:

-Hélène, c'est Suzanne, je peux entrer?

-Mais oui!

Suzanne parut, le regard doux, dans une hésitation qui n'était que discrétion car elle avait un cadeau moral à offrir à sa soeur et rien ne l'arrêterait.

-Je suis venue de faire des reproches, dit-elle affectueusement.

-Tape, j'ai la couenne qui s'épaissit.

-C'est pas pour te faire mal.

-Je sais bien; viens t'asseoir.

La réprimande de Suzanne était à l'effet qu'Hélène lui avait fait bien peu de confidences ces derniers temps. Hélène répondit que toute cette histoire était déjà si familiale qu'elle avait préféré la partager avec Pierrette. Suzanne l'avait déjà fort bien compris et sa réprimande donc n'était que l'offre de son appui moral. On se parla du vieux passé, de la dernière année d'Hélène à la maison, d'une de leurs sorties à Expo-67 qui avait pris une drôle de tournure près du pavillon soviétique alors qu'un couple à la femme dominatrice s'était livré à une bataille physique en règle au cours de laquelle le gnome de mari avait essuyé une volée de coups de sacoche, personnages criards qu'un membre masculin du groupe avait voulu séparer, ce qui lui avait valu de se faire arrêter et emmener par la police, et qu'il avait fallu accompagner finalement pour le faire libérer. C'était l'âge des petites aventures mémorables dont les malheurs même laissaient derrière eux des traces de bonheur.

Par Suzanne, par Jacques, par ses parents et tous les autres, Hélène fut confortée. L'avenir immédiat lui apparut plus abordable. Elle prit trois jours de ses vacances pour se trouver un logement. Cinq par jour furent visités. Le midi du trente et un décembre, elle prit sa décision et signa son bail sur les lieux même qu'elle occuperait à compter de février. C'était un six-et-demi neuf à plancher de béton, donc insonorisé comme elle le voulait, aux environs verdoyants, situé à Sainte-Thérèse pas très loin de son travail et surtout à proximité des écoles des enfants.

Quand le propriétaire eut quitté, elle refit le tour des pièces vides et qui faisaient écho à ses pas. Non, il n'y avait rien encore, mais il y avait de la lumière, beaucoup de lumière, autant dans la cuisine et le salon que dans toutes les chambres.

Avant la rentrée de janvier, elle installa des rideaux. Les meubles viendraient après le divorce selon la décision rendue.

∞∞∞∞

Une semaine avant la date de leur comparution devant le juge, Hélène reçut de Pierre un avis de convocation. Elle trouva une note sur la table indiquant son désir de la voir au bureau du sous-sol à sept heures du soir. Il y serait déjà. C'était, annonçait-il, pour régler des questions purement matérielles. Il avait laissé la porte entrouverte; elle entra en s'annonçant de la voix mais sans frapper:

-Ce sera long? Parce que j'ai des travaux à corriger...

-Quant à moi, ça ne prendrait que dix minutes; quant à toi, ça relève de toi bien entendu...

Il y avait deux petits fauteuils devant le bureau; elle en prit un sans lever les yeux sur lui. Mais elle ne se sentait ni forte ni faible: froide seulement. Qu'il ne l'agresse pas et tout se passerait bien!

-Premièrement sache que j'ai vendu la maison...

-Quand ça?

-Au début de la semaine.

-À qui?

-Aucune importance! L'important, c'est que tu saches qu'elle est vendue et qu'il te faudra la quitter...

-J'ai déjà loué un logement et je vais m'en aller à la fin du mois.

-Pourquoi ne me l'as-tu pas dit?

-Parce que... ça me regarde.

-Ça me regarde un peu aussi parce que... je n'aurais pas vendu la maison de la même manière si j'avais su que tu t'en allais de plein gré.

-Nous avons chacun notre vie.

-Pas encore tout à fait, pas encore tout à fait.

-Pourquoi as-tu dit: il TE faudra la quitter? Parce que toi, tu restes?

-Je reste... avec les enfants.

-Ça... tu peux toujours dire.

-Ça m'amène au deuxième point, celui de notre comparution.

218

Je veux savoir si tu acceptes de dire l'exacte vérité devant la Cour.

-Le mensonge est une arme nécessaire aux faibles. Mais je n'ai pas à mentir. Vous allez m'accuser de tous les péchés d'Israël sans doute? Je ne suis pas une alcoolique même si j'ai subi une cure. Je n'ai pas été une femme infidèle car je ne t'ai pas trompé. J'étais déjà libre quand j'ai couché avec quelqu'un. Je n'ai pas déserté la maison, je suis allée me reposer mentalement...

Pierre sourit, le regard empreint de petites lueurs de mystère. En lieu et place de commentaire, il ouvrit un tiroir de son bureau et jeta devant lui une cassette audio.

-Tout est là pourtant.

-Tout quoi est là?

-La vérité, Hélène, la vérité. Dite par ta propre bouche. Tu écouteras cette bande édifiante et si, par la suite, tu crois toujours, sur les bons conseils de ton avocat, te défendre de la même manière, libre à toi.

-Et qu'est-ce qu'il y a sur cette bande?

-Tu veux l'entendre?

Il n'attendit pas la réponse et il inséra la cassette dans un lecteur posé sur le bureau. Il enfonça la touche 'vite-en-avant' puis celles de l'arrêt et de 'play' afin de tomber au milieu des aveux d'Hélène le soir du viol.

"Je vais plaider aussi. Dire tout ce que tu faisais de travers. Tes agressions semaine après semaine. Ça aide une femme à boire, ça."

Le sourire vissé aux dents, il fit avancer la bande et jouer encore:

"Ben je vais te dire un secret, mon grand fendant de prétentieux, y en a eu un dans tes pantoufles et ta robe de chambre pas plus tard que vendredi passé, entends-tu ça..."

-Tu veux que je continue? Tout y est, y compris ton agression physique. Alcoolisme avoué, infidélité avouée, agression évidente. Bien sûr, tout s'arrête quand il a fallu que je t'arrête de t'énerver...

Hélène était atterrée. Elle n'arrivait pas à évaluer les conséquences. Les lèvres tremblantes, elle n'arrivait pas à prononcer le moindre mot. Il se chargeait de répondre à tout, méticuleusement et rapidement à la fois:

-Bon, tu vas te demander pourquoi j'ai enregistré notre échange de ce soir-là et dans quel but je l'ai fait? Au pourquoi je réponds ceci: c'est la faute de la justice qui croit facilement ce que soutient la femme et rejette aisément ce que soutient l'homme. Au plan matériel, la femme sort souvent perdante à cause des papiers légaux, c'est vrai, mais autrement, c'est elle qui gagne le plus souvent. Elle, exactement comme je l'ai fait, enregistre des choses mais ensuite, elle déforme et trafique les bandes parce que le magnétophone est là, dans sa tête. Il lui suffit de se justifier devant le juge, de pleurer, d'exagérer, d'accuser l'homme de toutes sortes d'abus et on la croit sur parole. Moi, je n'ai fait qu'enregistrer la vérité, la pure vérité, la stricte vérité... Si tu ne veux pas être raisonnable, nous allons utiliser cette bande contre toi. Soit dit en passant, ceci n'est pas l'original qui se trouve chez mon avocat. Alors si tu veux la faire disparaître, je vais te la donner tantôt. Bon, maintenant, par raisonnable, je veux dire ceci. Tu vas accepter la vérité, tu vas avouer la vérité, ton alcoolisme, ton infidélité, ta désertion, ton agression. Tu sais maintenant pourquoi je l'ai fait. Quant au but, lui, c'est d'obtenir la garde des enfants, des trois enfants. Bref, les décisions rendues par le juge, c'est nous qui allons les prendre: ici et maintenant. Si tu veux jouer dur avec ton avocat, nous allons démentir vos allégations à l'aide de cette bande: et de un. Nous allons demander qu'on te laisse un droit de visite mi-ni-mum avec les enfants: et de deux...

Il attendrit le ton:

Si, au contraire, tu te montres raisonnable et que tu acceptes de me laisser les enfants, tout sera pour le mieux pour tout le monde, toi la première. Tu pourras les voir chaque semaine. Tu pourras les emmener à ton chalet si tu le gardes. Tu pourras garder Valérie et Manon toute les fins de semaine si tu veux. Je n'inclus pas François parce que je veux que sa formation physique par les sports soit prioritaire. Bien entendu que tu n'auras pas droit à une pension alimentaire puisque j'aurai charge des enfants et que du travailles. Sans vilain jeu de mots, je crois que je suis bon prince. Tu auras ta liberté; il y a des millions de gens dans le monde qui paieraient dix fois plus pour obtenir la moitié de la liberté que tu auras. Hein? Tes Russes par exemple qui te fascinent tant! Excuse-moi, je ne voulais pas te niaiser. Tu dois être convaincue que je veux vraiment le bien de tous. Si vous nous combattez devant le juge, nous serons forcés de t'écrabouiller devant tes propres enfants et tu en sortiras appauvrie à tous les points de vue. À toi de choisir!

Hélène avait gardé les yeux rivés au lecteur de cassettes, son âme de granit s'effritant comme du tuf sous la masse de pierre. Tout avait été compté, pesé, divisé. Elle se sentait comme un esclave que l'on vend malgré lui, comme un prisonnier politique expédié dans un camp de travail pour avoir un jour dit simplement: JE.

Son âme entra dans le brouillard comme s'il n'y avait plus devant et derrière que des vapeurs opaques semblablement à celles de la nuit d'automne sous le pont de Saint-Eustache. La défaite totale que lui infligeait la vie commandait le goût du triomphe définitif. Elle dit:

-Tu veux donc ma mort: tu vas l'avoir.

Il s'avança dans des hochements affirmatifs:

-Non, tu vas y penser. C'est pour ça que je te parle une semaine avant. Et tu seras plus sereine. Et chacun y trouvera son compte.

-Laisse-moi Valérie... Qu'est-ce que tu vas faire avec elle?

-En le supposant et en supposant que tu te remettes à boire? Je ne le peux pas et je ne le dois pas.

-Tu ne vas pas m'envoyer toute seule sans aucun de mes enfants, tu ne le peux pas.

Pancake introduisit son nez dans l'entrebâillement de la porte et il entra, la queue un peu basse mais agitée.

-Va t'en, lui dit son maître avec un doigt que vit la bête et dont elle savait l'autorité.

L'animal repartit et Pierre se rendit fermer la porte, ce qui assombrit la pièce luxueuse où flottait la vague odeur d'un parfum que l'homme avait reçu à Noël de sa maîtresse et qu'il utilisait depuis lors.

-C'est injuste et cruel... on ne fait pas cela à une mère.

-Le contraire serait-il juste et tendre? On ne peut pas le faire davantage à un père. Ce n'est pas le plus fort qui gagne au détriment du faible qui devient sa victime, c'est le plus apte à bien élever les enfants. Et de nous deux, je suis le plus apte: définitivement...

Elle gémit:

-Mon Dieu, mon Dieu, qu'est-ce qu'il va donc advenir de moi?

Il trancha:

-Tu vas t'adapter, c'est tout. Il n'y a qu'une solution, une seule qui s'offre à toi et quand tu y auras bien songé, tu verras comme elle est à ton avantage...


Plus tard, elle apprendra que la maison avait été vendue, certes, mais à la compagnie de Pierre de sorte qu'il pourrait continuer à l'habiter tout le temps qu'il le déciderait.

∞∞∞∞

Les matins doux d'un janvier fou s'égrenèrent jusqu'au divorce mais Hélène n'en vit aucun autrement que dans des chagrins brumeux et un spleen qui s'attachait à son souffle amer pour l'environner corps et âme de vapeurs quasiment déréelles.

Tout fut laissé à Pierre. Y compris la dignité. Elle ne garda que le chalet et le droit de voir les enfants de la façon et à la fréquence décidées par son mari. Il lui fallut s'endetter pour meubler son logement. Elle y emménagea le dernier jour du mois. En fait n'y mit que ses affaires personnelles et ses vêtements car elle avait une peur morbide d'y passer sa première nuit de solitude et pour cela, dut coucher à la maison de Pierre plus longtemps que prévu.

Suzanne s'offrit pour deux ou trois jours. Hélène refusa en se disant assez forte. Pierrette reçut la même réponse. Pas question d'André Morin qu'elle avait éconduit à plusieurs reprises depuis leur seule aventure de novembre. Elle se procura une bouteille de vodka.

Pierre dut lui demander de partir pour permettre à Nicole d'entrer. Chevaleresque, il lui prépara une grosse boîte à même la vaisselle, les ustensiles de cuisine et les casseroles et se rendit la porter lui-même à son logement où elle l'avait devancé de quelques minutes. Elle le fit visiter.

-Ça, ben, ce sera la chambre de Valérie... quand elle viendra, dit-elle sans émotion apparente devant la pièce rose à petits meubles blancs.

-T'auras aucune misère avec Nicole pour l'avoir. Tu sais, quand le pire sera décanté, tu vas te replacer. Tu vas finir par t'entendre avec Nicole, tu verras. Même si tu es amère parce que tu crois qu'elle a pris ta place, tu vas te rendre compte que... elle ou une autre, on en serait venus là de toute façon...

-O.K., Pierre, on parle pas de ça?

-Bon!

Lui-même avait le coeur plongé dans le noir quand il la quitta après lui avoir serré la main. Dans deux jours à peine, les enfants seraient avec elle pour un repas du vendredi soir et les fillettes resteraient pour tout le week-end...

Hélène demeura longtemps dans la pénombre de sa chambre. Les larmes à l'âme, elle ne voulait plus en voir une seule dans ses yeux, pas même des larmes de soulagement. La meilleure façon de les faire se volatiliser, c'était comme l'avait dit si souvent Pierrette, de se lancer dans l'oubli. Compensation: la vieille recette de

222

tous ceux qui souffrent. Vodka? Elle se rendit à la cuisine et s'en servit une qu'elle apporta au salon voisin devant le téléviseur qu'elle laissa mort. Si près de boire, en novembre, elle avait appelé André Morin. Mais alors, les lendemains prévisibles la condamnaient à la sobriété. Que restait-il maintenant pour la retenir, pour la garder au monde des souffrants?

Pourtant elle ne but pas ce soir-là non plus. Une pensée vint animer son regard. Elle se rendit dans la petite chambre devenue bureau et fouilla dans des papiers. Quand elle trouva le numéro de téléphone qu'elle cherchait, elle retourna au salon et logea un appel...

Une heure plus tard, on sonna à la porte. Devinant l'identité du visiteur, elle ne lui parla pas par l'interphone et pressa le bouton qui commandait le système électronique de verrouillage de la porte principale de l'immeuble. Puis elle ouvrit toute grande celle de son logement. Les pas se précisèrent dans l'escalier de métal. Restée dans le clair-obscur, elle aperçut soudain son invité qui s'arrêta dans l'embrasure inondée par la lumière du couloir.

-Salut Hélène!

-Salut!

-Tu vois que j'avais bien fait de te donner mon numéro de téléphone, hein?

-Entre!

-C'est bien mon intention.

Elle eut un rire éclatant.

-Ça arrive-t-il souvent qu'un de tes professeurs féminins t'appelle comme ça en plein mercredi soir?

-C'est la première fois, mais quelque chose me disait que ça arriverait et c'est arrivé.

-Entre, Daniel!

L'étudiant avança, s'arrêta, ôta ses bottes puis sa tuque et il referma la porte derrière lui. La blondeur de sa chevelure se fit moins accentuée et le clair-obscur ajouta un an ou deux à ses maigres vingt ans.

∞∞∞∞∞∞∞∞∞

# Chapitre 16

Sauf pour ses relations avec Pierrette et Suzanne, l'ancienne vie sociale d'Hélène prit fin abruptement quand le couple fut séparé pour de bon. Fini les joyeux méchouis à Terrebonne, les soirées osées où les femmes rivalisaient d'audace dans leurs vêtements et qui aiguisaient les maris des autres par leurs regards étoilés, plus de cocktails autour de la piscine des voisins, de sorties à plusieurs au théâtre, au restaurant, au disco-bar, les dimanches de tennis au Centre sportif. Pierre continuerait la sienne, lui, fier comme un paon d'avoir à ses côtés cette flamboyante cavalière qui ferait vite oublier cette intellectuelle d'Hélène trop peu portée, elle, sur les vraies grandes valeurs matérielles.

Hélène repensait à ces rapports avec leurs connaissances de jadis en se brossant les cheveux devant son miroir ce matinal samedi, trois semaines déjà depuis sa pénible renaissance. Ce n'est pas avant la saint-glinglin qu'elle referait cette vie aliénante aux apparences de liberté, commandée tout entière par l'avoir et le paraître. Voilà une perte de peu d'importance, se disait-elle en revoyant tous ces visages à sourires bricolés qui se radotaient les uns les autres les mêmes propos guindés depuis des années en se dandinant dans des attitudes subtilement défiantes. Plus besoin de signes de piste pour penser à tout, pour calculer le temps et les échéances. Seul le tennis lui manquait. Après l'amour avec Daniel Gauthier, on en avait parlé et ça l'avait incitée à renouveler sa carte de membre du Club. Dès la semaine suivante, on prendrait l'habitude de fréquenter le Centre sportif tous les jeudis soir. Et que Pierre y vienne, -elle le souhaitait vivement- son orgueil en prendrait pour son rhume de la voir courtisée par un gars de vingt ans, blond et beau...

Manon et Valérie dormaient encore. François n'était pas venu; il avait sa pratique de hockey assez tôt le samedi, ce qui rendait impossible une visite à sa mère en même temps que ses soeurs. Mais il venait le dimanche et alors, autour d'une table nouvelle, la famille amputée se donnait du bon temps-remède.

Pour être plus sûre de résister à son ennemi numéro un, auquel elle avait fini par imputer autant qu'à Pierre son grand échec matrimonial, Hélène avait donné, intacte, sa bouteille de vodka à Pierrette qui l'avait alors félicitée et encouragée. Le chalet était mis en vente mais à prix élevé. Elle eût aimé le conserver jusqu'à l'hiver suivant mais si de le céder plus vite devait lui rapporter cinq, sept mille dollars additionnels, elle n'hésiterait pas. Toutefois, elle ne le rouvrirait qu'en mai, pas avant. C'était bien trop loin et coûteux en temps d'y courir toutes les fins de semaine.

Des deux fillettes, Valérie fut première levée. Elle voulut des rôties avec du beurre d'arachides. Hélène s'assit avec elle à table, sirotant un deuxième café. Elle la questionna sur ses relations avec Nicole, ce qui parut remuer chez l'enfant plusieurs souvenirs dont elle tira une conclusion que sa lippe annonçait définitive:

-Je l'aime pas, je vais rester avec toi, dit-elle à voix limpide.

Les parents, le plus souvent égocentriques, prêtent volontiers aux enfants des émotions qu'ils ne ressentent pas avec la même intensité qu'eux-mêmes, et qui sont bien plus éphémères que les leurs. Hélène, la pédagogue, n'était pas dupe sur le sujet. Valérie serait sans doute la première des trois à s'adapter à sa nouvelle vie. Elle avait eu la même réaction normale à son entrée à la garderie puis à la maternelle cette année. Ses jeux, ses amies s'étaient vite taillé une bonne place dans son quotidien et ses pensées fugitives.

Manon, la crâneuse au coeur caché, inquiétait sa mère bien davantage. Hélène la surveillait, lui parlait le plus souvent possible au téléphone ou autrement mais rien de négatif ne suintait jamais d'elle. Il fallait espérer qu'en son for intérieur, elle absorbe les grands changements le plus sainement possible.

Et François, inspiré par Pierre, cet archétype du Québécois de la proche quarantaine, progressait en muscles, en habiletés sportives, et son intérêt pour les choses de la construction, disait son père, s'affirmait de plus en plus. Celui-là ne serait pas un artiste improductif. Il aurait de l'épaule, du nerf et dans dix ans, naîtrait une compagnie prometteuse 'intitulée': Pierre Lavoie & Fils. Une compagnie de n'importe quoi pourvu que ça rapporte.

Parfois des pensées haineuses traversaient l'esprit, en fait le coeur d'Hélène. Ou les deux... Elle en avait eu la veille au soir après que les fillettes se furent endormies, et n'avait pu s'empêcher de les écrire sur une feuille blanche à côté de son livre de russe. Deux phrases lui vinrent en mémoire au sujet de Nicole, des phrases qui avaient haleine de cheval. "Qu'est-elle donc en train de maquignonner, cette fricoteuse-hippogriffe?" "Il voulait la chevaucher, hennissante, elle le cravacha tant qu'il ne fut pas d'une docilité parfaite..."

La nuit avait organisé un projet dans sa tête. Elle, capable de travailler sur les mots, écrirait sa propre histoire. Oui, mais pas en tâcheronnant pour faire de la littérature comme la veille au soir; elle laisserait sa vie s'écrire simplement, quels que soient les désirs de sa plume. Ce ne serait pas pour se valoriser comme tant d'auteurs semblaient vouloir le faire, mais pour se réaliser par l'exercice de sa créativité. Elle se mettrait à l'ouvrage à la fin des classes. Au chalet, tiens, peut-être, s'il n'était pas encore vendu. Ou bien elle ferait un voyage et commencerait alors ce... roman-récit qui n'aurait de roman que le nom, et qui lui offrirait aussi parmi les plaisirs de l'enfanter, celui de se vider tout à fait pour renaître vraiment avec le fruit de sa création. Fécondée par elle-même, elle deviendrait à la fois mère et fille en une seule personne. Oui, un voyage exaltant! La Russie peut-être, que son divorce lui donnait la liberté d'aller visiter enfin. Quoi de mieux pour tout voir en soi que d'aller se chercher l'âme à l'autre bout du monde!

∞∞∞∞

Vers la même heure, dans leur chambre dont la surface aurait accaparé la moitié du nouveau logement d'Hélène, Nicole et Pierre discutaient, frôlant la dispute.

-Tu feras pas de moi une imbécile de servitude de tes enfants.

-Qui te le demande?

-Toi.

-Explique.

-Tu ne m'aides pas toi-même et tu n'engages personne pour me seconder.

-Il y a la femme de ménage...

-Elle ne vient pas assez.

226

-Je pensais que tu pouvais faire comme Hélène...

Assise sur le lit, les bras accrochés à ses genoux, Nicole avait décidé de donner un autre coup de collier ce matin-là. Les affaires avanceraient comme elle le voulait ou bien il aurait la vie dure, très dure.

-Si tu penses que tu vas me piéger dans une vie comme la sienne était dans cette maison, tu te trompes, mon grand. Ce n'est d'ailleurs pas ce qui fut planifié, prévu, entendu.

-Mais en attendant...

-En attendant quoi, la mort peut-être?

Couché sur le côté, cheveux en épis, voix capricieuse, il dit:

-Ça fait même pas un mois que tu es ici...

-Oui, mais trois mois que le Centre est à vendre. Depuis le lendemain même du jour où j'ai parlé de nos projets personnels à Jacques.

-Pour la millième fois, je te dis que son prix est trop haut. Ce qui veut dire qu'il lui reste encore un peu d'oxygène, de temps devant lui. Mon chargé d'affaires me l'a assuré: il viendra à mon prix.

-Y a le propriétaire du Centre sportif qui va nous damer le pion.

-Son offre à Jacques était dérisoire, tu me l'as dit.

-S'il sait qu'il a des concurrents, il bougera et le danger est là. Il a de l'argent, il a du personnel en quantité et il peut même intégrer des tâches des deux Centres...

-Le Centre d'équitation est un cheval plus que boiteux, qui vaut cent mille dollars de moins que ce que ton ex en demande.

Ils discutèrent encore quelques minutes; mais sur une base d'affaires, elle n'arriverait pas à le cerner. Elle déclara:

-Le matin où tu me diras que tu as passé la nuit avec une autre, je ne me considérerai pas comme une femme trompée. Je ne chanterai pas alléluia et je me regarderai pour savoir ce qui me manque. Mais si tu ne tiens pas ton engagement moral de tout faire et vite pour mettre la main sur le Centre, je vais me considérer comme une femme abusée et trompée. Soit dit en passant et tu le sais, la vie de femme d'intérieur qui crève de peur à l'idée que son homme puisse en regarder une autre: très peu pour moi. Bien vivre ensemble suppose une vie professionnelle pour moi et dans un domaine qui me plaît. C'est la raison de notre entente sur le partage des actions de la compagnie qui exploite le Centre...

Il se redressa:

-Considérant que tu seras là, considérant aussi que de mes hommes pourront travailler là-bas à l'occasion, je pourrais peut-être hausser mon offre de cinquante mille dollars mais alors, répartissons les actions à soixante-quarante au lieu de cinquante-cinquante.

Nicole rougit de colère et elle le fusilla d'un regard furibond.

-Ça: jamais! Heyyyyy... non... C'est d'égal à égal ou c'est rien du tout, ça tu peux l'entrer là-dedans et pour toujours...

Elle pointa sa tête de son index. sourit en lui attrapant le doigt.

-Faisons l'amour et dès lundi, je vais faire hausser mon offre d'achat de cinquante mille dollars.

-Mon cher, je ne suis pas une prostituée à cinquante dollars.

-Mais j'ai dit cinquante mille...

∞∞∞∞∞

Harcelée par les chauds rayons du soleil de mars et les assiduités complimenteuses d'André Morin, inquiétée par les répercussions possibles de sa relation avec Daniel Gauthier, Hélène prit le professeur comme amant sur une base régulière au grand dam de l'étudiant qui lui fit une crise de colère et une autre de larmes mais dut se résigner et se renfrogner dans des intentions parfois malveillantes car au fond de lui-même, puisqu'elle avait voulu faire l'amour avec lui, il se sentait le droit de dénier le sien de choisir.

Puis ce fut avril avec ses douceurs et ses tourmentes. La femme comme le temps passait d'un extrême à l'autre. Ce fut son mois le plus pénible pour cette raison-là. De décembre à mars, elle s'était sentie groggy et assommée, déboussolée, résignée, souvent douloureuse et le plus souvent écoeurée mais voilà que le soleil du printemps venait réveiller, tisonner son amour-propre et fouetter son agressivité pour la transformer en haine certains jours. De plus, elle apprit que Jacques avait dû vendre son commerce d'Oka et que les acheteurs en avaient été, par personne interposée, une compagnie incorporée formée de Pierre Lavoie et de Nicole Labelle, actionnaires à parts égales.

"C'était donc ça le but ultime de la jument", se dit Hélène quand elle sut la nouvelle. "Elle est pas mal plus intelligente que moi, celle-là." Puis elle eut le sentiment qu'on l'empêchait régulièrement de parler à ses enfants. Elle vérifia les prétextes que Pierre lui servait et se rendit compte qu'elle avait raison. Mais elle ne s'en plaignit pas par crainte de pire.

"Je sais, je sens qu'il va payer tout ça et très cher!" confia-t-elle un soir à Pierrette qui fut d'accord sur le fait que Pierre donnait l'air d'un homme en train de se ligoter lui-même, ce qui pourrait le rendre vulnérable dans un monde de vautours et de hyènes.

À compter de cet entretien, Hélène cessa d'appeler Nicole 'la jument' et se mit à dire 'la hyène', comme si le qualificatif par une sorte de pouvoir magique des mots avait pu faire de sa rivale une dévoreuse de charogne c'est-à-dire du coeur avarié et véreux de Pierre Lavoie.

Vint le beau temps doux qui se mit à remuer les mystères du sol. Le dernier jour du mois, elle prit des renseignements auprès d'une agence de voyages. Le lendemain, premier mai, elle rappela et réserva sa place dans un voyage organisé qui lui permettrait d'entrevoir sa chère Russie. Elle y serait vingt jours, avant et pendant les Jeux olympiques et séjournerait dans trois villes: Moscou, Volgograd et Leningrad.

Les trois premières semaines de mai, tous ses temps libres furent consacrés à du travail de militantisme politique. Le Québec hochait la tête dans tous les sens comme pour se secouer les parasites séculaires: c'était la campagne référendaire. Le camp du oui l'avait mobilisée. Tout comme Pierre voterait à deux mains, lui, contre le projet d'indépendance de la province, édulcoré par René Lévesque et ses stratèges, elle voterait oui à deux mains. Perspectivisme qui ne nuisait pas à des convictions allant de soi chez un professeur de français et dont seraient atteints plus d'un voteur le jour de la décision nationale. Son ardeur la conduisit à scander des slogans et elle en vint même à chanter avec de ses étudiants un nouvel hymne national qu'ils avaient concocté et dont la sécurisante pastiche allait ainsi: «Enfants de la patrie, c'est à vot' tour de vous laisser parler d'amour...»

Le soir de la défaite eut un goût bien plus amer que la bière en fût. Elle le vécut avec un groupe de gens du cégep dans une brasserie de Sainte-Thérèse, une bâtisse jeune aux airs rustiques. Dans les joyeusetés qui finirent par se dresser entre les pots vidés, quelqu'un proposa un dernier slogan propre à rafistoler l'amour-propre de chacun et le narcissisme collectif: «Père de la nation, pardonnez-leur car ils ne savent pas ce qu'ils ont fait!»

"N'empêche que Pierre Lavoie triomphe encore et triomphe toujours!" se marmonna Hélène à plusieurs reprises en regardant les autres noyer leur amertume dans la bière blonde.

∞∞∞∞

Elle rouvrit le chalet quelques jours plus tard. La première fin de semaine, elle eut les trois enfants comme jadis. Et au repas du premier soir, elle leur annonça son voyage de trois semaines en Union Soviétique. Personne ne protesta comme naguère. On avait l'habitude de ses absences maintenant.

Quelques jours avant son départ, elle demanda à Pierre de conduire ou de faire conduire les enfants à l'aéroport de Mirabel afin qu'elle puisse, comme autrefois quand on partait en voyage, les embrasser avant de prendre l'avion. Il prit soigneusement note de l'heure exacte du vol et assura qu'il les y emmènerait lui-même à moins d'un empêchement majeur.

C'était une journée chaude et humide de la fin de juin. Pierrette reconduisait son amie. Elle ramènerait sa voiture à la maison et reviendrait prendre Hélène le jour de son retour.

Il y avait encore deux bonnes heures avant le départ mais la voyageuse désirait un hublot et pour en réserver un, elle arrivait le plus tôt possible. On fit l'enregistrement des bagages puis on se rendit au deuxième étage afin de pouvoir jaser un bon coup en sirotant un breuvage sans saveur.

-Ton avion est déjà là, dit Pierrette quand on émergea au bout de l'escalier mobile en désignant un appareil d'Aeroflot qui bougeait sur une piste de garage.

-On m'a dit qu'il y a deux vols quotidiens Montréal-Moscou; c'est peut-être le premier.

-À cause des Jeux olympiques?

-Surtout parce qu'il n'y a pas de vols New York-Moscou pour quelques mois. Non, mais c'est-il assez fou de punir les athlètes pour des questions politiques. Ça prend rien que des hommes pour penser et agir de même! Avec l'indépendance du Québec, j'espère qu'il y aura davantage de femmes en politique.

Pierrette rit:

-Tu me fais penser à ceux qui veulent se battre pour avoir la paix. Il y a seulement un an, tu n'avais rien d'une militante, qu'est-ce qui s'est passé?

La question qui incluait la réponse suscita quand même un commentaire d'Hélène:

-Tu as raison, c'est la frustration. Le militantisme, ça défoule et ça rebâtit un giron social à ceux qui ne s'endurent pas eux-mêmes.

Elles s'arrêtèrent, hésitant un court moment entre la salle ouverte donnant sur les pistes et une autre au centre, à proximité d'un restaurant-comptoir libre-service. On opta pour celle-ci dont la plupart des tables étaient inoccupées. L'une se rendit chercher des breuvages tandis que l'autre se dirigeait à l'endroit choisi le long de la promenade.

Hélène déposa sur une chaise la petite valise qu'elle avait gardée et prit place en regardant sa montre puis une horloge juchée très haut dans l'autre salle et qu'elle pouvait apercevoir à côté d'un escalier menant à un bar où elle n'irait pas... Il restait plus de deux heures avant l'envolée. Les enfants viendraient bientôt sans doute. Viendraient-ils? Sûrement, autrement on l'aurait avertie. Et puis Pierre s'était montré si formel là-dessus qu'elle n'avait pas cru bon proposer autre chose quand Pierrette avait offert de la reconduire à l'aéroport et de ramener sa voiture plutôt que de la laisser prendre un taxi. Mais voilà que son âme était lancinée depuis le midi alors que le téléphone avait sonné deux coups seulement... Pierre avait-il voulu libérer sa conscience en appelant afin de lui servir un de ses prétextes bricolés sans même lui donner la chance de décrocher le récepteur? Non, non, se dit-elle, après tout l'on n'était plus à couteaux tirés depuis un mois comme il s'en vantait lui-même, ce qui lui lavait les mains du mal que sa conscience lui reprochait d'avoir fait à Hélène.

Elle secoua la tête pour replacer des cheveux que par le même mouvement elle avait déjà ordonnés plusieurs fois depuis leur entrée dans la gare aéroportuaire. Tout près d'elle, des passants peu nombreux et sérieux déambulaient, venus d'ailleurs ou y allant. Au-dessus, des tubulures d'aluminium se croisaient dans toutes les directions comme des routes aériennes tissées par une mathématique infaillible et imperturbable.

François parut en sa tête. Un peu bousculé dans les coins de patinoire, le regard chercheur. Elle le savait entré à pieds joints depuis plusieurs mois dans les anxiétés de la puberté. Pierre ferait mieux avec lui qu'elle n'aurait pu. C'était la loi régissant les âges de la vie. La logique du coeur aurait voulu que la garde des enfants soit divisée: François avec son père et les filles avec leur mère. La logique de la justice avait piétiné les coeurs.

Pierrette la sortit de sa torpeur:

-Tiens, si ce n'est pas bon, au moins c'est frais.

Elle mit les grands verres de carton fleuri devant chacune et s'assit en soupirant:

-J'aimerais ça, une bonne fois, partir en voyage toute seule. Juste pour voir...

-Tu sais, c'est un voyage de groupe; je ne serai pas seule bien longtemps.

-Tu le seras dans ta chambre... Puis les autres seront peut-être tous en couple...

-Ça va peut-être me torturer plus qu'autre chose.

-Non, non, non... Se libérer de l'amour, c'est comme se libérer de la cigarette: plus le temps passe, moins on en sent le besoin. L'amour, c'est prouvé, est une drogue comme une autre. C'est une sécrétion de substances chimiques dans le cerveau. Suffit d'un bon sevrage...

-Comme pour l'alcool.

-Le problème, hein, c'est de ne pas retoucher une seule fois au tabac... ou à la vodka...

-Je commence à m'immuniser.

-On sait jamais, tu feras peut-être la rencontre de ta vie en Union Soviétique.

Hélène s'esclaffa:

-C'est bien le dernier pays au monde où une femme occidentale intelligente peut se laisser aller à l'amour.

-Attention, les yeux slaves, ça peut faire des ravages.

Pierrette but une petite gorgée, le regard espiègle, provocateur:

-À ta place, moi, je lâcherais mon fou.

-Lâcher son fou à Moscou? On dit qu'il y a des micros jusque dans les verres. Les Russes sont si parano qu'ils se font greffer des oreilles à la place des yeux.

-Oui, mais le KGB surveille les espions, pas les fous.

-Les deux à ce que disent les Américains. Dans le fond, les gens du KGB ne sont pas forcément parano, c'est qu'ils sont trop de leur espèce et qu'ils n'ont absolument rien à foutre, tout comme nos fonctionnaires à nous autres... Sérieusement, j'en sais trop rien de ce qui se passe là-bas et c'est peut-être ce qui m'attire le plus.

Une heure s'écoula, joyeuse, rafraîchissante. Les enfants n'étaient toujours pas là. Hélène mit son bras sur le dossier de la chaise voisine. Ainsi, sa montre dubitative serait à la hauteur du moindre regard. Sur une pause, Valérie visita son imagination. Hélène la vit tout d'abord en elle: foetus espiègle qui fait de ses pieds et de ses poings affectueux de vigoureux mamours de reconnaissance à l'utérus que le réchauffe et le nourrit. Puis l'avant-veille encore, la voyant dodeliner de la tête pour s'endormir.

-Tu t'inquiètes?

-J'espère qu'il ne me fera pas ce coup-là.

-Reste une heure encore.

-À vrai dire une demi-heure si on compte le temps de faire la queue, d'embarquer et de se mettre en piste.

-Je te jure qu'ils vont venir. J'en suis certaine.

-Pierre est un personnage imprévisible, tu le sais. S'il a pilé sur la queue du chat...

Le temps se mua en minutes. Hélène se laissa envahir par de noirs sentiments. Et pour accompagner son état d'âme, le ciel doucha les pistes. Passé l'averse brève, les nuages laissèrent filtrer des morceaux de soleil par paquets obliques entre leurs vagues ajours, mais aucun éclairement ne s'étendit sur le visage crispé de la mère souffrante. Et les minutes se fractionnèrent. Ébouriffée, Manon passa devant son regard mais c'était une autre. Et la vraie n'était qu'une image à la tristesse floue qui disait, désabusée: "Bon, moi là, je vais me coucher, je suis fatiguée et je suis tannée..."

"Les passagers du vol 352 pour Moscou sont priés de se rendre à la porte numéro 8."

-Je le sentais, je le sentais, répéta Hélène qui dut dévisser son regard luisant de l'horloge impitoyable.

Pierrette savait la douleur de son amie. Si les enfants n'arrivaient pas au moins à la dernière minute, Hélène se sentirait terriblement seule, abandonnée, dardée au coeur de son lieu sentimental le plus vulnérable: son amour maternel. Pierre n'aurait pas pu imaginer moyen plus efficace de la néantiser avant même son départ, pour qu'elle passe à côté de son voyage, de cette évasion vers la Russie devenue pour elle terre de libération, comme elle l'avait dit à quelques reprises. L'exaltation d'un voyage est à la mesure du désir qui l'a commandé: Pierre l'en privait comme il avait si souvent assassiné ses désirs.

Hélène contint ses émotions jusqu'au dernier instant, cherchant du regard dans les trois directions d'où sa famille aurait pu venir. Alors, elle émergea de quelque chose de nébuleux et fut mise pour la première fois devant une évidence crue: elle était divorcée et n'avait plus de famille.

Elle laissa passer tous les autres et personne ne vint. La voix troublée, entravée, son langage empêtré comme un véhicule accidenté enlisé dans une substance épaisse et boueuse, elle bredouilla à travers ses larmes:

-Cet homme... fera-t-il toujours la loi... sa loi?

Pierrette lui serra les mains et ses derniers mots furent:

-Ton hiver est fini, fini... C'est ton été qui commence maintenant, ma grande... **L'été d'Hélène...**

∞∞∞∞∞∞∞∞∞∞

# DEUXIÈME PARTIE

# L'ÉTÉ

# Chapitre 17

Tandis que le grand oiseau blanc prenait son envol au bout de la piste, Pierre se désolait devant ses enfants et Pierrette dans la bâtisse aéroportuaire, clamant s'être trompé d'une heure tout en mettant fortement la chose en doute, l'erreur ayant probablement été commise par Hélène quand elle lui avait dit prendre en note le moment de son départ. Manon emmena Valérie avec elle aux toilettes et elle y pleura en cachette, à l'insu même de sa jeune soeur.

Trop préoccupée par elle-même, jusqu'au regard introspectif, Hélène avait gagné sa place sans repérer de gens parlant français donc, faisant sans doute partie de son groupe. Que des Anglophones! Quelques Américains que l'accent et les vêtements choquants trahissaient. Elle crut entendre deux hommes parler russe dans l'autre rangée de banquettes mais la distance les séparant d'eux et le sifflement des réacteurs hachuraient leurs mots quand ils n'étouffaient pas leurs phrases. Mais surtout, elle voulait voyager avec ses pensées, son coeur, et parfois 'Anna Karénine', fermer les yeux et rêver in petto, souffrir sûrement puisqu'elle se dirigeait vers le pays des grandes douleurs nationales et individuelles.

Elle avait obtenu un hublot au-dessus des ailes, ce qui la rendrait moins vulnérable au mal de l'air. Et puis elle tâcherait de s'endormir une heure ou deux des dix ou onze requises pour atteindre Moscou, bien que la chose fût improbable en raison du stress de voler qu'accentuait l'exiguïté de l'espace dont disposaient ses genoux.

Le temps ne lui avait pas été donné encore d'intérioriser de façon systématique en égrenant dans sa tête ses déboires récents pour jongler avec chacun et leur chercher des causes et des effets. Elle souffrait d'une seule façon et tout son être gravitait autour de cette pensée cruelle: on l'avait coupée des siens irrémédiablement.

Les mots de bienvenue adressés en russe lui échappèrent presque tous par la rapidité du débit de l'hôtesse et sa façon automatique de les livrer. À part Gander, Hélène crut reconnaître 'samaliot' pour avion mais rien de plus et elle en ressentit une humiliation passagère au rappel de toutes ces heures à se fourrer dans le crâne des dizaines et des dizaines de pages de texte russe depuis tant d'années. Un agent de bord, l'oeil dur, se livra à la rituelle démonstration des choses à faire absolument en cas de mort, parlant dans un anglais moyen russifié que la femme n'écouta pas.

La banquette voisine, celle du milieu, était occupée par une jeune femme de pas trente ans qui, après sa voisine, s'était installée dans un silence absolu. Une autre voyageuse solitaire, semblait-il à Hélène, que ce personnage très pâle aux yeux à la timidité fragile que des lunettes à montures sombres atténuaient heureusement. Puis une espèce de géant obligé de garder ses jambes en travers avait pris le siège donnant sur l'allée centrale. Trois solitudes que la montée réunissait dans la même discrétion respectueuse. Comme cela est de rigueur chez les gens bien élevés, on s'était vu sans se regarder simultanément; il fallait le temps et l'ascension le dispensait en quantité suffisante.

Hélène croisa les bras et garda les yeux fermés tant que la vitesse de croisière ne fut pas atteinte. Puis elle défit sa ceinture et laissa son âme culbuter sur le coussin blanc des nuages, d'un souvenir pénible à un autre souvenir pénible. Elle n'avait pas le goût de sonder les origines de sa jeune voisine, pas maintenant. Il lui fallait ravaler cette masse dure emprisonnant son côté gauche.

Les deux premiers préjugés à basculer dans le vide concernaient la grosseur des hôtesses soviétiques et celle des pommes. Une des jeunes femmes était même trop mince, de la taille, du visage et de la voix, une voix brillante, de soprano mais aux pointes acérées. Elle finit de vider son plateau de ses grosses pommes scintillantes quelques banquettes devant, s'arrêtant du même coup de distribuer des 'pajalousta' quelle que soit la reconnaissance des passagers. Sa collègue s'amena ensuite d'un pas à ressorts qui faisait s'étirer, se balancer, s'entrechoquer ses cheveux soyeux en boudins blonds. Fort agréable à regarder, mieux en chair que l'autre, elle n'était pas pour autant lardée d'un gros enrobage d'embonpoint comme on le disait souvent des femmes soviétiques dans les médias locaux. Mais les pommes, Hélène y repenserait plus tard à Moscou, étaient canadiennes, et elle n'en reverrait pas d'aussi belles et juteuses avant tout un bail.

-*Spasiba balchoyé*! risqua Hélène en prenant une pomme dont son visage partageait la couleur.

C'était une première dans sa vie que de dire ainsi quelque chose, un simple 'merci beaucoup' en russe à quelqu'un de russe.

-*Pajal...*

Sa pauvre voisine qui, elle, n'avait appris que '*spasiba*' et '*da svidania*' soupira: elle était prisonnière pour dix heures d'affilée entre une femme soviétique et un géant masculin venu Dieu seul savait d'où.

Hélène attaqua le fruit avec une satisfaction évidente. Elle aurait donné vingt cours de la plus haute valeur sur les écrits les plus étoffés de la littérature québécoise ou française qu'elle n'aurait pas goûté plaisir aussi grisant. Ce n'était pas la gloriole de se trouver un peu plus savante que la moyenne des gens mais plutôt, après tant de coups d'assommoir, la joie d'un accomplissement nouveau, si microscopique fût-il!

Le fruit goûtait bon ce qu'il annonçait. Quand elle eut terminé, elle voulut disposer du coeur en le mettant dans un papier-mouchoir. Il lui fallut fourrager dans son sac à ses pieds et sa main heurta son cher 'Anna Karénine' qu'une suite d'événements l'empêchait de finir depuis un an. Une fois le déchet éliminé, elle sortit son livre et y plongea à la page indiquée par le signet. Le temps d'une seule phrase lui fut donné: *"Les Karénine continuaient à vivre sous le même toit, mais demeuraient complètement étrangers l'un à l'autre."* Dès l'ouverture du livre, sa voisine avait reconnu la langue du texte malgré sa grisâtre petitesse. Une bonne partie de ce qui l'avait empesée jusque là tomba en poussière et elle dit:

-Ouf! j'ai cru que vous étiez une russe... -puis baissant le ton- ou pire, une vilaine anglophone.

-Hélène Prince de Lorraine.

-Plaisir! Moi, c'est Carole Rodrigue de Valleyfield.

-Je m'excuse, Hélène Prince, c'est bien ça, mais... mais Lorraine, ce n'est plus là que j'habite. Maintenant, c'est Sainte-Thérèse.

-Un départ récent, je suppose?

-Très, oui...

-Vous faites partie du groupe Moscou-Volgograd-Leningrad?

-Oui.

-Moi aussi. Je vous ai entendue parler à l'hôtesse et j'ai cru...

Hélène rit discrètement et en même temps, son regard croisa celui de son deuxième voisin de banquette. L'homme entama un sourire qu'il rattrapa aussitôt.

-Tu sais, j'ai appris quelques phrases par ci par là dans les rares temps libres d'une mère de famille.

-Vous voyagez... seule?

-Eh oui, je suis entrée dans le grand Club de la ligue nationale des divorcés il y a six mois et j'ai décidé d'aller noyer ça au pays où personne ne rit jamais. Mais j'ai connu quelqu'un qui a fait pire que moi et qui est allé se remettre sur le piton au Père-Lachaise à Paris. Tu vois, je pense qu'il avait peut-être raison: la mort des autres stimule la vie en soi. C'est terrible à dire, mais c'est comme ça...

Comme s'il avait tout entendu et tout compris, le grand personnage d'à côté se pencha en avant et, sous le prétexte de tâter sa chaussure, il dévisagea Hélène par la force des choses avec un air de dire qu'elle parlait à travers son chapeau. Elle lui retira une attention qui n'était par ailleurs que fugitive pour écouter Carole qui parlait sans presque jamais battre des paupières, comme une enfant indécise et chercheuse malgré des phrases souvent bien campées.

-Dans ce cas, il est possible qu'on va nous donner la même chambre...

-J'en douterais parce que j'ai payé le supplément pour avoir une chambre sans partage. Ne pas savoir d'avance avec qui on est, je trouvais ça trop difficile.

-Nous sommes un groupe de quatorze en tout. Il y a deux filles ensemble et tous les autres sont des couples.

Hélène rangea son livre malgré les excuses de Carole.

-C'est pas grave, je vais avoir tout mon temps pour le finir entre les visites guidées.

Et elles bavardèrent sans arrêt jusqu'à l'escale de Gander au cours de laquelle elles restèrent ensemble. La gare était à peu près vide excepté les gens de leur vol. On put trouver néanmoins un kiosque ouvert et s'y procurer des breuvages. Puis l'on prit place sur des divans tout confort au milieu d'une salle aussi haute que longue et qui s'étendait sur deux paliers.

-Tu dois connaître Judith Paré? C'est ma cousine, dit Hélène.

240

Je dis que tu dois la connaître parce que c'est une fille de Valley-field... Tu sais, elle travaille à 'Femmes d'aujourd'hui' à Radio-Canada... une petite blonde jolie...

Une voix masculine dans leur dos empêcha Carole de répondre:

-Des collègues de Radio-Canada, je parie, dit-on, la parole mordue et châtiée surtout quand le 'je' fut énoncé.

Les deux femmes tournèrent la tête. Leur géant de l'avion qui était demeuré dans sa tour d'ivoire durant les deux heures de Mirabel à Gander était assis tout près, accompagné d'une femme d'au moins dix ans plus jeune, très souriante, encadrée de ses longs cheveux d'un noir de charbon intense. Il reprit:

-Vous devez vous demander pourquoi j'ai une place près de vous dans l'avion? Imaginez que ma femme et moi avons été séparés. Elle est 'poignée' si vous me pardonnez cette expression plutôt vulgaire, avec un couple de vieux anglophones, des têtes parfaitement cubiques, équarries à la scie.

Le ton très engageant, la femme enchérit:

-Le problème, c'est que je ne parle pas un traître mot d'anglais.

-Je vous offrirais bien de changer de place, dit Carole, mais madame et moi, on a fait connaissance et...

-Ne vous inquiétez pas, je vais boire la coupe jusqu'à la lie, dit la femme. Le problème, c'est que toute la coupe me paraît être de la lie.

-Vous avez dit 'collègues de Radio-Canada', demanda Hélène qui en prit l'accent, est-ce à dire que vous y travaillez?

Il jeta sur un ton qu'il voulut naturel:

-Je suis réalisateur et madame qui est aussi ma femme, est de plus ma secrétaire. Mais nous partons en voyage de vacances, non pas pour travailler.

Le personnage se faisait aussi remarquer par son nez important, anguleux, arqué et par sa voix nasillarde retenue par un immense souci d'apprivoisement de ses interlocuteurs, caractéristique du reste qui lui avait permis de quitter l'enseignement pour entrer dans la grande boîte à culture.

-Je vous ai entendue parler à l'hôtesse; vous savez donc le russe?

-Des bribes seulement...

-Ah! rien qu'un peu comme ça? Je croyais que vous auriez pu nous servir d'interprète.

Carole qui ne blairait pas trop ce personnage s'immisçant dans leur conversation lui servit une belle chiquenaude:

-Rien qu'un peu, c'est mieux que rien pantoute, vous ne trouvez pas?

-Ah! mais c'est merveilleux, mais c'est extraordinaire! dit l'homme qui avait le don de passer d'un deuxième degré à un autre deuxième degré de sorte que tous les aspects de son discours étaient calculés pour les effets obtenus afin, au bout du compte, d'établir une supériorité intellectuelle dont il n'était par ailleurs pas tout à fait convaincu jusque dans l'inconscient.

Heureusement pour Hélène, il était très nationaliste si ce n'est, elle l'apprendrait plus tard, que ses arguments possédaient, eux, le bon style.

L'échange déclina et on se fit dos à nouveau. Un quart d'heure après, on reprit le chemin de l'avion, toujours le seul appareil en piste. C'est la compagne de l'homme de Radio-Canada qui vint occuper la banquette de son mari généreux qui avait troqué sa bonne place pour l'autre. Il savait assez d'anglais, lui, pour se faire aconnaître là-bas. Si on devait ne pas respecter son sang, on respecterait au moins ses titres.

Hélène apprit qui était Carole. La jeune femme venait de quitter son emploi comme réceptionniste dans une clinique médicale. Benjamine d'une de ces vastes familles québécoises d'antan, elle n'avait plus de parents et fort peu de relations avec ses frères et soeurs. Dire ces choses qui s'apparentaient certes à l'environnement d'un divorce lui donnait l'impression de se rapprocher de sa compagne de voyage mais après sa révélation spontanée du moment de leur présentation, Hélène s'était tue par la suite sur les épisodes malaisés de sa vie récente.

Après les agréments de petits propos et d'un repas de poulet très appétissant dont les divers éléments goûtaient bon, le sommeil commença à étendre ses ailes sur les passagers. Carole elle-même fit reculer son dossier et entra vite dans la somnolence. Hélène se fit un oreiller à l'aide d'une couverture et elle ferma les yeux, sachant qu'elle ne s'endormirait pas, qu'elle ne relaxerait même pas. Le double inconfort dans lequel se trouvaient son âme et ses jambes, loin d'avoir raison de sa fatigue, la décuplerait. Une demi-heure s'écoula. Elle se redressa et se souleva pour promener son regard sur les gens à l'arrière: tous, sans exception, paraissaient endormis. Alors elle se sentit affreusement seule.

La douleur morale va et vient quand on n'est pas seul, mais quand il n'y a personne autour de soi, elle prend toute la place, envahit les moindres interstices de son esprit, occupe toutes les cellules de son cerveau, même celles du plaisir. Cette réflexion lui remit en mémoire l'effroyable jouissance coupable du condamné qu'elle avait connue malgré elle un très bref moment quand Pierre l'avait prise malgré sa volonté lors de leur relation finale.

Le malheur étant beaucoup mieux analysable que le bonheur, les gens ont tendance à remonter à sa cause première qui est celle qui les disculpe. Hélène ne voulait pas tomber dans ce piège ni sombrer dans le masochisme le plus affligeant mais elle s'arrêta néanmoins aux conséquences de son alcoolisme qu'elle n'avait peut-être jamais assez soupesées. C'est ainsi que le voyage se poursuivit pour elle dans un immense sentiment de solitude arrosé de larmes intérieures...

Même l'activité renaissante ne la sortit guère de sa torpeur. Le repos commençait à lui faire sérieusement défaut mais heureusement l'aurore pointait et cela lui redonna une certaine vigueur. Toutefois, elle fut peu loquace jusqu'à l'arrivée, se retranchant le plus souvent derrière la barrière de ses paupières fermées.

"Cheremetievo" *"Vdiésiati minouti"*, attrapa Hélène au vol quand l'hôtesse à la voix monocorde annonça la descente prochaine.

-On est à Cheremetievo dans dix minutes, dit-elle à sa voisine.

-Où?

-Cheremetievo, c'est le nom de l'aéroport de Moscou.

La voisine de Carole félicita Hélène pour ses connaissances de la langue russe. Elle paraissait sincère et l'autre la crut. Puis chacune parla de ses voyages précédents. Les dernières minutes du vol furent plaisantes pour les trois femmes sauf celles de la descente finale vers la piste qui exigea à l'appareil quatre reprises, des plongées en torsade suivies de remontées plein gaz qu'Hélène, plus blanche que le brouillard épais environnant Cheremetievo, trouva insupportables.

Sortir de l'appareil donnait l'impression d'entrer en enfer tant l'air humide écrasait. Pourtant, il n'était encore que dix heures du matin, heure de Moscou.

Un car dépouillé dans lequel il valait mieux rester debout pour éviter d'avoir l'air du premier arrivé premier servi avala une première fournée de voyageurs puis un autre suivit, celui-là que prirent Hélène et ses compagnes. Il fit le trajet jusqu'à la gare dans un grand arc de cercle  On emprunta un couloir extérieur puis un escalier de quelques marches seulement mais qui donnait sur une pièce basse et sombre où aboutissaient deux couloirs gardés par des policiers debout dans leur totale indifférence. On avait l'im-

243

pression de se trouver loin sous la terre. Les concepteurs de ce nouvel aéroport international, le Mirabel soviétique, avaient-ils voulu donner aux arrivants une image de leur pays en les privant dès leurs premiers pas d'air, de lumière et de couleur?

Hélène et Carole se firent des commentaires. Un atterrissage épouvantable, une chaleur insupportable, et maintenant, une salle d'accueil aux airs déplorables: on se plaignait mais au fond c'était exactement cela qu'on voulait voir de l'Union Soviétique pour se remonter le moral et se croire meilleurs.

Un coup de sifflet retentit et qui fit sursauter les voyageurs en file aux guichets ou en train d'écrire leur déclaration de douane sur le dos des amis ou sur leurs genoux. Un petit homme à la tête grise et ronde rebroussa chemin et revint avec un air coupable de sa tentative d'entrer dans l'un des couloirs après s'être faufilé comme une souris derrière un garde à l'esprit absent, à la recherche d'une salle de toilettes.

-Mon Dieu, il doit y avoir des missiles nucléaires dans ce bout-là, s'exclama le petit personnage dans un québécois enroué.

Il retrouva sa place dans la file et s'alluma une cigarette tandis que ses connaissances se moquaient de lui et de son envie de pisser qu'il faut savoir contrôler, lui dit-on, quand on fait la queue en Russie.

L'attente fut plus que raisonnable: qui aurait pu se plaindre de l'inefficacité légendaire de la bureaucratie soviétique?. Dix minutes à peine plus tard, Hélène et Carole se retrouvaient dans une salle interminable, haute et claire où arrivaient les convoyeurs à bagages d'un côté et qui comportait huit comptoirs de douane de l'autre dont quatre seulement fonctionnaient.

Quand elle fut en ligne avec ses valises, Hélène ajusta sa montre à l'heure de Moscou. Il y avait une quinzaine de personnes devant et on supputa sur le temps qu'il faudrait pour enfin mettre le pied pour de vrai en Union Soviétique: une demi-heure, trois-quarts d'heure?... Des bagages furent fouillés avec une lenteur impossible. Le guichet ferma tout simplement à l'heure du lunch et le préposé disparut sans avertissement.

Des pros de l'attente derrière un journal déployé semblaient juchés sur des pattes de cheval. Flageolant sur leurs jambes, Hélène et Carole en vinrent à de gros mots à l'égard de ce fonctionnariat tout à fait englué dans des gestes à l'apathie entière.

-Sont pas foutus de se grouiller le cul.

-Tu as vu cette espèce d'énergumène? Une demi-heure qu'il a pris pour fouiller une seule valise.

L'homme de Radio-Canada fut plus chanceux ou bien son gui-chetier comprit-il son importance par ses apparences; il traversa la barrière au bout de deux heures seulement. Mais plus loin, tout au fond, un guichet invisible, camouflé derrière un rideau affichait: '*diplamati*'. Parfois un personnage cravaté à l'attaché-case lustré y pénétrait subrepticement pour reparaître une minute plus tard de l'autre côté.

-Tu as vu par où passent les V.I.P. du régime? confia Hélène en désignant l'entrée des diplomates.

Lorsqu'enfin on fut devant le douanier, celui-ci apposa un sceau sur le passeport sans poser la moindre question ni ouvrir une seule valise. Il fallut dix secondes et l'on se retrouva avec le groupe de touristes du Québec qui n'attendait plus que les treizième et qua-torzième personnes pour rejoindre le car qui se dirigerait sans tar-der tout droit à l'hôtel.

Une femme courtaude habillée d'une robe fleurie à ton mauve leur fit des signes de la main. Puis elle agita un petit drapeau canadien qui lui servait à ramasser son monde. Elle dit dans un français international d'une belle voix engageante qui se teinta de reproche à la fin de la phrase comme si les arrivantes avaient été des fillettes un peu irresponsables:

-Venez, les dames du Canada, venez, il ne manquait plus que vous. Allons, allons... le car nous attend... et depuis longtemps déjà... allons... venez...

Et d'un petit pas de chasseur, elle battit la voie en agitant le drapeau au-dessus de sa tête pour être sûre qu'on ne la perde pas de vue.

Enfin, l'on fut en route sous une chaleur torride dans un car propre et plutôt confortable mais sans climatisation. La guide se présenta par l'intermédiaire du microphone qui ajoutait aux char-mes de sa voix, ce qui compensait pour la fadeur de son visage et la tristesse de son regard.

-Je m'appelle Nelia Volkova. Je suis, comme vous le savez déjà, votre guide d'Intourist...

Hélène souffla à sa compagne:

-Il paraît que tous les guides d'Intourist sont des agents du KGB; elle n'en a pas trop l'air.

-On dit que les guides d'Intourist sont de la police, dit la guide comme si elle avait entendu la remarque d'Hélène, mais ce n'est pas vrai. Et même si ça l'était, alors c'est tant mieux pour vous, n'est-ce pas, parce qu'ainsi, vous serez mieux protégés. L'Union Soviétique vous souhaite la bienvenue et ne veut pas que vous soyez malheureux, malheureuses... Bien au contraire, nous voulons que le bonheur de vivre dans notre pays vous inonde durant tout votre voyage...

-Le bonheur de vivre a pas trop l'air de lui sortir par les oreilles, souffla Carole.

-C'est peut-être que ça ne paraît pas. Ici, rire est suspect et on emprisonne les gens pour moins que ça...

Hélène s'arrêta et pensa que les connaissances de Carole étaient bien plus limitées que les siennes sur le pays. Alors elle reprit:

-Je plaisante... Nous avons beaucoup de préjugés sur l'Union Soviétique et, tu verras, plusieurs vont s'estomper.

-S'il vous plaît, je voudrais que vous soyez bien attentifs, dit la guide qui par le rétroviseur voyait des gens indisciplinés se parler entre eux.

Elle mit la demi-heure du trajet à établir son autorité à travers la nomenclature des rues et de certaines bâtisses. L'avenue des Jardins, la rue de la Paix, la gare de Riga...

Hélène n'écoutait guère. Elle mettait toute son attention à lire les noms identifiant magasins et boutiques situés au rez-de-chaussée des immeubles peu élevés bordant les rues empruntées. Chaque fois qu'elle apercevait un salon de coiffure, elle en répétait le nom à deux ou trois reprises pour le retenir à jamais: 'parikmakherskaïa'. Si bien qu'elle en vint à croire qu'il y avait une quantité plus grande de ces salons que d'épiceries. Cela pouvait se comprendre. Peu gâtées en biens de consommation, les femmes soviétiques se rabattaient sur les soins donnés à leurs cheveux. Les passantes confirmèrent son observation. Vêtues de robes semblables à celles que l'on portait en Occident au début des années cinquante, les jeunes femmes, enfin celles ne dépassant pas quarante ans, portaient pour la plupart des chevelures très soignées.

On arriva à l'hôtel. Un édifice de vingt-cinq étages en forme de croissant, flambant neuf, qu'annonçait un obélisque d'aluminium incurvé au faîte duquel une fusée pointait vers l'espace.

-Voici maintenant votre hôtel, l'hôtel Kosmos. Il compte mille huit cents chambres et il vient tout juste d'être construit en vue des Jeux olympiques... Vous êtes au courant que la ville de Moscou tient dans quelques jours les jeux de la vingt-deuxième olympiade, n'est-ce pas?...

Des voix dirent oui.

-Non, mais elle nous prend pour des épais ou quoi! chantonna

Hélène entre ses doigts. On vient de Montréal, nous autres... les Olympiques, ça nous connaît!

-De l'autre côté de la rue, par là, vous voyez, vous apercevez l'emplacement de notre grande Exposition des Réalisations de l'économie nationale que nous allons visiter demain...

Ça, Hélène connaissait! Elle avait déjà appris par coeur toute une leçon sur le sujet et s'en remémora des bouts en descendant du car et en entrant avec le groupe. On déposa visas et passeports à la réception et les clefs de chambre furent remises à chacun. La guide réunit tout son monde autour d'elle et recommanda maternellement un temps de repos. Et elle fixa le rendez-vous pour le repas du soir à l'entrée d'une salle du second étage.

Hélène se laissa choir sur son lit sans même explorer sa chambre tant elle était morte de fatigue. Heureusement pour elle, le chasseur ne tarda pas. Il fut éberlué de recevoir un dollar américain en pourboire et il rentra pour mieux situer les valises à son goût.

-Merci, c'est bien comme ça, lui dit-elle en anglais.

L'homme, un personnage dans la quarantaine, mit ses deux mains collées sur sa joue puis la désigna en voulant signifier qu'elle avait grandement besoin de sommeil. Elle lui répondit par un sourire absolument défait. Il s'en alla en multipliant les 'thank you'.

Sitôt étendue, elle perdit conscience et ne se réveilla que dix minutes avant l'heure du rendez-vous. Le temps de se rebâtir un visage présentable, elle arriva avec vingt minutes de retard. Et dans l'immense salle à manger remplie, elle perdit encore cinq minutes à chercher son groupe qu'elle ne put repérer. Elle se risqua à s'adresser en russe à une serveuse qui la comprit et la conduisit à une salle voisine où il n'y avait tout au fond qu'un seul groupe de personnes, celui des Canadiens.

-Venez, venez, Hélène, ordonna la guide qui savait maintenant son nom par Carole. Vous êtes en retard...

-Ça, je vois bien.

-Mais il ne faut pas. Vous savez, si chacun dans un groupe arrive à l'heure qu'il veut, vous serez encore à Moscou tandis que d'autres seront à Volgograd et que les plus ponctuels, eux, seront déjà rendus à Leningrad.

Hélène n'avait pas le goût de se faire donner une pareille petite leçon. Ce n'était pas son premier voyage avec un groupe organisé et ces manières paternalistes de la guide lui tapaient sur les nerfs. Elle prit place entre Carole et une femme qu'elle ne connaissait pas encore mais qu'elle devinait être l'épouse du petit homme gris qu'un policier avait rabroué à l'aéroport.

Il y avait eu un potage douteux de couleur rose dans lequel surnageaient des ingrédients solides aux airs de viande de porc, et dont il restait un fond dans un contenant métallique. Hélène souleva la louche et la laissa retomber en arguant que ce devait être froid. Et elle se contenta d'un fromage insipide et de pain bis dur et biscornu qu'elle enduisit d'un beurre blanc sans sel mais de bonne apparence car tranché en lamelles frisées perlées de gouttelettes en garantissant au moins la fraîcheur.

Un homme grisonnant au visage sévère et au veston rouge prit la parole et demanda à chaque personne de s'identifier au groupe. Nelia l'approuva. Hélène ne put retenir que quelques noms seulement, des personnes à qui elle avait déjà parlé ainsi que du petit-gris et de son épouse. Son regard était attiré par les pommes, de misérables petits fruits ratatinés d'un drôle de vert jaunâtre, guère plus gros que des prunes et qui auraient fait mourir de rire les plus mauvais pomiculteurs d'Oka...

Et Oka prit son imagination et son coeur pour les transporter au Centre équestre que se partageaient l'empereur et la hyène où ils devaient se trouver en ce moment même, compte tenu du décalage horaire. Valérie, elle, se trouvait à l'école avec ses amies, son présent, sa petite vie bien à elle. Même chose pour Manon et François. La suite de la rencontre dura une heure. Hélène écouta d'une oreille, regarda d'un oeil et le reste du temps, elle fit des sauts en arrière dans le passé.

Elle se sentait très lasse. Le coeur en boule au bord de l'éclatement, tout lui donnait envie de se mettre à pleurer. Deux serveuses s'approchèrent avec un chariot et elles commencèrent à vider la table. Leur heure était arrivée et l'explosion d'un missile ne les aurait pas empêchées d'en finir avec le minimum.

C'était l'occasion pour Hélène de se retirer. Que l'on s'adonne à un marathon de placotage si on le voulait, son choix c'était de dormir. Dormir une éternité. Quelle épreuve de force c'était que de mettre les pieds en Union Soviétique! Toutes les émotions qu'elle aurait pu avoir à entrer enfin dans ce pays dont elle avait si souvent rêvé s'évanouissaient, assassinées par tous ces visages de croque-mort, tous ces personnages qui donnaient l'air de considérer les étrangers comme du fumier et ce désabusement rempli de morosité. Elle avait vu sur un immeuble un slogan: 'les idées de Lénine triomphent'. Mais quoi, le père de la nation avait-il donc emporté avec lui dans sa tombe le sourire de tout un peuple? La Russie était-elle donc un pays fossilisé que l'étranger doit visiter avec un esprit d'anthropologue?

L'état délabré de son âme et une fatigue qui lui paraissait dépasser les effets pénibles mais normaux d'un décalage horaire et d'une longue absence de sommeil l'aidaient à trouver encore plus grise la grisaille moscovite. Elle se leva pour quitter la table en déclarant son besoin de repos. Le petit homme gris lui proposa un somnifère car il en avait apporté de trois sortes: des faibles pour somnoler, des intermédiaires pour dormir en paix, des forts pour s'assommer littéralement pour douze bonnes heures profondes et ininterrompues. Le quantitatif et l'hyper-choix du monde capitaliste l'avaient suivi dans ses valises en savon, en serviettes de papier, en dentifrices, objets utiles au cas où... et surtout en pharmacomanie. Tous ces sacrés communistes-là ne l'empêcheraient pas, lui, de dormir sur ses deux oreilles.

Elle remercia poliment, salua et se retira. L'ascenseur qu'elle prit ne s'arrêta qu'une fois et ne reçut pas plus de trois personnes simultanément: par chance, se dit-elle, car elle avait une sensation d'étouffement et ce bloc dur du côté gauche comme les soirs de grande douleur morale. Elle remit le carton de contrôle à la gardienne d'étage qui ouvrit machinalement un tiroir et lui remit sa clef sans s'arrêter de lire un énorme bouquin dont l'autre put aisément déchiffrer le titre: 'V.O. Lénine'. Avait-on idée de se plonger dans Lénine à vingt ans, se demandait Hélène en poursuivant son chemin, car la 'dièjournaïa' était une toute jeune fille frêle aux pommettes slaves et à la blondeur délicate, quelqu'un à rêver dans 'Anna Karénine', pas à s'ennuyer mortellement dans des interminables palabres politico-socio-économico-philosophiques, fussent-ils le fruit béni d'un cerveau génial et demi-divin. Ce pauvre Lénine se retournerait dans son mausolée de savoir que sa pensée volait aux jeunes filles leur belle jeunesse, leur charmante frivolité et leur douce coquetterie naturelle. Ou bien peut-être approuverait-il de les voir départies de ces 'vertus' par trop bourgeoises et improductives?

Rendue dans sa chambre, elle ramassa ses dernières énergies pour défaire ses valises, se démaquiller, prendre une douche sur de la musique sophistiquée que la radio dispensait en abondance.

Puis elle se jeta au lit et s'endormit sitôt les yeux fermés. Ce ne fut pas le réveille-matin qui lui fit reprendre conscience et pourtant son réveil fut abrupt au bout d'un rêve pénible. Quelque chose la frappait en pleine poitrine, une sorte de crampe d'estomac qu'elle attribua aussitôt à ces aliments lourds comme du ciment qu'elle avait dû absorber au repas du soir. Il n'était encore que minuit et la douleur chassait tout besoin de dormir. Elle avait déjà ressenti pareil malaise au cours d'un régime pauvre en matières grasses alors qu'elle avait commis l'erreur de manger des oeufs à la coque en sauce blanche à la cafétéria du cégep. Le meilleur remède, c'était de marcher. Elle se leva et se rendit à la fenêtre en se rappelant que la curiosité ne l'y avait pas encore conduite depuis son arrivée. De ce point de vue, elle aurait une meilleure idée de l'Exposition des Réalisations de l'économie nationale, encore qu'à cette heure-là...

La rue attira d'abord son attention. Non par l'abondance de circulation mais au contraire par sa rareté. Un camion qui paraissait sorti tout droit d'un film poussiéreux en noir et blanc croisait un autobus bondé qui suivait une Lada au coffre arrière à demi ouvert et rempli d'un gros objet qu'elle ne pouvait identifier à cette distance. Elle ne pouvait pas discerner les couleurs non plus mais peut-être que les véhicules n'en avaient pas, même de jour? La douleur lui mit de la salive en bouche et elle se rendit à la chambre de bains pour cracher. Puis elle revint à la fenêtre et aperçut quelque chose de très familier mais d'enfoui dans sa mémoire, une bâtisse qui lui rappelait des souvenirs magnifiques devenus hélas pénibles à cause de sa vie récente: il y avait là dans une sorte de majesté nocturne, dessiné sur le fond de la nuit par quelques projecteurs, le pavillon soviétique d'Expo-67 à Montréal. Elle se souvint qu'on l'avait démonté et transporté en Union Soviétique, mais qu'il lui saute au visage ainsi le jour même de son arrivée là-bas lui fit oublier son malaise un moment. Pourquoi diable, en vertu de quelle malice du destin, son passé lui était-il braqué en plein regard? Ce n'était tout de même pas la faute de Staline ou de Brejnev, cette fois! Ou du communiste de la rue. Ou de la longue neurasthénie soviétique.

Elle retourna à son lit, s'assit et y demeura dans l'obscurité incertaine, assise pendant plus de deux heures, à se presser l'estomac avec son avant-bras pour lutter contre ce mal si intense qu'il lui donnait des sueurs abondantes malgré la fraîcheur de la pièce bien climatisée.

Au matin, elle se retrouva sur les couvertures, incapable de se souvenir de la fin de sa souffrance et du début de son sommeil. Assommée par la fatigue, elle avait dû s'étendre et s'endormir soudainement...

∞∞∞∞∞∞∞∞∞∞

# Chapitre 18

Au petit déjeuner, Hélène et Carole se retrouvèrent à la table du Québec sur laquelle le chef de groupe avait troqué l'unifolié contre le fleurdelisé. Elles étaient parmi les premières arrivées. La conversation allait déjà bon train, animée par l'homme de Radio-Canada qui posait des interrogations sur les résidences secondaires en Union Soviétique. On demanderait à la guide quand elle serait là, de deviser un peu sur la question. Lui-même possédait un chalet, haut dans les Laurentides. Hélène en profita pour annoncer le sien dont elle vanta le rapport qualité-prix.

Malgré un maquillage appuyé et son chemisier rouge, le visage de la femme paraissait étiré, comme ciré. Carole s'en inquiéta:

-Bien dormi finalement?

-Ouais... Je me suis réveillée tout à coup et je suis allée à la fenêtre. Et j'ai vu le pavillon soviétique d'Expo-67. Ce matin, j'ai vérifié pour savoir si j'avais rêvé; il était bel et bien là.

Royalement incrédule, l'homme de Radio-Canada fronça les sourcils:

-Si vous saviez, dit-il désolé, eux, ils se servent vingt fois, cent fois du même modèle.

-Mais non, c'était bel et bien le pavillon d'Expo-67.

-Je ne fais pas d'erreur à dire que vous faites erreur, croyez-moi. Les Russes se servent plusieurs fois des mêmes plans. Vous avez vu hier de ces gros édifices dits staliniens comme l'université? Ce sera pareil pour le pavillon...

Hélène finit par hausser les épaules. Sa vieille habitude de se rendre au jugement des hommes lui fit douter d'elle-même, surtout devant tant de certitude s'opposant à ses énergies chancelantes. Après tout, elle avait peut-être vu une réplique assez exacte et son cerveau avait corrigé les différences tout comme il lui arrivait de ne pas voir une faute de français qui pourtant aurait dû lui percer les yeux mais que son esprit effaçait à son insu même.

Le petit homme gris fit son apparition, son éternelle cigarette aux lèvres, suivi de son épouse, une femme au visage bourré de rides mais beau, triste et doux. Bientôt le groupe fut au complet. On se partagea des croissants et le contenu de deux pots de café tiédi. Il manquait de crème. Hélène reçut pour mission d'en demander. Elle fit venir une jeune serveuse, en fait une travailleuse puisqu'on servait les tables à la chaîne, d'une seule venue, et qu'ensuite, on les desservait de la même manière après le repas.

-*Ou vas yests slivki, pajalousta?*

-*Niè znaiou. Padajditié.*

Et la serveuse, une brunette au visage mince qui aurait pu passer pour n'importe quelle Québécoise, repartit de son pas égal, mesuré, désabusé.

On se riva les oreilles sur Hélène qui expliqua:

-J'ai demandé s'il y avait de la crème. Elle m'a dit qu'elle ne le savait pas et elle est allée voir.

-Non, mais c'est-il assez beau? se scandalisa l'homme de Radio-Canada. Elle ne sait pas s'il y a de la crème dans un hôtel de deux mille chambres.

Les commentaires tournaient encore d'une assiette à l'autre lorsque la serveuse revint les mains vides mais un léger sourire aux lèvres pour Hélène. Elle lui dit qu'il n'y avait pas de crème et que ça la désolait. Hélène le répéta à la tablée. La serveuse dit autre chose en russe mais la phrase était trop longue et le débit trop rapide pour qu'Hélène en comprenne le sens exact bien qu'elle sût que l'autre désirait acheter son chemisier. Alors la serveuse jargonna en anglais:

-Votre chemisier, vous ne voudriez pas me le vendre? Je vous le paierais en roubles. Vous n'auriez pas besoin d'acheter des roubles à la banque. Qu'en pensez-vous?

Si Hélène avait donc pu lire un vrai désir dans ces yeux mornes, des papillons d'espérance derrière le néant apparent, ou encore un petit air d'impuissance et de main tendue, mais rien, rien du tout. Ni peur, ni agressivité, ni tristesse, ni scintillement de l'âme: le vide absolu. Elle fut sur le point de refuser net comme l'autre avait dit *niet* pour la crème puis elle se demanda ce que ses yeux à elle, Hélène Prince, la malheureuse divorcée expulsée de sa propre maison et coupée de ses enfants, exprimeraient si tout à coup ils étaient Russes. Et elle répondit:

-*Mojet bouits zaftra!*

-Ce qui veut dire: peut-être demain, dit une voix qui détachait chacun des mots.

La guide arrivait. Elle avait entendu la réponse d'Hélène à une question qu'elle préférait de pas savoir. La serveuse tourna les talons. Son regard et celui de Nelia se frôlèrent tout juste. Le programme de la journée fut répété sur ce même ton habituel d'une maîtresse d'école qui s'adresse à des enfants de la maternelle:

-Cet avant-midi, nous allons visiter l'Exposition... Vous vous souvenez du nom de l'exposition au moins n'est-ce pas?

Hélène pensa aussitôt dans un éclair de mémoire: *Vouistavka dastijienni narodnava khaziaistva.*

-L'Exposition des Réalisations de l'Union nationale, dit le petit homme gris dans un rire vif qui couina.

-De l'économie nationale, précisa l'homme de Radio-Canada.

-Bravo Gilles! dit la guide. Et cet après-midi, nous irons sur les collines Lénine où se trouve l'université pour prendre une vue de Moscou et du stade Lénine, le plus grand stade d'Union Soviétique et qui recevra bientôt comme vous le savez les athlètes du monde entier... ou presque...

On s'esclaffa. La guide sourit, contente de son allusion au boycott des jeux. On en avait discuté la veille. Tous les Québécois sans exception avaient dénoncé ce boycottage canadien pas à cause des athlètes mais parce qu'il avait été décidé à Ottawa... après Washington.

Comme il restait du temps avant le départ, elle ôta son mouchoir de tête en tissu fleuri et prit place au bout de la table. Gilles prit aussitôt la parole, la voix forte, dominante et qui d'une seule impulsion ramassa toutes les attentions pour les donner à la Soviétique:

-Dites-moi, Nelia, ce qu'il en est des résidences secondaires dans votre pays. Tous, ici, nous savons ce qu'est une datcha bien sûr, mais est-ce que ces maisons de campagne sont réservées aux membres du parti, aux politiciens etc... J'imagine que non!

La femme hocha la tête et fit des yeux d'enfant en voulant dire: mais quelle épouvantable question! Elle dit sur le ton de l'évidence qui la caractérisait:

-Tout le monde n'a pas une datcha, vous savez. Ceux qui n'en veulent pas n'en ont pas. Si vous préférez mettre votre argent sur des meubles ou des vêtements, ou aller en villégiature à la mer Noire, libre à vous. Le citoyen soviétique est tout à fait libre de dépenser son argent comme il le veut.

-Mais le salaire moyen permet-il de posséder sa datcha tandis qu'il n'y a pas, semble-t-il, une seule maison unifamiliale à Moscou?...

-Vous savez, Gilles, il n'y a pas de pauvres en Union Soviétique. Chez nous, chacun possède un toit et mange à sa faim. Et la raison à cela, c'est qu'il n'y a pas ici comme en Occident d'exploitation de l'homme par l'homme.

Hélène ne put se retenir de sauter sur l'occasion qui s'offrait à elle de moucher le nez à quelques machos du groupe dont le petit-gris qui traitait sa femme comme une vieille chaussette:

-Chez nous, c'est l'exploitation de la femme par l'homme, dit-elle dans un éclat de rire à deux étages.

-Ça non plus, ça n'existe pas chez nous, reprit la guide le plus sérieusement du monde. La femme et l'homme, en Union Soviétique, c'est l'égalité complète, en tout...

Et elle appuya son dire d'un geste des doigts s'entrecroisant devant ses yeux. La conversation demeura frivole à travers les clichés traditionnels de la propagande communiste. On finit par quitter; alors la guide s'adressa discrètement à Hélène:

-Parlez-moi de l'exploitation de la femme en votre pays.

Hélène fit une réponse-capsule qui contenait tout:

-Je n'ai pas le temps, le voyage ne dure que vingt jours.

"Pas moyen d'être sérieux avec ces gens-là!" pensa la guide qui sourit et s'éloigna à la recherche de Gilles qu'elle devait persuader encore plus quant à la disponibilité universelle des datchas en son pays.

Mais elle ne put le rejoindre car il se trouvait derrière Hélène et Carole, fredonnant l'Internationale avec sa compagne.

Le car coupa la circulation sur l'avenue et pénétra sur les vastes terrains de l'Exposition. Pour se rendre au pavillon de l'agriculture, il fallut quitter le chemin pavé et s'engager sur une voie en gravier mamelonnée mais sans fossés pour l'égoutter ni drain souterrain à en juger par les ornières boueuses et les ventres de boeuf que le conducteur contournait posément et, semblait-il, très scientifiquement. Cet homme et la guide se chicanaient sans arrêt quand elle ne s'adressait pas aux passagers par le microphone. Il regardait les touristes comme du poisson pourri quand il daignait le faire. Les femmes du groupe le trouvaient follement beau mais elles le craignaient comme s'il avait été le frère jumeau de Joseph Staline bien qu'il n'eût avec le dictateur aucune ressemblance physique; et pas une n'osait plus lever les yeux sur lui.

Il engagea son véhicule dans une autre portion difficile. Le devant passa mais l'arrière où se trouvaient le moteur et la traction cala jusqu'aux essieux dans la fondrière baveuse, traîtresse, spongieuse. La guide demanda aux passagers de descendre et l'homme fit ensuite une tentative pour sortir le car de l'impasse. Mais une seule et sans insister. Aspirées, sucées par cette bouche de vase, les roues dévidèrent inutilement. Regroupés sur le perron de bois d'une bâtisse fermée les touristes québécois prenaient des photos du véhicule enlisé en se moquant bruyamment de l'Union Soviétique et de sa drôle d'Exposition des Réalisations de l'économie nationale qui sentait le pétard mouillé.

En dépit de tout ce qui lui avait tapé sur les nerfs depuis leur arrivée en ce pays, malgré cette propagande puérile étalée partout et abondamment véhiculée par la guide, par-delà l'humeur de chien de ce conducteur et de bien d'autres, Hélène refusa d'embarquer dans ce mouvement lancé par certains auxquels les autres en moutons avaient emboîté le pas. Elle s'éloigna et tourna le dos discrètement. Quand on se croit meilleur, il est indécent et stupide de ne pas faire usage de tact. Les richesses d'un pays qui avait tant souffert ne pouvaient pas ne pas être immenses, mais un système qui encourageait la xénophobie et le rejet de toutes les valeurs différentes aux siennes les enfouissait loin dans la terre des coeurs. S'il n'était pas facile de pénétrer l'Union Soviétique, il l'était encore moins d'entrer dans les individus mais l'on n'y parviendrait certainement pas en empruntant la route inféconde du mépris.

Elle émergea de sa réflexion quand la guide lui cria:

-Venez, madame Hélène, nous poursuivons à pied. Il ne nous faudra que quelques minutes...

On visita le pavillon central puis le pavillon Cosmos, bijou de l'Exposition et orgueil des Soviétiques. Hélène ne s'intéressa que fort peu aux engins spatiaux que du reste, les propos ampoulés de la guide, bourrés de 'premier au monde', 'record du monde', 'célèbre astronaute', dévalorisaient à chaque pas qu'elle faisait. Deux

255

garçons de l'âge de François déjà spécialistes de la filature -ils repéraient les étrangers un peu isolés- la cernèrent, mine de rien, l'un surveillant les alentours et l'autre s'adressant à elle dans un anglais bancal après avoir ouvert ses mains qui contenaient plusieurs épinglettes vivement colorées, surtout de rouge et d'or:

-How much... you give me?

Elle avait été ainsi accostée au Mexique, en Haïti, en Égypte par des petits négociants affichant les signes extérieurs de la misère mais ceux-là n'avaient pas l'air misérable du tout. De plus, elle savait -et personne en Occident ne le contestait- que les seuls choyés en Union Soviétique sont les enfants. Sans doute prenaient-ils beaucoup de plaisir à braver le danger. Ou bien le côté profiteur de leur nature humaine dominait-il leur peur d'être pris et punis.

Lui proposer un dollar américain, il aurait livré toute la marchandise et filé aussitôt, et le plaisir de négocier aurait pris fin trop vite. Elle avait apporté plusieurs douzaines de stylos dans ses bagages pour offrir des cadeaux aux femmes de chambre, aux gardiennes de toilettes, et justement en prévision de ce négoce. Des rouges à encre rouge. Elle en prit un dans son sac et le montra:

-Adna rouchka.

Le garçon, blond comme ses plus flamboyantes épinglettes et beau comme une fillette de même âge fut émerveillé d'entendre ces mots. Ses yeux pétillèrent mais il ne sourit pas. Il ferma une main et avança l'autre pour signifier que le stylo valait les quatre épinglettes qu'elle contenait, brûlant toutefois du désir de troquer les huit car dans sa tête, le stylo en valait au moins seize. Mais s'il en cédait trop, on se les partagerait et il aurait du mal à en échanger d'autres. La loi de l'offre et de la demande était inscrite dans sa nature.

-Pakaji drouguié! demanda Hélène en pointant son autre main.

-Niet! risqua l'enfant avec des hochements négatifs mais interrogeant quand même des yeux.

-Tchétirié, dit-elle en montrant quatre doigts et le stylo pour faire savoir qu'elle acceptait son offre. Mais à condition de choisir, ce qu'elle ajouta:

-No, ia khatchou vouibrats.

Il comprit, eut l'air de réfléchir un moment, esquissa un sourire qu'il rattrapa aussitôt. Il vit venir des gens derrière sa cliente, jeta un coup d'oeil à son copain qui le rassura d'un signe de tête, revint à ses affaires en ouvrant à nouveau les deux mains. La femme choisit un 'Lénine sur fond rouge ailé', un 'drapeau soviétique', un 'cathédrale Basile-le-Bienheureux sur hexagone d'or' et elle hésita entre un insigne de paix et un autre à l'effigie de Brejnev. Puis elle rit intérieurement de s'être seulement posé la question et elle prit l'insigne de paix en dédaignant l'autre qu'elle rejeta dans la main ouverte.

Le garçon empocha le stylo; en vitesse, il remplit de nouveau ses mains et les montra à Carole et à deux autres femmes que l'enfance intéressait hautement plus que la technologie. Rapidement, la moitié du groupe fut autour de lui et la pauvre Union Soviétique n'arrivait plus, par la bouche dithyrambique de la guide, à éclabousser ces occidentaux de ses glorieuses réussites, trichée par ces deux petits chenapans pollués par les profiteurs étrangers. Pourquoi le système de ce pays ne se modèle-t-il pas un peu plus sur le charme de ses propres enfants? se disait Hélène qui maintenant observait les transactions.

Habile à manoeuvrer vite, la guide contourna un véhicule spatial de manière à ce que le gamin guetteur la perde de vue, puis au beau milieu d'une envolée, elle se précipita vers le petit marchand qui la sentit venir au dernier moment par le miroir des yeux de sa clientèle. Elle se planta devant lui dans un sourire figé et, la voix doucereuse, dit des mots qu'Hélène ne connaissait pas. L'enfant parut lire un K dans son oeil droit, un G dans son oeil gauche et un B sur ses lèvres. Sans reprendre des pièces que des touristes examinaient, il accrocha ses jambes à son cou et détala comme un vendeur chassé du temple par un Jésus pétant le feu par tous ses orifices.

-Il faut bien les modérer un peu, sinon ils gâcheraient toutes les visites de groupe, dit la guide de sa voix la plus maternelle avant d'enchaîner sur d'autres explications.

Après le pavillon de l'agriculture, l'on marcha entre deux rangées de petits kiosques aux tenanciers indifférents qui lisaient ou bayaient aux corneilles quand ils ou elles ne roupillaient simplement pas. Une superbe fontaine à trois étages, à fioritures multiples s'épanouissant en arabesques colorées et entrelacs dorés, et aux jets d'eau de toutes les formes arrêta le groupe. Au bout de l'allée qui suivait, on bifurqua sur la droite et apparut la dernière bâtisse de l'Exposition. Ou la première pour ceux qui visitaient dans l'autre sens. La voix triomphante, la guide demanda:

-Et maintenant, je suis sûre que vous pouvez me parler de ce pavillon...

Une voix l'interrompit:

-Ressemble à celui d'Expo-67 à Montréal.

257

-Bravo, Gilles! claironna la flagorneuse Nelia. C'est bien ce pavillon que l'on a transporté depuis votre pays le Canada en pièces détachées et qui fut remonté ici. Vous avez un grand sens de l'observation, Gilles, et je vous en félicite... On comprend pourquoi vous travaillez à la télévision d'État dans votre pays.

Plusieurs applaudirent.

Hélène reçut un affectueux coup de coude dans les côtes de la part de Carole.

∞∞∞∞

Les deux compagnes furent les premières au car après le repas. Hélène l'avait voulu ainsi pour avoir la chance de parler au conducteur qui serait le même, Nelia le lui avait confirmé, pendant les quatre jours à Moscou. Les bras appuyés sur son volant, il fit semblant de ne pas les voir. Hélène frappa dans la porte. Il ouvrit sans se presser, l'oeil lourd et bas.

Elle monta les deux marches et s'arrêta devant lui. Il tourna la tête dans une autre direction et vers ses propres pensées secrètes.

*-Ou vas yests dièti?* demanda-t-elle de sa voix la plus douillette.

Il tourna vivement la tête, cherchant à comprendre. Il avait cru entendre des 'merci beaucoup' de sa part une fois ou deux quand elle avait quitté le car et il l'avait remarquée qui ne riait pas comme les autres sur le chemin défoncé de l'Exposition. Elle répéta en russe:

-Vous avez des enfants?

L'homme devint un autre homme. Il sourit largement sans aucune réticence ni arrière-pensée. Pas un de ces sourires soviétiques cloués d'un seul côté des lèvres, mais un visage épanoui d'enfant spontané à qui on offre un petit bonheur.

*-Dva,* répondit-il en montrant deux doigts.

*-Maltchik? Diévotchka?*

Il sortit un portefeuille et montra la photo de son fils. Elle demanda son âge et son prénom. Il avait neuf ans et s'appelait Costia. Puis il montra Katiouchka, sa fillette de cinq ans. Hélène n'avait pas prévu que cet entretien la ferait souffrir. Ses yeux s'embuèrent. Elle montra les photos à Carole puis fouilla dans son sac d'où elle sortit des stylos et de flamboyantes cartes postales canadiennes, l'une avec un chaton jaune et noir enfoui dans un chapeau fleuri et l'autre montrant un couple de bassets. Elle accrocha un stylo à chacune des cartes et les lui tendit:

*-Dlia nich.*

L'homme se confondit en remerciements balbutiés. Des mem-

258

bres du groupe arrivaient. Hélène dit deux ou trois 'je vous en prie' et elle se trouva une place plus loin, suivie de Carole.

Aucune engueulade entre lui et la guide n'éclata de tout l'après-midi. Au centre de la ville, on frôla la rivière Moskova puis aux abords du stade Lénine, on la franchit la pour aller à l'université Lomonossov. Souvent, le conducteur regardait Hélène dans son rétroviseur et il montrait son bonheur dans ses yeux, des yeux bleus comme le ciel au-dessus des collines Lénine. C'était la première fois qu'elle se sentait un peu considérée par un Russe et il était le premier Russe qu'elle aimait pour ses émotions et pour son humanité. Elle ne put s'empêcher de le regarder lorsque la guide parla du grand magasin sur leur gauche au joli nom de «Le Bonheur des enfants».

Par la suite, il chercherait par tous les moyens à lui plaire, ouvrant la porte avant qu'elle n'arrive au car, soulevant ou abaissant les vitres près d'elle pour qu'elle puisse avoir plus ou moins d'air, selon ce qu'elle désirait. Il en faisait tant qu'elle commença à se sentir mal à l'aise aux yeux des autres en se demandant si la mariée n'était pas finalement devenue un peu trop belle. Elle ignorerait toujours que l'homme avait vu jusqu'au fond de son âme et deviné les chaînes qu'elle portait si péniblement.

Après un arrêt au pied des collines d'où on pouvait apercevoir la pureté de l'air en même temps que d'en ressentir la clarté dans ses poumons, l'on fit une marche sur une promenade surplombant la Moskova et le stade Lénine. Un couple de jeunes mariés se faisait prendre en photo par des amis. Hélène fut sur le point de leur demander de faire de même pour elle, mais le temps de partir était arrivé déjà. On rentra en ville. Près de place Pouchkine, Nelia qualifia le poète dont la statue se trouvait à leur gauche, du plus célèbre écrivain russe de tous les temps, ce en quoi Hélène se sentait en parfait accord pour une fois malgré tout son amour pour les oeuvres immortelles de Tolstoï, Dostoïevski et Gogol.

"Et l'un des meilleurs du monde entier", pensa-t-elle sans l'exprimer. On avait beau être à quelques jours des Jeux olympiques, elle n'aimait guère ces épithètes ronflantes de champions toutes catégories de ci ou de ça et cette adulation des héros par le peuple soviétique, un culte encouragé par le système communiste, lui semblait contradictoire, contraire à l'idée de la 'dictature du prolétariat'. Le vedettariat aurait dû pourtant être considéré par les Soviétiques comme une peste noire américaine.

-Vous voyez cette grande bâtisse grise de l'autre côté de la rue, face au monument de Pouchkine, déclara fièrement la guide, eh bien il est question d'y aménager le plus grand restaurant de l'Union Soviétique, un restaurant de haute gastronomie qui offrira aux visiteurs et aussi bien entendu aux Moscovites des plats de la grande cuisine commu... de la grande cuisine traditionnelle russe. Enfin, on verra bien. Est-ce que vous connaissez certaines spécialités de notre grande cuisine?

-Les 'blinnii', dit une voix masculine.

-Bravo Gilles!

-Par 'cheu-nous', c'est les big-macs, dit le petit homme gris dans son rire de diablotin malicieux.

∞∞∞∞

Comme tous les autres, Hélène fut impressionnée par les beautés du métro, par sa propreté et par le prix ridicule qu'il en coûtait d'y voyager. Moscou avait de grandes leçons à donner à toutes les villes du monde en matière de transport urbain, pensa-t-elle quand on mentionna que six millions de personnes se déplaçaient sous terre chaque jour de l'année. Quelle économie de carburant, de véhicules automobiles, de l'atmosphère terrestre!

On rentra à l'hôtel par ce mode de transport. Il restait deux bonnes heures avant le repas du soir. C'était le bon temps pour s'acheter des roubles, visiter le magasin 'Bériozka' de l'hôtel, envoyer des cartes postales ou aller prendre un apéritif au bar. Hélène invita Carole à sa chambre. Elles y placotaient depuis peu lorsqu'on frappa à la porte. Quand elle ouvrit, parut dans l'embrasure la serveuse du matin à qui elle avait répondu 'peut-être demain' concernant la vente de son chemisier. La visiteuse dit en anglais:

-Je ne travaille pas demain et je viens pour acheter votre chemisier.

-Entrez! dit Hélène en russe. Et à l'endroit de Carole, elle ajouta:

-Quel diable lui a donné le numéro de ma chambre? Elle a des... contacts à la réception. Même là, il aurait fallu qu'elle connaisse mon nom...

-Peut-être les passeports?

Hélène s'esclaffa:

-En tout cas, si le système n'est pas bon d'une manière, il l'est d'une autre. Je pense que ça va me coûter mon chemisier rouge...

-Fais-la payer sinon dix autres vont t'achaler et tu vas te ramasser toute nue.

-Oui... et eux autres, ça ne les dérangera pas trop de me voir

260

reprendre l'avion en peignoir.

On négocia au-dessus du chemisier étendu sur la table devant un miroir haut. Hélène céda le vêtement pour cinq roubles. Alors la jeune femme voulut acheter le peignoir rose posé sur un dossier de chaise. Hélène éclata de rire en regardant Carole. Elle dit:

-Non, pas ça, j'en ai besoin pour prendre mon avion.

Et le redit en partie:

*-Net, nié èta. Mnié noujna...*

La jeune femme pâle et sérieuse jeta un coup d'oeil vers la garde-robe. Hélène la devança et lui fit comprendre par ses mains ouvertes et des mots définitifs qu'elle ne désirait pas vendre autre chose. La visiteuse alors cacha le chemisier sous son uniforme défraîchi et le fit si bien que pas une bosse ne la trahissait, et elle repartit sans un mot ni le moindre sourire. Hélène se sentit confuse et triste. Qu'il semblait dur d'être femme en ce pays! Elle aurait voulu avoir mille chemisiers rouges dans ses valises et les distribuer comme si ces personnes avaient toutes été ses soeurs.

Chacune ôta ses chaussures et s'assit dans un des lits jumeaux. On jaserait tout en relaxant après deux journées prenantes dont celle-là n'était pas encore terminée puisqu'on assisterait à une soirée folklorique dans 'une petite église transformée en salle de spectacles' ainsi que l'avait dit Nelia.

-Je me demande ce qui se passerait si quelqu'un lui annonçait ne pas vouloir suivre le groupe.

-Aucun problème, dit Hélène qui n'en était pas trop convaincue et se demandait si la personne absente ne serait pas en quelque sorte prisonnière à l'hôtel sans possibilité d'aller marcher en toute liberté dans Moscou.

Poser la question à Nelia serait lui mettre la puce à l'oreille car Hélène avait ce goût de disparaître, de s'effacer comme Lara vers la fin de 'Le Docteur Jivago', à la différence qu'elle reviendrait au bout de quelques heures après avoir erré dans sa rêverie soviétique... pour peut-être mourir à une partie d'elle-même et renaître en l'espace de quelques heures...

Il y avait une atmosphère de secret éternel dans cette chambre d'un grand hôtel de Moscou. John le Carré aurait examiné à la loupe l'eau des robinets par crainte d'y trouver des substances de vérité et découvert des micros partout, mais Hélène n'en voyait qu'un seul à son écoute et c'était le coeur de cette jeune compagne qui s'attachait à ses pas depuis Montréal et paraissait lui vouer une totale admiration.

261

Elle s'épancha.

Tous les événements ayant entouré son divorce y passèrent. Parfois même, elle dramatisa comme à propos de cette marche étrange qu'elle avait faite sur le pont de Saint-Eustache dont elle parla comme d'une sorte de fascination que la mort avait exercée sur elle ce soir-là et son récit eut donc tous les airs de la démarche suicidaire avortée par manque de courage.

Carole qui comptait si peu de grand vécu écouta, questionna en ajustant son degré de discrétion à celui des propos entendus. En quelques heures, elle en sut davantage d'Hélène que toutes les connaissances réunies de cette femme malheureuse excepté ses parents, sa soeur Suzanne et son amie Pierrette.

Quand vint le moment de descendre, Hélène exprima toute sa reconnaissance à l'autre qui lui avait permis de faire diminuer le stress très lourd qu'exerçaient sur elle les omniprésents souvenirs pénibles de sa vie récente, l'absence de ses enfants au moment de son départ et le dur choc soviétique...

∞∞∞∞∞∞∞∞∞∞∞

# Chapitre 19

On fut à table avec un peu de retard. Nelia était du groupe. Sans maquillage, l'oeil bas et le visage fade, pas beaucoup d'hommes gardaient sur elle un regard le moindrement appuyé. Mais son discours retenait l'attention malgré le manque flagrant de substance à discuter. Tout était appris par coeur, roulé et coulé dans le ciment durci; par bonheur, ses élèves se montraient dociles et prompts à la croire sans trop s'opposer.

Curieusement, les personnes qui avaient le plus ri lors de l'incident de l'autocar enlisé éveillaient le mieux son intérêt. Car ses craintes de les entendre recommencer se transformaient en un respect apparent tandis qu'Hélène, elle, obtenait de moins en moins sa considération. Sorte de réflexe de Pavlov par lequel le bâton inspire mieux que la carotte et qui avait modelé l'Union Soviétique ces soixante dernières années. Comportement que la Québécoise eût été la dernière à lui reprocher puisqu'elle-même s'était ainsi soumise pendant douze ans aux diktats d'un homme et ratatinée sous ses nombreux rires méprisants.

Les yeux d'Hélène croisèrent ceux d'un serveur qui attendait en retrait, près d'un parquet de danse où se trouvaient des instruments de musique recouverts de draps blanc cassé. Mains croisées devant lui, mine impassible, il bougea néanmoins le petit doigt et elle le remarqua en baissant les yeux pour passer près de lui en direction de la table animée.

Des hommes avaient profité de leur fin d'après-midi pour aller boire beaucoup de bière à une brasserie aux allures bavaroises située au dernier étage de l'hôtel et ils étaient légèrement pompettes. Personne n'avait encore remarqué qu'à une extrémité de la table, celle près du mur, il y avait le drapeau canadien; c'était peut-être qu'au centre, il y avait celui du Québec. En fait, l'hôtel cherchait moins par l'utilisation des drapeaux nationaux à flatter sa clientèle qu'à faciliter le travail des serveurs et si on connaissait l'unifolié, on ne se préoccupait guère de l'autre, pas plus que le fanion d'une république balte n'aurait eu grand poids à côté du drapeau soviétique.

Hélène et Carole furent accueillies avec éclat. Une voix proposa un toast en leur honneur. Gilles lança qu'il était ardu de porter un toast sans autre chose à boire que de l'eau minérale. Et il ajouta pour qu'on le suive:

-Si quelqu'un veut m'aider à la partager, je ne dis pas à la payer, là, je dis à la partager, je commande une bonne bouteille s'il y a du vin buvable ici.

-Ah! mais si, mais si! s'exclama Nelia avec les yeux d'une certitude démesurée. Je fais venir la carte.

C'est ainsi que la suggestion mena le groupe à commander quatre bouteilles de vins différents dont un de France et un d'Italie.

Dans l'immense salle, il y avait plusieurs tablées de nationalités diverses, la plupart européennes et africaines. Et, bien entendu, pas la moindre trace d'Américains! Personne n'avait remarqué la présence d'une autre table canadienne dans un coin directement opposé. Il fallut la visite d'un couple l'occupant qui avait repéré, lui, la table-soeur à laquelle on pourrait peut-être se joindre au prochain repas.

La femme, une blondinette dans la haute cinquantaine, marchait devant son mari, petit drapeau en mains en répétant le mot Canada. Plusieurs agitèrent les bras en signe d'accueil et on parlait tant de tous les coins que dans le brouhaha, elle ne parut pas se rendre compte qu'elle avait affaire au Québec.

-Where are you from? We are from London, Ontario...

Comme s'il avait été mordu par un serpent à sonnettes, le chef de groupe empoigna le drapeau québécois et le brandit en criant d'un ton qui lui valut l'attention de la moitié de la salle:

-Not Canada, madame, Québec. Montréal pis Chicoutimi. Ça vous dit-il quelque chose ou ben rien, ça vous, Chicoutimi?

-Sorry, we don't speak French, risqua l'homme.

Le visage du chef de groupe s'empourpra.

-On n'est pas des têtes carrées, nous autres, on est des frogs, vous connaissez ça, des frogs?

Les visiteurs comprirent de quoi il retournait. Du regard, ils firent un tour de table et ne relevèrent pas beaucoup de sympathie à leur endroit. Hélène garda les yeux dans son vin. Elle se sentait privée de quelque chose, elle qui pourtant avait milité fervemment pour la cause nationale voilà si peu de temps. Ce chef de groupe s'arrogeait un droit qui ne lui appartenait pas. Il n'avait pas à parler au nom des autres et encore moins celui de se montrer incorrect en recrachant de l'amertume référendaire sur des gens dont le seul tort apparent était d'avoir voulu saluer des compatriotes perdus comme eux à Moscou. Elle était brimée dans son droit de penser et de paraître. Dans un pays où tout était hautement politisé, on aurait pu s'abstenir de scander le nationalisme québécois...

La femme abaissa son drapeau et dit, la voix rapetissée:

-Have a nice trip...

Puis elle tordit cruellement deux derniers mots:

-Bon... voyage!

-Va être meilleur entre nous autres, dit le chef de groupe.

On l'applaudit. Sa colère écarlate se transforma en fierté rouge et il leva son verre, claironnant:

-À René Lévesque!

"Bon Dieu de merde, se dit Hélène, nous sommes en voyage, en vacances, en Union Soviétique, qu'est-ce que la politique de chez nous a d'affaire à nous suivre. Était-ce donc le signe d'un peuple au cerveau lavé? Mais alors, comment avait-on pu perdre ce référendum?..."

Les gens de Radio-Canada levèrent à leur tour leur coupe et répétèrent les mots du toast nationaliste. Tous suivirent, sans une seule exception.

Par la voie indirecte, Nelia se sentait rassurée sur sa propre foi en l'Union Soviétique.

Hélène avait honte d'elle-même.


On servit tout d'abord un bortsch. Celui des deux serveurs qu'Hélène avait regardé avec insistance à son arrivée fit en sorte de ne pas travailler de son côté de la table pour se trouver en face d'elle afin de pouvoir répondre par le même moyen de communication à ce qu'il avait interprété comme un message. Quand il mit le plat de boeuf Stroganov devant le vis-à-vis d'Hélène, un homme tout sourire à cheveux blancs qui cherchait par le moindre mot à se rendre sympathique à tous et y réussissait, le garçon pénétra profondément le regard d'Hélène à un point qui la bouleversa le temps de son exploration de cette viande aux inquiétants mystères qu'elle avait déjà devant son appétit.

Le reste du repas conserva son allure politisée. On chanta l'hymne national québécois et sur un ton si rempli d'enthousiasme que les quinze pays présents regardèrent d'un drôle d'air ce Québec d'adolescents.


Une petite église basse à deux tours à bulbes, blanche dans le soir, centenaire, hexagonale, ouvrait sa porte minuscule à la file des visiteurs étrangers venus assister au spectacle folklorique présenté par des amateurs soit des gens qui travaillaient le jour à l'usine ou ailleurs et se retrouvaient le soir pour présenter chants, danses et musique dans la meilleure tradition russe.

Une centaine de personnes, des Britanniques, des Allemands et les Canadiens prirent place sur des chaises droites, plus dures semblait-il que celles de la salle paroissiale de Saint-Placide en 1955, absolument inconfortables et pas toutes sécuritaires. Mais lorsque le rideau s'ouvrit, tous les malaises d'Hélène disparurent. Son dos ne se lamenta plus; ses peines s'envolèrent. Ce fut l'enchantement pur et entier jusqu'à la fin de la prestation qui dura deux heures.

Cette musique d'une douceur incomparable où tous les airs même les plus entraînants étaient nuancés par les notes un peu tristes de la balalaïka, s'insinua dans toute sa substance profonde pour bercer son âme d'une sérénité parfaite. Elle vit, elle entendit la belle Russie qu'elle aimait tant depuis toujours.

Aucune musique au monde n'est plus féminine, ne possède le même pouvoir d'inventer le désir à chaque note, ne désaltère davantage, et toutes les pièces interprétées furent un magnifique désir s'achevant dans une exaltation mystique et charnelle, une poussée sans limite vers l'infini. Ses couleurs d'or, de rouge, de vert de bleu et leurs tons multiples prenaient des moirures et des chatoiements sur les costumes nationaux pour les redonner aux sens, remplies d'éblouissements et de magie.

Les splendeurs du rêve. Des danses folles et sages. Une chorégraphie inspirée des étoiles. La diva un peu noire et fatale, nova céleste qui commença à chanter derrière la salle. De vrais sourires soviétiques: authentiques enfin! Une quarantaine d'artistes portés par le magnifique désir d'être beaux et qui l'étaient.

Hélène en repartit le coeur plein d'estime, l'âme paisible et la chair assouvie. Il y avait une éternité qu'un tel bonheur ne l'avait seulement effleurée, qu'avenir et passé ne s'étaient éclipsés aussi totalement pour laisser toute la place à un présent féérique, irréel, à l'illusion formidable.

Le retour à sa chambre d'hôtel eut lieu entre onze heures et minuit. Elle n'y était pas depuis cinq minutes que le téléphone sonna. Bon, bon, bon, voilà que l'erreur universelle au pays de Lénine reprenait ses bons vieux droits. Qui pouvait se tromper ainsi de chambre? Les mêmes qui lui avaient donné une mauvaise clef le premier jour? Car excepté Nelia, pas beaucoup de Québécois n'auraient pu la rejoindre via la téléphoniste qui ne parlait que le russe et l'anglais? Et puis seule Carole connaissait le numéro de sa chambre.

Elle ne répondit pas. On se rendrait compte de l'erreur. On arrêterait cette sonnerie agaçante. La sonnerie cessa. Elle avait eu raison. Mais elle recommença de plus belle et dura, dura... Six coups, sept, huit... Bon Dieu, mais qu'ils parlent russe ou chinois, elle leur dirait qu'ils se trompaient de numéro.

-Allô!

-*Dobrii viétcher, Helen!*

-*Prastitié?!* *fit*-elle abasourdie.

Qui donc, quelle voix masculine très russe lui adressait ce 'bonsoir Hélène' qui ne laissait aucun doute sur la destination de l'appel.

-Si vous désirez pratiquer votre langue russe, je puis me mettre à votre disposition.

-Mais qui êtes-vous donc? demanda-t-elle en pensant au conducteur de l'autocar qui venait de lui faire de grands yeux doux à son arrivée.

-Le garçon de table.

-Ah!

-Je ne demanderais pas mieux que de vous faire connaître des mots nouveaux.

Elle le fit répéter plus lentement.

Il redit les mots mais en anglais.

-Pour me montrer du russe, il vous faudrait parler russe, blagua-t-elle.

-D'accord, d'accord, je vais parler russe.

Hélène commença à se demander si une certaine facilité à communiquer ne la desservait pas, tout bien réfléchi. Et puis, elle n'était pas un homme tout de même pour s'envoyer en l'air après deux regards et un coup de fil. Il y avait donc un réseau bien organisé dans cet établissement, pensa-t-elle, autrement la serveuse et ce garçon n'auraient pas su tous les deux quel était le numéro de sa chambre. Et s'il appelait, c'est qu'il avait l'habitude de le faire. Conclusion inévitable: d'autres femmes seules se risquaient à se faire donner des leçons de langue. Des vieilles Anglaises bourrées d'argent sans aucun doute! Ce charabia d'idées combla la pause mais il lui appartenait de dire quelque chose maintenant. Elle tâcha de calmer un peu l'effervescence de son esprit.

-*Mojet bouits zaftra!*

"Sainte Russie du bon Dieu! qu'est-ce qu'elle venait d'échapper là?" Elle avait dit ce 'peut-être demain' à la serveuse et ça lui avait coûté son beau chemisier rouge et presque son peignoir... Il lui fallait rattraper ça à tout prix. Elle balbutia, la voix aiguë de certaines femmes russes:

-Je veux dire... une autre fois, je suis fatiguée... je veux me coucher... bonsoir s'il vous plaît...

-Bon à demain, Hélène, dit la voix qui parlait comme un coeur.

Elle raccrocha, stupéfaite. Décidément, ce pays devenait de moins en moins impénétrable...

Quelque chose de pénible dans la poitrine la réveilla à la même heure que la nuit précédente. Elle répéta son geste de se rendre à la fenêtre et de regarder la pavillon d'Expo-67. Ce boeuf douteux lui travaillait terriblement l'estomac. Devrait-elle endurer cette souffrance deux longues heures comme la veille? Elle s'habilla d'une robe chemisier marine et quitta la chambre. Une longue marche de son meilleur pas dans l'air frais du dehors la remettrait d'aplomb.

La *diéjournaia* fit un air quand Hélène lui remit sa clef. C'est qu'elle somnolait sur un lit simple à côté de son bureau et n'aimait pas trop se faire sortir de son sommeil. Hélène se sentit coupable, d'autant qu'elle serait de retour dans à peine une demi-heure.

En sortant de l'ascenseur désert dans le lobby pas très fréquenté non plus, elle se demanda si les contrôleurs à l'entrée la laisseraient sortir seule, sans son groupe, sans problème. Le mieux pour le savoir était de faire la tentative. Que le KGB la suive; elle se sentirait protégée des gros loups comme ce garçon de table. On ne lui prêta aucune attention. Un grand groupe de touristes italiens bavards rentrait. Elle les croisa, sortit, se rendit à l'avenue qu'elle traversa aisément.

Ses pensées ne tuaient pas la douleur qui allait s'accentuant. Alors elle pressa le pas en maudissant cette nourriture trop lactée à laquelle son estomac ne s'adaptait pas. Des souliers à semelle monobloc achetés exprès pour les longues marches d'un voyage touristique lui permettraient de courir s'il le fallait. Et elle s'engagea dans l'entrée des terrains de l'Exposition des Réalisations de l'économie nationale. Moscou étant la ville la plus sûre au monde à cause justement de la surveillance par la police secrète et par l'autre, et par les citoyens entre eux, elle ne risquait rien. En tout cas bien moins qu'à longer l'avenue de la Paix où il y avait quand même une certaine circulation de voitures.

La clarté sombre de la nuit moscovite tenait à la pureté de l'air et à l'usage modéré des lumières artificielles. Un firmament de cristal aux scintillements inaltérés coiffait donc la capitale et luisait à travers ses longs cils dans ses yeux levés haut. Savonnée toute la journée par les propos de Nelia et ceux de la table québécoise, Hélène regrettait de s'entendre discourir à chaque pas autour du sempiternel 'qui a raison-qui a tort' qui offre à l'esprit une nourriture sèche dépourvue de vitamines. Elle eût voulu s'élancer vers l'infini comme l'obélisque de la rue ou le toit du pavillon soviétique bien en vue maintenant dans son meilleur angle au bout d'une allée bordée de bouleaux. Mais cette douleur physique et le vacuum créé par ces gens déshumanisés par leurs obsessions politiques l'aspiraient par les pieds et rendaient son âme semblable à ces monuments à lourdeur effrayante de l'architecture stalinienne que le dictateur avait fait ériger en hommage à sa propre carrure.

Oui, les Soviétiques avaient raison avec leur métro, leur musique, leur culture, leurs enfants choyés tenus par la main jusqu'à l'adolescence; oui, ils avaient tort avec leurs faces de bois, leur soumission totale, leurs peurs collectivisées... Pauvre peuple aux rares élans rabroués, rééduqués, remis sur la voie de la pensée dirigeante ou bien enterrés quelque part en Sibérie ou dans un asile psychiatrique. Ceux-là pourtant qui avaient un peu relevé la tête étaient les plus chanceux car les autres, l'homme de la rue, la femme avec son filet dans la file d'attente, l'étudiant dans ses nombreux cours d'endoctrinement, vivaient leur internement dans leur propre geôle intérieure... Non pas tous... Il y avait ces musiciens, ces danseurs, ces danseuses qui donnaient leur spectacle dans la petite église, ceux-là qui en silence s'en remettaient à leurs valeurs intérieures pour survivre dans la grisaille, ceux-là un jour porteraient peut-être le flambeau de la liberté, d'une autre liberté...

Assez divaguer, s'écouter déparler, elle ne venait pas dans ce parc pour s'assommer de questions mais pour se libérer. Et pour s'adapter. Elle souffrait sans doute d'apepsie à cause des aliments trop lourds. Au moins, la douleur n'augmentait ni ne diminuait. Folâtrer dans des comparaisons de valeurs sur les systèmes lui faisait oublier un peu la souffrance mais elle désirait plus, elle voulait murer son passé quitte à le fenêtrer à son retour au Canada, le claustrer tout entier dans une mémoire noire pour le reste du voyage en U.R.S.S., se détourner de toute image lui rappelant Lorraine et jusqu'à celles de ses enfants ou les lui rappelant.

C'est par les mystérieuses beautés de la nuit, par l'infinité d'étoiles et le souvenir magique des joies de la petite église qu'elle pourrait abreuver sa soif d'un nouvel absolu. Pour cela, elle ne devait pas se rendre trop près du pavillon. Elle voulut embrasser du regard toute sa majesté sombre et surtout ses lignes d'avenir tracées depuis près de quinze ans déjà. Une bonne fée eût été dans les environs que ça ne l'aurait pas surprise. En effet, il y avait juste au bon endroit un simple banc dans une minuscule boulaie d'où elle pourrait se parler d'avenir, se propulser dans le futur en tournant la page enfin... peut-être.

En dix de ses longs pas de professeur pressé, elle y fut. En cet endroit, l'air parut plus doux qu'ailleurs. Il devait tomber sur les occupants du banc une bruine de molécules rafraîchissantes qui embuait l'âme pour la mieux livrer à la poésie. Elle s'assit, regarda, entendit. Les notes bleues de Kalinka emportèrent les danseurs de l'église sur le toit du pavillon d'où elles s'envolaient vers les étoiles, entraînant leurs passagers dans une ronde infinie.

Puis son imagination l'emporta aux abords de la cathédrale de Basile-le-Bienheureux qu'on avait frôlée durant la journée et que l'on verrait d'encore plus près le lendemain puisque l'église, bien que non ouverte au public, était quand même à l'agenda du jour suivant avec une visite au Mausolée de Lénine et une soirée au théâtre Bolchoï. Elle vit Pierre qui sortait du pavillon, s'approchait prenait par le bras son âme en robe de mariée et la conduisait à la cathédrale. Le couple y entrait, puis en sortait avec les enfants: fleuri, transparent dans un matin lumineux qui batifolait sur les coupoles en torsade.

Tout ne fut plus bientôt que paix, romance et fleurs. Grands souvenirs, demi-soupirs, sentiments évanescents, images du jour se fondirent en visions kaléidoscopiques. Elle s'appuya le bras au dossier et la tête sur son bras. Et ferma les yeux...


Il faisait clair quand elle les rouvrit. L'avenue de la Paix jetait sur les environs ses bruits excessifs d'un matin nerveux. On court moins vite dans les rues de Moscou mais on y court comme dans

270

toutes les villes du monde. Hélène avait une douleur au front. Elle prit conscience de l'endroit où elle se trouvait, se souvint... Elle se toucha au-dessus de l'oeil: il y avait une bosse. Sa tête avait donc heurté un montant du siège qu'elle avait d'ailleurs en pleine figure. Pour la deuxième fois en vingt-quatre heures, elle avait perdu la carte dans des circonstances qu'elle n'arrivait pas à se remémorer. Cette fois, ça s'était passé comme au chalet quand elle s'était soûlée. Avait-elle donc absorbé une drogue quelconque? Elle se releva, secoua la tête pour retrouver mieux ses idées et se traiter d'idiote: Hélène Prince avait beau se trouver à Moscou, elle n'était pas le personnage central d'un roman d'espionnage tout de même. Elle laissait ce genre de scénarios aux touristes impressionnables et surévaluant leur propre personne ou encore aux écrivains à l'imagination délirante.

Sa montre lui dit qu'elle devrait ou bien se passer de déjeuner ou ne pas retourner à sa chambre. Elle choisit de retourner à sa chambre; après tout, il y avait toujours une douleur dans sa poitrine, sourde certes, mais bien présente et qui rayonnait comme un soleil inconfortable. Se nourrir, ce serait la nourrir aussi.

Elle respira de l'air devenu plus frais, frémit un peu et se mit en marche pour l'hôtel, laissant derrière elle un banc qui luisait sous la rosée du matin sauf pour l'espace tordu d'une silhouette féminine déformée.

Le surencombrement de véhicules l'empêcha de franchir la voie vis-à-vis l'entrée même de l'Exposition et elle dut faire un détour par les feux de circulation, ce qui lui grugea quelques minutes encore. Mais une fois de l'autre côté, son pas de cégep l'emporta sur l'allée montante jusqu'à la grande entrée de l'hôtel. Tout le groupe du Québec était là, au pied de l'escalier menant au deuxième étage où se trouvait la salle à manger dans laquelle, pensa Hélène, ils auraient dû se trouver pourtant. Une femme l'aperçut, s'écria:

-La voilà, la voilà!...

Tout le Québec, d'un seul mouvement, se tourna dans la direction du regard de la personne.

Hélène sourit. L'attendait-on pour aller déjeuner? Elle se dirigea vers eux pour leur dire de monter sans elle, pour leur résumer sa petite randonnée nocturne... Tous les visages lui parurent bizarres, inquiets et soulagés à la fois, inquisiteurs et accusateurs aussi...

-Nelia est en train de mourir à vous chercher, dit le chef de groupe.

Hélène rit:

-Mais quoi, une femme seule et solitaire ne peut-elle pas se permettre de se rendre à un rendez-vous galant à Moscou? N'y a-t-il que les hommes qui ont droit à cela? Allons donc!

On avait du mal à la croire. Des rides sceptiques plissaient les glabelles. Elle allait s'expliquer sans blagues quand la guide affolée accourut depuis le comptoir de la réception:

-Mais d'où sortez-vous donc, madame Hélène?

La fausse excuse qu'elle venait de servir à ses collègues lui ferait sonder l'humeur véritable de la guide et elle la répéta. Nelia lança, excédée:

-Si vous étiez partie pour aller retrouver un compagnon, je le saurais... Où êtes-vous donc allée comme ça en pleine nuit?

-Marcher.

-Marcher en pleine nuit et jusqu'au matin?

-J'ai marché, je me suis assise et je me suis endormie, je pense.

Nelia rentrait chez elle le soir. Elle ne pouvait surveiller chaque membre de son groupe comme s'il eût été un enfant. Mais il y avait dans sa tâche la nécessité de prendre une totale autorité morale sur chacun. Pareille escapade était inacceptable pour elle car insupportable pour ses patrons. On aurait pu la suspendre pour trois mois ou pire. Il fallait qu'elle rabroue Hélène devant tous. Le ton devait être celui d'une colère menaçante mesurée.

-Je ne veux plus qu'une telle chose se produise, madame Hélène. Je ne le tolérerai pas. C'est au nom de votre groupe que je parle. C'est à eux que vous faites subir quelque chose de déplaisant. On s'est inquiété. On s'est morfondu. Vous me nuisez dans mon travail. Ce n'est pas parce que vous êtes en Union Soviétique et la preuve en est que les portiers ne vous ont pas inquiétée quand vous êtes sortie, mais c'est parce que vous faites partie d'un groupe et que vous ne devez pas être une source de problèmes et pour vos gens et pour nous. Est-ce bien clair?

Puis le ton baissa:

-Je veux bien vous excuser pour cette fois-ci, mais... Donnez-moi une excuse valable au moins... Marcher la nuit, c'est dangereux... même chez nous. C'est vrai qu'il n'y a presque pas de criminels à Moscou, mais il y a, comme partout au monde, des individus qui sont un peu... malades entre les deux oreilles... Et la nuit, vous savez, peut les rendre pires...

Hélène tâchait d'absorber tout ce discours débité sur un rythme infernal mais elle n'y parvenait pas. Elle avait chaud. Elle avait la nausée. Tout tournoyait. Tout l'étourdissait, l'assourdissait.

-Ça ne se fait pas...

-Moi, je l'ai fait, s'entendit-elle dire.

Les images furent emportées dans un immense tourbillon. L'escalier derrière les Québécois, la vendeuse de poupées sous l'escalier, le comptoir de réception, les ascenseurs, le kiosque à journaux, l'entrée du Bériozka, la guide en avant-plan, les passants, tout tanguait, dansait, vacillait. Elle aurait voulu vomir. Il n'y avait rien à vomir. De la sueur perlait sur son front. Elle en sentait suinter, couler par tout son corps.

-Mais que se passe-t-il? Qu'avez-vous? dit Nelia à qui cette touriste n'en finissait pas de causer des problèmes.

Hélène voulut répondre:

"Je ne sais pas."

Elle baragouina quelque chose dans une langue inconnue, les sons bizarres et mêlés de quelqu'un qui sombre; et s'écroula au plancher, sa tête heurtant la surface dure. Chacun accourut. Nelia se pencha sur elle. Et Carole s'agenouilla.

-Il lui faut de l'air, dit quelqu'un.

-Une serviette mouillée, dit un autre. On dirait qu'elle s'est évanouie.

Hélène entra dans un long rêve profond. Elle se revit d'abord comme la nuit précédente dans son remariage à Basile-le-Bienheureux avec François et Manon comme garçon et fille d'honneur et Valérie en bouquetière. Puis Manon en patins de fantaisie sur la scène du Bolchoï

Des voix excitées lui parvenaient, paisibles et douillettes. Son corps flottait dans des nuages multicolores. Elle entra dans un grand manège en forme de cuve et qui vous cloue au mur sans vous faire de mal, et qui vous enchaîne et vous entraîne, flouant tout ce qui passe devant vos yeux remplis d'eau et de vent... Au loin, là-bas, dans le brouillard, les pavillons d'Expo-67...

Passent les nuages et passe le temps. Ni guerre ni faim; ni haine ni orgueil; ni peur ni soif. On parlait tout autour. Elle comprenait sans savoir ce que l'on disait. Comprenait le sens de tout, même de ces drôles de bruits lointains des véhicules de l'avenue de la Paix doués du don de la parole...

Un klaxon klaxonne, une porte claque, des roulettes grincent, on crie, on s'invective: tout lui parvient en sourdine et ajoute à son bien-être. Un souvenir se montre plus net que la robe de la mariée de la promenade au pied des collines Lénine: Hélène est dans une auto blanche près de l'église de Saint-Placide. Elle a douze ans. Un garçon s'approche, sourit, elle répond, il s'éloigne, salue de la main, elle salue, se sent aimée, environnée...

L'ivresse entre encore. Des voix se parlent. Des femmes, des hommes: c'est confus. Non, c'est russe. Les mots parlent du coeur, se font notes de balalaïka s'égrenant sur les beautés d'une vingtaine d'instruments. Les couleurs éclatent, les costumes brillent dans la petite église...

Une voix surpasse toutes les autres. C'est la diva un peu fatale. Non, c'est une voix musclée qui se fait proche, qui se fait tendre, qui touche, qui enveloppe comme un utérus, qui chuchote en français:

-Tenez bon, petite madame du Canada, tenez bon. On prend soin de vous... Mais vous devez tenir bon...

On lui touche la main.

L'ivresse entre en elle...

∞∞∞∞∞∞∞∞

# Chapitre 20

-*Idiote docht!* dit une voix féminine.

En effet, la pluie tombait. Et abondamment. Soufflée par des vents irréfléchis aux fines rafales folles. On pouvait l'entendre tambouriner sur les vitres. Ses petits pas apaisants rappelaient à Hélène dans sa demi-conscience une danse à claquettes exécutée dans la fenêtre par de joyeux et infatigables mille-pattes.

-*Ana prasnoutsa,* dit une autre voix.

Oui, elle se réveillait et la question qui obsédait Hélène, c'était de savoir pourquoi. Pourquoi émergeait-elle d'un si profond sommeil, vaste comme la Sibérie? Pourquoi deux femmes russes se parlaient-elles tout près? Le visage de Nelia lui revint en mémoire, Nelia qui la réprimandait devant tout le monde à cause de sa sortie nocturne. Et ce brouillard... Et ce bonheur incomparable...

Elle ouvrit les yeux. De l'eau coulait par de multiples ruisseaux minuscules entre des rigoles noires sur les vitres crasseuses d'une fenêtre située au-dessus d'un calorifère jaunâtre comme ceux du couvent de son adolescence. À la curiosité succéda une pointe d'anxiété. Elle aperçut son bras allongé, un pansement, une aiguille, un tube... Tournant la tête, elle aperçut les femmes qui l'observaient derrière leurs masques. Bon, elle avait beau avoir le cerveau lent, il lui paraissait plutôt évident qu'elle se trouvait dans un hôpital.

-Allez chercher le docteur, demanda une des infirmières à sa collègue qui aussitôt quitta la chambre.

Hélène comprit. Elle fut sur le point de le montrer en parlant russe elle-même mais quelque chose la retint, un sentiment malaisé, inexplicable et à propos duquel elle ne réfléchit pas. Elle attendit tout en parlant avec des yeux exploratoires puis elle dit en anglais:

-Where am I? In a hospital?

L'autre fit des hochements affirmatifs. Hélène ne pouvait apercevoir que ses yeux légèrement bridés et des cils noirs. Ce peu qu'elle voyait de la femme lui rappelait Nelli Kim, la gymnaste olympique d'Asie centrale qui avait fait bonne figure aux Jeux de Montréal quatre ans auparavant.

-*Da*... in a hospital... confirma l'infirmière.

Hélène n'en demanda pas plus. Le médecin parlerait sûrement anglais. Il lui donnerait tous les détails.

Elle refit le tour de la chambre d'un regard délibéré, apercevant si peu que cette fois, elle emmagasina définitivement l'image. C'était une pièce étroite comme une cellule monacale ou de prison avec des murs qui avaient dû être blancs déjà mais dont la matité flavescente dégageait des odeurs de tabac. Elle remarqua sur le mur droit un cadre à l'effigie de Lénine mais ce fut pour le comparer aux symboles religieux qui avaient si longtemps encombré les moindres lieux publics du Québec jusqu'aux années 70. Peut-être que l'Union Soviétique finirait, elle aussi, par se sortir un jour de sa religion léniniste comme le Québec avait émergé de sa religion lénifiante, si tant est que sa Laurentie natale ne s'était pas jetée dans une nouvelle étroitesse, celle d'une religion nationaliste.

Elle s'étira le cou pour voir le quatrième mur, celui derrière sa tête. Tout ce qui y apparaissait était une porte donnant sans doute sur les toilettes.

Ses rares pensées n'étaient que des éclairs bien plus courts que des secondes traversant son angoisse grandissante quant à elle-même et son état de santé. Quel mal à faire perdre conscience, quel accident l'avait donc conduite là? Peut-être un tremblement de terre? Mais non... Un objet avait pu lui tomber sur la tête dans le lobby de l'hôtel Kosmos? Soudain, les yeux presque féroces, elle empoigna son imagination pour la jeter au plancher comme s'il s'était agi d'un fauve hypocrite ou d'un lutteur quelconque. Et des larmes lui montèrent aux yeux. Mais en même temps, l'angoisse baissa d'un cran. Elle se rendait à l'évidence: son mal dans la poitrine avait été la cause de sa perte de conscience. Et la cause de ce mal n'était pas l'estomac mais certainement le coeur. Les symptômes, quels étaient les symptômes? Un mal à l'estomac mais aussi, normalement dans le bras gauche et des picotements dans la nuque. Il en avait pourtant manqué pour elle, de ces signes avant-coureurs, car elle n'avait jamais rien senti d'autre que cette douleur intense au centre de son corps.

L'infirmière baragouina en anglais:

-Le docteur... venir... une minute...

Hélène se composa un sourire de remerciement. L'autre jeta un oeil sur la bouteille de soluté pour évaluer le temps qu'elle mettrait à se vider, ce qu'elle savait déjà du reste. Mais les gens qui ne communiquent pas cherchent toujours à boucher les vides comme pour apaiser leurs remords.

La porte s'ouvrit enfin. Quelqu'un entra qu'Hélène devina par l'air être le docteur. Il s'adressa tout d'abord à l'infirmière à qui il donna congé. L'homme n'avait de visible que le regard couleur de lapis-lazuli qui paraissait d'une froideur d'acier mouillé. Il tourna le dos jusqu'au moment où il fut seul avec sa patiente. Alors il défit le lien de son masque blanc et le laissa pendre sur le côté tout en s'approchant, le visage ainsi découvert, les traits fins mais crispés, les favoris à l'occidentale, les yeux profonds.

-Notre petite madame du Canada s'est enfin réveillée? dit-il dans un français très acceptable mais à mi-voix comme quelqu'un habitué à parler bas, très bas de manière que son interlocuteur seul puisse entendre.

Il y avait quelque chose de familier dans cette voix. Et aussi quelque chose de récent. Les mots n'étaient pas neufs non plus mais ô combien douillets et rassurants.

-Enfin, dites-vous. Cela veut dire combien d'heures?

-Cela veut dire presque deux jours dont vingt-quatre heures aux soins intensifs.

-Deux jours!?

-Trente-six heures... quarante peut-être...

-Que s'est-il passé?

-Un... accident...

-Un accident cardiaque?

Il cligna des yeux et plissa la bouche dans un signe d'acquies-cement.

-On vous l'a dit?

-Non, je viens de le deviner au rappel de mes douleurs à la poitrine depuis mon arrivée à Moscou.

-Vous avez parlé avec les infirmières?

-Non... Elles parlent russe...

Il se mit un doigt sur la lèvre supérieure et fit de légers signes de tête.

-*No, voui mojetié gavarits parouskii...(Mais vous pouvez parler russe.)*

Elle se surprit:

-Comment le savez-vous?

-Il a fallu faire votre admission à l'hôpital et on a pris des renseignements à votre sujet de la même façon qu'on le fait dans votre pays.

-Sauf que chez nous, on demande les langues parlées quand on remplit un formulaire relatif à l'emploi, pas à son entrée à l'hôpital.

-Vous êtes à Moscou en un temps où il y a plus d'étrangers que jamais dans la ville.

-Et puis, je ne parle pas votre langue. Seulement des phrases apprises par coeur.

-On m'a dit que deux mois en Union Soviétique suffiraient pour que vous la parliez couramment.

-Contente de l'apprendre. Qui vous a dit ça?

-La guide de votre groupe.

-Que vous a-t-elle dit d'autre?

-Que vous aviez passé la nuit dehors.

-Et ensuite?

-Que vous n'étiez pas une touriste comme les autres.

-Ce qui voudrait dire?

-Je trouve normal que vous n'ayez pas eu l'air normal depuis votre arrivée... Ce qui vous est arrivé se préparait sans doute...

-Il m'est arrivé quoi exactement?

-Une crise cardiaque... Un évanouissement... Vous vous êtes assommée aussi... J'ai besoin de renseignements sur vos antécédents; j'espère que vous ne me prendrez pas pour un agent des services secrets...

-Pourquoi dites-vous ça?

-Parce que les Occidentaux sont tous atteints du mal de 'l'es-

278

pionnite' quand ils viennent dans notre pays.

-Ils ont tort?

Il la regarda jusqu'à l'âme:

-Bien évidemment! fit-il sèchement.

-Je n'ai rien à cacher de mes antécédents... médicaux.

-De ceux-là et... des autres?

Il se rendit au pied du lit et prit le dossier de la malade qu'il commença à remplir à mesure qu'elle répondait aux questions sur ses maux d'enfance et d'adulte. Par plusieurs chemins, il lui fit répéter qu'elle n'avait jamais ressenti de troubles cardiaques.

Tout ce temps, elle analysait le son de sa voix. Cette apparente indifférence combinée à une retenue évidente, plus le timbre engageant, plus un je-ne-sais-quoi de profond et mystérieux.

L'infirmière aux yeux bridés revint porter une tasse d'un liquide chaud pour Hélène qui commença à le boire à petits traits. C'était quelque chose se situant quelque part entre le thé, le lait écrémé et l'eau, et qui n'avait pourtant le goût d'aucun.

-Quel est votre nom, docteur, puisque vous savez déjà le mien? demanda Hélène effrontément.

-Docteur Fedorov.

-Docteur Fedorov, je veux tout savoir... ce que vous savez sur moi. Quel genre de crise? Que va-t-il m'arriver? Quand pourrai-je m'en aller? Je dois partir demain matin pour Volgograd avec mon groupe.

Il retourna accrocher le bloc-notes au pied du lit tout en parlant, et cette fois, sans se soucier de la force de sa voix et de sa direction:

-Il n'en est pas question. Volgograd, ce sera pour une autre année. Et dites adieu aussi à Leningrad tant qu'à faire. Vous voulez que je vous parle net? Vous avez subi une crise cardiaque et vous êtes même allée jusqu'à l'arrêt cardiaque. En tout cas, à votre arrivée ici, votre pouls était insensible et votre coeur ne battait plus. Ces symptômes s'ajoutant aux résultats d'une auscultation médiate et d'une prise de sang attestent que vous avez une partie plus ou moins importante de votre coeur qui est sclérosée, nécrosée. Le scénario de votre avenir immédiat est donc le suivant: vous avez besoin d'un repos total pendant les jours qui vous restent avant votre départ de Moscou pour le Canada. Vous resterez à l'hôpital pendant au moins sept jours. D'ailleurs où pourriez-vous loger à Moscou puisque toutes les chambres sont occupées dans les grands hôtels? Au retour de votre groupe de son périple dans les deux villes, vous aurez, ainsi d'ailleurs que l'organisation de votre voyage le prévoyait déjà, votre chambre à l'hôtel Kosmos. Mais vous n'en sortirez pas pour aller assister aux Jeux. La chaleur, la foule, la fatigue: tout ça doit vous oublier. Et à votre retour à Montréal, vous vous rendrez chez le meilleur cardiologue avec les renseignements que je lui transmettrai via votre entremise.

-Je ne me sens pas si malade...

-Ils disent tous ça, ceux qui font une crise à trente-sept ans... ou moins.

-Parce que vous savez mon âge aussi?

-Je suis médecin, madame, et je suis votre cardiologue. Je vais vous suivre tant que vous serez sur le territoire de l'Union Soviétique. Nous ne voulons pas que nos visiteurs meurent chez nous faute de soins et c'est pourquoi vous recevrez la meilleure attention.

-Pourquoi ne retournerais-je pas au Canada après les sept jours d'hospitalisation?

Il se fâcha, se montra autoritaire:

-Un, il n'est pas encore dit que vous sortirez d'ici dans sept jours. Vous subirez plusieurs examens. Surtout, vous ne bougerez pas le petit doigt. Repos absolu! C'est de ça dont votre coeur a besoin pour le moment. S'il y a lieu de vous faire des pontages, votre cardiologue de Montréal et vous-même prendrez la décision convenable. Deux, j'entends bien vous persuader dans les jours à venir d'obéir à toutes mes recommandations à votre sortie de cet hôpital...

-Et si je désobéis?

-Il y a des chances pour une seconde crise. Nous avons des cimetières intéressants à Moscou: vastes, accueillants et très tranquilles... avec beaucoup de visite le dimanche car les Russes aiment les cimetières...

-Mourir à trente-sept ans, ce n'est qu'un an de moins que Pouchkine...

Quand ils veulent défier la maladie, les gens la méprisent et s'en moquent croyant par là l'exorciser. Hélène l'avait fait depuis les premiers mots du docteur Fedorov. Mais l'idée de mourir à trente-sept ans se décanta vite en elle et des larmes vinrent mouiller ses yeux.

-Mais qu'est-ce qu'on vient faire sur cette planète s'il faut déjà s'en aller à mon âge? dit-elle comme pour elle seule.

Le docteur dit:

-Chacun a son rôle à jouer. Vous avez trois enfants, vous êtes enseignante...

-Vous savez cela aussi.

-Oui, et je sais aussi que vous avez vécu des choses très pénibles ces derniers mois et que votre accident cardiaque fait peut-être suite à tout cela. Les émotions négatives tuent comme vous devez sûrement le savoir. Mais votre accident est un avertissement. Il vous dit de vous occuper de vous désormais, de prendre soin de votre coeur si vous voulez qu'il prenne soin de vous. Il vous assure aussi que vous verrez la vie d'un autre oeil à compter de maintenant. Vous savez, cette crise, si vous lisez ce qu'elle vous dit, ne réduit pas votre espérance de vie mais pourra l'augmenter sensiblement. Une crise cardiaque à trente-sept ans est bien moins dangereuse qu'à cinquante-sept.

-Ce n'est pas facile à apprivoiser, un coeur malade et surtout qui s'est arrêté...

-Ça ira, vous verrez, dit-il impatient.

Il n'avait pas souri une seule fois depuis qu'il lui parlait. Il mit sur dans ses oreilles les écouteurs de son stéthoscope et posa la plaque sur la poitrine par-dessus la jaquette de la malade.

-Vous êtes plutôt jeune pour un cardiologue...

-Veuillez vous taire, s'il vous plaît.

Elle le trouvait de moins en moins bon, cet homme qui se montrait de plus en plus arrogant. Comment avait-elle pu se laisser bercer par sa voix à son arrivée? Pierre avait mis des années à passer de la tendresse à l'agressivité; lui le faisait en une demi-heure. La comparaison lui parut tout de même fort boiteuse. Elle n'était pas l'épouse de ce russe sans doute aussi frustré que les autres, ni ne le serait jamais. Et puis, tout ce qu'il savait proposer comme remède et soulagement, c'était le temps, c'était de rater ce voyage de prime importance pour elle en lui prescrivant de niaiser dans un hôpital aux allures borgnes et aux vitres sales... Tiens, ça, elle le lui ferait remarquer quand il daignerait lui donner la permission d'ouvrir la bouche.

Il remit les tubes de plastique autour de son cou et jeta:

-J'ai trente-sept ans tout comme vous. Ce qui n'est plus très jeune.

Quel culot! pensa-t-elle.

-Je suis né le même mois que vous.

Vous m'en direz tant, pensa-t-elle.

281

-Et presque la même journée. Vous, le vingt-six et moi, le vingt-huit...

Il lui prit la main, le pouls, consulta sa montre.

-Ne parlez pas! Merci!

Quand il eut fini, il ajouta:

-*Pajal...*

Elle dit:

-Je vous en prie!

-Je vous reverrai demain.

-Je peux vous faire remarquer que les vitres de cette fenêtre ne sont pas très propres?

Il contourna le lit et se rendit à la fenêtre où il toucha une vitre de son médius qu'il fit glisser et le ramena à sa vue entre leurs regards:

-C'est à l'extérieur qu'elles sont poussiéreuses, pas à l'intérieur.

-Vais-je pouvoir téléphoner à l'hôtel Kosmos?

-Ce ne sera pas nécessaire.

-Peut-être voudra-t-on avoir des nouvelles, venir me voir.

-Aucune visite n'est autorisée.

-Qu'est-ce que cela?

-C'est le règlement et je ne veux pas en discuter avec vous.

Tout compte fait, pensa Hélène, sa voix du début ressemblait dans tout son miel à celle de Nicole Labelle. Une de ces voix qui n'enveloppent pas mais qui entortillent pour mieux vous étouffer. Et qui ensuite devient acérée, détestable.

-De toute façon, vous savez que votre groupe part demain pour Volgograd. Maintenant, je vais répondre à des questions qui doivent rester en suspens dans votre tête. Qui nous a donné tous les renseignements que nous avons à votre sujet? Bien sûr que c'est la guide qui elle-même a enquêté auprès de vos compagnons de voyage. Secondement, vous devez savoir que je suis aussi bon cardiologue qu'un autre et que si on m'a confié votre cas, c'est parce que je parle votre langue et que notre médecine croit qu'il doit exister un lien étroit entre le docteur et ses patients... Sans la communication, ce lien s'avère plus difficile à établir. Mais si vous préférez que je transfère votre cas à un autre médecin, libre à vous. Nous vivons dans un pays libre...

-Libre? sourit paternellement la patiente.

-Madame Hélène, mon rôle n'est pas de vous convaincre de la

solidité de nos valeurs mais de vous renvoyer dans votre pays dans la meilleure forme possible compte tenu de votre infarctus. Si vous désirez m'entraîner dans des discussions politiques, c'est peine perdue, je vous préviens et tenez-vous le pour dit toute la semaine, que vous passerez sous nos traitements et ma surveillance médicale. Je suis membre actif du parti communiste et je suis un marxiste-léniniste convaincu. L'Occident est en pleine décadence. Nous sommes à l'aurore du déclin de l'empire américain. Les valeurs socialistes gagnent du terrain partout dans le monde. En 1990, le capitalisme sera peut-être balayé de la surface de la terre. Et notre discussion se termine là pour aujourd'hui...

Durant son envolée, il était revenu auprès d'elle. Après le dernier mot, il se pencha et lui murmura au creux de l'oreille:

-Attention, il ne faut pas croire absolument tout ce que je dis à voix haute, mais ne le dites surtout à personne...

Puis il tourna les talons sans rien ajouter.

La femme en fut abasourdie. Elle regretta de l'avoir méjugé. Tout le mal qu'elle s'était mise à penser de lui se transforma en bien. Ainsi que l'homme de l'autocar, le docteur Fedorov vivait donc derrière une haute façade. Quelqu'un affichait-il ses vraies couleurs en ce pays noir et blanc? Elle le savait avant de venir mais ne voulait pas y croire.

Quand il fut parti, elle regarda son poignet pour constater que sa montre était absente. Et elle pensa à ses affaires, ses vêtements, ses bagages...Elle devait avoir un visage à effrayer les morts. Et pas un seul miroir dans la chambre. Au lieu de cet inutile cadre avec Lénine dedans, on aurait mieux fait d'accrocher un miroir quelque part: cela aurait fait moins statique et plus vivant.

La femme cherchait des objets de réflexion, de n'importe quelle réflexion, négative ou positive, des idées lui permettant de ne pas penser à ce coup de masse qu'était l'évidence quant à son état de santé. Elle ne devait pas avoir peur, pas se révolter, pas se lamenter sur elle-même, pas penser à ses misères morales: il lui fallait faire table rase, se désintoxiquer pour être capable de se jeter corps et âme dans l'espérance...

La porte s'ouvrit brusquement et entra une grosse personne au sourire bloqué. Elle ne dit mot et s'approcha de la malade, armée d'un sphygmomanomètre. Hélène trouva brutales ses manières, sa façon de lui prendre le bras, de l'entourer de l'enveloppe et de presser la poire. Quand elle obtint sa réponse, l'infirmière se rendit l'inscrire sur le bloc informatif puis quitta la chambre sans avoir regardé la patiente une seule fois dans les yeux en marmonnant un '*zdravouiz...*' qu'elle ne savait pas être compris.

-Bonjour, lui répondit Hélène en français. Et merci!

Presqu'aussitôt en vint une autre que la patiente reconnut par ses paupières mais qui ne portait pas son cache-bouche. Elle sourit, déposa une capsule blanche sur la table de métal noir près du lit et ouvrit la porte des toilettes. Hélène lui demanda en anglais où étaient ses affaires. Il montra devant elle. Puis elle revint portant un verre d'eau qu'avec la capsule, elle tendit à la malade.

Hélène se souleva sur le côté.

-Qu'est-ce que c'est?

-*Nié znaiou!* dit le jeune infirmière avec une moue interrogative qui traduisait les mots pour elle.

Hélène en fit une d'hésitation. L'autre en fit une signifiant 'il faut bien, ma bonne dame'. La malade se résigna. Satisfaite, l'infirmière redressa le drap recouvrant Hélène et se tourna pour partir. Puis elle se ravisa et entra dans la salle des toilettes d'où elle ressortit avec une bassine qui lui valut un refus en signes par la malade qui demanda en anglais:

-Quel est votre nom?

L'infirmière répondit, le visage éclairé:

-*Minia zavoute Olga...*

-Olga?... insista Hélène qui fit tournoyer le verre d'eau légèrement.

-Olga Poliakova.

-Merci beaucoup, Olga Poliakova.

-*Pajal...*

La malade était mue par un grand besoin d'établir des liens et pourtant, elle ne se décidait toujours pas à utiliser le russe. C'était ridicule de sa part puisqu'on savait... en tout cas le docteur Fedorov le savait, qu'elle se débrouillait dans cette langue.

-Quelle heure est-il?

L'autre questionna du regard.

-The time? fit Hélène en indiquant la montre de l'infirmière qui sourit et la lui fit voir.

Il était pas loin de midi. Elle aurait dû en avoir une meilleure idée puisque, malgré le sérum qui achevait d'entrer dans ses veines, elle avait faim. Pour le signifier, elle mima le geste de manger, une main faisant entrer dans sa bouche une cuiller imaginaire. L'infirmière lui fit comprendre qu'elle reviendrait sous peu avec le repas et elle quitta la chambre en laissant la bassine sur la table de chevet. En l'attendant, Hélène concentra son attention sur les quelques bruits entendus. Le pianotage raréfié de la pluie sur les vitres, des roulettes qui grinçaient dans le couloir, des voix perdues s'éloignant, d'autres, confuses, se rapprochant...

Elle réalisa soudain qu'elle avait peur et se sentait terriblement seule au monde. Mais il fallait combattre ces sentiments par d'autres aux vertus thérapeutiques. Elle entreprit de faire le bilan de ce qui lui était arrivé de bon depuis son réveil. D'être vivante et de ne pas ressentir de douleur était un fort valable commencement. Olga était remplie de prévenance et de gentillesse. La grosse infirmière cachait sûrement des beautés sous sa lourde carapace. Et le docteur Fedorov était bel homme. Et il s'était montré paternel au début et à la fin de sa visite, et cela faisait oublier ce rideau de fer qui lui avait masqué le visage dans l'intervalle. Et puis les vitres étaient propres de l'intérieur. Elle sourit et regarda vers la fenêtre. On vint la saluer. Un oiseau dansa pour elle sur la tablette, tourna vingt fois vivement la tête, chanta quelques notes dans toutes les langues du monde, secoua les ailes pour les alléger d'un peu d'humidité puis s'envola vers une autre escale frivole de son destin opiniâtre. Elle qui n'avait jamais trop su distinguer un cardinal d'un rouge-gorge, eût été bien en peine de nommer cet oiseau soviétique, mais l'important, ç'avait été sa présence vivante à sa fenêtre. De plus, elle ne l'avait pas entendu se plaindre des vitres sales, lui...

On poussa la porte avec un chariot qui fut ensuite laissé dans l'embrasure. Olga distribuait les repas. Elle souleva tout d'abord la tête du lit en tournant promptement la manivelle. Puis elle délivra la malade de l'aiguille du soluté. Hélène cherchait des banalités à lui dire en anglais avec les mots les plus simples; hélas, elle ne trouvait rien. L'infirmière l'aida à ajuster ses oreillers dans son dos. La malade voulut s'asseoir sur le bord du lit mais l'autre protesta, la retenant, la repoussant gentiment et fermement dans une position qui gardait son corps étendu bien qu'aux trois quarts redressé:

-*Niet, niet, niet*...no, no, no...

Et elle prit une sellette sous la table de chevet et la posa en travers au-dessus des cuisses de la malade.

-Mon doux Seigneur, pourquoi en faire autant? Je ne suis tout de même pas encore, que je sache, une vieille dame à l'agonie?

L'infirmière se rendit chercher le cabaret du repas et revint le mettre sur la sellette. Ensuite elle retourna prendre une théière fumante et une tasse qu'elle mit sur la table de chevet voisin de la bassine, et elle colla le tout à la tête du lit. Hélène examinait les aliments tout en se disant qu'Olga avait bien fait de la clouer là puisqu'elle se sentait un peu étourdie. La capsule sans doute. Désireuse de savoir ce qu'on lui servait, elle échappa deux mots en russe:

-*Chto èta?*

Olga ne le réalisa pas et nomma les plats: *chtchi, gouliach.* Ce qui intriguait la malade toutefois, c'était cette orange de grosseur moyenne plantée là, au milieu du reste comme un démenti au préjugé voulant que ce fruit-là soit absolument introuvable en Union Soviétique, du moins à Moscou. Elle demanderait au docteur Fedorov... Il soutiendrait peut-être que le socialisme produisait en abondance les plus belles oranges au monde et les plus libérées... Puis lui soufflerait à l'oreille de n'en rien croire... L'infirmière lui souhaita bon appétit et repartit sur un '*spasiba*' de la malade.

Cette nourriture était aussi mangeable que celle de l'hôtel. Hélène rafla tout sauf l'orange qu'elle pela et n'entama qu'à moitié. Quand elle revint prendre le plateau, Olga parut étonnée voire choquée d'apercevoir le morceau de fruit délaissé. Elle le montra et dit avec des gestes qu'il fallait le finir.

-*Niet, niet,* dit Hélène, les mains ouvertes en signe de refus.

Alors l'infirmière enveloppa le quartier d'orange dans une serviette de papier propre et le déposa sur la table de chevet. Hélène prit conscience du geste déplaisant qu'elle avait posé, irritant certes pour Olga qui ne mangeait peut-être d'oranges qu'une fois l'an. Et ça lui remit en mémoire les Noëls de son enfance, journée grand luxe, la seule de toute l'année où l'on avait une orange. Quel fou alors aurait songé à jeter à la poubelle la moitié d'un fruit pareil?

-I will eat it later, dit-elle en détachant les mots et en les soutenant par des gestes.

Olga approuva. Puis Hélène lui demanda en anglais d'aller lui chercher son livre 'Anna Karénine' dans ses valises. L'infirmière ne comprenait pas.

-A book, redit Hélène. *Kniga... Anna Karenine...*

-*Da, da...*

Quand Olga fut partie, Hélène ouvrit le livre droit à la page 334, là où se trouvait le séparateur. La première phrase était:

*"Tu ne parles pas de mourir, j'espère?"*

Une réplique semblable ne pouvait tomber plus à pic. C'était la même chose chaque fois qu'elle ouvrait 'Anna Karénine': Hélène s'enfargeait sur une idée qui se ruait sur son vécu. Cela aussi l'avait empêchée de finir le livre depuis le temps qu'elle le harcelait et qu'il la tracassait.

Une autre fois, elle le referma et le posa sur sa table. Elle l'aurait fait quand même au bout d'une page car l'envie de dormir se jetait sur elle. Elle n'eut le temps que d'une pensée: la capsule blanche devait sûrement contenir une substance somnifère...

Des images naturellement incongrues se succédèrent dans ses rêves. Elle se revit dix ans plus tôt au baptême de Julie, sa filleule, et la cérémonie se déroulait sur le quai au chalet du lac du Cerf. Puis Daniel Gauthier, l'air narquois, dansait à sa fenêtre comme l'oiseau du matin. Ce fut ensuite soeur Angèle à l'Institut de l'Hôtellerie de Montréal, et qui en rose et en chapeau, distribuait des diplômes à des graduées qui étaient des infirmières soviétiques. Le docteur Fedorov n'apparut pas une seule fois dans son sommeil et pourtant, il avait été la figure marquante de cette journée-là. Peut-être que ne parvenant pas à jauger le bonhomme, sa conscience s'était refusée à en confier l'image à son inconscient? Ou bien le médecin fut-il camouflé dans un objet quelconque ou même peut-être un personnage autre que lui-même?

Elle se posa la question en se réveillant au déclin de l'après-midi alors qu'on vint la secouer pour lui faire une prise de sang. C'était la corpulente infirmière à visage adipeux et qui travailla encore sans ménagements et dans le plus total mutisme.

Peu de temps après, une personne de service dont l'uniforme disait qu'elle n'était sans doute pas une infirmière vint porter le repas du soir. C'était un être vieillissant mais énergique, et qui tanguait sur ses hanches larges et sa croupe de cheval. À celle-là qui lui rappelait de bonnes québécoises de la génération de sa mère, Hélène se décida à parler en russe:

-Je n'ai pas faim.

-Vous mangez, ordonna sèchement la femme.

-Mais je n'ai pas faim quand même!

L'autre se tut et finit de servir comme sa tâche le lui demandait. Puis elle se retira sans un seul mot. Ce rejet bourré d'indifférence accentua un sentiment de solitude chez la malade et lui coupa davantage la faim. Le mieux était d'aller en jeter des morceaux aux toilettes. Elle poussa la sellette le plus loin qu'elle put vers ses pieds et put ainsi se dégager. Pourvu qu'elle ne soit pas prise d'étourdissements en accomplissant sa tâche, songea-t-elle en se mettant sur ses jambes à côté du lit. Elle décida de faire disparaître le plat principal et de ne garder que le potage et le pirojki.

Alors le quartier d'orange lui rappela l'incident du midi et elle s'en voulut de gaspiller à l'occidentale mais, diable, l'Union Soviétique ne pouvait tout de même pas la forcer à s'empiffrer malgré sa volonté. Elle prit l'assiette creuse remplie d'un ragoût inquiétant de même qu'une cuiller et se rendit aux toilettes, une pièce étonnamment grande par rapport en tout cas à la chambre. Il y avait un bain juché haut et un placard ouvert où se trouvaient ses vêtements et ses bagages. Quelqu'un avait même poussé l'obligeance jusqu'à disposer de manière rangée sur une table à côté d'un lavabo ses objets de toilette. Elle vida l'assiette, actionna la chasse d'eau et revint à la table pour voir si rien ne lui manquait. En autant que sa mémoire ne lui fasse pas faux bond, tout était là.

Elle releva la tête et s'aperçut dans un miroir. Sa première pensée fut pour ce pauvre docteur Fedorov. Il avait dû la croire sortie tout droit d'un château de Transylvanie. Les yeux bistrés, les cheveux morts, la jaquette fripée: pire que la chienne à Jacques, eût dit son grand-père et il aurait eu raison.

Que le coeur lui saute, personne ne l'empêcherait de se lever pour se refaire le visage. On devait la penser deux fois plus malade qu'elle ne l'était réellement à lui voir la mine aussi vide que livide.

De retour au lit, en passant devant le cadre de Lénine, elle s'excusa en se disant qu'on avait eu raison de préférer son image à un miroir, quoique doutant de l'intention de ceux qui avaient pris la décision.

Elle se réinstalla, mangea ce qui restait y compris la moitié d'orange puis retourna à la salle de bains pour uriner, se laver le visage et se brosser les cheveux.

∞∞∞∞

Une pilule du soir l'assomma pour plusieurs heures. Mais le besoin d'aller à la chambre de bains la réveilla au milieu de la nuit et ensuite elle voulut voir dehors. Elle contourna son lit à tâtons et parvint à la fenêtre. La vue l'étonna bien qu'elle ne se soit pas fait d'idée préconçue. Non, ce n'était pas un édifice semblable à ceux d'Amérique ou d'Europe. La bâtisse faite en U, ne comptait que deux étages et paraissait avoir un siècle. Un rang de réverbères jetait sur elle des lumières jaunes, en découpant les grandes lignes. Quoique vieillot, l'intérieur de sa chambre située au deuxième semblait plus récent. On avait dû rénover l'intérieur une vingtaine ou une trentaine d'années auparavant. La seule rue visible était à deux cents mètres au moins et une rangée d'arbres ainsi qu'une clôture en voilaient partiellement la circulation par ailleurs clairsemée. Le temps s'était amélioré et un semblant de clair de lune permettait de voir au loin des immeubles d'habitation. On était probablement dans une banlieue tranquille de la capitale. Elle se renseignerait auprès du docteur Fedorov...

L'image de cet homme lui vint en tête. Elle s'amusa à faire son portrait moral à partir de leur rencontre, de ses deux ou trois visages, des réalités soviétiques qui ne peuvent pas ne pas changer considérablement n'importe quel humain. Sûrement un être peu pourvu de rêves comme tous les médecins du monde qui sont plus praticiens du quotidien que bâtisseurs d'avenir, ce qui explique leur besoin de nager dans les biens matériels comme s'ils avaient pour vertu de prolonger la vie. Un viveur donc s'il avait été un occidental! Un communiste de surface bien marié, bien rangé, du type qu'en Occident on appelle bon chic bon genre. Les humeurs changeantes, certes, comme il en avait fait la démonstration déjà...

-Ah! come on, Hélène Prince, se murmura-t-elle, le regard brillant, pailleté des lueurs de sentinelles électriques. Cesse donc de te montrer négative. Tu lui en veux parce que tu aurais voulu qu'il te réconforte mieux, qu'il te lange corps et âme, qu'il te dise qu'il ne s'est rien passé, que ton histoire de coeur, ce n'est rien du tout... Ce n'est pas lui qui a passé de la douceur à la rigueur, c'est ta perception de lui selon tes propres besoins qui s'est modifiée... Attends de le connaître mieux. Une demi-heure avec un docteur étranger qui a tâche de vous traiter, à l'autre bout du monde, le surlendemain d'une crise cardiaque et te voilà prête à l'autopsier dans une chambre noire... ah! come on, Nicole Prince!...

Qu'avait-elle donc dit? Nicole? Pourquoi ce lapsus?

-Ah! va donc dormir avant de sombrer pour de bon dans la pire inconséquence!

Elle retourna se coucher, se promettant de lui demander, à ce docteur Fedorov, si les savants d'Union Soviétique avaient mis au point une pilule d'amnésie et, le cas échéant, s'il lui était possible de lui en prescrire pour un an au moins...

∞∞∞∞∞∞∞∞∞∞

# Chapitre 21

Elle crut déceler des reflets colorés dans les chemins de poussière grisâtre sur les vitres comme si cette crasse avait contenu des particules métalliques. Les oubliant aussitôt, elle se réjouit à la vue des rayons du soleil qui annonçaient un jour magnifique. Sauf que les beautés extérieures empirent les maux de ceux qui sont condamnés à un exil intérieur.

De se sentir prisonnière de son coeur au sens propre comme au sens figuré la fit entrer dans une sorte d'état splénétique s'allongeant jusqu'à l'arrivée d'Olga qui lui prit sa pression et lui servit son petit déjeuner composé d'un croissant lourd, de fromage élastique et d'un café assez supportable.

Hélène ne communiqua avec l'infirmière que par des gestes et quelques mots d'anglais. Quand elle fut partie, elle se leva et se rendit à la salle de bains. Il fallait qu'elle prenne un bon bain pour se débarbouiller la peau d'une sensation visqueuse. Elle avait dû suer durant son long sommeil de la traversée du désert et il en était resté quelque chose de désagréable sur tout son corps. Et puis, elle se laverait les cheveux qu'elle sentait laqués, et se donnerait un visage potable...

Il lui fallut du temps pour équilibrer les arrivées d'eau car il y avait deux robinets d'amenée indépendants l'un de l'autre, séparant la chaude et la froide. Les serviettes étaient dures et petites mais

290

il y en avait plusieurs. Deux furent mises comme descente de bain et les autres furent déposées sur le rebord. Quand la cuve fut à moitié remplie, elle se débarrassa de sa jaquette, trouva un morceau de savon canadien dans ses affaires, le déballa, mit sa bouteille de shampoing à portée de la main et enjamba le bord très élevé du bain puis se glissa tout doucement dans l'eau.

Aussitôt, elle eut une impression de renaissance. Son regard se colora des nuances d'un bien-être incomparable. Elle se frotta tout le corps avec une main qui tenait le savon et l'autre qui massait à la suite de la première en sortant parfois au-dessus de l'eau pour qu'elle puisse entendre son clapotis rassurant. Ses meilleurs idées pédagogiques, elle les avait eues au bain; c'était toujours là qu'elle se sentait le plus féconde. Son cerveau devait alors libérer des quantités plus grandes d'endorphines. Qu'importe la ou les causes pourvu que les effets soient là! Quel médecin, quel savant oserait prétendre qu'elle se faisait du tort à se baigner?

Elle jouissait du temps présent, les yeux fermés parfois, l'esprit parfumé par les plaisirs de la sensualité. Un bruit se fit entendre. La porte entrebâillée fut poussée. Olga parut. Une jambe hors de l'eau, Hélène lui sourit. Le front de l'infirmière se rembrunit et elle quitta. Elle a dû considérer lesbien mon sourire, pensa Hélène qui sourit encore plus. Pas plus de trois minutes plus tard, des voix qui piaillaient se firent entendre puis entra sans s'annoncer le grosse infirmière brutale dont elle aurait bien pu se passer.

Suivit une logorrhée de mots et de phrases russes dont la malade ne saisit pas un traître iota. La femme secouait ses grasses bajoues, montrait le poing, menaçait, la voix pointue, aiguë puis sans s'arrêter de palabrer, elle ordonna par gestes à Hélène de sortir de là.

-Si tu penses que tu vas me niaiser, espèce de vieille chipie!

Et Hélène prit sa bouteille de shampoing qu'elle montra à l'autre en lui faisant comprendre qu'elle devait se laver la chevelure. Mais l'infirmière demeurait intraitable. Elle multipliait les signes de commandement, sans jamais s'arrêter de rouspéter. Peut-être valait-il mieux lui obéir... pour le moment, pensa Hélène en se proposant de se laver la tête au lavabo un peu plu tard quand la mère Soviétique se serait calmée et serait partie...

Hélène se leva. La femme cria à Olga qui vint. Les deux infirmières prirent la patiente en charge, chacune lui tenant un bras pour la faire sortir du bain. Puis elles la reconduisirent à son lit où on la fit s'étendre. On vint assécher son corps avec des serviettes et on l'aida à se revêtir de sa jaquette.

Avant de s'en aller, le compagne d'Olga qu'Hélène devinait

être sa supérieure, fit une dernière remontrance avec son index pointé. Olga fit s'écouler l'eau du bain et remit un ordre strict dans la pièce puis elle sortit mais n'osa lever les yeux sur la malade comme si une écrasante culpabilité, celle d'avoir rapporté les gestes d'Hélène à l'infirmière en chef, en plus d'oppresser son âme l'avait parquée dans un enclos de honte. Hélène la laissa partir sans rien lui dire et elle se leva aussitôt pour aller se laver la tête... Et elle reprendrait sa montre dont elle regardait si souvent l'emplacement sur son poignet vide.

∞∞∞∞

Le docteur Fedorov arriva à dix heures et dix minutes. Elle venait de finir de se brosser les cheveux. Il se présenta tout comme la veille, le pare-microbes détaché et le regard froid comme la Sibérie. Mais ses premiers mots furent conciliants et empreints d'une certaine chaleur:

-Bonjour madame Hélène...

-*Zdrasvoui...*

-Notre petite madame du Canada a l'air très bien ce matin.

-J'ai pris un bain... malgré votre grosse infirmière en chef...

-Elle s'appelle Irina Tokaréva...

-Vous lui direz qu'on ne crie pas après les gens...

-Elle n'a fait que son travail.

-Son travail? Mais docteur, on dirait qu'elle ne veut pas que je prenne un bain...

-C'est moi qui ne le veux pas.

Hélène laissa échapper de son regard les reflets d'une colère sceptique. Il poursuivit, la voix rectiligne, tout en écrivant machinalement sur le bloc-notes:

-Irina et Olga ont fait ce qu'elles devaient faire. Mais on ne peut pas en dire autant de vous. Je vous ai recommandé de ne pas bouger, de n'imposer à votre coeur aucun effort mais vous n'en faites qu'à votre tête.

-Prendre un bain quand on se sent mal, ça vaut peut-être mieux que la meilleure pilule.

Il accrocha le calepin et se rendit près d'elle prendre son pouls.

-Madame, s'il le faut, je vais vous faire assigner une infirmière vingt-quatre heures sur vingt-quatre afin que vous obéissiez...

Elle se dressa devant une suggestion aussi révoltante:

-Tant qu'à faire, qu'on m'attache donc sur mon lit!

-L'idée n'est pas si mauvaise.

-Une belle médecine que la vôtre!

L'homme se hérissa:

-Vous devez obéir pour que nous puissions vous retourner dans votre pays sur vos deux jambes.

-Sinon vous perdrez des plumes, n'est-ce pas?

Le docteur hocha la tête:

-Faites-nous grâce de vos idées préconçues, s'il vous plaît.

-La politique est infiltrée partout dans votre pays, dans les moindres gestes, dans les sports, dans le travail, partout et ça vous empêche de grandir... La santé n'est ni socialiste ni capitaliste...

-Au contraire, ce sont là deux questions intimement liées et la preuve en est que vos pauvres au Canada sont en bien plus médiocre santé que les riches. Dites le contraire si vous le pouvez.

-Et si on parlait de la liberté du malade un peu? Ici, on n'a la liberté ni de vivre, ni de mourir, ni de parler, ni de penser, ni de prendre un bain...

-C'est pareil en Amérique. Le médecin sait ce qu'il y a de mieux pour le malade...

Il y avait en Hélène une agressivité qui lui valait un certain plaisir. Elle avait le goût de le 'picosser', cet individu mal luné ombrageux comme un loup-garou et qui cherchait à casser sa volonté. Il s'empara de sa main. Elle crut que c'était pour le pouls. D'un geste de pickpocket habile, il lui retira sa montre et laissa retomber le bras.

-Vous n'avez aucun besoin de ça.

-Oui, j'en ai besoin.

-C'est un signe de peur que vous portez au bras; je vous la remettrai à votre sortie de l'hôpital.

-Si vous ne me redonnez pas ma montre, je vous quitte.

Il ricana:

-Pour aller où?

-Où je voudrai.

-Vous ne le pourriez pas.

-On sait bien.

-Cessez d'avoir peur de nous et abandonnez-vous aux soins que nous voulons vous prodiguer et que votre état exige.

-Avoir l'heure, c'est pas avoir peur, ça nourrit l'espérance si vous voulez savoir. Mais l'espérance, vous ne connaissez pas ça dans votre pays.

-Si vous n'avez pas peur, alors expliquez-moi pourquoi vous n'avez pas dit un seul mot en russe aux infirmières. Vous m'en avez dit à moi quand vous avez su que je parlais votre langue.

-J'ai communiqué avec Olga en anglais et elle est allée me vendre à Irina à la première occasion. Votre pays s'en va chez le diable...

Il regarda l'heure sur la montre d'Hélène puis la mit dans sa poche d'uniforme en disant:

-On va venir prendre votre pression. Pour ce qui est de vos prophéties sur notre pays...

Il fit une moue remplie de hauteur méprisante.

-Si je dois demeurer encore six jours dans cette chambre, je vais au moins m'y mouvoir en toute liberté comme je le ferais au Canada.

-Vous cherchez l'affrontement pour oublier que vous avez peur.

-Je me demande qui de nous deux a le plus peur. Si on parlait de votre visite d'hier...

-Oui, il y a de la peur en Union Soviétique et elle vient des autres; mais la vôtre est pire, madame Hélène, parce qu'elle vient de vous-même. Elle est pire parce qu'elle est là inutilement...

Et il indiqua sa tête en poursuivant:

-Vous voulez que nous séparions les affaires de santé des affaires politiques, alors vous allez m'obéir non parce que je suis communiste mais parce que je suis médecin et... cardiologue.

-Et un mâle de l'espèce... Qui m'a fait croire que les femmes font la loi en Union Soviétique?

Le médecin hocha la tête puis la pencha.

-Signons donc un traité de désarmement, tiens!

-Je ne signe rien avec un communiste.

-Je suis ce que je peux être tandis que vous n'êtes que ce que vous voulez bien être.

-Comment faites-vous pour parler si haut? Hier, vous disiez en secret les choses peu orthodoxes...

Il continua à hocher la tête et esquissa un sourire.

-J'avais peur des micros.

-Je ne vous le fais pas dire.

-Je vous remets votre montre si vous la laissez dans votre valise et si vous me donnez votre parole que vous vous abandonnerez tout à fait à nos soins jusqu'à votre sortie de l'hôpital. Si vous voulez faire la folle ensuite, libre à vous. Si vous désirez faire plus vite, vous n'aurez qu'à vous jeter dans la Moskova...

-Espèce de docteur... stalinien!

-En attendant, vous allez prendre vos médicaments, vous allez dormir, vous reposer le corps et l'esprit, récupérer.

-Vous voulez que je vous cite un proverbe russe? Je l'ai appris par coeur dans mon livre de langue. Il y en a un à chaque leçon et celui-là m'a frappée...

-Allez.

-L'endormi ne demande pas de pain: *sonnii khliéba nié prossit.* C'est comme ça, ici: tout le monde dort, tout le monde s'abandonne comme vous dites, et ainsi, c'est facile pour ceux qui mènent le bateau car personne ne chiale, personne ne se plaint jamais, personne ne relève la tête... et on prend l'étranger pour du poisson pourri parce que ça fait plaisir au système...

Il ne l'écouta plus, tourna les talons et marcha jusqu'à la porte où il dit sans se retourner:

-Mon offre d'hier tient toujours: si vous préférez que je vous transfère à un autre médecin, faites-le savoir par Irina Tokaréva. Et puis ne craignez pas de parler russe; dans un pays aussi peu productif, les micros se font rares et on les garde pour les chambres de diplomates, ce que vous n'êtes guère...

Il quitta vite. Oui, elle s'en débarrasserait, de ce personnage irritable et irritant qui se comportait avec des hauts et des bas incessants, l'humeur comme la rame d'une montagne russe: doux comme un agneau, dur comme du fer, et encore doux et encore dur... Comme elle regrettait de s'être montrée présentable avec du rouge aux lèvres, des cheveux soyeux et une touche de make-up...

Elle ferma les yeux, se laissa décompresser. Faire grimper ainsi sa tension, ce n'était pas très génial pour un cardiologue. Comme si elle avait entendu sa pensée, Olga entra avec le tensiomètre et s'approcha en le montrant, les yeux rivés sur le bras d'Hélène.

-*Kak voui pajivaiétié?* dit la malade sur un ton empreint d'une douceur coléreuse.

-Je vais bien, répondit l'autre en russe. J'espère que vous n'êtes pas trop fâchée contre moi? Le docteur Fedorov nous a commandé de ne vous laisser faire aucun effort physique...

Hélène donna son bras...

∞∞∞∞∞∞∞∞∞

# Chapitre 22

La pièce était sombre; il y flottait une puissante odeur de cendrier, de mégots de cigarette, mêlée à des relents d'alcool, d'urine et de médicaments. Le docteur Fedorov avait le nez fin et ses capacités olfactives allaient jusqu'à démonter les mélanges d'effluves désagréables. C'était là sa manière d'éviter la nausée. Il se concentrait sur chacune des émanations pour oublier leur mixture nauséabonde et insupportable.

Derrière son bureau, un petit homme rondouillard, au visage verruqueux ridé jaune demanda à son visiteur de s'asseoir sur une chaise droite devant lui. C'était lui qui sentait l'urine. Malpropre, il avait été la cause probable de tant d'infections chez des opérés dans les années 60 que la bureaucratie avait fini par l'appeler à un poste administratif, le second en importance dans cet hôpital où étaient soignés presque tous les étrangers de passage à Moscou subitement malades comme Hélène Prince ou les accidentés. Sa fonction, connue de tous, consistait à protéger de l'infection morale le personnel qui avait à côtoyer les visiteurs des autres pays. Le système immunitaire soviétique se défendait ainsi des virus de l'Occident et son plus efficace condom portait la marque KGB dont ce docteur Katatonov était un collaborateur.

-Docteur Fedorov, je vous ai fait venir pour que nous parlions un peu de cette femme canadienne que vous traitez pour un problème cardiaque...

L'homme tapotait le dessus de son bureau avec un crayon tenu lâchement entre son pouce et son index. Il scruta le regard de son visiteur.

-Ah bon!

-Croyez-vous que j'aie raison?

-Raison de me parler de cette patiente?

-Hum, hum...

-Sans doute! Je ne remets pas en question vos pensées et décisions.

-Ce n'est pas ce que j'ai voulu dire et vous le savez.

Fedorov fit une moue dubitative:

-Pourquoi me parler d'elle plus spécialement? J'ai en ce moment six patients étrangers de langue française. Je sais qu'on me les confie parce que je parle cette langue... Bon, il m'a fallu imposer ma volonté un peu rudement avec cette camarade...

-Ce n'est pas une camarade! coupa Katatonov de son ton le plus sec.

-L'habitude de dire camarade vous entraîne parfois...

-Un bon communiste, vous le savez, ne doit jamais se laisser entraîner, ne doit jamais se laisser distraire...

"Qu'il accouche donc, ce gratte-papier obsédé, cet enculeur de mouches!" pensa Fedorov à qui cette rencontre très certainement inutile comme toujours, ôterait du temps pour terminer sa ronde de visites quotidiennes.

-Je vous disais donc qu'il m'a fallu la bousculer moralement pour qu'elle se tienne tranquille...

-Je sais tout cela, dit Katatonov avec un regard sur un magnétophone posé sur son bureau.

-Bien évidemment! dit Fedorov en regardant le même objet.

Il y eut une pause.

-Je vous écoute, dit enfin Katatonov.

-Qu'est-ce que vous voulez que je vous dise, camarade Igor?

-Ce que vous avez dit à cette femme et ce qu'elle vous a dit.

-Vous n'avez qu'à écouter la bande...

-Ce sont vos silences qui m'intéressent.

-En ce cas, je vous les répète...

297

Et Fedorov se tut, l'air narquois.

-Ne faites pas le petit malin, camarade Fedorov. Vous savez que je ne parle pas français. Mais j'ai fait traduire le contenu de cette bande. Et cette femme vous a défié ce matin en vous invitant à reparler de votre entretien d'hier... La façon qu'elle a prise pour le dire montre que vous avez eu avec elle une communication sur les silences de cette bande. Je veux que vous me disiez le contenu de ces silences.

"Il y a des gens qu'on envoie en prison pour moins que des silences," pensa Fedorov. Mais il avait davantage la crainte de se voir transféré dans un autre hôpital où il n'aurait plus aucun contact avec les étrangers. Il devait donc pondre quelque chose qui soit à la fois plausible et non compromettant. Quoi qu'il invente, Katatonov lui dirait qu'il avait commis une faute et ensuite, pour montrer sa magnanimité, il passerait la brosse sur le tableau après une remontrance d'usage. C'est ainsi que l'administrateur, entre deux rasades de vodka, se donnait chaque semaine des preuves de sa propre existence, qu'il faisait la démonstration de son utilité pour la mère-patrie.

-Camarade, je suis un homme fraîchement divorcé...

Katatonov ne s'attendait pas à cette considération. Son regard s'évada, se posa sur un étal de fioles derrière Fedorov. Une idée se greffa à ce qu'il venait d'entendre. Il insista:

-Qu'est-ce que vous voulez dire?

-Un homme seul depuis trois mois... J'ai laissé échapper des petites phrases charmantes... comme ça...

-Dans quel but?

-Ça fait partie de la thérapie. Je dois la bousculer pour qu'elle obéisse et en même temps, je dois la rassurer. Notre premier objectif avec les étrangers n'est-il pas de les retourner chez eux sur pieds? C'est cela et seulement cela qui compte.

-Mais alors, pourquoi vous cacher dans des silences pour lui dire vos mots... charmants comme vous dites?

-Parce que ce sont des mots qui se disent généralement à voix basse...

-Des secrets!

-D'une certaine manière...

-Vous m'en direz tant!

-Quand vous dites des choses à votre... femme, le criez-vous à tout l'immeuble?

-Cela ne vous regarde pas, camarade Fedorov!

-Vous avez bien raison et c'est pour la même raison que j'ai parlé à la camar... à la dame canadienne en silence.

-Nous allons y revenir, dit Katatonov qui jeta son crayon et s'avança sur sa chaise et rapprocha les sourcils. Mais pour l'heure, je vous pose une question. Dites-moi comment se fait-il que cette femme canadienne parle russe. Vous ne trouvez pas cela un peu bizarre?

-Pas plus que d'entendre un russe parler français ou anglais.

-Justement non, camarade Fedorov. Qui est-elle, cette femme? C'est quoi, cette province de Québec, hein? Une poignée de par-lants-français qui se battent contre la langue anglaise: pourquoi ces gens-là apprendraient-ils le russe, expliquez-moi ça?

-Je ne sais pas... Il faudra que je lui demande d'où lui est venu son intérêt pour notre langue...

-Je vais vous dire ce que je pense, moi. Il est bien possible que cette femme travaille pour les services secrets canadiens. Ou encore, et ce serait pire, qu'elle soit une journaliste et qu'elle ait voulu se mettre le nez dans notre système hospitalier, et qu'elle ait simulé la crise cardiaque pour fouiner dans un hôpital soviétique, pour mener son enquête et ensuite écrire sur nous des choses dé-sastreuses, noircies par sa mauvaise volonté. Vous connaissez les étrangers suffisamment pour savoir qu'ils retournent chez eux et attaquent les valeurs inestimables du marxisme-léninisme...

-Elle est enseignante.

-Elle se fait passer pour enseignante, bien entendu...

-Facile à vérifier: appelez notre Consulat à Montréal. Ils sont en mesure de savoir dans quelques minutes...

-On verra, on verra...

Katatonov soupira et aborda un autre sujet:

-Croyez-vous, camarade Fedorov, qu'il soit indiqué de dire à une cardiaque, si tant est que cette femme en soit une, d'aller se jeter dans la Moskova?

Fedorov s'insurgea, le regard bleu par une colère retenue:

-Ce n'était pas une suggestion, c'était seulement une façon de l'amener à obéir.

-Comme technique de persuasion, permettez-moi de vous dire que je trouve cela discutable.

-Donnez-moi une meilleure technique, camarade Katatonov, et je l'utiliserai avec le plus grand plaisir, dit Fedorov dépité.

L'administrateur sourit intérieurement. La bonne porte s'ouvrait exactement comme il l'avait voulu une minute auparavant. Il se fit complice:

-Oui, j'en ai une et nous allons du même coup revenir à vos relations avec cette dame du Canada. Je vous confie la mission de la faire parler, mais de vous servir de la douceur... vous comprenez ce que je veux dire? Je ne vous aurais pas demandé cela avant votre divorce, vous pensez bien, mais maintenant...

-Jusqu'où peut aller cette... douceur?

Katatonov contint son excitation:

-Jusqu'à obtenir le résultat escompté...

-En d'autres mots, je peux...

Katatonov coupa:

-Vous pourrez vous enfermer à clef dans la chambre avec la dame... le temps qu'il faudra...

-Et vous serez à l'écoute, bien entendu.

-Mais je n'entendrai pas les silences, cher ami...

-Et qui me dit que... cette enquête ne se retournera pas contre moi?

-Rien! Absolment rien! Vous ne pouvez compter que sur ma parole.

-Mais il serait plus désastreux pour moi de ne pas me rendre à votre requête, n'est-ce pas?

-Est-ce que la dame vous... répugne? Vous lui avez dit des mots charmants, non?

-Mettons les choses au pire, camarade Katatonov. Supposons que la dame soit une journaliste et qu'elle retourne au Canada et clame qu'un médecin soviétique s'est livré à une... tentative de viol...

Katatonov mit son doigt à la verticale sur ses lèvres, disant:

-Chut.... chchchchch... Je vous ai dit: la douceur... la douceur, camarade Fedorov... Quelle femme au monde s'est déjà plainte d'avoir été prise par la douceur? C'est le vraie manière...

Fedorov se sentait embêté, embarrassé, empêtré. Avant cette rencontre, il avait l'intention de flirter si possible avec la Canadienne mais voilà que de le faire maintenant lui donnerait l'impression de trahir quelque chose. Oh, pas une trahison qui vous fait vous suicider à cause du remords, mais qui rend mal à l'aise et qui vous empêche de vous raser ras pendant quelques jours. Il résolut de ne pas se laisser influencer par Katatonov et sa mission farfelue. Tout bien réfléchi, ce voyeur de l'écoute électronique le libérait d'une certaine peur de communiquer plus intensément et agréablement avec cette femme étrangère. Il se ferait doux sans penser à Katatonov et puis advienne que pourra!

Lorsque Fedorov put prendre congé, l'autre lui dit, avant qu'il ne sorte, un sourire 'kagébien' cloué d'un seul côté du visage:

-Vous voyez qu'entre bons communistes on peut toujours trouver un terrain d'entente pour servir notre patrie, n'est-ce pas?

-Vous avez raison, dit Fedorov en français.

Le front de Katatonov se rembrunit, interrogea.

Fedorov reprit:

-*Voui praf...*

-Mais certainement, conclut Katatonov, l'oeil aiguisé.

∞∞∞∞

-Alors, notre Cassandre va bien aujourd'hui? demanda Fedorov qui souriait dès son entrée dans la chambre.

-Cassandre?

-N'avez-vous pas fait de sombres prédictions sur l'avenir de l'Union Soviétique lors de notre... entretien d'hier.

-C'était... un entretien?

-J'ai mis le mot entre guillemets.

Hélène s'était montrée indocile une fois encore et elle avait pris un bain matinal puis s'était maquillée un peu pour avoir l'air présentable à la lumière du jour et à elle-même, et peu importe qui viendrait dans sa chambre car après tout, ce ne seraient que des Soviétiques qu'après son séjour là, elle ne reverrait jamais plus. Pour la même raison et à cause de sa relation aussi brève que tumultueuse avec ce docteur, elle s'était promis de le cerner, de le faire s'agenouiller en lui servant des paroles audacieuses, libres comme la pensée occidentale et même plus. Sans détour, elle dirait n'importe quoi amené par les propos échangés et qui puisse faire rougir sa mentalité soviétique qui n'avait de rouge que la surface...

-Pour en revenir à cette discussion, dites-moi, docteur... quel est votre nom déjà?

Il ne sourit plus extérieurement mais continua de le faire intérieurement car il n'était pas dupe de cette ignorance feinte:

-Fedorov... Nikolaï Fedorov.

-J'ai toujours entendu dire qu'un coeur doit travailler pour être en santé.

-Pas un coeur qui vient de subir une attaque. Il doit récupérer

301

d'abord par le repos total... Je vous ai déjà dit cela. Sachez que c'est vrai aussi dans votre médecine des pays capitalistes...

-Vous serez heureux d'apprendre que j'ai décidé de vous écouter... en autant que faire se peut...

Hélène était étendue mais sur un lit qui la redressait. Sa jaquette laissait une épaule à moitié découverte. Nikolaï la frôla d'un regard puis il prit sa main pour lui tâter le pouls dans un geste moelleux.

-Décision à moitié sage... mais c'est mieux que rien, n'est-ce pas?

-Comme ça, vous n'aurez plus à me dire de me jeter dans la Moskova.

-Ça, je pense que c'était une parole de trop! dit Fedorov autant à l'endroit d'Hélène que du micro conduisant ses paroles à Katatonov.

Elle soupira:

-Compte tenu de tout ce qui m'est arrivé ces derniers temps, ce ne serait pas la pire des solutions pour moi.

-Votre voyage chez nous arrangera bien des choses.

-C'est ce que j'avais prévu et on voit le résultat.

Il braqua son regard sur sa montre et compta les battements du coeur pendant une minute entière au lieu des trente ou quinze secondes généralement utilisées avec une multiplication à l'avenant.

Sa main qui ne caressait pourtant pas parut caressante à Hélène qui réagit sitôt qu'il l'eut relâchée:

-Dites-moi, docteur Fedorov...

-Appelez-moi Nikolaï si vous voulez. Vous savez, je ne suis pas un méchant communiste avec un coutelas entre les dents, prêt à bondir sur une petite gazelle québécoise...

-Québécoise?

-On dit que vous préférez cela à 'canadienne'... Mais qu'alliez-vous me demander?

Il fit mine de mettre les tubes du stéthoscope dans ses oreilles mais ne finit pas le geste. Elle demanda:

-Comment avez-vous appris le français?

Cette femme avait le don d'ouvrir les portes devant les gens, pensa Nikolaï. Il répondit:

-Je vous le dirai si vous me dites d'abord comment et pourquoi vous avez appris le russe.

-Je l'ai appris par moi-même. Voyez, ma méthode est là sur la table.

-Ça, c'est le comment, mais le pourquoi?

Elle rit en deux temps:

-Pour venir faire de l'espionnage.

Le docteur fronça les sourcils, espérant que cet énergumène de Katatonov ne la prenne pas au sérieux.

-Dites-moi la vérité.

-Mais pourquoi pas?

-Pourquoi pas l'espagnol qui est beaucoup plus utile et répandu en Amérique? Ou l'italien que beaucoup de gens parlent au Canada? Ou même l'allemand? Mais le russe...

-Parce que... Je n'ai pas trop envie de le dire, mais je le dis quand même... Parce que votre pays me fascine par sa culture, par ses mystères... et parce que j'ai l'impression d'y avoir vécu déjà... dans une vie antérieure... ou peut-être y vivrai-je un jour... Je ne sais pas... quelque chose me rattache à votre pays. Je ne sais pas quoi... C'est une sorte de... comment dire... de cordon ombilical indéfinissable...

-Dites-moi la même chose en langue russe. En êtes-vous capable?

-Pourquoi?

-Vous allez pratiquer la langue. Cela ne vous intéresse pas?

-Oui, je suis venue en Union Soviétique aussi pour ça, mais je suis un peu... embarrassée... Je ne sais pas si je pourrais.

-Essayez. Tiens, je vais vous poser des questions simples en russe et vous y répondrez simplement.

-D'accord!

-Pourquoi avez-vous appris le russe? demanda-t-il en russe.

-Parce que j'aime votre pays, répondit-elle en russe.

-Et pourquoi aimez-vous notre pays que vous ne connaissiez pas?

-Pour sa culture, ses mystères...

-Vous avez lu nos auteurs?

-Dostoïevski, Tolstoï, Gogol et bien sûr Pouchkine. Et aussi Tchekov... Et puis j'ai tenu un rôle dans «Je veux voir Mioussov» de Valentin Kataiev.

-Et Gorki, non? Et Maïakovski?...

-Ceux que j'ai nommés seulement.

-Donc, vous avez passé des heures difficiles, des mois, des années à étudier notre langue seulement parce que notre pays vous intéresse? Pas besoin de connaître le russe pour ça, non?

-Il y a une autre raison.

-Ah?

-Le russe est une évasion. L'étude de votre langue exige une grande concentration et cela me fait oublier les problèmes de la vie dont je veux prendre congé pendant quelques minutes... ou plus selon les besoins.

-Intéressant.

-Bon, et vous, comment et pourquoi le français?

-C'est la faute de ma mère. Elle a vécu sa première enfance en France. Mes grands-parents ont fui la Russie durant la guerre civile après la Grande Révolution à l'époque de l'émigration blanche. Ils sont revenus après la mort de Lénine, croyant que son successeur serait un homme de paix et de douceur...

-Vous avez donc appris le français grâce à votre mère.

-C'est exact.

-Vous le parlez avec très peu d'accent... je dirais même avec moins d'accent que moi, la Québécoise...

-Bon, maintenant, je vais écouter votre coeur si... vous me le prêtez un petit moment.

Comme elle le trouvait doux! Mais cela durerait-il? Comme la veille et l'avant-veille, passerait-il soudain à l'agressivité et à la hauteur? Elle avait lu dans un livre intitulé «Les Russes» que ces gens-là se montraient toujours imprévisibles avec les étrangers: très amicaux un moment et très farouches la minute d'après. Ça lui était revenu après sa visite de la veille et l'avait empêchée de demander qu'on la confie aux soins d'un autre cardiologue. Ces brusques changements d'humeur tenaient peut-être à des raisons hors d'eux-mêmes: qui aurait pu savoir en ce pays de la peur institutionnalisée?

Il mit la sonde sur sa poitrine et il écouta tout en la regardant au fond du regard comme pour la sonder aussi moralement. Elle se dit qu'il voulait ainsi lui transmettre une bonne nouvelle. En russe, il dit à l'intention de Katatonov, sachant qu'Hélène croirait qu'il voulait lui faire pratiquer la langue d'une manière très pédagogique, associant les mots au geste:

-Ma main touche votre corps.

-Vous écoutez mon coeur, dit-elle en russe.

-Ceci est votre épaule.

-Ceci est mon visage, ceci est ma bouche, et voici mes lèvres.

Nikolaï n'en pouvait croire ses oreilles de constater à quel point cette femme prenait toujours les devants sans même le savoir. Il poursuivit la leçon:

-Vos lèvres sont rouges parce que vous y avez mis du rouge à lèvres.

-Les pauvres femmes soviétiques n'ont pas souvent de rouge sur les lèvres parce que le rouge à lèvres est rare en Union Soviétique.

-Ne recommencez pas à parler de politique.

-Vous avez raison.

Transportée, comme hypnotisée, Hélène s'entendit qui disait sur le ton de la blague:

-Quand même... est-ce qu'un baiser communiste est bien différent d'un baiser capitaliste?

Nikolaï ôta les tubes de ses oreilles et laissa tomber la plaque sur lui. Visiblement troublé, désarçonné, il parvint à balbutier:

-Je ne... connais vraiment... ni l'un ni l'autre.

Hélène secoua ses sens:

-Vous avez combien d'enfants, docteur Fedorov?

-Un.

-Un fils?

-Oui.

-Les parents russes sont plus fiers de leurs enfants que les parents québécois.

Il haussa les épaules.

-Je ne sais pas.

-En tout cas, ils leur tiennent la main plus longtemps que chez nous...

Elle eut un bref éclat de rire:

-Vous avez un enfant et vous ne connaissez pas les baisers communistes?

-Je suis divorcé...

-Ce n'est pas une raison. Moi aussi et pourtant, j'ai connu les baisers capitalistes.

-Je suis retourné chez mes parents comme... une femme occidentale capricieuse à sa première chicane de ménage et qui se réfugie chez maman...

-Ce qui n'arriva jamais en Union Soviétique?

-Mais oui, bien sûr...

-Je peux vous assurer que ça ne s'est pas passé ainsi dans mon cas.

-C'était ma première chicane, mais elle durait depuis dix ans, sourit-il en faisant mine de s'en aller.

On avait fait un énorme progrès en fort peu de temps. Il ne devait pas aller plus avant. Pas pour l'instant. D'autant que cette femme avait le pas plutôt rapide ou bien était-ce simplement cette liberté de parole un peu fantasque acquise par les femmes de l'Ouest à cause de ces deux phénomènes dont il savait quelque chose par d'autres conversations: le féminisme et la révolution sexuelle des années 70 qui se terminaient tout juste.

Par contre, le prétexte de pratiquer la langue exhaussait la permissivité quant aux propos qu'il pouvait tenir à cette Canadienne. De plus, Nikolaï, malgré ses intentions premières, n'arrivait pas à oublier la présence dans cette chambre d'une paire d'oreilles lubriques. Pour le bien de tous, y compris la satisfaction de Katatonov, il devait par conséquent étirer l'apprivoisement de sa patiente jusqu'à son départ de l'hôpital.

Enfin, il eût été naïf de croire que la rapidité avec laquelle il avait plongé dans des confidences sur sa vie maritale de même que celle d'Hélène à les provoquer relevaient de la plus totale indifférence. Une sorte d'électricité avait passé entre eux au premier regard après son réveil car avant sa reprise de conscience, même s'il avait vu sa nudité à la salle de réanimation, et s'il avait alors touché sa poitrine, sa bouche, son corps, elle n'avait été que la matière première en quelque sorte de son travail de cardiologue: un presque-cadavre auquel redonner le souffle de la vie.

Il regarda sa montre. Elle réclama la sienne.

-Elle est dans vos affaires. À vous de décider de la remettre ou non. Vous autres, les Occidentaux, êtes des esclaves de l'horloge et cela vous tue. C'est simplement ce que j'ai voulu vous faire comprendre hier.

Elle tourna la tête vers la fenêtre.

-Je le comprends depuis longtemps mais je n'arrive pas à me libérer. Vous-même regardez souvent votre montre, docteur Fedorov.

-Je suis au travail, moi, pas en convalescence.

-Guérir, c'est s'adapter à quelque chose de nouveau. Et on dirait que de consulter le temps, ça aide à traverser le pire.

-Je n'ai pas à vous questionner et je sais que vous avez dû

courir sans arrêt depuis des années. Pourquoi ne paressez-vous pas quelques jours?

La malade tourna son regard vers le médecin qui s'était rendu au pied du lit et décrochait le dossier pour y ajouter une note.

-Je vais le faire, je vous le promets.

-Tout va bien et demain, c'est mon jour de congé; alors je vous dis à lundi.

Hélène le prit mal. Il lui semblait qu'une éternité la séparait du surlendemain. Olga ne viendrait sans doute pas elle non plus. Encore de nouveaux visages. Et d'autres Irina?...

-Tiens, je vais terminer 'Anna Karénine'. Si je ne le fais pas demain, je n'aurai aucune excuse, vraiment aucune, et Tolstoï lui-même va venir frapper à ma fenêtre... Ou bien ce sera le fantôme de sa femme Sophie qui va venir faire ma photo pour l'afficher à la porte de l'enfer des paresseux.

-Je vous regarde: vous avez les yeux un peu bouffis, vous ne faites pas de fièvre au moins?

Le docteur s'approcha et enveloppa le front d'Hélène de sa main qui bougea doucement comme pour masser.

-Je ne pense pas...

Et il tourna les talons pour partir.

-Vous verrez votre fils demain, lui lança-t-elle pour le retenir un peu plus longtemps.

-Oui, nous irons au parc jouer aux échecs.

-Dites-lui le bonjour du Québec... ou du Canada puisque le Québec ne dit pas grand-chose ailleurs qu'au Québec... du moins encore...

-Je n'y manquerai pas.

Il quitta et il se rendit tout droit au bureau de l'administrateur qui en sortait.

-J'ai obtenu toutes les réponses à vos principales interrogations.

Katatonov mit les mains devant lui et dit, le sourire persuasif en même temps que la gestuelle emphatique soutenant l'évidence:

-Pas si vite, pas si vite! Il faut enquêter mais aussi renquêter. Plus on aura de renseignements, plus on pourra comparer ses différentes versions d'un jour à l'autre. Faites-la parler, faites-la encore parler et encore, et mettez-y le paquet... C'est le bien de... la patrie qui le demande... et qui vous le commande...

# Chapitre 23

Nikolaï lisait un traité de chirurgie cardiaque traduit de l'italien. Il n'en retiendrait pas un mot car son esprit fouaillait dans un champ de questions qu'il n'arrivait pas à traverser à cause de toutes ces fardoches politiques inextricables s'accrochant comme des teignes à ses raisonnements, les égratignant, les écorchant ou bien les essartant tout simplement.

C'était une pièce exiguë et pourtant lourde à cause de ses couleurs: l'or, le brun, le rouge. Assis sur un long divan en coin au tissu imitation velours, il leva la tête pour la nième fois et regarda une imitation de cheminée devant lui, de l'autre côté de la table de salon. L'illusion était parfaite: la brique rouge depuis le plafond jusqu'au foyer, le contrecoeur noir au fond de l'âtre, le pare-étincelles et jusqu'aux chenets supportant les cinq ou six rondins de bouleau.

Tel était son pauvre pays: une cheminée morte. Telle était sa pauvre vie: une cheminée sans flamme. Ni l'un ni l'autre ne possédaient une prise d'air capable d'évacuer la fumée que le devenir susciterait forcément.

Le communiste en lui voyait la chose d'un autre oeil. Si tous les Soviétiques et tous les citoyens de la planète possédaient une vraie cheminée avec du feu qui brûle, alors les forêts seraient consumées par des milliards de petits brasiers romantiques et polluants, et la cage de verre que constitue la terre deviendrait si chaude en raison de l'effet de serre que pour la moitié, peut-être les trois quarts de ses habitants, la vie serait un enfer comme elle avait commencé de l'être en certains pays se 'désertifiant'.

Et une éternelle question lui dardait autant le coeur que l'esprit: comment un idéal aussi grand et noble que celui du marxisme-léninisme pouvait-il produire des résultats aussi pitoyables et destructeurs? Comment la mise en oeuvre des forces du bien pouvait-elle engendrer le mal à cette échelle?

Comme chez tous les Soviétiques en contact avec des étrangers, directement ou indirectement, l'idée de quitter son pays lui avait souventes fois passé par l'esprit. Mais voilà que depuis quelque temps, plus que de traverser les champs de sa réflexion, elle s'arrêtait pour lui demander une analyse plus exhaustive, un diagnostic plus précis...

Sur le mur gauche, il y avait une bibliothèque, et tous les livres d'auteurs contemporains s'y trouvant, -et ce jusqu'en 1900- avaient reçu l'approbation des chiens de garde de la pensée officielle. Comment se convaincre et rester persuadé de quelque chose que l'on s'acharne à vous entrer dans le crâne à coups de pioche? songeait-il comme il l'avait fait sur cette question depuis l'enfance.

Il entendait les murmures de ses parents dans la pièce d'à côté. On musardait à la table du dimanche matin. Ils avaient la pratique de la voix basse et cela comportait des avantages certains: ils ne dérangeaient pas la concentration d'un fils cardiologue en train de s'instruire, et leur discrétion appelait celle des voisins parfois...

Au moins y avait-il des Pasternak dont 'Le Docteur Jivago' parmi ses livres. Cette Hélène du Canada avait quelque chose de Lara Antipova... Pourquoi cette femme venait-elle tout à coup s'insérer dans sa réflexion? Peut-être à cause de ce qu'elle avait dit des parents et des enfants russes. *"... et vous les tenez par la main plus longtemps..."*

Dans «Le Docteur Jivago», pensa-t-il, l'événement le plus tragique dans la vie de la fille de Lara Antipova s'est produit lorsque son père adoptif lui a lâché la main dans la tourmente. Elle aurait pu être blessée, torturée, tuée: rien n'aurait été pire que de sentir la main de Komarovski se dérober... N'est-elle pas dans la nature, dans l'atavisme, dans l'enfance d'un Russe, cette nécessité d'être tenu par la main? Sans le paternalisme et le dirigisme, l'Union Soviétique pourrait-elle continuer d'exister ou bien ne risquerait-elle pas d'éclater de toutes parts et de sombrer dans une guerre civile qui causerait forcément l'émergence d'un nouveau Staline?

Quitter ce pays du pergélisol mais pour aller où? À travers la peur, la répression morale et parfois l'autre, les frustrations permanentes causées par l'immense appareil bureaucratique, le pessimisme généralisé, le désabusement collectif, il y avait les parents, les amis, les enfants, la mère-patrie en dehors du système, plus tout ce que, justement, cette Hélène du Canada disait aimer de l'Union Soviétique.

Ceux qui partaient ne s'adaptaient guère ailleurs. Plusieurs voulaient revenir mais ils n'y parvenaient pas tous, ayant perdu leur citoyenneté soviétique...

Il ferma son livre et le posa sur une petite nappe frangée en tissu blanc, beige et noir, de fabrication artisanale, qui recouvrait une partie de la table basse. Il se croisa les jambes loin devant lui, l'une sur le cou-de-pied de l'autre, et les bras, et il continua de se livrer à une divagation aux tourments décompresseurs.

Vivre toute une vie sans voir les vrais vivants! Devoir toujours filigraner, filouter, flétrir sa propre individualité au nom d'une seule vérité, fût-elle communiste! Avoir l'obligation de se soumettre à la volonté de puants Katatonov, personnages bureaucratiques cloués dans les faldistoires de l'incompétence et de l'impéritie où ils ont abouti par la seule vertu de leur inutilité combinée à leur servilité et à leur esprit flagorneur! Voir toutes les idéations embranchées les unes dans les autres jusqu'à un tronc d'origine qui n'est pas un pays mais un seul cerveau! Se sentir chosifié, numéroté, fiché! Savoir que sa pensée propre doit se trafiquer elle-même, s'édulcorer avec des ingrédients concoctés dans la grande cuisine du Kremlin! Malgré votre docilité servile, toujours sentir une épée de Damoclès vous menacer et vous coudre la bouche avant même qu'elle ne s'ouvre!

Il avait accusé Hélène de s'auto-aliéner à cause des pressions subies dans son monde, mais lui, Nikolaï Fedorov de Moscou faisait très exactement la même chose et depuis toujours.

-À quelle heure pars-tu, Nikolaï? lui demanda en français sa mère qui lui parlait le plus souvent dans cette langue.

-Dans une heure.

-Tu nous emmèneras Sacha.

-La semaine prochaine, pas aujourd'hui.

-Fils cruel, tu nous prives de notre petit-fils.

Il ne répondit pas mais pensa: "Demandez à cette chère Larissa!"

Un homme docteur marié à une femme ingénieur, c'était voué

à l'échec au départ comme en Occident un homme Bélier avec une femme Taureau. L'attrait n'avait été que physique. Larissa était une jeune fille d'une exceptionnelle beauté qui faisait tourner bien des têtes à l'université. Elle se montrait indépendante à l'époque. Le défi était de taille. Il avait battu ses camarades. Quelle idée d'épouser une femme pour satisfaire son ego! Mais quand on ignore la vraie raison et qu'on appelle ça de l'amour!

Il questionnait Sacha à son sujet. Larissa avait déjà trouvé quelqu'un d'autre. Tant mieux: ça le dégageait d'une certaine responsabilité morale! Lui ne se sentait pas prêt pour établir un lien avec une autre. En chaque femme, du moins en chaque femme soviétique, il voyait Larissa et Larissa l'avait fait souffrir en n'étant pas celle qu'il aurait voulu; et sans doute qu'elle avait souffert aussi de n'avoir pas eu l'homme qui la contemple. Tout le problème avait été là: il eût fallu s'entradmirer au lieu de s'entre-dévorer. Non seulement aucun n'avait voulu servir l'autre mais encore avait-il cherché à se faire servir par l'autre! Double impasse dont l'issue avait été scellée quelques mois auparavant. Son amour-propre en prenait pour son rhume de ne plus se voir le roi de cette reine de beauté froide.

∞∞∞∞∞

Sur son lit d'hôpital, depuis son réveil, Hélène restait pelotonnée dans ce dimanche interminable. Elle le tiendrait au chaud, ce coeur bafoué, le raccoutumerait à pomper correctement avec un coin de moins, le retaperait, cet organe tintinnabulant qui avait décidé de se conduire comme une patraque et, ne le lâchant pas, il ne pourrait pas, lui, le tortueux, la lâcher non plus.

Mais pour cela, elle devait le reposer comme le voulait le docteur Fedorov, en le privant d'efforts comme d'émotions. C'est pourquoi, chaque fois que l'image de ses enfants lui venait en tête, elle la rejetait, l'enterrait sous une montagne de souvenirs récents dont les plus nets et de loin, comportaient indubitablement le visage du docteur dont la représentation mentale exagérait ces fossettes délicieuses qui lui creusaient les joues.

Parce qu'il était bel homme et parce qu'il était soviétique, elle le ferait souffrir. Ainsi, faisant d'une pierre deux coups, elle continuerait de se défouler sur lui de ces valises de frustrations qu'elle avait apportées avec elle en Union Soviétique, et puis elle saurait s'il est vrai que les Soviétiques aiment tant la douleur et la recherchent inconsciemment toute leur vie. Comment s'y prendrait-elle? En l'attaquant dans les valeurs fondamentales qu'il défendait. En discourant sur tout ce qui allait de travers dans ce pays-là. Tout cela, elle s'y adonnerait, oui, mais derrière une façade compatis-

311

sante qui lui servirait de bouclier.

D'autres infirmières s'occupèrent d'elle, de sa pression, de lui servir repas et médicaments. Elle leur parla en russe le plus et le mieux qu'elle put; entre-temps, elle se recroquevilla dans un état d'âme presque neutre...

∞∞∞∞

La mère de Nikolaï prépara quelques sandwichs aux oeufs qu'elle mit dans un sac avec des pommes, du fromage et des pirojkis. Il y en avait pour deux: son fils et son petit-fils. Comme ils allaient au parc et qu'ils joueraient aux échecs, ils ne laisseraient pas une partie en plan et ne seraient pas dérangés par la faim.

Elle vint porter le sac à Nikolaï qui s'était replongé dans son livre avec, cette fois, un peu plus de succès. C'était une femme de la fin de la cinquantaine à visage large et bon, au nez lourd, le menton légèrement bifide et de grosses lunettes à verres légèrement teintés. Des cheveux brun pâle qu'elle faisait teindre pour n'en pas apercevoir le gris. Toujours bien mise, elle agissait comme traductrice du français au russe dans une maison d'édition moscovite et elle-même sans le vouloir expressément devait surveiller ses travaux afin de ne pas déroger aux lignes tracées par l'héritage marxiste-léniniste. Par contre, elle ne choisissait pas ce qui, de France ou de Belgique, pouvait entrer en Union Soviétique et c'était tant mieux car on eût tôt fait de l'accuser de laxisme.

Elle n'avait eu que deux enfants. C'était bien suffisant du temps stalinien. Nikolaï, l'aîné, avait vu le jour aux heures les plus sombres de la guerre alors que les hitlériens se trouvaient aux portes de Moscou. Elle avait cessé de combattre deux mois avant sa naissance et elle était retournée au front deux semaines plus tard. Sans ce surplus de courage de la femme soviétique, il n'est pas sûr que la guerre aurait été gagnée, disait parfois Nikolaï. Ce à quoi elle répondait sans fausse modestie qu'il ne fallait pas confondre courage et devoir.

-Tu pars bientôt? lui redemanda-t-elle en déposant le sac sur le divan.

-Oui.

-Salue Larissa pour nous autres et embrasse bien fort Sacha, veux-tu?

-C'est sûr.

L'homme sortit de l'immeuble et il marcha jusqu'à l'avenue Kalinine à deux coins de rue, où il pourrait s'arrêter pendant quelques minutes afin de lire les manchettes de certains journaux affi-

312

chés dans une vitrine. La nourriture intellectuelle qui lui fut servie ressemblait en tous points à celle de la veille, de la semaine précédente, du mois d'avant, de la décennie 70, 60... Le socialisme y vantait ses réussites. Tout était au beau fixe dans le meilleur des pays de la terre.

Il avait un bout de chemin à faire en métro pour se rendre chez Larissa puis au parc central de culture et de repos Maxime Gorki près de la Moskova, aussi ne s'attarda-t-il pas à l'étalage d'autosatisfaction du régime dont par bonheur l'on pouvait se reposer en lisant les articles traitant les pays occidentaux de tous les noms.

Que peut faire un Soviétique tanné pour changer son sort? se demanda-t-il pour la millionième fois en pénétrant dans la voiture presque déserte du métro. Premièrement: rien. Ce à quoi s'occupaient la plupart des gens du reste. Deuxièmement: essayer de changer quelque chose dans cette société en utilisant le seul grand levier existant, le parti communiste auquel il avait adhéré au tournant de la vingtaine. Mais après quinze ans d'activités militantes, le parti lui apparaissait comme une machine aussi formidable qu'immuable. Et troisièmement: trouver le moyen de s'en aller à l'étranger quelles que soient les conséquences pour lui-même et pour les membres de sa famille.

Il songeait un peu plus souvent à cette troisième solution depuis son divorce mais continuait de s'adonner aux deux premières: l'inertie et l'appartenance au parti qui ne voulait à peu près rien dire non plus.

Les arrêts se succédèrent. Des êtres calmes entraient, sortaient des voitures, déambulaient sur les quais, venus de nulle part et bougeant dans une espèce de demi-pause étirée qui ponctuait la tranquillité un peu navrante de ce jeune dimanche.

Nikolaï fut bientôt à l'immeuble de Larissa. Il sonna à l'appartement. Sacha commanda l'ouverture de la porte centrale. Son père prit l'ascenseur en même temps qu'un garçonnet qui le dévisagea avec insolence jusqu'au quatrième étage où l'homme sortit, suivi sur les talons par cet enfant légèrement bigleux, lunetté, aux lèvres trop courtes pour ses dents

Nikolaï frappa à la porte, le garçonnet toujours derrière lui, collé au cul. Il voulut le questionner mais l'enfant le devança:

-Tu es le père de Sacha, hein, toi?

-Oui, et toi un de ses amis.

-Non.

-Alors que viens-tu faire chez lui?

-Parce que mon père est ici. J'ai couché dans la chambre avec Sacha.

-Ah!

Nikolaï ne fit pas tout de suite le compte de ce qu'il venait d'entendre. C'est pourquoi il fut décontenancé quand Sacha ouvrit et qu'aussitôt son attention fut captée par un homme aux cheveux en épis et à la chemise grande ouverte, assis au salon et lisant. Il fallait bien qu'il s'y attende. Un jour, quelqu'un d'autre ferait intrusion dans ses meubles, dans ses murs, dans la chambre de Larissa; or, ce jour était venu, selon toute évidence.

Le choc n'en fut pas moins violent. Le garçonnet qui l'avait suivi jusque là s'introduisit entre lui et la porte et courut jusqu'à son père contre qui il s'assit pour bien montrer leur appartenance mutuelle.

-Es-tu prêt? demanda vivement Nikolaï à Sacha.

-Entre, Nikolaï! cria la voix de Larissa qui parut ensuite dans cette beauté radieuse qui ne la quittait jamais, même avant les soins du miroir.

Saisie d'emblée, la beauté d'une femme ne se dépeint guère par les mots les mieux choisis qu'il faudrait superposer et non juxtaposer, d'autant que des éléments harmonieux ne vont pas forcément ensemble. Voilà pourquoi il n'avait pas les mots pour décrire son visage d'enfant, sa blondeur russe et les formes exquises d'un corps plus désirable encore ainsi enveloppé d'un saut-de-lit rouge seyant à la taille.

-Que je te présente Alexandre... Alexandre, voici Nikolaï, le père de Sacha... Alexandre Konanov.

Les deux hommes s'approchèrent en se jaugeant puis ils se serrèrent la main juste au-dessus de la tête du garçon assis.

-Alexandre est ingénieur, annonça Larissa d'un ton très banal qui ne laissait aucunement transparaître son contentement.

L'autre sentit le besoin de se disculper:

-Nous travaillons à la même usine de tracteurs, mais dans deux sections différentes. Elle m'a appris que vous étiez membre du parti? Et moi de même...

"Si tu penses que tu vas me faire le tour de la tête parce que nous sommes tous les deux dans le parti, tu vas te tromper!" pensa Nikolaï. Mais il dit:

-Non seulement membre, mais très militant, comme vous l'aura aussi appris Lar... Larissa...

-Et moi de même!

"Et moi de même, et moi de même!" "Quel penseur original!" se dit Nikolaï. Mais il lança:

-Futur député peut-être?

-L'avenir le dira... Et vous?

-Quel militant n'envisage pas servir un jour sa patrie comme député?

Comme cette parole sonnait faux dans sa bouche! Qu'il eût voulu la rattraper, la tordre comme un linge mouillé pour en faire sortir toute cette salive communiste qui ne lui appartenait pas!

-Ainsi vous allez au parc Gorki, nous a dit Sacha.

-On va faire une petite partie d'échecs en plein air.

-La journée va être magnifique.

-Tu voudrais de l'eau minérale? offrit Larissa.

-J'ai tout ce qu'il faut, dit Nikolaï en montrant son sac.

-Je peux préparer des sandwichs pour Sacha si tu veux.

-Je te le dis: j'ai tout ce qu'il faut pour les deux. Tu connais maman. Il ne manque que le jeu d'échecs; tu vas le prendre, Sacha?

-Oui.

L'enfant, garçonnet de neuf ans, courut dans sa chambre. L'autre garçon le suivit. Larissa revint à la charge avec son eau minérale:

-Tu ne veux pas t'asseoir et jaser un peu avant de partir?

Nikolaï consulta sa montre.

-Une autre fois... la prochaine fois. Les bonnes places seront prises au parc si nous tardons trop... Si j'avais su, je serais venu avant. J'ai tué le temps un peut partout à lire les journaux...

Alexandre se sentait aussi très mal à l'aise. Il se rassit et croisa ses mains sur sa tête, disant, le ton caustique, dans un coq-à-l'âne grâce auquel son esprit libéra un peu d'une gourme que suscitait en lui la simple présence de l'ex-mari de Larissa:

-Nos chers amis, les Américains, finalement, on ne leur verra pas la face à nos Jeux. Ils ont eu peur de se faire lessiver par nos athlètes.

-Sûrement!

-Y a des chances pour qu'on leur rende la pareille en 84.

-Je ne serais pas d'accord.

Alexandre s'assombrit:

-Ah?!

-C'est en leur répondant par le sourire que nous pourrions le mieux les vaincre à la face du monde entier. Dans une guerre sans armes, le sourire est la meilleure.

-Je pense que ça serait plutôt donner de la confiture aux cochons...

-C'est le parti qui décidera, intervint Larissa qui était restée debout à l'entrée du couloir.

-Le parti ne se trompera pas, dit Alexandre.

-Il ne se trompe jamais! jeta Nikolaï.

Les voix des garçons leur parvinrent et elles n'annonçaient pas la signature imminente d'un traité de paix. Larissa cria à son fils:

-Dépêche-toi, Sacha, ton père attend.

-C'est la première fois qu'on les entend se chicaner un peu, dit Alexandre... C'est l'adaptation... Je vais sermonner Vladimir...

-Va le chercher, Larissa, s'il te plaît, demanda Nikolaï, l'oeil sévère.

Elle hésita, reconnaissant sa vieille propension à donner des ordres comme il l'avait toujours fait, comme s'il prenait sa femme pour une assistante en salle de chirurgie. Mais s'il avait tranché par le ton-scalpel, il avait inscrit un 's'il te plaît' dans la phrase au moins. Et elle entra dans la chambre pour y instaurer la paix et l'ordre...

∞∞∞∞

Le père et le fils s'engagèrent dans une allée ombreuse du parc Gorki. Sacha tenait son jeu d'échecs sous son bras, marchant comme un adulte, parallèlement à son père mais à deux pas toujours gardés sauf quand on rencontrait des passants. De vivre seul avec sa mère lui donnait une autonomie nouvelle, d'autres points de repère. Il se sentait responsable de quelque chose...

C'était un enfant à cheveux auburn qui n'avait hérité que de fort peu des caractéristiques physiques de ses parents. Il avait le sourire malaisé et une oreille plus décollée que l'autre, ce qui l'incitait à s'adresser aux gens la tête en biais tournée vers la gauche. Il portait une chemise blanche ouverte au col et des culottes courtes de couleur marine. Déjà très fort aux échecs, seul son père parmi ses adversaires réguliers le battait encore.

On avait peu parlé depuis la maison. Nikolaï avait roulé sa gourme dans sa gorge compressée durant le parcours en métro. Le soleil chaud mais sans excès et la pureté de l'air firent diminuer un peu son ressentiment. À leur entrée dans le parc, il questionna son fils:

-Alexandre... il a couché à la maison?

316

-Bien oui! Avec maman...

-Ah!

-Il est gentil. Il va nous emmener aux cérémonies d'ouverture des Jeux la semaine prochaine.

-Ah!

-Tu vas y aller, toi?

-Je ne sais pas encore... Il est sûrement trop tard pour obtenir des places de toute façon. Et puis je n'ai pas trop le temps.

Le feuillage fleurait l'oxygène et vivifiait les esprits. Les Russes se savent plus efficaces au jeu d'échecs quand ils le pratiquent en pleine nature et c'est pourquoi ils s'y adonnent jusqu'aux grands froids et souvent en plein hiver. Beaucoup de tables et de bancs étaient déjà occupés mais le parc est vaste et on y était à une heure raisonnable. Quant aux retardataires, ils se feraient prévoyants et auraient avec eux table et chaises pour s'installer confortablement

-Ça fait longtemps qu'il va à la maison, Alexandre?

-Trois, quatre fois.

-Pourquoi ne me l'as-tu pas dit?

-Maman n'a pas voulu. Elle disait que c'était trop tôt, que ça pourrait te fâcher...

-Où a-t-elle donc pris une idée pareille? Elle est libre puisqu'elle est divorcée.

Un petit-gris s'engagea devant eux par sauts légers sur les pierres noires de l'allée. Sacha retint son père par le bras et par le chuchotement de sa voix:

-Attends... regarde...

Nikolaï s'arrêta. Son fils adorait les petits animaux. Il lui prédisait un avenir en écologie. L'arrêt permit à chacun d'oublier sa nostalgie des jours passés à jamais révolus alors qu'à famille complète et jusqu'aux grands-parents, on allait cueillir des champignons le dimanche dans la forêt près de la route de Kalouga ou y pratiquer le ski de fond durant l'hiver.

L'animal peu farouche se tourna vers eux et espaça quelques pas secs, s'attendant sans doute à recevoir une quelconque gratification pour son ballet nerveux. Ce qui lui parut une éternité sembla une fraction de seconde à ses spectateurs. Il releva le nez, jeta quelques lueurs hautaines de son regard luisant et il tourna le panache. En moins de deux, il disparut entre les bouleaux dans un slalom digne des Jeux olympiques d'hiver.

On se trouva bientôt une table libre sous un gros chêne. Des personnes formant une petite famille venaient d'une allée transversale et avaient l'air de s'y diriger. Sacha courut et les devança. Sitôt arrivé, il ouvrit sa boîte et commença à disposer les pièces. Nikolaï s'arrêta un moment et tourna le dos pour avoir l'air de regarder quelque part; c'était pour réagir. Il avait dit à sa patiente canadienne qu'on s'enferme plus dans son propre système intérieur qu'on ne l'est par celui de la société dans laquelle on vit. Aucune autre allégation ne lui semblait plus appropriée à son état d'âme du moment.

-Papa, c'est prêt.

-J'y vais.

-Tu veux les blancs ou les noirs?

-On tire au hasard.

Ce qui fut fait par l'enfant à l'aide d'une pièce qui, annonça-t-il à son père, était tombée du côté des blancs pour lui. L'homme, vêtu d'un jean bleu qu'il avait troqué à un Français contre quelques boîtes de caviar, s'approcha et mit le sac de victuailles sur l'herbe puis il s'attabla à son tour.

Alors en même temps qu'aux échecs, Nikolaï se livra à une élucubration complexe inspirée par sa vie et par les pièces du jeu. Il identifia chacune. Le roi représenta l'Union Soviétique. La reine devint la liberté. Les tours furent la famille. Les cavaliers: les membres du parti. Les fous: les gens du KGB. Et aux pions, il donna l'identité de ses sentiments personnels profonds dont l'amour et la peur, la loyauté versus la trahison...

Il fut dès lors confronté à plusieurs questions dont la première fut: quelle est la définition et l'importance de la liberté? Et à d'autres. Faut-il sacrifier sa reine pour défendre le roi ou doit-on protéger la reine jusqu'au bout et, pour qu'elle demeure éternellement sur l'échiquier, y sauvegardant l'amour et la fantaisie, préférer à sa perte le mat au roi?

Sacha se livra à une attaque rapide sur deux fronts simultanément. Il dégagea dangereusement ses tours. Mais son père ne profita pas des occasions d'enfoncer sa garde trop basse. Emberlificoté dans le dédale des voies du coeur et de l'esprit, en quête d'une définition à la trahison, il perdit ses deux fous et un cheval moyennant un maigre pion et une certaine position favorable de son autre cavalier.

"Nous voulons empêcher l'exploitation de l'homme par l'homme au plan bêtement matériel, songea-t-il, et le prix à payer est celui de l'exploitation de l'homme par la collectivité non seulement au

318

plan matériel mais aussi à tous les autres plans."

Les coups passaient. Les coups pleuvaient. Sa reine fut mise en danger. Il dut roquer.

"Et une exploitation n'équivaut pas à l'autre puisque celle à laquelle s'adonnent les pays riches permet à la majorité de leurs gens de s'en sortir tandis que la nôtre ne présente l'assiette au beurre qu'à une faible minorité de privilégiés. Depuis sa mort, on ne cesse d'assassiner Lénine dans ce pays... Et c'est pourquoi son tombeau ne sera jamais le berceau de l'humanité..."

Il para plusieurs autres attaques.

"Qu'une enseignante canadienne qui n'est pas une profiteuse par définition dispose des moyens de réaliser son grand rêve russe ainsi qu'elle le disait, un rêve à effets thérapeutiques de surcroît, tandis que lui-même se voyait condamné aux étroitesses d'une vie n'allant nulle part sans même la possibilité raisonnable de changer de ville, d'hôpital, de milieu, parlait mille fois plus que tous les discours pompeux de tous les apparatchiks réunis au Mausolée de Lénine un jour de parade..."

-Échec! annonça Sacha.

"Faire primer son bien personnel sur celui de son pays: n'était-ce pas la définition officielle de la trahison? Mais où l'abdication de soi devenait-elle du zèle? Où tracer la ligne de base? Jeter un papier dans le parc, qu'il se nomme Gorki ou Central, ne consti-tue-t-il pas une trahison envers son pays puisque ce crime, si ténu soit-il, multiplié par tous les citoyens égale la destruction de la patrie comme cela se produit partout dans le monde y compris en Union Soviétique? Quitter un pays que l'on n'accepte plus n'est-il pas un devoir et ce pays-là ne devrait-il pas honorer les déserteurs pour leur courage de partir plutôt que de les honnir comme des traîtres?"

D'autres mouvements s'étaient produits sur l'échiquier. Sacha sourit, l'air désolé. Il dit:

-Échec et mat!

Mat, roi déchu, roi cocu, il ne manquait plus que le mouve-ment de la trahison pour que Nikolaï se sente un fiasco total. Il examina toutes les issues possibles. Son roi ne pouvait définitive-ment plus se dérober puisque tout mouvement le laissait au bout du canon d'une arme chargée. Traqué de toutes parts et sur tous les fronts, le pauvre monarque n'avait même plus la possibilité de jouer à la roulette russe.

-Félicitations! C'est la première victoire de la jeunesse sur la vieillesse.

Alors, pour la première fois de sa vie, Nikolaï pensa qu'il quitterait l'Union Soviétique un jour, du moins ce pays de 1980 s'il continuait d'être ce qu'il était... Sentir une fois dans sa vie l'incommensurable plaisir de dire que le président de son pays est un parfait imbécile. Respirer...

Et pour y parvenir, il devait dès maintenant établir des liens solides et parfaitement invisibles avec des étrangers qui, le moment venu, l'aideraient depuis chez eux...

∞∞∞∞

Hélène regardait ce dimanche éclatant un peu affadi par les vitres de sa chambre. Elle imaginait la femme du docteur Fedorov. Un être qui devait revenir à la maison après sa dure journée de travail et alors regarder d'un oeil la télé et de l'autre surveiller les devoirs de son fils tandis que monsieur lisait son journal. Elle devait laver les chemises de monsieur d'une main et préparer le repas du soir de l'autre tandis que monsieur, comme Pierre Lavoie, passait un temps interminable à discuter de hockey au téléphone avec son ami Viktor. Et ensuite, devoir offrir sa féminité, quêter un minimum de tendresse et subir des reproches immérités...

Plus elle apprivoisait cet hôpital, plus fort elle ressentait le besoin de faire du mal à cet homme avant de partir. Cet objectif lui faisait oublier ses souffrances morales et sa solitude. Elle sentait sa dépendance envers lui diminuer puisque le seul remède qu'il sache lui prescrire était une cure de repos. Elle était fort capable de s'administrer ça elle-même et ce pauvre docteur ne pourrait pas prendre sa revanche sur son coeur.

"À nous deux, Fedorov, au nom de toutes les femmes de la terre!"

∞∞∞∞∞∞∞∞∞∞

# Chapitre 24

Le restant de cette journée, Hélène passa une partie de son temps à essayer de comprendre ce que l'on disait à la radio. Mais puisqu'il ne s'agissait pas d'une conversation, d'un échange de propos avec un fil conducteur, que l'animateur débitait ses phrases sans s'arrêter pendant plusieurs minutes, elle n'accrochait que des bribes par ci par là. Il s'agissait pourtant d'une étape essentielle vers la maîtrise de la langue; en bonne pédagogue, elle le savait et se proposait d'enregistrer plusieurs cassettes avant son départ du pays sachant bien que de tels outils étaient introuvables au Canada.

Deux fois, elle plongea dans 'Anna Karénine' mais elle ne progressa que de quelques pages. Car lui vint l'idée d'écrire un journal de voyage. Elle se reprochait de n'y avoir pas songé avant de partir. Et puis le temps lui était donné en abondance maintenant que son coeur avait flanché. Puisqu'elle ne pourrait pas photographier tous ces lieux et monuments dont parlait la publicité sur les villes visitées, la maison de Pavlov, la minoterie, le Mémorial de la colline Mamaïev à Volgograd, le Palais d'Hiver, le croiseur Aurore, Petrodvorets, le Palais de Catherine à Leningrad, toutes curiosités et bien d'autres qui demeureraient en son âme comme autant de rêves à caresser, de désirs à embellir, elle remplacerait la caméra par sa plume pour aller, comme Diogène avec sa lanterne, à la rencontre de l'humain, ce qui, du reste, avait toujours constitué le premier but de son grand rêve russe. Sa première entrée fut faite après le repas du soir dans un cahier broché qu'elle avait apporté avec elle pour prendre des notes, et elle fut introduite par des considérations sur Diogène qu'elle critiqua:

*"Comme le philosophe grec, vais-je me heurter à l'absence de l'humain véritable ou bien n'existe-t-il pas parce que je suis inapte à le percevoir? Diogène n'aurait-il pas dû fermer les yeux ce midi-là à Athènes pour rencontrer l'homme? Dans leur quête folle et inextinguible, les voyageurs modernes n'ont-ils pas une caméra en guise de lanterne, et qui leur enseigne le béton au lieu des âmes, une caméra qui efface en prétendant révéler?*

*À compter d'aujourd'hui, j'essaie de sonder les coeurs comme on sonde le mien...*

*Je commence par le commencement. Nous sommes sur l'avion qui nous porte à Moscou. Il y a cette hôtesse à la voix qui pique...*

Tout y passa depuis son départ de Mirabel, moins les événements que les personnes. Et, au bout de sept pages, elle en vint à son jugement sévère sur le docteur Fedorov et à sa résolution de le blesser et de le punir. Ce qui, par ailleurs, lui permettrait de le connaître mieux.

*«Et par 'connaître mieux' il ne faut pas entendre aimer mieux, sois nette là-dessus, chère Hélène!"*

∞∞∞∞

Le lundi matin, Olga était de retour. Après le petit déjeuner, quand elle revint prendre les plats, elle regarda Hélène dans les yeux pour la première fois depuis sa 'trahison' et lui annonça une nouvelle avec une grande intensité comme si cela avait été sa façon de se faire pardonner:

-Quelqu'un va venir vous installer un téléviseur. Maintenant qu'on sait que vous comprenez le russe, on veut vous faire plaisir...

-Chez nous, il y en a dans nos chambres d'hôpitaux.

-Voyez-vous, dans les chambres réservées aux étrangers, ça ne servait à rien: personne n'utilisait son appareil. On les a enlevés pour en faire profiter quelqu'un d'autre. Vous savez, chez nous, il y a la télévision jusqu'au fond de l'Asie Centrale...

-Dites à la personne qui est responsable que je la remercie. J'imagine que c'est madame Irina?...

-C'est à la demande du docteur Fedorov qui a plaidé votre cause.

Hélène sourcilla.

322

-Vous êtes très gentille, Olga, et je vous remercie. J'apprécie ce que vous faites pour moi, croyez-le.

Olga se sentit pardonnée et elle repartit le coeur allégé. Hélène se rendit à la chambre de bains et se maquilla un peu tout en questionnant la manière de rajuster son tir sur cet abuseur. Car le docteur Fedorov avait exercé une violence psychologique envers elle en un premier temps. Car il avait usé indûment de son pouvoir en l'examinant et outrepassé les devoirs de sa tâche en auscultant son coeur sous le prétexte habile et fallacieux de lui faire pratiquer le russe. Comment avait-elle pu s'y laisser prendre sur le coup? Heureusement qu'elle avait crâné et qu'alors il avait eu peur! C'est par son pays qu'elle le frapperait, par ses valeurs, par les piètres réalisations matérielles qu'elle était en mesure de constater partout et en tout. Tiens, elle commencerait par l'épisode de l'autocar enlisé sur les terrains de la 'magnifique Exposition des Réalisations de l'économie nationale'. Il regretterait ce téléviseur, il s'en voudrait de le lui avoir fait envoyer, il aurait honte de lui-même...

Une heure plus tard, Nikolaï arrivait à sa porte. Il s'arrêta un moment pour un sprint de réflexion. Il lui restait quatre jours pour arriver à son lit, au bord duquel les obligations forcément l'arrêteraient tout juste. Car comment établir un puissant lien avec une femme, occidentale ou pas, sans passer par les voies labyrinthiques de son coeur? Ce jour-là, il laisserait voir ses mystères sans la laisser les percer... Les femmes sont vite séduites par les ténébreux...

Il ouvrit, demeura à moitié effacé dans l'entrebâillement et dit sans sourire:

-Je peux entrer?

Allongée, en train d'écrire dans son journal, la convalescente leva la tête et répondit, le ton à l'évidence:

-Depuis quand un docteur frappe-t-il aux portes dans un hôpital?

Il entra en répliquant:

-Chez nous, il y a un respect des gens qu'on ne trouve peut-être pas partout dans le monde.

Quelle porte il ouvrait! se dit Hélène. Elle la lui claquerait sur les doigts.

-Ce respect est-il autre chose que l'indice de la peur généralisée qui vous gangrène tous dans ce pays?

-Peur de quoi, peur de qui? Notre pays est le plus puissant de la terre.

-Et le plus vulnérable à la fois.

-Vulnérable en quoi?

-Il a fait un infarctus en 1917 et il ne s'en est jamais remis.

Il lui prit le bras. Elle ferma son journal et le mit sur la table de chevet. Il trouva le pouls. Elle poursuivit:

-Il a le coeur comme une pompe refoulante.

-Ce n'est pas quatre jours qu'il me faudrait pour vous montrer nos réalisations mais quatre ans.

-Vos réalisations? Que je vous raconte ma visite en autocar à votre VDNX, par ses verdoyants chemins...

Elle termina en même temps qu'il arriva à la fin de la demi-minute de la prise de pouls.

-On ne jette pas tout un pays dans une seule fondrière. N'est-ce pas ce qu'on appelle se faire traîner dans la boue?

Il lui lâcha le bras sans façon et lui sonda le coeur de la même manière avec son stéthoscope. Comme elle avait appris à se taire quand il procédait à cette auscultation, elle gardait sa réponse. Il la provoqua:

-La rondelle est à nouveau dans votre zone. J'écoute.

-Si j'étais vous, docteur, je ferais défection. Imaginez-vous dans un grand hôpital de Montréal. Reconnu à votre juste valeur. Bien payé. Belle maison. Belle voiture. Liberté de parole. Liberté de voyager partout dans le monde. Vous n'auriez qu'à vous montrer très québécois et tout le monde vous porterait sur la main. Un homme choyé par le régime. Nos médecins sont plus comblés que les millionnaires, vous savez... Ils sont respectés comme vous aimez l'être ici.

Cette parole avait beau être lancée comme ça, dans une joute intellectuelle, Katatonov y chercherait des puces. *Vous ne savez pas vous y prendre. Vous défendez mal vos valeurs. Attaquez! Mais attaquez donc!*

-Pauvre vous, mais vous ne vous rendez pas compte que l'Occident est un monde en décadence!...

-En décadence? Voilà vingt ans, votre numéro un lui-même, Nikita Khrouchtchev, a déclaré dans le midwest américain: nous vous battons dans l'espace mais vous nous battez en hot-dogs, mais attention, dans vingt ans, nous allons vous battre aussi en hot-dogs. Or, vingt ans après, il n'y a ni hot-dogs ici, ni hamburgers non plus, et je ne vous pas le jour où vous aurez une chaîne de McDonald's. C'est ça, la décadence.

Hélène sentait le rouge lui monter au visage de tenir pareil discours bassement matérialiste à la Pierre Lavoie.

Nikolaï s'esclaffa:

-Vous n'êtes pas sérieuse, chère Cassandre. Vous jugez notre pays en termes de hot-dogs. Nous sommes loin de notre dernière conversation alors que vous parliez de la grandeur de notre culture...

-Ça, c'est une autre histoire, justement! Votre système vous empêche de les voir, vos véritables valeurs. Nous, de l'étranger, les voyons pour vous, heureusement, mais pas vous qui êtes ob-nubilés par l'endoctrinement...

Nikolaï ne savait plus sur quel pied danser. Il lui fallait donner une réponse officielle propre à satisfaire cet écouteur de Katatonov. Il désirait afficher une aura de mystère autour de lui mais cette femme multipliait les crocs-en-jambe qui l'obligeaient à parler, à répondre sans arrêt. Il savait qu'elle mentait autant que lui mais ne parvenait pas à retourner la situation. On volait en rase-mottes et on risquait de s'accrocher les ailes aux obstacles du terrain. Le mieux à faire pour ce jour-là, pensa-t-il, était de se taire. Il resterait quand même trois jours pour tisser sa toile. Jé-sus-Christ n'avait-il pas fait croire à la moitié de la planète qu'il avait tissé la sienne en trois jours? Après tout, n'avait-il pas ramené Hélène au pays des vivants, lui, simple docteur de Moscou que personne ne prierait jamais?

Elle attendait une réplique. L'homme demeurait coi tout en écrivant sur le bloc-notes informatif. Hélène plissa un oeil et se lança à nouveau:

-Docteur, pourquoi avoir sauvé de la mort une méchante déca-dente comme moi? Et vous fatiguer pour la remettre sur ses pieds avant de la réexpédier dans son pays de déchéance morale et ainsi de suite?

Le silence peut-être, pensa Nikolaï, mais pas rien que pour lui. Il fouilla dans la poche de sa vareuse blanche et prit un abaisse-langue puis se rapprocha en pointant la bouche de sa patiente.

-Vous voulez me voir le coeur au fond de la gorge ou quoi?

Et elle referma la bouche sans le laisser entrer avec sa ridicule palette de bois. Il plissa les lèvres, les paupières. Le regard d'Hé-lène plongea dans le sien, projetant des gerbes de lueurs malignes et triomphantes.

Nikolaï dit mais en russe:

-Et maintenant, je vais répondre à une de vos importantes questions...

Il s'assit sur le bord du lit.

-*Kakoy?* dit-elle fantasque.

-Laquelle? À quoi ça ressemble, un baiser communiste. Vous l'avez demandé la dernière fois, non?

Et sans attendre, vivement, il l'embrassa... Pour lui-même, pour son objectif, pour Katatonov, pour qu'elle se taise, pour changer le cours de leur relation, pour se donner l'illusion de casser les vitres, pour narguer Larissa, pour faire semblant d'exister...

Hélène ne bougea pas. Ne le repoussa pas. Garda la bouche aussi cousue que si les lèvres de cet homme avaient été son abaisse-langue qu'il avait laissé tomber sur sa jaquette.

Elle compta les secondes. Au bout de dix, il s'arrêta, elle l'aurait juré; il devait lui ausculter les sentiments...

-Je vous demande pardon, madame Hélène? s'empressa-t-il de dire en russe.

-Pourquoi?

-Pour le... baiser.

-C'était la réponse à une question, non?

Il se remit sur ses jambes, répéta:

-Je m'excuse...

-Et... vous devez vouloir savoir comment j'ai compris cette réponse? C'est tout comme un baiser capitaliste: ça impose sa volonté.

Sans l'envisager, il dit à voix saccadée:

-Je vous fais une proposition: cessons donc de jouer au jeu que nous jouons.

-Et... à quel jeu jouons-nous donc?

-Celui du chat et de le souris.

-N'est-ce pas le jeu le plus naturel qui soit entre le prédateur et sa proie?

Nikolaï hocha la tête. Décidément, cette Hélène constituait une pire forteresse que dix femmes russes réunies et accompagnées de leur mère. Sa cuirasse s'épaississait au lieu de se ramollir.

-Je... vous revois demain à pareille heure.

-Et merci pour le téléviseur.

-Il n'est pas à moi.

-Mais il est là grâce à vous.

-Qui vous a dit cela?

-Olga.

-Olga hein!

-Oui, Olga.

-Olga se mêle de ce qui ne la regarde pas.

-Ne la sermonnez pas: elle a du coeur.

-Ce qui compte dans un hôpital, ce n'est pas d'avoir du coeur, c'est d'avoir de l'efficacité. Et l'un ne va pas nécessairement avec l'autre.

La femme piqua:

-Vous en savez quelque chose?

-Alors, ce jeu, on y met un terme ou non?

-Parlant de jeu, dites-moi ce qu'il en fut de vos parties d'échecs avec votre fils.

-J'ai gagné la première, j'ai perdu la suivante et j'ai gagné la troisième... Non, je suis mêlé... J'ai perdu la première et très rapidement. J'ai gagné la seconde et j'ai perdu la troisième. Il ne m'avait jamais battu auparavant... La concentration me manquait... Dérangé par mes patientes du Canada... ou du Québec si vous voulez...

-C'est un signe des temps...

-Qu'est-ce qui est un signe des temps?

-Que la jeunesse de ce pays commence à détrôner les vieilles barbes!

Il sourit mais, pensant à Katatonov, il dit:

-Notre pays est fort bien dirigé.

-Et s'il était arrivé quelqu'un alors que vous répondiez à ma question sur les baisers, risqueriez-vous la déportation? C'est de l'abus de pouvoir, ce que vous avez fait là? Au Québec, on appellerait ça du harcèlement sexuel... et ça pourrait vous coûter votre poste et le blâme du Collège des Médecins. Ou pire...

-Pire?

-Hum, hum...

-Comme?

-La prison.

-Ça valait bien quelques mois de prison.

Elle aurait pu l'attaquer encore mais elle voulut se ménager certains plaisirs pour la prochaine fois.

-Mais vous avez tout loisir de vous plaindre à la direction de l'hôpital si vous voulez.

-Et si je ne le fais pas, est-ce que vous croirez que j'ai aimé ça?

-Qu'est-ce que vous en dites?

-J'en dis que je ne m'en plaindrai pas à la direction parce que ça m'a laissée tout à fait froide.

-J'ai pu m'en rendre compte.

-Et je me demande bien ce qui vous a pris.

-J'ai répondu à votre question de samedi avec le même culot que vous l'aviez posée, c'est tout.

Elle avoua:

-Je dois en convenir.

-Enfin...

-Enfin quoi?

-Vous cessez de jouer un jeu.

-La trêve ne durera peut-être pas.

Il leva les mains devant lui:

-Arrêtons-nous là si vous le voulez bien.

Et il se dirigea vers la porte. Il l'ouvrit et salua de la main.

-Merci pour les excuses... et pour la visite, fit-elle en reprenant son journal et son stylo sur la table.

Katatonov fit en sorte de rencontrer le médecin sur son chemin vers nulle part. Il applaudit de ses deux index, voulant par là signifier la médiocrité de sa performance. Nikolaï haussa les épaules et ne s'arrêta pas.

∞∞∞∞∞∞∞∞∞∞

# Chapitre 25

*Ce pauvre Nikolaï Fedorov m'a rendu visite aujourd'hui, vêtu d'un épais manteau de culpabilité, de peur enfantine et de remords,* entra-t-elle dans son journal. *Je le tiens par la cravate...*

Allongée sur son lit, belle, rayonnante, Hélène avait le stylo fébrile et brillant. Tout près, la télé diffusait des images silencieuses qu'elle ne regardait pas afin de se mieux concentrer sur les mots à trouver pour décrire les heures précédentes.

*Paraît-il qu'il a fait une chaleur écrasante sur Moscou aujourd'hui mais, heureusement, l'hôpital est climatisé. C'est la moindre des choses car sinon, les pauvres cardiaques passeraient l'arme à gauche à la douzaine. J'ai frappé durement sur le dos de la médecine d'ici et défié le docteur de me laisser visiter cet hôpital. Une heure après, Irina est venue avec un infirmier. On m'a mise dans une chaise roulante et on m'a promenée partout où je le désirais sauf dans les secteurs à maladies contagieuses, m'a-t-on dit. Irina s'est montrée plus gentille mais elle a gardé ses manières de matrone. Je dois reconnaître que cet établissement est bien pourvu, en tout cas, à ce qu'il semble à une profane comme moi. Les salles de chirurgie sont aussi modernes que les nôtres et je n'ai pas eu besoin de leur propagande pour voir de mes yeux tous ces appareils électroniques complexes disponibles là, aux rayons X, à la réanimation etc... Ils sont les meilleurs en certains domaines, entre autres dans certaines chirurgies de l'oeil: c'est* bien connu et on peut le croire quand on voit leurs installations. Quant à leur usage, voilà sûrement une autre histoire. Peut-être qu'il manque une simple vis à certains appareils, et qui les rend inutilisables... et qu'il faut attendre des mois pour que la vis requise traverse toute cette bureaucratie visqueuse... et qu'une fois arrivée, on se rende compte qu'il manque le bon tournevis pour la poser...

-Tiens, me voilà en train de préjuger... Oui, mais si les petites choses empêchent les grandes de fonctionner et que rien ne marche minimalement bien du côté matériel, comment les sentiments ne seraient-ils pas exacerbés à la longue? murmura-t-elle en regardant une image d'un reportage télévisé sur les préparatifs de la cérémonie d'ouverture des Jeux.

*Il y a de grands mystères en ce docteur Fedorov. Parfois il apparaît transparent comme un enfant. D'autres, il est voilé comme un ciel de pluie. Hélas! il demeure un homme dominateur qui a dû demander à sa femme qu'elle le materne, qu'elle le valorise, qu'elle lui obéisse, qu'elle se taise... Il est dur d'être femme en Amérique, qu'est-ce que ça doit être face à des hommes refoulés, compressés par un tel système politique et d'aussi grandes contraintes économiques? Comme je voudrais savoir ce qui se passe dans un foyer soviétique ordinaire!*

Elle posa son stylo pour se souvenir d'un documentaire dans lequel une femme soviétique, plus ouverte que les autres interrogées, disait que les hommes de ce pays avaient abdiqué leurs responsabilités familiales et qu'ils fumaient leurs cigarettes puantes dans leur petit coin obscur dont ils ne sortaient que pour manger, faire l'amour ou critiquer.

Comme cela ressemblait aux hommes québécois de jadis, se redit-elle comme elle l'avait fait devant ce film. Elle se remit à son écriture.

*Il me trouverait bien effrontée de lui poser des questions sur sa vie conjugale ratée. Et après? Je n'en serais pas à ma première effronterie avec lui. Dois-je t'avouer, journal, que c'est très agréable de garrocher des roches à cet homme? Dois-je ajouter que je ne peux pas m'en empêcher et que ça me procure des plaisirs inédits?*

*Aujourd'hui, nous avons parlé de littérature. Je lui ai récité Le Vaisseau d'or; il a paru impressionné. Il dit qu'il a le coeur d'un poète et l'âme d'un fou et alors j'ai failli l'appeler docteur Jivago... Il m'a demandé le nom du plus grand auteur québécois. Je lui ai répondu qu'en ce domaine, il n'y a pas de plus grand, qu'il y a ceux qui plaisent à le plus de gens... et que, de toute manière, toutes les littératures occidentales sont gangrenées par le commerce qu'on en fait... comme celles des pays de l'Est le sont par le dirigisme qui les comprime... que les auteurs d'autrefois qui étaient les amuseurs publics les plus courus sont, de nos jours, rendus en bas de l'affiche après les athlètes, les cinéastes, les fabricants d'émissions de télévision, les animateurs, les chanteurs, les motivateurs et même les pondeurs d'annonces commerciales...*

*Je ne reverrai plus Olga qui sera en congé les prochains jours et ne reviendra à son travail qu'après mon départ. C'est dommage!*

*Je n'arrive toujours pas à penser très longtemps à Valérie, Manon et François: c'est trop dur pour le coeur... Ils me manquent mais ils doivent s'adapter... Ils s'adaptent, Hélène, ils s'adaptent...*

*Le docteur Fedorov m'a parlé de son fils Alexandre (Sacha est un diminutif d'Alexandre) qui continue d'apprendre la langue française par la télévision. La télévision soviétique est ennuyeuse mais éducative. Notre Radio-Québec en somme!. Sacha vit avec sa mère Larissa. Il dit que plus tard, il fréquentera soit l'institut théâtral soit l'école normale mais son père pense qu'il se dirigera vers un domaine où il pourra vivre près des animaux et de la nature... Qui donc aura raison? Seul l'avenir le dira. Et alors, Hélène Prince sera loin de la Russie et qui sait, peut-être loin de Lorraine aussi, du moins par l'esprit...*

*J'ai le coeur qui va bien maintenant. Tous mes signes vitaux sont normaux, semble-t-il. Je devrai prendre des médicaments jusqu'à mon retour à Montréal et ma prise en charge par un autre cardiologue. Je me demande si ces pilules sont vraies ou si elles ne sont pas remplies de simple placebo. On m'a dit que c'était de la nitro...*

*Je crois que je ne dirai à personne de la famille ni aux enfants ce qui m'est arrivé ici. Je vais apprendre à vivre avec cela par moi-même et pour moi-même...*

Elle fut interrompue par une visite d'infirmière. C'était la remplaçante d'Olga, un petit bout de femme au nez large et au gentil sourire triste qui dégageait des dents brillantes comme de la neige neuve sous un soleil d'avril. Elle s'appelait Zina. Hélène la jaugea à trente ans. Un bon parti pour le docteur Fedorov. Déjà mariée sans doute. Elle prit sa pression et en inscrivit les résultats sur le bloc-notes. Une fois de plus, Hélène fut à même de remarquer à quel point les âmes se révélaient par les yeux quand on se rendait compte qu'elle parlait russe. Ces gens-là brûlaient d'envie de voir l'Occident à travers elle mais ils paraissaient tous se surveiller en posant leurs questions, ils mesuraient leurs mots et ils avaient l'air d'apprécier les réponses longues. Et parce qu'Hélène cherchait souvent des mots ou, ne les trouvant pas, des synonymes pour exprimer la même chose ou à peu près, les réponses étaient forcément d'assez longue durée.

Elles parlèrent de la température dans les deux pays selon les mois de l'année: en fait de celle de la région moscovite par rapport à celle de la région montréalaise. Quelques mots furent dits sur les hôpitaux du Canada mais surtout sur les écoles québécoises. Et vint l'inévitable question sur les motifs qui avaient poussé une Canadienne française à vouloir apprendre une langue aussi peu populaire chez les Nord-Américains que le russe. Hélène parla même de René Lévesque mais la jeune Soviétique ne le connaissait pas. Hélas!

Quand la jeune infirmière fut partie, Hélène se remit à son journal.

*Si le Québec était indépendant, peut-être qu'on le connaîtrait, son premier ministre... ou son président tout comme on connaît les chefs d'Etat de Suisse, du Danemark, de la Norvège... en tout cas comme on devrait les connaître...*

∞∞∞∞

Vers la même heure le soir suivant, Hélène fit sa dernière entrée de journal depuis l'hôpital. Elle travailla assise devant la fenêtre, vêtue de son propre peignoir rose moins rugueux que ce vêtement officiel des malades. Elle relata tout d'abord une conversation intéressante qu'elle avait pu avoir finalement avec Irina. On avait parlé de la cuisine des deux pays, la république de Russie et le Québec.

La radio diffusait du Tchaïkovski. Dehors, les couleurs du soir révélaient les derniers secrets du jardin de l'hôpital. Les voitures glissaient en silence sur la rue voilée et elle n'en pouvait apercevoir que des morceaux fugitifs. Des employés allaient et venaient dans l'allée principale. Certains bifurquaient vers une aile, d'autres fonçaient tout droit vers l'entrée centrale ou les portes grillagées de la sortie, entrouvertes mais gardées par un pansu personnage en uniforme.

*Les microbes ne circulent pas à leur guise ici. Il leur faut des laissez-passer. J'aurai le mien demain matin et je vais quitter l'hôpital au milieu de l'avant-midi. Ce cher Fedorov a bien assez souffert à cause de mes frasques verbales; je me promets de me montrer gentille à sa dernière visite demain. Somme toute, il fut un excellent souffre-douleur et je le remercierai pour ça demain. Je*

332

*crois qu'il m'aime un peu malgré ce baiser insincère qui n'était ni capitaliste ni communiste mais bien plutôt... comme involontaire... commandé par je ne sais trop quoi... Hélas! je ne le saurai jamais. Qu'importe, qu'importe! Il fut respectueux ensuite. Très. Trop! Trop? Que suis-je en train de penser là? Trop de respect confine à l'indifférence; pas assez, à l'abus. Il est vrai que les pauvres hommes doivent avoir du mal parfois à comprendre ce qu'une femme attend d'eux... Nikolaï Fedorov s'en est bien tiré quand même...*

*Je voudrais bien connaître sa mère, une combattante du front russo-germanique. Quelle sorte d'âme peut donc avoir une telle femme? Avoir tant donné à son pays et recevoir si peu: quelle frustration!*

*Je te critique, Union Soviétique, mais je continue de t'aimer beaucoup... malgré tes terribles défauts... Un jour, je le sais, le monde ne te craindra plus et apprendra à t'aimer...*

*Je ne sais toujours pas combien cette hospitalisation va me coûter. L'assurance-maladie du Québec assumera-t-elle tous les frais? Ah! les tracasseries capitalistes!...*

Elle leva la tête comme pour interroger les arbres. Quelque chose la troubla. Quelqu'un. Elle secoua la tête; c'était bien lui, c'était le doct... c'était Nikolaï... Nikolaï Fedorov en bas dans la cour et qui agitait la main dans sa direction. Sans doute s'adressait-il à quelqu'un qui lui parlait depuis une fenêtre? Seulement, il ne parlait pas, lui, et ne faisait que gesticuler en pointant droit vers elle son bras, sa main, son index. Le meilleur moyen de savoir, c'était de lui répondre. Elle se leva, se montra du doigt. Il fit de grands signes affirmatifs. Hélène sentit son coeur doubler son rythme. Ne cherchait-il qu'à la saluer ou bien lui ordonnait-il de se recoucher? Il collait ses mains et se les mettait sous la tête qu'il penchait. Le message était clair. Elle hocha la tête à la négative. Il leva les bras qui dirent son impuissance. Puis il lui fit comprendre d'ouvrir la fenêtre. Jamais elle n'avait osé le faire, de crainte de se faire gourmander. Par bonheur, seuls les verrous du bas étaient posés. Elle recula la table et les poussa, et ouvrit les deux battants.

-Vous allez bien? demanda-t-il en s'approchant par une allée secondaire le plus qu'il put.

-Je fais mes devoirs, dit-elle en montrant son stylo et son cahier.

Et elle s'appuya le ventre sur le calorifère et s'accouda à la tablette.

-Vous n'êtes toujours pas raisonnable.

-La raison a des raisons que le coeur ne connaît pas.

-Ce n'est pas comme ça que ça se dit.

-Je sais.

-Vous aurez été la patiente la plus bébé que j'aurai jamais soignée jusqu'à ce jour.

-Les bébés ne sont-ils pas plus en santé que les adultes?

-Pas tous.

-Et les devoirs, c'est quoi?

-Mon journal de voyage.

-Ah! et vous y parlez de votre cardiologue et de ses exigences?

-Un peu.

Nikolaï baissa la tête et la releva aussitôt, le front rembruni.

-Alors bonne soirée et bonne nuit...

Un personnage piriforme parut dans le champ de vision d'Hélène, trottinant vers le médecin. À deux reprises, il leva la tête vers elle, une tête épaisse et noirâtre, mais sa main levée signalait à Fedorov de l'attendre. Elle n'osa répondre aux salutations du docteur autrement que par des gestes qu'il ne fut pas en mesure de voir.

-*Chto vam ougodna, tavaricht Katatonov?* crut-elle entendre de la bouche du docteur.

Elle referma les battants en traduisant la phrase dans sa tête: qu'y a-t-il pour votre service, camarade Katatonov?

Beaucoup de contrariété et de contrainte transparaissaient de cette scène. Nikolaï avait lancé librement à peine quelques mots joyeux puis en un éclair, il était redevenu un homme sombre, taciturne, distant, fuyant... Tout cela, elle l'avait lu dans les quelques secondes de la fin de leur échange.

Songeuse, elle remit la table contre le calorifère et plongea à nouveau dans son journal.

*Le docteur Fedorov vient de me parler. Il était là, sous ma fenêtre, sans son costume de docteur... Il ne lui manquait plus qu'une guitare pour chanter la sérénade... Qui sait, peut-être reviendra-t-il quand la lune éclairera Moscou? Je ne l'avais pas encore vu dans des vêtements ordinaires et sans son casque blanc. Je dois t'avouer, cher journal, qu'il m'est apparu très... très bel homme... Par chance que je m'en vais demain sinon je crois que j'essaierais de le corrompre... Ce mot-là n'est pas très poétique,*

*hein! D'accord, disons: séduire, envoûter, enjôler... J'ai bien quel-*
*ques morceaux de mon coeur qui sont morts mais cela incite ce*
*qui reste à plus d'action, non?... Bizarre, je me sens adolescente*
*dans une vieille âme de trente-sept ans. Ce sera le dépaysement,*
*les découvertes... Tu m'excuseras, journal, mais je n'ai plus envie*
*d'écrire... Je suis toute mêlée, confuse... À la prochaine donc!*

Elle ferma son cahier. Le goût de l'indolence entrait en toute
sa substance. Elle se recoucha, ferma les yeux, se laissa envahir,
baigner par la musique qui provenait de la radio derrière son lit,
près de sa tête.

Les cheveux d'or de Nikolaï, ses traits fins d'enfant confiant,
son regard outremer levé vers sa fenêtre: tout son visage enroula
le rêve féminin pour l'élever en spirale dans le clair de lune de
Moscou vers l'infini...

∞∞∞∞∞∞∞∞∞∞

# Chapitre 26

Sous la supervision d'Irina qui se montra fort aimable et souriante tant qu'elle fut dans la chambre à s'occuper elle-même à
prendre la pression de la convalescente et l'inscrire, Zina prépara
les bagages d'Hélène qu'elle mit à mesure sur une plate-forme roulante et emmena ensuite avec elle après des formules de salutations.

Puis Irina se montra volubile. Elle parla de sa famille, de son
neveu qui serait en compétition aux Jeux en natation, de la
meilleure façon de faire des crêpes russes. Les deux femmes échangèrent jusqu'à l'arrivée du docteur Fedorov. On parla quelques minutes à trois puis Irina partit en disant qu'elle serait là tantôt, à la
sortie de l'hôpital, au départ d'Hélène

-Comment l'avez-vous trouvée aujourd'hui? demanda le docteur.

-Irina? Elle n'est pas la même...

-Vous savez, il y a un certain camarade Katatonov qui est
parti en vacances et ne sera de retour qu'après les Jeux, ce qui
déconstipe les gens si vous me pardonnez cette expression.

-Je devine que c'est ce personnage qui a interrompu notre conversation hier soir.

-Exactement!

-Quelle est sa fonction dans l'hôpital?

-C'est lui qui fait en sorte que les voix soient très basses... Et dans un hôpital, c'est utile, souhaitable que les gens parlent bas, vous ne trouvez pas?

Hélène resplendissait dans un ensemble ivoire doux orné de boutons dorés, formé d'un haut à manches chauve-souris et d'une jupe seyante. Elle avait pris place sur le pied de son lit, un bras accoudé au montant de métal blanc.

-Alors vous voilà au bout d'un petit voyage dans le grand, n'est-ce pas? reprit-il, le regard perçant.

-Toute mauvaise chose a une fin.

-Le pire génère souvent le mieux et l'inverse est aussi vrai, vous savez cela. Cet accident qui vous est arrivé aura sur vous d'immenses retombées positives. On en a discuté déjà, et vous devez vous dire que je radote, mais c'est cela que je veux que vous reteniez d'abord de votre séjour dans cet hôpital.

-Pour être honnête, je suis d'accord. Puisque nous ne nous reverrons plus, je dois vous faire une petite confession, docteur. Il faut que j'avoue que je me suis un peu défoulée sur vous depuis mon arrivée ici. J'ai vécu des choses dures ces derniers temps et j'ai un peu de mal à me réconcilier avec les mâles de l'espèce...

-Ah, ça, je me suis rendu compte... et vous avez fort bien fait. Rappelez-vous qu'un de mes principes -même si j'ai alors déclaré que c'était une politique générale, ce qui est faux- en tant que cardiologue, c'est d'établir un lien personnel avec les patients afin de leur servir de boxing-bag ou de soupape à leur stress, par-delà les médicaments, les conseils et le scalpel, car le coeur se soigne aussi et beaucoup par la tête donc par la gestion de ses émotions.

Elle demanda, narquoise:

-C'était aussi le but de votre approche... communiste de lundi...

-Ce fut un mouvement spontané et... regrettable...

-Je ne le regrette pas, moi.

-Je... vous remercie de votre discrétion sur le sujet.

-Une femme aura beau vouloir qu'on la respecte, on n'envoie tout de même pas un homme au goulag pour un baiser forcé de dix secondes.

-Vous... les avez comptées?

Elle échappa son long éclat de rire caractéristique:

-Les secondes? Et vous?

-Déformation professionnelle.

-À propos, quelle heure est-il?

Il sourit:

-Vous n'avez pas remis votre montre?

-Je le ferai à l'hôtel tout à l'heure.

-Bon... et si nous parlions un peu de choses... je ne dirai pas plus sérieuses mais plus graves... Voici: je vais résumer votre cas en français sur une feuille du bloc-notes et vous la présenterez là-bas à votre cardiologue. Mon opinion est que vous aurez besoin de pontages coronariens. Mais... sachez qu'il se pratique en Suisse maintenant une intervention qui s'appelle l'angioplastie. On introduit un cathéter dans vos artères rétrécies et on les débloque à l'aide d'un ballonnet que l'on gonfle là où les passages sont étroits...

-Autrement dit, au lieu de poser de la tuyauterie neuve, on débouche la vieille.

Il rit:

-Ça peut se dire ainsi. Très peu de douleur, une brève hospitalisation et seulement quinze jours de convalescence. Nous nous apprêtons à utiliser la technique, ce qui veut dire que nous serons aptes à le faire dans deux, trois ans tandis que chez vous, à votre Institut de Cardiologie de Montréal, on le fera sûrement dès l'an prochain.

-Je croyais que vous étiez les premiers obligatoirement en tout...

-Ça, c'est le discours officiel qu'il nous faut tenir... Justement, je vous dois, moi aussi, la vérité. Voyez-vous, là, à la tête de votre lit dans le mur où se trouve la radio, il y a un micro et tout ce que nous avons dit la bouche dans cette direction et avec une certaine force fut enregistré grâce aux bons soins du camarade Katatonov qui ensuite fait traduire si besoin, décortique, analyse, autopsie, cherche des virus, des microbes, des bactéries pour protéger la pureté marxiste-léniniste dégénérée qui est la nôtre. Pour survivre en ce pays, il faut de la discrétion, beaucoup de discrétion. Les étrangers sont tous sous surveillance car en plus de sauvegarder la pensée nationale, il faut faire travailler tout le monde et les emplois manquent. Certains même en font un sport qu'ils disent palpitant...

Hélène plissa les paupières:

-J'ai du mal à acheter cette histoire...

-Pourtant...

-Pourquoi ce... baiser alors?

-Parce que Katatonov est un voyeur et qu'il voulait que je vous... séduise.

338

-Et c'était spontané, venez-vous de me dire?

-Oui, c'était spontané mais j'aurais pu retenir mon geste sans les oreilles de Katatonov ou si j'avais su qu'il me blâmerait. J'ai donc agi pour le bien de tous.

-De tous?

-Vous n'y avez pas trop souffert?

Elle soupira:

-Et moi qui croyais vous tenir par... par la cravate. Mais alors, ça change tout. Vos mots, le ton pour les dire, vos hésitations: rien n'a plus la même signification.

Il s'approcha du pied du lit pour prendre le bloc-notes en disant, presqu'en jetant:

-Vous n'aurez qu'à tout revoir à l'aide de votre journal et tout repenser: ce sera un exercice agréable pour vous peut-être.

-Je ne sais pas... Je me sens trompée... Je fus piégée avec un magnétophone par mon ex-mari... et j'ai la même sensation maintenant.

-Tiens, tiens, ne me dites pas qu'on se sert de micros cachés aussi en Amérique? Je croyais que c'était l'apanage des méchants Soviétiques.

-Il me semble que tout cela fait roman d'espionnage, vous ne trouvez pas?

-C'est la réalité dans laquelle nous vivons, autant chez vous, semble-t-il, que chez nous. Sauf que chez vous, les micros sont cachés par l'entreprise privée... Mais ne recommençons pas à comparer les valeurs de nos systèmes respectifs. Entre nous, le meilleur système naîtra peut-être un jour de la fusion des deux.

Hélène n'écoutait plus. Ses yeux brillèrent. Très peu de distance les séparait. Une idée l'illuminait. Elle s'avança et enlaça l'homme surpris qu'elle embrassa avec fougue durant dix secondes. Il fut sur le point de répondre à l'étreinte, de jeter le bloc-notes et le crayon sur le lit, mais tout était déjà terminé. Hélène se mit sur ses pieds en disant:

-Bon, le moment est venu de quitter les lieux...

-*Minoutatchkou!* Qu'est-ce que ce baiser veut dire.

Elle attendait la question.

-Ça, mon cher Nikolaï, à toi de le trouver. À ton tour de marcher à tâtons.

-L'esprit de vengeance ne te quitte donc jamais?

-Il semble que je possède du sang abénakis, une nation amérindienne dont les individus poursuivaient leur vengeance jusqu'à leur mort.

-Vous venez de me tutoyer, chère dame, et j'ai fait de même. N'est-ce pas plus significatif que... le reste?

-Quant à moi, c'était de l'insolence, du manque de respect...

Il se fit une longue pause.

-Nous ne pouvons pas nous quitter sur une note aussi... désastreuse...

-Le mensonge nous sépare, cher docteur.

L'homme se fâcha:

-Qui possède la vérité dans ce bas monde, dites-moi? Les hommes, les femmes, les communistes, les capitalistes, les francophones de votre pays, les anglophones, les femmes trompées, celles qui trompent? L'important, ce n'est pas d'être pur puisque de toute façon personne ne l'est ni ne le sera jamais, l'important c'est de se sentir sur la voie de la pureté... Le désir de vérité est bien plus grand que la vérité elle-même, et c'est lui qui donne toute sa valeur au mensonge. Le mensonge porte souvent d'excellents fruits...

-Ne me dites pas que les nazis avaient raison de mettre le monde à feu et à sang! Quelqu'un un jour quelque part a raison et quelqu'un a tort...

-Facile de raisonner à partir d'exemples extrêmes qui font l'unanimité. Mais votre vérité, Hélène, n'est pas évidente pas plus que la mienne d'ailleurs. Votre pureté non plus n'est pas évidente et vous n'êtes surtout pas plus pure parce qu'on vous a trompée.

En elle, les sentiments se mélangeaient, se confondaient, se bousculaient. Elle s'effarait. Ce départ venu trop tôt. Cet autre cheminement involontaire vers l'affrontement et la querelle. Le coeur perçait, fenêtrait ses raisonnements et dans les trous n'apparaissaient que le brouillard et l'amertume. Deux fois ils s'étaient embrassés; deux fois comme des ennemis. Et elle ne voulait pas qu'il en soit autrement. Depuis Pierre Lavoie, son âme n'avait pas été rafistolée par des pontages et il faudrait du temps avant que cela n'arrive malgré des élans aussi spontanés qu'éphémères vers ce Russe qui n'avait rien à voir avec sa vie sentimentale et qui n'avait été qu'un jeu dans un relais routier...

Nikolaï ne perdait pas de vue son désir d'établir un lien qui, peut-être, se poursuivrait par courrier. Et qui pouvait savoir quels fruits en découleraient dans sa longue et dangereuse entreprise le menant peut-être un jour à quitter cette Union Soviétique de 1980

340

qui, malgré un certain rajeunissement du parti communiste pointant à l'horizon en avait encore pour vingt ans voire trente à dormir, pétrifiée dans ses monuments. Mais il y avait quelque chose de plus fort en lui, quelque chose qu'il enterrait en vain, un détestable bien-être quand il se trouvait en la présence de cette femme, des émotions neuves, bizarres et confuses qui l'avaient conduit sous sa fenêtre la veille et le faisaient frémir en ce moment.

Pourtant on se disputait comme les partenaires d'un couple sur le point de divorcer.

-Docteur, veuillez préparer la feuille dont vous avez parlé; notre discussion ne saurait progresser et vous le savez fort bien. Le désarmement, je crois, ce n'est pas pour nous.

Il le fit alors qu'elle fouillait dans son sac à la recherche de quelque chose qu'elle savait ne pas devoir s'y trouver. Elle tomba sur sa montre et la mit à son poignet. Puis elle prit sa valise à main et la mit sur le meuble du téléviseur près de la porte.

Une barrière insurmontable s'était érigée entre chacun. Les êtres humains se recherchent et se fuient en même temps mais l'accent passe successivement de l'un à l'autre et il ne faut plus compter alors que sur les circonstances pour inverser le mouvement oscillatoire. Le commencement de la fin arrivait. Hélène désirait partir au plus vite. Tout en écrivant, il lui fit un discours professionnel sur la nécessité de l'exercice physique, la fuite de la compression mentale et tout ce qu'elle savait d'avance et qu'il lui avait répété plusieurs fois depuis qu'elle était revenue de l'au-delà...

Il plia la feuille et la lui remit. Elle prit sa valise à main qu'il lui ôta aussitôt. Et on quitta la chambre à laquelle Hélène jeta un rapide coup d'oeil qui ne retint toutefois qu'une seule image: le portrait de Lénine.

La marche fut rapide, distante et en français. Les portes de chambre fermées se succédèrent. Au poste de garde de l'étage, Hélène sourit à des gens qu'elle ne connaissait pas et qui lui répondirent par des regards un peu hébétés. Puis ce fut l'escalier sombre, l'arrivée au rez-de-chaussée, la réception où Irina attendait. Elle dit:

-Voyez devant votre taxi qui attend. Toutes vos valises sont dedans. L'homme va s'occuper de tout à l'hôtel. Ne touchez à rien, c'est trop tôt.

Contente de sa prestation, Irina regarda le docteur qui approuva de la tête. Puis elle salua la Québécoise, donna la main et se retira. Le docteur accompagna Hélène jusque dehors puis à la voiture avec le prétexte de porter sa petite valise. En ce temps-là, les taxis russes gentils avec leurs clients étrangers étaient ceux qui acceptaient les pourboires malgré l'interdit officiel. Celui d'Hélène en était. Il descendit et vint ouvrir la portière arrière de la petite Lada rouge après avoir soulevé sa casquette en signe de salutation respectueuse. Elle prit place sur la banquette. Le docteur mit la valise près d'elle, resta un moment courbé, le corps à moitié dans l'auto, dans une sorte d'expectative. Hélène tendit la main. Il la serra. Leurs yeux se rencontrèrent brièvement. Elle dit:

-Merci pour tout, Nikolaï Fedorov. Je vous écrirai après ma chirurgie pour vous dire que je ne suis pas morte.

-Le problème, c'est que vous n'avez pas mon adresse et qu'il n'est pas certain que la lettre se rendra.

-Je vous écrirai ici à l'hôpital.

-C'est encore moins sûr que la lettre se rendra.

-En ce cas donnez-moi votre adresse.

-Je crois... qu'il ne faut pas...

-Ah bon!

-Et soyez prudente!

-Sûrement!

Il recula, ferma la portière.

Le taxi se mit en marche.

Hélène ne se retourna pas une fois et garda ses yeux rivés sur le grillage noir de la grande porte donnant sur la rue. Nikolaï ne laissa pas l'auto de son regard un peu étrange tant qu'elle ne fût pas disparue. Et Irina, en retrait au coin d'une fenêtre, surveillait, l'oeil un peu aseptique, le jeune médecin qui avait outrepassé toutes les règles avec sa patiente, par exemple en portant sa valise et en l'accompagnant jusqu'à son taxi. À certaines autres fenêtres, des infirmières curieuses mais le nez discret firent en sorte d'observer la scène sans en avoir l'air.

Dans l'hôpital courait depuis quelques jours la rumeur d'une grande histoire d'amour entre le camarade Fedorov et la femme canadienne...

∞∞∞∞∞∞∞∞∞∞

# Chapitre 27

Pendant qu'Hélène en dodelinant de la tête, les yeux embués, le vague à l'âme, était emportée par la voiture vers l'hôtel Kosmos, un avion venu de Leningrad et transportant son groupe de touristes se posait à Cheremetievo 2, l'aéroport desservant les villes soviétiques et réservé aux vols intérieurs.

Le premier soin de Nelia fut de loger plusieurs appels téléphoniques et, à chacun, de prendre quelques notes par signes sur un carnet noir. Elle fut bientôt de retour auprès du groupe qui était monté dans le car, souriante, soulagée: elle savait que faire avec son cas-problème, cette exception d'Hélène Prince dont elle aurait bien pu se passer. Parler russe, coucher dehors à Moscou et claquer une crise cardiaque, qu'est-ce qu'on pouvait craindre encore d'un pareil personnage. Elle savait maintenant tout ce que, d'Hélène, Carole avait appris déjà. Nul doute, jugeait-elle, que cette personne constituait le pire des porte-malheur et que le mieux, ainsi que venait de le lui dire au téléphone le docteur qui l'avait traitée à l'hôpital, serait de la confiner à sa chambre d'hôtel jusqu'à son départ définitif d'Union Soviétique.

Dès qu'elle fut dans le car, elle miaula au microphone:

-J'ai obtenu des nouvelles d'Hélène; elle va très bien et sort de l'hôpital en ce moment même. N'est-ce pas là le principal? Bien entendu, elle ne pourra pas suivre le groupe les jours à venir mais nous lui rendrons visite dans sa chambre d'hôtel...

-Bravo, bravo! cria l'homme de Radio-Canada qui se mit à applaudir, entraînant tous les autres.

Le car ne bougeait pas. Le conducteur, le même que les premiers jours, attendait.

-Pourquoi ne partez-vous pas? demanda la guide.

-Parce qu'il manque une personne.

-Il ne manque personne.

-Il manque cette dame qui parle notre langue.

-Mais je viens de le dire qu'elle sort de l'hôpital...

-Camarade, je ne parle pas le français, moi...

-Et pourquoi pas, dites-moi? Je le parle bien, moi, et je parle aussi l'italien, et l'anglais, et l'allemand. Pourquoi exercer un métier comme le vôtre et ne pas savoir un seul mot d'une seule langue étrangère?

Il répondit sur le même ton et la chicane dura jusqu'à mi-chemin alors que Nelia, en maîtresse d'école jouant à la cicérone, se mit à demander au groupe les répons de son catéchisme:

"Quel est le nom de cette gare?" "Et ce magasin pour les enfants, comment s'appelle-t-il?" "Quel est le nom de notre plus célèbre écrivain?"


Hélène ignora les gens qui lisaient les journaux dans le porte-affiche en attendant l'autobus devant l'hôtel ni ne vit un garçon patapouf qui, par le geste de mâcher et par le mot anglais qu'il étirait, quémandait du chewing-gum à deux pas de l'entrée principale du sous-sol près de laquelle s'était arrêtée la voiture. Le taxi et un chasseur transportèrent ses valises à l'intérieur. Elle donna trois dollars américains au premier qui remercia d'un regard intense, d'autant plus qu'elle avait posé le geste en toute discrétion sous le couvert d'une poignée de mains. Ensuite elle dit au chasseur qu'elle reviendrait lui donner le numéro de sa chambre quand elle se serait inscrite à la réception au rez-de-chaussée. Et elle monta le large escalier en espérant apercevoir des têtes connues. On lui dit que son groupe entrerait dans les prochaines heures. Une jeune femme consulta une fiche puis dit:

-Votre chambre vous attend; vous pouvez vous y rendre dès maintenant.

Hélène remercia et repartit en direction de l'escalier mais l'autre lui cria:

344

-Madame, les ascenseurs sont par là.

-Je sais, mais je dois communiquer le numéro de ma chambre au chasseur.

-Nous allons nous en occuper. Vous ne devez pas monter les escaliers. Allez tout de suite à votre chambre...

Hélène hésita devant trop de sollicitude. L'autre insista:

-Il faut faire comme ça, madame.

-*Kharacho!*

Bon, puisque c'est de même! se dit-elle en rebroussant chemin. Elle répéta des gestes déjà connus. L'ascenseur. La remise de la carte à la femme de service de l'étage. Sa clef... Ah! mais elle reconnut la *dièjournaïa* qui lisait encore dans son 'V.O. Lénine'. S'agissait-il d'une sorte de consigne pour garder son emploi ou bien traversait-elle ce pauvre Vladimir au même rythme effréné qu'elle-même avait pour relire 'Anna Karénine'?...

En parcourant l'interminable couloir tournant, elle regretta de n'avoir pas demandé une chambre ne donnant pas sur le pavillon d'Expo-67. Il y avait une chance sur quatre pour que le contraire se produise et le contraire se produisit. L'angle dans lequel paraissait la construction était fort semblable à celui qu'elle en avait durant la première partie de son voyage. Demander à changer de chambre aurait supposé mille complications; elle n'avait qu'à laisser les tentures fermées ou bien regarder Moscou autrement.

Dans la chambre, son âme s'effondra tandis que son corps s'affalait sur le lit. La crise dépassait sa volonté tout comme l'avait surprise la crise cardiaque. Non, son infarctus n'avait pas fait de son coeur un organe épuratoire. Meurtrissures et flétrissures s'y chevauchaient toujours à son insu. Elle venait d'y ajouter sa propre flagellation en crucifiant impitoyablement tous les sentiments neufs que Nikolaï Fedorov avait fait germer en sa substance inconnue. Elle fut là longtemps, la gorge boursouflée mais sans pleurer. Puis vint le chasseur avec ses bagages. Il reçut un dollar américain et rendit la monnaie par un excès de zèle, mais un excès qui avait aussi été commandé d'en bas.

La femme trouva son journal et s'attabla pour y écrire devant un miroir aux réponses implacables.

*Quelle page abjecte dans l'histoire de ma vie se termine aujourd'hui!...*

Mais rien d'autre, pas une phrase, pas un mot, par une virgule, pas même une pause ne lui vint en plume, comme si l'encre du stylo formait caillot à sa pointe même. Tous les événements depuis son réveil à l'hôpital lui revinrent en tête et elle les repensait

345

comme le docteur Fedorov lui avait dit de faire. À travers eux, c'est à elle-même qu'elle s'en prenait. Elle aurait dû se livrer tout entière à ses vibrations, à toutes ses vibrations. Oublier les passions de l'esprit et s'abandonner aux passions charnelles. Accélérer la vie, donner aux désirs la mesure du temps qui reste.

Quelqu'un frappant à la porte interrompit sa réflexion. C'était Nelia qui remplit l'embrasure de son sourire-champignon. Avec elle, il y avait une petite délégation formée de Carole, du chef de groupe et de l'homme de Radio-Canada et de sa compagne. On parla, on se donna la main, on s'embrassa, on entra. Un peu moins en Nelia, mais en tous les siens, Hélène trouva du réconfort. On compatissait, on s'était inquiété: les mots, le ton ne mentaient pas.

Nelia demeura après le départ des autres. Elle annonça les ordres médicaux. Hélène se montra contrariée.

-Mais comprenez que vous devez vous reposer. C'est une convalescence. L'effort, c'est pour quand vous serez tout à fait rétablie et alors il faudra en faire...

-Je sais, je sais tout ça, mais cette solitude est peut-être pire que de suivre les autres...

-Je le voudrais, Hélène, que je ne le pourrais pas. Il y a des recommandations strictes à votre sujet... pour votre bien, croyez-moi, croyez-moi...

-Je prendrai de la vodka...

-Mais non... surtout pas non plus... Soyez donc raisonnable!... Vous me faites de la peine...

Après avoir lancé à Fedorov une pensée bourrée de grimaces réprobatrices, la convalescente prit l'autre dans ses bras et elle la rassura:

-Vous inquiétez pas, je serai sage, très sage!

∞∞∞∞∞

Hélène se réveilla au beau milieu de la nuit comme si ce vieux fantôme de Montréal là, sur le terrain de la VDNX s'était amusé à la harceler de nouveau. Elle se mit à genoux à la fenêtre devant les souvenirs du passé, se demandant parfois si elle n'était pas atteinte de psychose hallucinatoire. Mais le passé lointain s'effaça rapidement et laissa place à l'image fugace de Nikolaï Fedorov... Et ce fut le retour dans les flots du sentiment, des flots heureusement plus calmes et qui ressemblaient au peu d'encombrement de l'avenue de la Paix en bas là-bas... Et, comme une femme d'autrefois liseuse de romans Harlequin, elle se laissa bercer par la romance du rêve. Main dans la main, ils entraient tous les deux dans la Moskova, sans tragédie, comme Tristan et Iseult, se dirigeant vers une fleur commune, une fleur d'éternité. Le ciel de Moscou devint la voûte de son âme où elle enchâssa le souvenir de cet homme qui y vivrait à jamais.

∞∞∞∞

La journée suivante fut plus pénible encore que la précédente. Cette chambre d'hôtel devenait la pire prison que la vie lui ait jamais donnée. On frappa à sa porte à quelques reprises. Tous ceux du voyage vinrent la voir par petits groupes. Il eût fallu qu'ils soient toujours là. Entre les visiteurs, elle sombrait dans les tristesses profondes et tortueuses propres aux maniaco-dépressifs que heurtent les circonstances de leur vie. Tout en se reconnaissant une tête bien meublée et bien meuble, elle ne parvenait pas, comme dans les pires heures de son divorce, à lui donner le contrôle et la parole. Elle écrivit dans son journal alors même que se déroulait à la télévision les spectaculaires cérémonies d'ouverture de la vingt-deuxième Olympiade de l'ère moderne:

*Je ne suis qu'une malade émotionnelle, incapable de mieux que de me vautrer dans les plus noirs sentiments. Mon âme est plus souffrante que l'âme russe et comme elle, aurait besoin qu'on l'enchaîne dans des théories philosophiques nettes et sèches...*

Les Québécois vinrent prendre leur repas du soir à l'hôtel. Au moins Hélène ne fut-elle pas seule à table comme au déjeuner et au petit déjeuner. Elle dut raconter son hospitalisation et se montra positive à l'endroit de la médecine russe et des gens qui la faisaient. Comme pour la consoler, on lui raconta Volgograd et Leningrad mais sans grand enthousiasme afin de ne pas trop frotter de l'archet du rire les cordes sensibles du regret. Oui, le Musée de l'Armée de Volgograd était bien beau, mais celui de la citadelle à Québec n'était pas si mal non plus. Et puis l'Ermitage souffrait de gigantisme. Quant au croiseur Aurore, il n'était rien de plus qu'une célébrité amarrée dont on disait qu'elle avait un jour parlé au même titre que la Liberty Bell, prisonnière de sa cloche de verre à Philadelphie, l'une faisant s'ébranler le monde sur ses bases et l'autre le faisant craquer...

Le ton du repas devint soudainement très animé lorsqu'il fut question de ce que Nelia, avec tout le respect qu'elle déclara avoir pour la culture occidentale, qualifia de la pire monstruosité capitaliste: les concours de beauté.

-C'est la plus pure exploitation du corps de la femme qui soit, dit Suzanne. Elle se situe juste un cran au-dessus de la prostitution.

Hélène approuva aussitôt:

347

-C'est moins à cause de la commercialisation qui les entoure que de la grande dépendance des femmes qui y participent. Elles ne s'appartiennent pas. On les chosifie et elles aiment ça... C'est mauvais pour la cause des femmes, très mauvais.

-J'aime vous entendre, Hélène, dit Nelia.

-C'est quand même dommage que vous n'ayez pas de concours ici parce que la beauté de certaines femmes russes est incomparable.

-Mais nous avons des concours, répliqua la guide scandalisée. Les gagnantes sont ou des ouvrières en bonne santé ou des marchandes de légumes ou encore des peintres en bâtiment... des vraies femmes autonomes comme il y en a peu en Occident...

Le petit homme à la tête en forme de boule grise lança, l'oeil piquant:

-On a vu ça, vos beautés, aux Jeux de Montréal. Des soeurs au géant Beaupré. Pas de bon sens de voir ça: les bras comme des pitounes de quatre pieds pis les jambes aussi grosses que le canon de la grosse Bertha.

-Ah! mais monsieur Bérubé, c'étaient des athlètes olympiques, pas des participantes à des concours de beauté.

-Bah! ça revient au même.

-La beauté, c'est d'abord entre les deux oreilles, affirma Nelia entre deux cuillerées de son potage jaune.

L'homme reprit:

-Écoutez, écoutez un peu là... admettons qu'on lance un concours de pieds demain, c'est-il les mains qu'on va juger ou ben si c'est les pieds. On peut-il s'en fouter un peu de ce qu'il y a entre les deux oreilles quand c'est un concours de beauté physique... Faut pas mélanger la croûte avec la mie...

-Votre exemple est excellent: un pain pas de mie n'a pas d'allure et sa croûte est flasque, rassise...

Hélène, par-delà son petit mot, participa fort peu à l'échange. Elle resterait de l'avis qu'on ne doit pas morceler une femme et que la beauté féminine -ou masculine- est un tout indivisible. Elle se sentait migraineuse et avait le goût de retrouver une solitude pourtant ruineuse pour son moral. De plus, elle avait l'impression très nette que sa fatigabilité avait augmenté depuis la défaillance cardiaque, encore que la chose fût impossible à évaluer en raison de la prise de médicaments. C'est eux d'ailleurs qu'elle accusa pour avancer son départ de cette salle immense, étourdissante, bondée d'étrangers de tous les continents. Nombreux furent ceux de la tablée québécoise qui lui donnèrent une joyeuse absolution. Il était bon de se sentir ainsi environnée par les gens de son pays; et elle ne verrait peut-être pas du même oeil certains comportements de m'as-tu-vu d'avant le départ du groupe pour Volgograd, de ceux qui avaient valu à ses compatriotes en séjour au Mexique le surnom évocateur et pas forcément flatteur de 'los tabarnacos'.

De retour dans sa chambre, Hélène éclata en sanglots. Enfin! Il valait mieux maintenant que le lendemain, ce jour qu'elle appréhendait au plus haut point. Parce que ce serait dimanche. Et que le dimanche avait toujours eu sur elle, depuis l'enfance, des effets bizarres, comme si la terre s'était mise à tourner dans l'autre sens. Elle devait absolument se libérer de son trop-plein, lâcher du lest pour ne pas sombrer. Autrement, l'attrait d'un élixir finirait par la dominer et elle retomberait dans la vodka au pays même de la vodka, ce qui ferait basculer la Russie et pour toujours dans un recoin tortu du fond de son âme.

Plus tard, Carole frappa à sa porte. Hélène la reçut aimablement et cacha son chagrin. La jeune fille lui avait rapporté plein les mains de cartes postales des deux villes visitées. Tout d'abord, elle refusa de se les faire payer puis, mise au pied du mur, elle accepta les roubles.

On jasa jusqu'à minuit.

Pas une fois il ne fut question de Nikolaï Fedorov... C'est en taisant son existence qu'elle pourrait le mieux faire s'évanouir son image persistante...

∞∞∞∞∞∞∞∞∞

349

# Chapitre 28

À sa sortie du petit déjeuner, Hélène se rendit aux toilettes près de la grande salle à manger de l'hôtel. Sans en avoir l'air, Nelia la surveillait du coin de l'oeil. Car pour elle, il ne s'agissait pas seulement de l'empêcher de poser des gestes inacceptables, mais il fallait aussi, autant que faire se peut, la persuader de suivre docilement ce qui avait été prescrit pour elle afin de maximaliser les chances de la voir repartir sur ses deux jambes et avec un certain sourire aux lèvres. Elle continuait d'inciter tout un chacun du groupe de Québécois à la visiter le plus possible dans sa chambre, et elle-même s'y rendait une fois par jour.

Elle se faufila aux toilettes et croisa la convalescente en feignant la surprise:

-Je voulais vous dire, Hélène, que le magasin 'Bériozka' est ouvert le dimanche. Carole m'a appris que vous n'aviez pas eu la chance jusqu'à maintenant de vous procurer des souvenirs de notre pays.

-C'est une bonne idée.

-Et profitez-en pour écrire vos cartes postales.

-C'est une autre bonne idée. Il faut qu'on pense pour moi car j'ai la tête qui fourmille de pensées... toutes plus stériles les unes que les autres.

-Seulement, il faut payer en devises au magasin, et la banque, elle, n'est pas ouverte le dimanche.

-Il n'y a aucun problème: j'ai les devises qu'il faut. Et puis j'ai des cartes de crédit...

Nelia fit une moue:

-Vous savez, on n'accepte pas encore les cartes de crédit, hélas! Cela viendra sans doute, mais...

-Et pourquoi donc? s'étonna Hélène.

-Vous savez, le crédit, c'est comme les concours de beauté, c'est une façon d'exploiter les autres... la faiblesse des gens...

-Pourtant vous me semblez favorable à ce qu'on les accepte, ces cartes?

-Pour les touristes étrangers seulement... parce que ça fait partie de leurs moeurs, de leur... culture

Hélène sourit:

-Et la journée du groupe, c'est quoi?

-Vous ne savez pas? Cet avant-midi, nous allons sur la Place Rouge. Cet après-midi au Stade Lénine. Et ce soir, c'est la grande soirée au Bolchoï...

-Ne me dites pas que je ne devrais pas au moins vous suivre au Bolchoï...

-Mais il y a le stress de la foule, vous savez. Des études scientifiques démontrent que la foule opprime les faibles. Sans le vouloir bien sûr. Et à l'insu même de la personne qui la subit, cette foule-là... Peut-être s'agit-il des ondes cérébrales, on n'en sait rien encore mais le fait est là... Et c'est de tous ces fardeaux que le docteur Fedorov a voulu vous décharger.

Le visage d'Hélène rosit. Son rythme cardiaque s'accéléra. Par le miroir, Nelia saisissait la moindre réaction, un tic révélateur, une grimace, un rictus, une simple moue... Car elle avait cru lire des choses dans le ton du docteur au téléphone. Et puis Irina à qui elle avait parlé aussi avait été allusive. Elle souhaitait qu'il se soit passé quelque chose de particulier entre ces deux-là, ce qui lui donnerait un pouvoir de défense s'il advenait une incartade de la part de cette drôle de Canadienne.

-Il vous a bien traitée, le docteur Fedorov?

-Il m'a maltraitée.

-Pourtant, on dit que c'est un des meilleurs cardiologues de Moscou.

-Je ne dis pas le contraire, mais de m'emprisonner dans ma chambre d'hôtel, j'appelle ça me faire rudoyer pour le moins, vous ne trouvez pas?

-Il a dû vous le dire et je vous l'ai dit: nous sommes raisonnables à votre place.

-Vous savez, au Canada, chacun décide pour soi-même...

-Vous avez des feux rouges comme nous, des lois anti-drogues, des impôts à payer, des lignes à ne pas franchir, des endroits où ne pas être...

Comme éclairée par une idée sublime, Nelia poursuivit:

-Et vos policiers empêcheront quelqu'un de se jeter en bas d'un pont s'ils en sont capables...

Hélène ouvrit son sac et y prit un bâton de rouge à lèvres. Elle le décapa pour s'en servir puis se ravisa et l'encapuchonna, et le tendit à sa voisine en disant:

-Il est neuf; je vous l'offre, Nelia.

-Ah! mais je ne peux pas accepter puisque ça devient comme un pourboire, ce qui est défendu, vous le savez bien.

-Il y a loin de la coupe aux lèvres...

-Utilisez-le une fois et je pourrai l'accepter...

C'est ainsi qu'Hélène réussit à maquiller le monde sous-jacent qui l'habitait et à faire disparaître du propos l'ombre lourde du docteur Fedorov...

∞∞∞∞

L'intérieur du Bériozka n'était éclairé d'aucune lumière naturelle. Les néons jetaient ce qu'il fallait de pieds-chandelles pour l'efficacité de la circulation, de l'encaissement, et surtout celle de projecteurs jetant sur la marchandise étalée des promesses multicolores.

Hélène fit une tournée préliminaire puis s'arrêta au comptoir de joaillerie où elle acheta une bague et un collier en pierre d'ambre. La vendeuse demeura distante malgré les questions en russe qui lui furent servis par Hélène avec des regards presque naïfs. Puis ce furent des mouchoirs de tête, trois belles poupées habillées, deux matriotchkas, du caviar rouge, un pesant dictionnaire français-russe, une bouteille de vodka et un assortiment impressionnant de cartes postales. Arrivée à la caisse, son panier débordait. On lui répondit laconiquement sans aucun égard ni sourire en dépit de tous ses efforts pour communiquer; les deux caissières se parlaient sans arrêt, considérant la file d'acheteurs comme une chaîne de production. Le tout ne lui coûta que cent vingt-cinq dollars américains. Et en sus, elle avait tué presque deux heures, se dit-elle en quittant la pièce remplie de touristes assoiffés de souvenirs...

Ce n'est qu'en vidant ses sacs dans sa chambre qu'elle réalisa s'être procuré de la vodka. Sans penser aux graves dangers que cela lui ferait courir, en consommatrice normale et en touriste désireuse de se procurer une spécialité nationale authentique, elle avait mis cette bouteille dans ses achats dans un geste machinal que pas même son inconscient n'avait perçu. Elle se jura d'en jeter le contenu dans le lavabo plutôt que d'en boire une seule goutte malgré tout l'ennui en perspective et toutes les peurs appréhendées de ce dimanche brillant dont les feux, comme de véritables détachements de cosaques, pénétraient sa chambre pour y imposer leur loi.

Elle catina un moment puis écrivit des cartes postales. L'avant-midi disparut sans que le coeur n'en souffre. Le groupe vint prendre le déjeuner à l'hôtel et cela lui permit d'étirer deux autres heures. Sur le chemin du retour à sa chambre, elle s'entretint avec la jeune femme de service à l'étage, qui répondit à ses questions sur l'université mais sans élaborer. Sentant qu'elle la dérangeait, Hélène la quitta. Elle fit un somme jusqu'au milieu de l'après-midi après quoi elle écrivit des banalités dans son journal. Rien n'était aussi douloureux qu'elle l'avait prévu. Fort heureusement! Son âme voguait languissamment sur une mer d'indifférence.

Avant de partir pour le dîner, elle regarda Moscou. Et Moscou s'empara de son âme pour la conduire au parc Gorki où Nikolaï Fedorov et son fils Sacha devaient peut-être disputer leur partie d'échecs dominicale, à moins qu'ils ne soient eux aussi comme la moitié du genre humain au Stade Lénine...

Le retour à la chambre fut autrement plus pénible. Une fois encore, elle s'en prit mentalement au docteur Fedorov pour l'avoir ainsi confinée à sa chambre presque vingt-quatre heures par jour.

Carole, sur son départ pour le Bolchoï, s'arrêta la saluer. Puis ce fut une dame du groupe. Et finalement, ce fut le silence, la solitude, l'enfermement... Elle se changea de vêtements pour se changer les idées. Enfila un jean à taille élasticisée sans trop savoir pourquoi. Et un chemisier blanc avec nervures de chaque côté du boutonnage. Elle finissait de se mettre en place un serre-tête qu'elle avait improvisé à partir du foulard le plus doré qu'elle avait lorsqu'on frappa à sa porte trois coups discrets d'un objet de métal, sans doute une clef. Un retardataire, songea Hélène, probablement, accompagné de sa femme, le petit homme gris qui avait, disait-on, le don peu prisé de se faire attendre... Elle ouvrit sans questionner. La première image qu'elle se forma à partir de ce qu'elle voyait fut le souvenir de Daniel Gauthier et pourtant, l'homme devant elle n'avait par grand-chose d'un jeunot ou d'un putto, et c'était bien tant mieux. Deux éclats de rire s'échappèrent de la bouche féminine: nerveux, irrésistibles, et elle se torturait pour dire quelque chose sans que rien ne vienne. Il la prendrait pour une parfaite dingue. Et il aurait raison. Comme si cinq ans les séparaient, elle réussit à balbutier:

-Nik... Nikolaï Fedorov?

Mezza-voce mais avec des lèvres qui arrondirent les mots, il dit:

-Appelez-moi docteur!

Il était là, bien là, droit dans un complet gris correctement tiré, une petite valise noire à la main, sans doute une trousse de médecin, sans le moindre sourire, tel un homme d'affaires venu signer un contrat de prime importance.

-Je peux entrer?

-Bien sûr...

Il s'excusa et passa devant elle pour se rendre jusqu'à la table-commode sur laquelle il posa sa mallette tandis qu'elle refermait la porte. Elle fut sur le point de se lancer dans un nouveau pas de danse de son invention mais de multiples interrogations tournoyantes l'en privèrent.

-Quelque chose ne va pas? demanda-t-elle plaintivement.

Il mit son doigt sur sa bouche pour lui signifier de se taire puis il prit les oreillers des deux lits et les plaça sur la table de chevet de façon à bloquer la sortie du haut-parleur de la radio. Puis il vérifia les lampes, le plafonnier, la gaine de tôle du climatiseur. Quand son inspection fut terminée, il s'approcha d'elle restée debout au milieu de la chambre et il lui dit en lui prenant les épaules dans ses mains fermes:

-Malgré ce que vous venez de me voir faire, il nous faudra parler à voix basse, basse, basse... D'accord?

-D'accord, mais que venez-vous faire ici?

-Jusqu'à avis contraire, c'est moi qui suis toujours votre médecin, non?

Elle ferma les yeux sur de multiples hochements affirmatifs. En toute sa personne, il se produisait une libération totale, impossible, débridée. Un profond sentiment amoureux s'écrivit en lettres d'or dans son âme et elle l'agréa de toute sa volonté. Elle l'avait tant combattu, ignoré, nié, que maintenant, elle s'y livrait corps et âme, pieds et poings liés. Qu'il la touche, qu'il l'embrasse, qu'il la prenne, qu'il l'abuse, qu'il la défenestre: en ce moment d'éternité, elle eût voulu disparaître en lui...

-Je suis venu... aussi... me confesser...

Elle rouvrit les yeux et un peu de sa raison lui donna tort d'avoir envisagé sa propre destruction pour le construire, lui; mais sa raison lui dit aussi que Nikolaï n'avait jamais cherché à la diminuer.

-Je ne suis... pas prêtre.

-Deviens-le.

-Tu me tutoies maintenant?

-C'est Nikolaï qui parle, pas le docteur Fedorov.

Inquiété de plus en plus par un remords qu'il avait pourtant cru à son maximum, il se dégagea d'elle et s'emprisonna dans la pénombre, cerné par la porte devant, celle de la salle de bains sur sa droite et le vestiaire à sa gauche.

-Et c'est trop tôt, je sais, et ce sera peut-être toujours trop tôt.

-Mais non!... Mieux que l'anglais, le français et le russe et plusieurs autres langues mesurent les distances entre les gens par le tutoiement...

Quelle réflexion superflue! se dit-elle à elle-même. Mais ne vivait-elle pas le moment par excellence de la déraison? Sa chimie prit le contrôle de ses nerfs et la poussa à entreprendre un pas que ne limitaient en l'accentuant que la fenêtre à une extrémité et la personne de Nikolaï à l'autre. Un observateur se serait cru devant une scène de tragédie grecque.

-Ce qui est omniprésent et omnipotent dans ce pays, dans son âme, dans celle de ses habitants et qui déteint dans celle des visiteurs, ce n'est pas le politique, c'est le dolorisme. Depuis mes premiers pas à Cheremetievo que je vois noir et pourtant, il y a des fleurs partout, de toutes les sortes et de toutes les couleurs: des roses, du muguet, du lilas, et tant d'autres... et tant de fleurs sauvages cachées dans les ronces et dont j'ignore les noms... La Russie, c'est encore mieux que le pays de mes rêves et pourtant, je déteste tout, j'agresse tout le monde, je suis devenue comme une enfant-caprice... Mais c'est fini, je ne le veux plus. Plus jamais! Je vais gagner une médaille d'or avant de repartir : celle de l'optimisme... Et je n'aurai pas besoin d'aller au Stade Lénine pour ça. Et je la gagnerai, que Brejnev et les autres le veulent ou qu'ils ne le veulent pas. Et je vais laisser le plus me débarrasser du moins. Et je vais cesser de me prendre pour une folle parce qu'il y a en moi des sentiments parfois excessifs...

Il jugea qu'elle parlait trop haut et pour cela, et à cause de ce qu'elle venait d'avouer, il se tourna et la reprit par les épaules en disant à voix basse:

-Tu sais, il y a une règle humaine qui veut qu'à la longue, les fous soient réhabilités; car les demi-fous qui constituent la grande majorité des gens, par peur de leur demi-folie et pour se rassurer sur leur demi-raison, finissent par reconnaître les valeurs de la déraison. Voilà pourquoi il est préférable de passer pour fou aujourd'hui. Demain, on te dira sage. Et en tout temps, tu auras été toi-même, ce qui est beaucoup mieux que de n'être qu'à moitié toute sa vie...

Il regarda au-dessus de son épaule puis replongea dans ses yeux et il poursuivit sans filet de voix:

-Mais ici, personne n'est mieux ou pire qu'une demi-mesure et c'est cela, la tragédie soviétique. Notre système assassine l'exceptionnel et ce faisant, il détériore tout. Ce n'est pas d'être fou qui est affligeant, c'est de l'être à demi... C'est parce que je suis fou, moi aussi, que je suis venu malgré les dangers que cela me fait courir... fou d'une âme de femme...

L'émotion en chacun grandissait à une vitesse vertigineuse. Les cellules féminines n'en finissaient plus de s'abandonner. Et lui brûlait du désir de la prendre dans ses bras et de lui donner un premier vrai baiser, mais il devait attendre à cause de sa confession. Autrement, elle pourrait croire une autre fois qu'il cherchait à profiter d'elle.

-Et maintenant, revenons à mon péché, à moi...

Hélène ferma les yeux, disant:

-Quand j'allais à la confesse dans ma jeunesse, le prêtre fermait toujours les yeux pour entendre mes péchés; je pense qu'il voulait les mieux imaginer...

-C'est la première fois que je me confesse...

-Je t'entends...

-Te connaître m'a fait évoluer vers... un désir immense de quitter ce pays et j'ai nourri l'intention de te voir m'y aider... par je ne sais encore trop quels moyens...

-Ton pays, c'est ici... comme le mien, c'est là-bas...

-Le pays, c'est là où se trouve l'amour.

-Je le crois aussi.

Des larmes libres vinrent mouiller les yeux d'Hélène et s'infiltrèrent dehors par ses paupières, roulant en douceur sur ses joues.

-Tu m'en veux?

Elle fit des hochements négatifs. Il essuya ses larmes avec ses pouces.

-Je t'ai abusé autant que tu l'as fait. C'est ce que nous sommes tous, des abuseurs. Je t'ai agressé pour me venger de mon passé et pourtant, j'avais le goût de toi. Et toi, tu m'as abusée pour fuir ton passé et pourtant, tu avais le goût de moi. C'est kif-kif, non?

-Je n'ai pas besoin que ce soit kif-kif et je ne cherche pas d'excuses...

Le bien-être moral s'était infiltré dans la substance charnelle de la femme et lui fit murmurer:

-Je connais autre chose qui pourrait être kif-kif entre nous deux...

-Et moi aussi, je connais autre chose... et ce doit être la même chose...

L'approche fut lente, patiente et fiévreuse. Elle le sut venir dans le silence. Il s'approcha comme d'une fleur unique. Et le baiser fut immense, plus grand que deux pays réunis...

-*Ya vas lioubliou Nikolaï Fedorov!* murmura-t-elle à la première pause.

-Je t'aime, Hélène Prince, répondit-il à la seconde.

Quand ils furent un peu rassasiés, elle lui prit la main et le conduisit à la fenêtre.

-Viens, regardons Moscou ensemble et Moscou ne sera plus jamais la même...

Ce qu'ils firent dans une longue pause. Elle reprit:

-Cette ville est maintenant pour moi la plus belle du monde. Regarde le soleil se pencher sur elle et faire rosir son ciel. Vois sa lumière et sa grandeur! Napoléon, Hitler, Staline ont passé: Moscou demeure, unique, glorieuse... car cette ville possède tous les attraits quand on la met dans son coeur.

Et Moscou les vit s'étreindre, encore plus amoureusement que la fois précédente.

-Et maintenant, il faut que je t'examine. J'ai pu venir parce que je suis ton docteur, sinon on m'aurait refoulé à l'entrée.

-Ton temps est-il compté?

-Pas vraiment puisqu'on ne contrôle pas à la sortie, seulement à l'entrée. Mais il y a un homme du KGB dans le lobby, j'en suis sûr. On les renifle, on les dépiste au premier coup d'oeil. Je ne sais pas pourquoi on appelle ça la police secrète parce que leurs agents ont la gueule de l'emploi: le regard sinistre et la mine patibulaire et suspicieuse... Ou bien font-ils exprès de se faire voir pour se faire craindre et n'avoir pas à travailler trop fort!...

-Crois-tu qu'il puisse y avoir des microphones dans cette chambre?

-Sûrement, mais je ne pense pas qu'ils soient en service aujourd'hui parce que c'est jour de congé, parce que nous sommes durant les Jeux olympiques, parce que c'est une période de vacances et parce que tu n'es qu'une simple touriste du Canada. D'ailleurs, s'il y avait écoute, ce ne serait pas de toi mais de ceux, comme moi, qui viennent dans ta chambre. Que tu parles russe est un élément très suspect pour eux.

-Ils sont paranoïaques ou quoi?

-Oui, ça oui, mais c'est surtout qu'ils n'ont rien d'autre à faire. Et puis ce système dégénéré encourage la délation en la récompensant. C'est un des principaux éléments de sa puissance.

-Je te croyais communiste?

-Je suis membre du parti. L'idéal est grand mais les moyens pour l'atteindre sont infernaux. Et puis, j'en arrive à douter de l'idéal lui-même, la nature humaine étant ce qu'elle est. Peux-tu seulement imaginer que ce que je viens de te dire pourrait me valoir le transfert dans une autre ville ou peut-être même un an de prison avec rééducation s'il vous plaît?

On s'éloigna de la fenêtre. Il remarqua la bouteille de vodka, s'inquiéta. Elle dit:

-Je l'ai achetée sans réfléchir. Ne crains pas, ce n'était pas avec l'intention de boire et encore moins, maintenant que tu es là...

Près de la bouteille, il y avait le magnétophone sur lequel il mit sa main.

-Est-ce que tu as des cassettes avec de la musique?

-Plusieurs. Certaines que j'ai emportées avec moi et d'autres que j'ai enregistrées ici.

-Où sont-elles?

-Là, dans ma grosse valise.

-Donne m'en une... Nous allons la faire jouer à l'intention de nos possibles surveillants juste au cas...

Elle s'accroupit et prit sa cassette favorite, celle de musique russe interprétée par un ensemble populaire ouest-allemand. Se redressant, elle l'inséra dans l'appareil et les notes de 'Midnight in Moscow' s'étendirent doucement sur la pièce, enveloppantes et teintées de leurs doux mystères. Nikolaï à qui elle faisait dos lui enserra la taille et colla sa joue contre la sienne devant le miroir.

-Tu es encore plus belle que Moscou.

-En français, les noms de ville peuvent être aussi bien du masculin que du féminin. Donc Moscou, c'est toi pour moi...

Ils restèrent sans rien dire jusqu'à la fin de la pièce. 'Kalinka' suivit, longuement introduite puis son rythme les emporta dans un balancement des corps jusqu'aux charmes envoûtants de la balalaïka appelant les immortelles vibrations...

-Oh! que je vous aime, que je vous aime, Aliona!

Cette courte phrase demeurerait à jamais dans le coeur d'Hélène. Car elle contenait en dix simples mots tout ce qu'une femme pouvait désirer entendre de la bouche d'un homme. Elle pourrait vivre le reste de sa vie dans la pire solitude que l'épreuve lui serait douce grâce au souvenir de ces mots qu'elle ne put s'empêcher d'analyser à travers les émotions grandioses. Il y avait l'exclamation venue du coeur, la certitude exprimée par la répétition, le vouvoiement qui dispensait le respect et une part de mystère, et l'utilisation de son prénom en russe, mais dans la forme familière bien plus douce d'Aliona plutôt que dans celle d'Iéléna moins personnalisée... Nikolaï ne disait pas la vérité, il était la vérité.

Mais les considérations de l'esprit s'effacèrent vite devant les harmonies incomparables que ce miroir confiait à l'âme en secret. Elle ferma les yeux, laissa tomber sa tête en arrière sur l'épaule masculine, laissa sa mémoire contempler l'image de leur couple dans la glace: deux êtres aux pupilles dilatées, de plus en plus charnels, prêts à se recevoir...

Les misères de leur passé comme celles du monde entier demeuraient à la porte de la cellule de l'amour qui les enfermait au chaud comme un utérus... Ils se laissèrent dériver dans la brunante...

La balalaïka annonça le thème de 'Docteur Jivago'; Hélène se remémora la maison glacée de Varikino où les amants de Pasternak avaient trouvé refuge, puis elle vit Manon en rose exécuter en beauté sur la patinoire des figures gracieuses accompagnées par l'air de Lara.

Leur barque continua de dériver jusqu'au lit où leur passion les fit chavirer, les entraînant dans une noyade sublime. L'engagement mutuel culminait quand la musique s'arrêta.

On dut alors s'occuper de détails pratiques. La porte à condamner par l'avis de ne pas déranger, une cassette longue durée à insérer dans le magnétophone, des mots de rassurance quant à la contraception, tirer les tentures sur la ville de Moscou et le pavillon de Montréal, se donner des soins d'hygiène corporelle, commencer à se défaire de ses vêtements...

Il fut le dernier sous le drap. Et le désir reprit son ascension magnifique. Elle le prévint, se parlant à elle-même tout autant qu'à lui:

-Tu sais que l'amour enchaîne et que nous aurons mal de nous séparer?

Il l'embrassa avant de répondre afin d'appuyer davantage sur les mots:

-L'amour libère puisqu'il rend futiles toutes les autres chaînes et dérisoire leur poids, si grand soit-il!

-Alors donc, l'amour enchaîne ceux qui se sépareront et libère ceux qui s'uniront.

Les corps s'étreignirent. Ce fut leur seul discours fécond qui prit la relève...

∞∞∞∞

Au théâtre Bolchoï, Nelia se pencha vers Suzanne et lui confia:

-Vous savez la plus grande tristesse de madame Hélène, eh bien c'est de n'avoir pas pu être des nôtres ce soir ici...

-Elle nous l'a dit à nous aussi, n'est-ce pas, Gilles?

L'homme de Radio-Canada se pencha à son tour:

-Heureusement, le Bolchoï n'est pas près de fermer ses portes, n'est-ce pas?

∞∞∞∞

Après l'amour, les nouveaux amants restèrent au lit, ouatinés par un bain de tendresse. On se parla un long moment de la semaine d'hospitalisation d'Hélène. Tout devint rieur. Par la suite, elle put obtenir des mesures bien plus exactes de sa vie, de son métier, de la médecine en Union Soviétique, des sentiments populaires cachés, de la peur omniprésente, de la contraception...

-Chez nous, une grossesse sur trois se termine par un avortement. Le problème, c'est que les moyens de contraception se font rares. La pilule est difficile à obtenir, même pour un médecin, et les condoms sont introuvables.

-Comme je te l'ai dit, j'achève ma prescription. Une semaine plus tard et nous n'aurions pas pu... ou bien je serais retournée dans mon pays fécondée par le tien...

Après une pause au cours de laquelle chacun tenta d'interpréter le silence de l'autre, Nikolaï aborda l'épineuse question de son impossible projet:

360

-Il me semble qu'il n'existe que deux voies pour quitter ce pays. D'abord la défection qui n'est pas à la portée d'un médecin comme moi à moins qu'il lui soit donné d'assister à un congrès quelconque à l'étranger... et je ne parle pas des pays de l'Est. Ou bien d'épouser une étrangère, ce qui ne se ferait pas aisément. D'abord, il me faudrait me trouver une épouse étrangère qui accepte de vivre en Union Soviétique pour un certain temps, ce qui n'est pas simple à trouver, et ensuite, d'interminables procédures seraient nécessaires avant qu'on daigne seulement évaluer une demande de licence... L'épouse en question devrait ensuite quitter le pays, avec un enfant ou enceinte si possible, puis de chez elle, il lui faudrait travailler des années en faisant peser dans la balance des pressions politiques pour espérer que je puisse finir par la rejoindre.

-C'est rêver en couleurs...

-Et il y a l'imprévu ou... l'imprévisible... Peut-être que surgira plus vite qu'on pense une sorte de Messie qui va mettre l'Union Soviétique à l'heure avancée comme le reste du monde développé, qui sait?

Quelqu'un frappant à la porte jeta une certaine consternation au coeur du lit.

-Qui ça peut-il bien être? questionna Hélène.

-Peut-être quelqu'un de ton groupe.

-Ils sont au Bolchoï...

-Peut-être pas tous.

-On laisse faire?

-Non, réponds... je m'enferme dans la salle de bains.

-Mais si c'était quelqu'un pour toi... enfin, je veux dire des gens de la police ou de l'hôtel?

-Mens, mais ne laisse entrer personne. On ne va pas forcer la porte.

On frappa encore. Hélène se leva et enfila son peignoir tandis que Nikolaï disparaissait. Une clef s'inséra dans la serrure. La porte s'ouvrit lentement et une voix pointue entra:

-Il y a quelqu'un? C'est qu'il faut faire la chambre...

Hélène arriva et les deux femmes se rencontrèrent dans la demi-noirceur tout près de la porte de la salle de bains que l'arrivante regardait avec insistance. Il y eut un bref échange en russe:

-Non, pas aujourd'hui...

-Mais c'est la dernière chambre qu'il me reste à faire, se plaignit la 'gornitchnaïa'.

-Je suis malade et je ne veux voir personne dans la chambre, dit Hélène en bâillant faussement. Revenez demain. Attendez, ne bougez pas...

Elle fouilla dans une poche de vêtement dans la garde-robe et trouva un dollar américain qu'elle tendit à la femme de chambre.

-C'est pour vous remercier de ne pas insister.

-Je ne peux pas le prendre...

-Si vous ne le prenez pas, alors je le laisse traîner dans le couloir et quelqu'un d'autre le prendra.

-C'est comme vous voulez, madame, se résigna l'autre, un personnage qui avait l'air vieux et fatigué mais n'avait sûrement pas plus de trente-cinq ans.

Hélène referma. Elle frappa discrètement dans la porte derrière laquelle Nikolaï finissait de se vêtir dans l'obscurité. Il sortit. On s'étreignit fébrilement.

-Retournons voir Moscou maintenant qu'il fait noir dehors, suggéra-t-elle en l'entraînant jusqu'à la fenêtre dont elle écarta les tentures.

Ce n'est pourtant ni la ville ni le pavillon de Montréal qui retinrent leur attention mais, sous l'éclairage des réverbères, une petite vieille courbée, cassée par une lordose et qui, armée d'un balai fait d'aulnes, nettoyait le chemin d'accès à l'hôtel en forme de boucle quinze étages plus bas. Jamais elle ne s'arrêtait. Des coups lents, longs, soulevant la poussière et le rejetant un peu plus loin. D'autres et d'autres...

-C'est fascinant de la voir agir, dit Hélène.

-Son travail consiste à garder propre ce bout de chemin, été comme hiver. Elle doit venir deux heures à l'aube et deux heures au crépuscule. Un travail inutile qu'on pourrait faire en deux minutes avec une machine... si nous avions de telles machines.

-Inutile, Nikolaï? Jamais de la vie! Ce travail donne sans doute une raison de vivre à cette femme, il la valorise, lui fait prendre l'air, de l'exercice physique et lui permet de gagner sa vie, ou bien d'apporter un salaire supplémentaire à la famille qui l'héberge.

-Tu as raison et j'aime te l'entendre dire. Elle a l'air d'une meurt-de-faim mais elle n'en est pas une. D'ailleurs, elle n'est pas obligée de faire ce travail. Mais on pourrait lui proposer quelque chose de plus utile... Enfin, qui a raison, qui a tort: ça reste à voir! Il me semble qu'un pays évolué ne peut pas faire nettoyer ses rues par des bras de vieilles dames fatiguées.

362

-Tu sais, Nikolaï, je l'aime, cette 'babouchka'; je ne sais pas pourquoi, mais je l'aime.

Il rit:

-Tu as le coeur à aimer l'humanité!

-Voilà pourquoi l'amour est un sentiment exaltant et merveilleux quand il vous prend par la main... et si affreux quand il vous lâche la main...

Il se glissa derrière elle et l'enlaça:

-Mais nous, nous savons que notre amour durera éternellement par le souvenir qu'il nous laissera.

-Nous savons aussi qu'il ne nous reste plus que trois jours pour le vivre totalement.

-Beaucoup plus que totalement car la menace du temps qui pèse sur lui multipliera sa force et son ardeur.

-Crois-tu que nous nous sommes enfermés dans la cellule du condamné à mort?

-Si tu veux gagner une médaille de l'optimisme, tu ne dois pas poser de pareilles questions.

-Les étoiles ne brillent-elles pas que durant la nuit?

Il l'enveloppa.

Elle s'abandonna.

∞∞∞∞∞∞∞∞∞

# Chapitre 29

-Il me faut maintenant penser à m'en aller, dit-il quand l'étreinte romantique dut prendre fin.

Il se dégagea d'elle et se rendit auprès de sa trousse médicale et du magnétophone dont il changea de côté la cassette en marche.

-Et mon examen?

-Ce ne sera pas nécessaire, ne crois-tu pas?

-De nous deux, je ne suis pas le docteur, je suis le prêtre, rappelle-toi.

-Il nous reste quinze minutes pour planifier le temps qui pourrait nous être encore donné... demain et mardi si tu le veux...

Elle se rendit au lit, s'assit. Il prit place en face d'elle sur le jumeau du lit, séparé de l'autre par une faible distance. Leurs mains se trouvèrent en même temps que leurs regards.

-Tout mon temps appartient au docteur, blagua Hélène. C'est lui qui m'a assigné une résidence...

Et elle montra la chambre d'un bref regard.

-Le regrettes-tu?

-Oh! non... Pour le coeur, c'est un excellent remède, vous aviez raison, docteur Fedorov...

Après une pause, il dit, la voix douce et intense:

-Que je vous aime, Aliona, belle Aliona, douce Aliona...

Elle le griffa en surface.

-Et parfois méchante Aliona!

-Se défendre par l'attaque n'est pas méchanceté.

Elle devint sérieuse:

-Un quart d'heure, c'est court, mais deux jours, c'est encore pire!

-Alors ne les perdons pas! Maintenant, ferme les yeux et imagine que je suis un bon génie tout juste sorti d'une bouteille et qui t'offre de répondre à trois de tes voeux.

Hélène ferma les yeux et dit:

-Le premier serait que Nikolaï Fedorov rentre dans une bouteille... tiens celle de vodka que j'ai achetée, et que je pourrais mettre dans ma valise pour l'emporter au Canada.

Il rit:

-Je veux des voeux sérieux. Et puis, je pourrais me noyer dans la vodka... comme la moitié des hommes de ce pays y est déjà jusqu'aux yeux... Et puis tu pourrais essayer de me boire et la vodka t'étoufferait... Je veux des voeux sérieux, vite...

-Combien?

-Trois.

-O.K.! Le premier: aller ensemble marcher le long de la Moskova. Le second: connaître ta mère. Le troisième: aller au Bolchoï.

-Je suis un bon génie, mais je ne suis pas un génie tout-puissant; alors je ne pourrai exaucer que deux de tes voeux. Le premier demain soir et le second mardi. Pour ce qui est du Bolchoï, c'est impossible puisque tu pars mercredi et qu'il faut ses billets longtemps d'avance...

-Bien évidemment! Je fais un troisième voeu?

-Non, parce qu'en plus, le temps manquerait pour l'exaucer.

Elle rouvrit les yeux:

-Tu parles pour de vrai?

-*Kaniechna!* Certainement!

-Je pourrai sortir de l'hôtel avec toi?

-Non, pas de cette manière.

-Et Nelia, et les gens de la réception, et le gars du KGB dans le lobby de l'hôtel, et les portiers? Ça fait beaucoup d'obstacles...

-En temps normal, peut-être, mais pas en période de Jeux olympiques. Ce sera très facile pourvu que tu te comportes naturellement...

∞∞∞∞

Quand la passion s'est emparé d'un coeur, le temps change de discours. Hélène se réveilla plusieurs fois cette nuit-là, enlevée vers l'infini par des tournoiements prodigieux. Les femmes passent pour légères parce que l'amour les transporte plus haut que les hommes. Mais son univers n'était pas fait que de beauté car ce ne serait pas un sentiment qui, mercredi soir, la transporterait, mais un avion d'Aeroflot: elle ne devait pas cesser d'y penser pour apprivoiser la séparation probablement définitive d'avec son rêve inachevé... Elle pourrait peut-être revenir en Union Soviétique à la condition d'obtenir un visa d'entrée, ce qui, à cause de sa conduite, surtout sa fameuse nuit dehors, n'était pas acquis d'avance. Et une fois là, il lui faudrait rejoindre Nikolaï... et lui aurait peut-être fait amende honorable envers ses valeurs. Une autre belle Larissa plus à sa mesure, faite pour lui serait alors entrée dans sa vie... Pour une étrangère, elle est quand même assez redoutable, cette beauté des jeunes femmes russes, même sans les artifices!

Non, ce serait mercredi la fin sans retour. Et il le fallait. Et l'inévitable retour au Canada la ramènerait à ses misères avec un coeur deux fois malade. Car de retourner vers les enfants, ce serait de continuer à vivre à côté d'eux, à part, cultiver la souffrance en les voyant de temps en temps, n'avoir plus voix au chapitre dans leur éducation, perdre leur amour à petites doses visibles. Craindre une nouvelle attaque cardiaque qui pourrait la laisser impotente. La solitude. La peur. La peine... Et se souvenir de celui qui vous a fait revivre... un moment... le temps de l'amour... toujours si court... et penser que deux pays vous séparent de lui...

Hélène ne se maquilla presque pas. Elle reçut des visiteurs de son groupe, fit la fatiguée. Vers la fin du dîner, elle prit Nelia à part, quand celle-ci se rendit à la salle des toilettes.

-Je veux vous demander de glisser subtilement, bien respectueusement aux membres du groupe de ne pas frapper à ma porte ce soir, à leur départ ou à leur retour de je ne sais où d'ailleurs...

-Nous allons au cirque ce soir... Pas au grand Cirque de Moscou, bien entendu, mais quelque chose de bien...

-Je me sens très... fatiguée...

-Vous en avez l'air, oui. Vous voulez que j'appelle le docteur Fedorov qui vous a soignée à l'hôpital?

-Ce ne sera pas nécessaire; il me faut juste une bonne dose de sommeil la nuit prochaine et la suivante pour bien préparer mon

366

voyage de retour.

Nelia lui prit les mains, sourit et la rassura:

-Laissez-moi ça entre les mains. On ne vous dérangera pas, ni moi non plus. Vous savez, je craignais que vous ne vous sentiez trop seule... Dites-moi juste une petite chose, Hélène, et c'est la curiosité qui m'emporte car si j'étais de la police secrète comme on dit en Amérique que le sont les guides d'Intourist, vous pensez bien que je vous aurais questionnée avant sur la chose. Où êtes-vous allée cette nuit-là que vous avez passée dehors?

-Je ne vous l'ai pas dit?

-Pas à moi.

-Simple: j'avais mal dans la poitrine et je croyais que c'était la nourriture. Alors je suis allée marcher. Je me suis rendue au pavillon d'Expo-67 sans trop y penser, sans doute parce que l'endroit me serait familier et voilà qu'une fois assise sur un banc, j'ai perdu la carte.

-Il me semble que c'est gros comme explication...

-Vous avez déjà subi un problème cardiaque?

-On reste conscient.

-Tous mes symptômes furent particuliers. Mais ce n'est pas le problème cardiaque lui-même qui m'a fait perdre connaissance, mais sa disparition soudaine et donc la disparition de la douleur. J'avais déjà vécu la même chose avec des crampes stomacales. C'est comme si le sommeil, après une fatigue incroyable, m'avait tout à coup frappée de plein fouet...

Nelia pencha la tête:

-C'est plausible.

-C'est ce que pense le docteur Fedorov en tout cas.

-Vous voulez que je l'appelle, redemanda Nelia en plissant les yeux.

-Mais non, je me sens bien... je veux dire que je suis fatiguée seulement...

Les deux femmes retournèrent à la table mais Hélène ne s'assit pas. Elle salua et partit.

-On dirait qu'elle est très malade, dit quelqu'un.

-Vous savez, dit Nelia, si on lui a permis de quitter l'hôpital, c'est qu'elle est remise. Il lui faut du repos, voilà tout...

Hélène consulta sa montre et se rendit à sa chambre. Elle se maquilla, se mit une robe à imprimé marine et blanc à petits airs d'autrefois, et attendit jusqu'à six heures et demie, moment où le groupe quittait l'hôtel pour aller au cirque. Alors elle alluma une lampe qu'elle mit à la fenêtre. C'était le signal convenu. Dans dix minutes pile, Nikolaï viendrait en taxi devant la porte du sous-sol; elle le rejoindrait en discrétion.

Puis elle prit son livre 'Anna Karénine' et lui ôta sa jaquette, laissant à découvert une couverture de cuirette bourrée de fioritures dorées. Il restait bien le nom de l'auteur et le titre du livre en or sur fond bleu acier sur l'épine, mais il lui suffirait de tenir le livre de manière à cacher ces mots français. "Il est plus facile d'avoir l'air russe un livre à la main" avait dit Nikolaï. "Il y a plus de quatre mille bibliothèques à Moscou et un écrivain peut à lui seul remplir un stade pour y lire des extraits de ses ouvrages, autant que deux équipes de hockey pour présenter un match." "C'est comme au Québec!" avait-elle rétorqué à la blague.

Tout se déroula comme prévu. Elle descendit au sous-sol, son livre dans la main, sans envisager personne; et là, elle attendit, adossée à une colonne, en faisant semblant de lire mais surveillant l'extérieur par les portes vitrées. Un taxi arriva presque tout de suite. Elle reconnut Nikolaï sur la banquette arrière et sortit, sans sourire aux chasseurs heureusement fort occupés par des bagages fraîchement arrivés.

Elle dut ouvrir elle-même la portière et le fit de la manière la plus naturelle qu'elle put. En même temps, elle se souvint de la recommandation de Nikolaï quant à l'utilisation de la langue devant les gens. "Je parlerai et tu ne diras qu'un seul mot à la fois, et quoi qu'il advienne, ne dis pas le mot 'savon' car on fait croire aux gens que quelqu'un qui parle russe mais dit ce mot avec un accent doit être signalé... ce pourrait être un espion!" Pour sûr qu'un tel enfantillage ne rimait absolument à rien, mais il était dérangeant. De toute manière, juste pour rire, il lui avait fait répéter le mot jusqu'à en effacer l'accent: *muiLe*... qu'il ne fallait surtout pas dire *mila*...

On descendit à l'hôtel Rossia près de la Place Rouge. Hélène voulait voir de près et plus longtemps qu'en autocar comme déjà, la cathédrale Basile-le-Bienheureux aux tourelles fraîchement repeintes. Quand elle fut rassasiée, on prit le métro et on se rendit au parc Gorki pour marcher sur le trottoir de la rue y longeant la Moskova. Ce n'est qu'une fois là que l'on put se parler librement.

-J'ai tout d'abord une belle nouvelle à t'apprendre: mes parents te recevront demain pour le repas du soir. Je leur ai beaucoup parlé de toi ces derniers jours et ils ont bien hâte de te connaître.

Et ma mère était très contente que tu veuilles la rencontrer.

-Mais je ne voulais pas déranger... Un repas, c'est toute une histoire.

-Tout est déjà décidé.

Au loin, le jour commençait à pencher au-dessus des collines Lénine et les rayons du soleil s'accrochaient à la tour de l'université tandis qu'en contrebas, quelques lumières électriques s'allumaient comme des étoiles çà et là sur le mur circulaire du Stade Lénine aux abords duquel régnait une animation fébrile mais qu'on ne pouvait ouïr à cette distance.

-Nous sommes moins près de la rivière que je ne l'aurais cru.

-De trop près, l'eau pue. Tout Moscou s'y vide!

-Il y a de ces distances qui sont plus romantiques.

-Nous pouvons aller plus près si tu veux... sur les quais près de la gare de Kiev. C'est que je voulais faire d'une pierre deux coups et te faire voir le parc où je viens jouer aux échecs avec Sacha... Et puis il y a un superbe petit lac d'eau belle au milieu, où glissent les cygnes et près duquel vont s'asseoir les amoureux...

-Ils seront rares ce soir.

-Non pas... c'est la soirée idéale pour les amants et leur maîtresse... La nature humaine étant ce qu'elle est, il y a aussi chez nous des femmes qui trompent leur mari...

-Mais pas la contrepartie? Les maris ne trompent pas, eux?

-Je plaisantais.

Ils ne furent pas longtemps le long de cette voie encore bruyante et parce que le parc les invitait fortement avec ses verts variés, ses odeurs d'été et sa propreté impeccable et l'ordre qu'il étalait à l'oeil de l'observateur. Hélène redit son désir de voir la Moskova, mais de bien plus près.

-Après le parc, nous irons sur la rive droite vis-à-vis le Kremlin.

-Nous sommes passés par là, se souvint-elle. Oui, je voudrais bien, surtout quand il fera noir.

On marcha lentement dans des allées bordées d'arbres. Là où Nikolaï et Sacha s'attablaient le plus souvent pour jouer aux échecs, on fit halte. D'autres couples allaient au loin, disparaissant parfois derrière certains troncs d'arbre, s'y arrêtant, sans doute pour se faire des confidences que ni les bouleaux ni les grands chênes ne répéteraient aux indiscrets et que peut-être l'automne emporterait en les colorant de ses tons luxueux aux fabuleuses nostalgies.

Leurs mains s'unirent par-dessus la table, appuyées sur 'Anna Karénine'. Et les yeux s'échangèrent de longs silences profonds tandis que le soir descendait vers eux en déployant ses grands bras protecteurs qui chuchotaient dans le feuillage.

-Il me semble que Sacha est avec nous, dit Hélène.

-Je lui parlerai de toi dimanche.

-Si... tu devais revenir l'an prochain, je serai là, tu sais.

-Comment te rejoindre?

-Par le téléphone, chez moi...

-Aussi simplement que ça?

-Aussi simplement que ça.

-Mais la délation, les surveillants, la suspicion qui porte sur ceux qui fraternisent avec les «infidèles» venus d'Occident?...

-Il y a des moyens de déjouer tout ça, tu as vu ce soir, n'est-ce pas?.

-Mais si tu veux entreprendre des démarches pour quitter le pays, cela ne pourrait-il pas jouer contre toi?

-Oui, mais si ces démarches demandent dix ans, il y aura long-temps que tu ne seras plus là...

-Tu crois que mon coeur ne résistera pas?

-Les mois, les années nous mettront tous les deux sur d'autres voies: c'est humain... Nous ne sommes pas au cinéma, nous som-mes dans la vraie vie...

-Mais nous avons entre les mains une richesse incalculable: elle ne devra pas nous filer entre les doigts comme si c'était... de l'eau de la Moskova.

-Après réflexion, le seule solution, c'est de mener de front mes démarches et nos rendez-vous annuels... si nous nous en donnons bien entendu.

-Quelles sont nos chances de succès?

-Pour te dire la vérité: dix pour cent au maximum. Et si la chance est avec nous, vingt, trente... L'ère Brejnev achève, l'homme a un pied dans la tombe et peut-être que les choses changeront après lui...

Ces mots-là tombaient comme du plomb dans l'âme d'Hélène. Ils avaient le ton de la fin, de l'impasse, de l'enfermement. Elle ne réussit pas à se remettre d'aplomb par la suite. L'on divagua sur des soirs imaginaires au chalet d'Hélène. L'on alla rêver au bord du petit lac. Puis il fallut partir, le parc Gorki étant, dit-il, tout aussi dangereux la nuit que Central Park à New York.

Sur le quai de la Moskova, elle fixa longtemps l'eau noire, appuyée à un mur de ciment servant de parapet.

-C'est ici que sera notre plus beau moment d'éternité, murmura-t-elle comme pour elle-même.

-Que vois-tu dans l'eau que je ne vois pas, moi?

-Mon propre reflet... et ce n'est pas du narcissisme. C'est une sorte d'appel à l'infini, au sublime, à la sérénité et à la paix.

-Tu es donc... suicidaire?

-Ce n'est pas ce que je veux dire... Il y a une très grande espérance en moi, une volonté de vivre, mais en même temps, je ne sens habitée par des... voix comme celles de Sophie Parent, une élève, et Virginia Woolf, un maître...

Nikolaï frissonna un moment à se rappeler la mort de la romancière anglaise, mais son âme russe s'acclimata aussitôt à ce rayonnement sombre qui émanait d'Hélène, cette femme émouvante si proche de lui et si loin aussi...

∞∞∞∞∞∞∞∞∞

# Chapitre 30

La rentrée d'Hélène fut aussi simple que sa sortie. Elle tricota, 'vernoussa' sur l'aire de stationnement des autocars près de l'hôtel puis quand un groupe entra, elle s'y introduisit, passant pour une femme allemande au nez bouché du KGB et à la barbe fleurie des portiers.

Sa nuit fut douce, reposante. Les vingt-quatre heures qui lui restaient dureraient une éternité: elle se l'était juré cent fois depuis le parc Gorki.

Un rêve la conduisit dans le métro où elle était une vieille femme russe semblable à la balayeuse matinale sous sa fenêtre, astiquant avec soin les marbres, les agates et les porphyres, heureuse de les voir briller comme chaque jour sous les néons blancs. Un autre l'entraîna en autocar devant l'université. Elle descendit et le car poursuivit sa route, et la magie des songes lui donna des ailes, et le véhicule se posa sur la pointe de l'étoile de rubis coiffant la flèche de l'édifice central. À son tour, elle s'y trouva, dans le car, à ce point le plus vertigineux de Moscou, huit cents pieds au-dessus du sommet de la plus haute colline Lénine, la ville visible jusque dans ses faubourgs les plus lointains, toutes pensées comme le temps s'écoulant en rigoles et ruisseaux, dans un immense réseau de vaso-vasorum vers la Moskova dont les glaces cassées se bousculent vers l'Oka, la Volga, pour aller se perdre à jamais dans la mer Caspienne où se trouve la paix sur la terre...

Au réveil, elle tâcha de percer le symbolisme de ses visions nocturnes, mais n'y retraça que des morceaux de conversation avec Nikolaï. "Un autocar pourrait tenir sur l'étoile de Lomonossov. Tout se vide dans la Moskova. Les vieilles personnes qui ne travaillent pas souffrent d'un virus mortel: l'ennui."


Nelia n'était pas à la table du matin. On insista, d'une bouche à l'autre, pour qu'Hélène accompagne le groupe au moins au cours de cette dernière journée officielle en Union Soviétique. Mais c'était plus pour tester son moral et sa santé que pour l'entraîner dans une exploration pour elle aventureuse. On irait au parc de l'Académie agricole dans l'avant-midi puis à l'université dans l'après-midi, mais cette fois pour de vrai, à l'intérieur et pas seulement autour, et la soirée se passerait au Stade Lénine...

Hélène cacha son âme sous un voile de tristesse. Quand les voix amies se furent tues, elle dit:

-Je reviendrai l'an prochain. Moscou ne mourra pas cet hiver. Elle n'est pas à un hiver près...

-Ah! on sait jamais, plaisanta le chef de groupe, si notre Reagan expédie deux ou trois missiles...

-J'ai lu quelque part que pas une ville au monde n'a eu destinée aussi tragique. Dix incendies gigantesques, des attaques répétées, des sièges cruels, les ravages de la guerre, de la peste, du typhus, la famine, la violence des despotes, Yvan le Terrible, Staline, plus terrible encore... La terre de Moscou possède un pouvoir de régénération... parce qu'elle est fertilisée par la cendre et par le sang.

On l'écoutait religieusement.

-Ouais, dit le petit homme gris de sa voix doublement enrouée du matin, au lieu de courir les monuments, on ferait mieux de se mettre à lire, nous autres aussi.

-La maladie porte ses fruits; elle permet d'apprendre sans avoir à voir...

∞∞∞∞

La femme prépara ses bagages durant la journée. Les heures lui parurent interminables et pourtant exquises, troublantes, faites de sensations, de frissons, d'excitation. Pour sortir de l'hôtel par les mêmes voies que la veille, elle porta la même robe et s'habilla des mêmes manières. Dans le taxi, elle garda la même distance d'avec Nikolaï, celle que pratiquent en public les couples mariés rassasiés de leurs étreintes privées.

-Rue Festivalnaïa, dit-il au chauffeur.

-Numéro?

-Nous ferons la rue à pied.

Le voyage fut peu bavard. On se parla par la main. Les ondes circulèrent quand même... Mieux, pensa la femme amoureuse.

Quand ils furent sur la rue de Nikolaï, il lui demanda d'aller devant et de sonner à l'appartement trois cent onze. Il la suivrait d'une vingtaine de pas et on se rejoindrait dans l'ascenseur. Et une fois à l'appartement, on entrerait directement par la porte que sa mère laisserait ouverte. Pas question de perdre du temps dans le couloir! On ne pouvait se fier à personne au pays de la dénonciation institutionnalisée!

-Bien sûr qu'il n'est pas criminel d'amener un étranger chez soi, mais c'est suspect. Or la suspicion au-dessus de sa tête, c'est comme une épée de Damoclès qui peut rester suspendue là pendant des années.

La porte d'entrée donnait sur le salon. L'appartement paraissait désert. Nikolaï fit asseoir Hélène et mit plusieurs 33-tours en position sur le tourne-disques afin que la musique enterre les voix.

-Ils sont dans leur chambre...

Il lui dit que l'accueil n'en serait pas moins chaleureux parce que feutré. Les mains un peu moites, émue, Hélène regarda les choses sans les voir, sentit les odeurs de cuisine sans les remarquer, entendit la musique mais sans la reconnaître car elle n'était pas russe. Elle se sentait intruse, comme un chien dans un jeu de quilles, risquant à tout moment de casser des morceaux de vaisselle. L'attente n'en finissait pas et pourtant ne dura qu'une minute. La mère de Nikolaï parut devant son mari, l'oeil affable, la main tendue, venue d'un étroit couloir au bout de la cuisine.

-Bienvenue dans notre modeste demeure, dit-elle dans son français impeccable.

À travers ses mots, Nikolaï fit les présentations. Hélène avait imaginé sa mère mais pas son père, un petit personnage noir, très sec, aux manières militaires. Et quand chacun eut pris place sur le long divan, le couple Fedorov sur une section de l'angle et les deux autres sur celle devant le foyer, après les banalités de circonstance, vinrent les questions inévitables: que saviez-vous du pays avant de venir, qu'en pensez-vous, pourquoi avez-vous décidé d'apprendre la langue... Et à l'inverse, Hélène interrogea sur ce qu'on savait du Québec à part le Canada et qui se limitait à l'existence de la langue française, puis sur le travail de chacun.

Le père dit qu'il travaillait dans une usine de tracteurs et pas grand-chose de plus, d'autant qu'il ne connaissait que sa langue et que la conversation se déroulait sans lui. Il s'excusa et se rendit à la cuisine où on l'entendit manipuler de la vaisselle et des ustensiles. Hélène offrit à la mère de Nikolaï un cadeau qu'elle avait apporté dans son grand sac: une fine chaînette en or avec une petite corne d'abondance, un cadeau qu'elle s'était offert un soir de magasinage après son divorce. La femme montra l'objet à son mari qui achevait de dresser la table, signalant qu'il s'agissait d'un cadeau. L'homme demeura tout à fait froid et il annonça que tout était prêt pour le repas.

Le menu surprit la Québécoise par son abondance et sa variété. De la gelée de poisson au raifort. Une salade de chou frais aux pommes avec de la crème. Une soupe de champignons séchés. Du canard rôti aux pommes avec pommes de terre. Et pour finir, des fruits secs au sirop. Elle mangea de tout avec la modération qu'exigeait son état de santé au sujet duquel on lui prodigua des conseils semblables à ceux du fils médecin.

Le père ne sourit pas une seule fois malgré les exclamations d'Hélène en français et en russe quant au goût des plats. Il arriva à la visiteuse encore comme à l'hôtel de penser combien les Russes aiment échanger des cadeaux mais elle n'avait rien de présentable à un homme. Là pourtant, elle se rappela de ses stylos et se rendit en prendre une poignée qu'elle entoura d'une bande élastique et posa devant lui, disant:

-Peut-être que ça pourra vous servir!

Et pour ne pas le rendre mal à l'aise, elle n'attendit pas sa réaction et retourna à sa place, à côté de Nikolaï, de l'autre côté de la table, sans s'arrêter de parler de ses enfants, sujet qui pour la première fois ne lui broyait pas le coeur depuis son arrivée en Russie. Elle poussa même l'ouverture jusqu'à prendre sur son dos la responsabilité de son divorce et de leur éloignement.

Maria Fedorova portait une robe noire qui, aux épaules, se transformait en deux bandes rouges en biais pour passer du côté gauche au rouge complet. Ses bras musculeux étaient tout à fait dénudés et ils gardaient au moins par leur forme la marque de la combattante.

-Andreï, tu peux la remercier en russe, si tu veux, elle comprend, dit-elle à son mari.

L'homme prit le paquet de crayons à côté de son assiette, le souleva et marmonna un merci beaucoup. Puis on parla de politique. Nikolaï donna son point de vue officiel sur les valeurs respectives du capitalisme et du socialisme:

-Le capitalisme est un animal sauvage, furieux, débridé, agressif, dangereux. Il attaque les plus faibles surtout, les rue, les assomme, pour mieux les esclavager. C'est un carnassier qui se nourrit du sang et de la chair de ceux qu'il piétine et qu'il écrabouille en les vidant de leurs faibles forces. Mais ses dents sont en or. Et en argent. Elles séduisent en s'approchant pour mieux mordre, déchirer, décérébrer... Selon Marx, Lénine et Staline, il faut l'abattre. Selon Brejnev et les autres, il faut le tenir à l'écart de l'autre côté d'un rideau de fer. Je crois que n'importe quel être bien-pensant sera d'accord avec moi sur la nature du capitalisme. Sauf qu'il n'est pas une bête indomptable. Qu'on lui mette sur le dos un bon harnais, par exemple celui du socialisme, qu'on le contrôle, que vienne un grand cavalier capable d'enfourcher la monture, un visionnaire peut-être, qui attelle devant la voiture du socialisme le cheval sauvage du capitalisme et alors, l'Union Soviétique pourrait, au siècle prochain, devenir ce monde rêvé où les abus s'écouleront dans les rivières du temps, où un peuple à la fois motivé et protégé, individualiste et patriote, ouvert à l'homme et à l'ambition mesurée, soucieux des besoins des moins favorisés, dévoué aux valeurs de l'être que serviront celles de l'avoir et non l'inverse, se donnera un pays qui pourrait bien devenir le phare de l'humanité grâce auquel la planète sera gardée viable pour les descendants de tous les hommes...

Il fit une pause, poursuivit:

-Voilà pour le rêve! Mais la réalité est la suivante: la mère Russie progresse en chaise roulante depuis soixante ans. Et comme tout handicapé, elle a développé des habiletés particulières mieux que les autres, comme sa puissance militaire qu'on pourrait appeler la force de ses bras. Mais pendant ce temps, d'autres muscles, d'autres membres se sont atrophiés. Qu'on la fasse lever et marcher par ses propres moyens et elle voudra aussitôt se rasseoir dans sa misère confortable et facile. Le visionnaire dont je parle ne réussira que s'il fait disparaître la chaise roulante. Car la mère est vissée à ses vieilles habitudes et, faut-il le dire, à une certaine paresse... Elle n'a plus confiance en elle-même...

Toutes ces flammes brillantes dans les yeux de Nikolaï donnèrent à penser à Hélène qu'un tel homme ne quitterait jamais son pays.

Le peu de temps qui resta fut passé au salon et on parla surtout de l'éducation des enfants là-bas. Puis, alors que ses parents discutaient dans la cuisine, Nikolaï confia à Hélène qu'ils se demandaient quoi lui offrir en cadeau à son départ. Elle lui dit que l'objet qu'elle voudrait le plus posséder, aussi banal soit-il, était un filet à magasinage comme en avaient tant de femmes sur la rue. Maria trouva son plus neuf et le présenta à Hélène qui se montra fort contente et dit qu'il lui rappellerait son voyage chaque fois qu'elle l'utiliserait quand elle irait faire son marché une fois de retour chez elle...

Le départ fut tout aussi prudent que l'arrivée. On retourna en métro à l'hôtel Kosmos. Là-bas, on évalua à environ vingt minutes le temps maximum que l'on pouvait s'accorder avant de se séparer pour un an... Il fut décidé d'aller marcher jusqu'au pavillon d'Expo-67, de s'y arrêter pour se dire le mot de la fin puis de se séparer sans hésiter. Il resterait ensuite dans l'abribus de l'avenue de la Paix jusqu'à la voir à la fenêtre de sa chambre où elle se manifesterait par le signal de la lampe.

Leur baiser définitif se produisit sur le banc même où Hélène avait eu, semblait-il, sa première attaque cardiaque. Il fut plein de pauses, de reprises, de promesses, d'intentions, de prises de rendez-vous, de projets pour l'été suivant...

Pourtant, ni l'un ni l'autre n'y croyait vraiment. Mais puisque les serments sont les analgésiques des amours impossibles...

Arrivée dans sa chambre, la femme se rendit aussitôt à la fenêtre pour ne pas perdre ce dernier grand moment d'exaltation, ce geste ultime de communion. Elle alluma la lampe comme convenu, écarta les tentures et fit bouger la lumière à plusieurs reprises, puis agita la main. Il sortit de l'abribus et de l'ombre. Elle put voir son chandail à larges rayures noires qui lui donnait l'air d'un arbitre de hockey. Il ouvrit les bras en les déployant de chaque côté de lui, une, deux secondes, puis tourna les talons et disparut dans la nuit moscovite.

Elle éteignit la lumière et demeura dans le noir à regarder la ville imprécise. Moscou pleurait. Et ses larmes montaient vers le ciel comme des bulles, et dans les mystérieuses profondeurs de l'infini, elles se transformaient en étoiles...

∞∞∞∞∞∞∞∞∞∞

# Chapitre 31

-Et alors, comment allez-vous aujourd'hui, madame Hélène? demanda Nelia de son ton le plus berceur à travers la porte après avoir frappé deux fois avec le bout de sa clef.

La guide se félicitait de voir que cette Québécoise pas comme les autres avait fini par l'être et que finalement, rien de désastreux n'était arrivé qui aurait pu nuire à sa carrière bien menée, c'est-à-dire selon les ordres stricts du régime.

On ne répondit pas. Elle frappa plus fort, chantant plus haut:

-Madame Hélène, madame Hélène...

Le repas du midi qui était en fait le repas d'adieux achevait à la table canadienne dans la grande salle à manger et la convalescente ne s'était pas montrée. Pourtant, on l'avait vue au petit déjeuner. On avait même dit qu'elle s'était montrée joyeuse comme pas une seule fois auparavant et aurait jusque glissé des... obscénités à l'oreille d'un serveur de béton pour faire fondre la glace qui l'entourait et lui montrer où en était rendue la liberté sexuelle dans les pays occidentaux. Mais ça, soliloquait la guide, les touristes sont toujours bizarrement joyeux le jour de leur départ comme s'ils arrivaient au terme d'une grande mission bien accomplie.

-You ou, madame Hélène. *Eta Nèlia...* You ou...

Le femme se gratta le cuir chevelu par un doigt introduit sous le chignon et fronça ses gros sourcils. Elle s'attendait tellement à la trouver dans sa chambre qu'elle avait omis de vérifier auprès de la *dièjournaïa*, gardienne des clefs de l'étage. L'oreille collée contre la porte, elle écouta pour entendre... peut-être l'eau de la douche. Puis elle quitta, le pas petit et rapide, en se demandant pourquoi elle s'entêtait là puisque la femme de service lui dirait en une seconde si Hélène se trouvait dans sa chambre.

-*Niet! Vot ièio klioutch!* dit la *dièjournaïa* en montrant la clef.

Nelia la questionna sur cette personne dont elle lui avait parlé déjà et dont il fallait surveiller de près les allées et venues, mais l'autre, grosse noiraude, ne se rappelait pas d'Hélène, pas de mémoire en tout cas; qu'on lui montre une photo et alors là.... De guerre lasse, la guide reprit l'ascenseur, se disant que celle qu'elle cherchait se trouvait peut-être simplement à un des bars ou au Beriozka. Ou mieux, qu'elle l'avait croisée sans la voir dix minutes plus tôt et qu'Hélène se trouvait maintenant à table en train de manger tranquillement.... Sinon sereinement, du moins en ajoutant sa voix à celles de ces bruyants Canadiens du Québec dont elle avait longuement et soigneusement flatté le bedaine au cours du repas en les comparant très avantageusement aux touristes français bavards, capricieux et vantards.

Elle se rendit mettre le nez au Beriozka puis au bar de l'étage et cela confirma son intuition: Hélène avait rejoint les autres. Son visage s'allongea terriblement quand elle aperçut la table, les visages en peine, les hochements négatifs, les murmures qui haussaient les épaules... Consultant sa montre, elle dit:

-Notre car partira dans deux heures pour l'aéroport. Vos bagages seront ramassés dans une heure. D'ici là, tous ensemble, si vous le voulez bien, nous allons rechercher madame Hélène qui doit bien se trouver quelque part dans cet hôtel. Vous savez, nous n'alerterons pas la police avant d'avoir tout fait nous-mêmes pour le retracer. Autrement, on pourrait dire de nous que nous -entendez notre police- surveillons constamment les étrangers et d'autres choses vilaines du genre, vous voyez... Alors, où pourrait-elle donc se trouver? En train d'étudier le russe peut-être, de parler avec quelqu'un, de prendre un verre dans un bar, de lire son 'Anna Karénine' qui ne la quittait pas mais qu'elle avait juré de terminer avant de quitter l'Union Soviétique par respect pour Tolstoï...

-Elle ne boit pas, affirma Carole avec des yeux plus grands que nature.

-Elle peut boire de l'eau minérale dans un bar, vous savez.

Nelia s'assombrit et son ton devint grave:

-Il faudrait bien penser aussi que le pire puisse lui être arrivé... à cause de son coeur, vous savez. Elle pourrait s'être enfermée dans une petite salle de toilettes individuelle et y avoir perdu conscience... Cela m'effraie, mais il faut bien envisager cette possibilité aussi... Vous avez sans doute appris à différencier les toilettes pour messieurs de celles pour dames sans avoir à y entrer ni attendre que quelqu'un y pénètre... Pour ceux qui ne le sauraient pas encore, voici... Bien sûr, s'il y a un pictogramme, c'est simple, mais s'il n'y en a pas... Celle des messieurs est identifiée par un mot qui commence par un gros M tout comme chez vous. En procédant par élimination, vous saurez... Mais attention, parfois des toilettes sont isolées. Alors surveillez le mot qui commence par le signe suivant qui ressemble à une araignée; c'est la lettre J en cyrillique... J pour *jenchina* qui veut dire femme bien entendu.

Après avoir confié deux étages à chaque couple elle donna rendez-vous à tous dans une demi-heure dans le lobby sous un mobile géant formé d'un assemblage invraisemblable, et pour cette raison hautement artistique, de roues de bicyclettes. Elle y fut la première après avoir nerveusement fouillé les moindres possibilités de cet étage. Chacun revint avec un non dans le regard, ce qui, chaque fois, agrandissait le «oh non!» dans le sien.

Mais une femme soviétique, a fortiori une guide collaboratrice du KGB ne doit pas perdre les pédales.

-Carole, venez avec moi, on va visiter sa chambre. Quant à vous, finissez vos bagages et placez-les dans le couloir à côté de votre porte de chambre. Et soyez à l'heure, s'il vous plaît!

Les trois valises bleues d'Hélène étaient là, fermées, prêtes. On les mit dans le couloir. Nelia regarda partout, tâchant de sentir les choses. Et jusque dans la poubelle de la salle de bains où elle trouva deux papiers qu'elle défroissa et ramena sur la table. Le premier était un coupon de caisse du Beriozka et le second une ébauche de poème qu'elle lut:

### MOSKOVA

*Oh! rivière à l'âme profonde*
*Qui par Moscou depuis toujours*
*Roule ses humeurs vagabondes*
*Prends-moi dans tes bras de velours.*

*Allons au divin mariage*
*De la mort épousant l'amour*
*Pour que le temps perdant ses âges*
*Nous mène à l'infini séjour...*

Cela évoqua un curieux propos du matin en la mémoire de Carole.

-Ce matin, elle a parlé de... comment donc... de l'attrait... non, de l'appel insondable de la Moskova.

-Tu veux répéter?

-Oui, c'était ça: l'appel insondable de la Moskova.

-J'espère que cette idiote ne s'est pas suicidée! marmonna Nelia.

-Pardon?

-Je dis: j'espère qu'elle ne s'est pas suicidée.

Carole pencha la tête:

-Elle a toutes les raisons pour l'avoir fait, mais je doute...

-Et pourquoi donc?

-Parce qu'elle l'aurait déjà fait à Saint-Eustache près de chez elle une nuit dont elle m'a parlé...

-Oui, tu m'as déjà raconté cela. Bon, c'est tout, Carole; s'il y a lieu, j'irai te chercher.

On referma la chambre et Nelia se rendit au Beriozka avec le coupon de caisse afin de savoir s'il y avait eu achat d'alcool...

Elle quitta le magasin et se précipita à un appareil de téléphone. Il fallait fouiller les valises d'Hélène au plus vite mais ça, elle ne pouvait en prendre l'initiative et la responsabilité. Et elle logea un appel au bureau de la Sécurité nationale. Après s'être identifiée par son numéro, elle dit simplement:

-Une disparition... probablement un suicide.

On la fit attendre quelques minutes puis une voix très jeune lui répondit:

-On me charge de ce cas, où êtes-vous, de quoi s'agit-il, est-ce urgent?

Vingt minutes plus tard, un jeune homme dans la basse vingtaine, en austère complet gris, le visage faussement sérieux, fine moustache blonde, lunettes rondes à la Trotski utilisées pour se vieillir l'air, pénétra dans la chambre d'Hélène dont la porte était ouverte et où Nelia attendait. On fouilla les valises. Un seul fait à remarquer mais il était de nature à tout expliquer: pas de trace de la bouteille de vodka que la femme avait achetée au Beriozka. On fit venir Carole. Nelia lui traduisit toutes les questions du policier. 'Anna Karénine' aussi manquait mais ni l'une ni l'autre des deux femmes n'y pensa.

-C'est trop évident! dit l'enquêteur après le départ de la Québécoise. Et puis, si tel est le cas, s'il s'agit bien d'un suicide, vous aurez des problèmes, de gros problèmes... Et ceux qui l'ont soignée à l'hôpital en auront aussi...

-Ce n'est tout de même pas de ma faute si cette idiote est allée se jeter dans la Moskova.

-Chaque touriste est sous l'entière responsabilité de son guide, vous le savez bien, camarade Nelia.

Il lui dit de finir son travail avec ce groupe comme si rien ne s'était passé sauf pour un détail: qu'elle insiste pour obtenir de la discrétion, et ce pour le bien même de la disparue advenant une simple fugue de personne ivre, sinon Hélène pourrait passer des heures fort désagréables quand elle reparaîtrait.

Ce n'est pas l'argument qu'utilisa Nelia à l'aéroport au moment des adieux. Elle fit un appel sincère et larmoyant au coeur des Québécois:

-Je vous sais des gens généreux... Soyez discrets à votre retour chez vous, car si on fait du bruit avec cette affaire, cela pourrait bien me coûter mon emploi. Et vous savez, en Union Soviétique, perdre son emploi, c'est une véritable tragédie.

Le chef de groupe s'exclama:

-Comptez sur le Québec, Nelia! La tombe, aurait dit Séraphin.

-Vous dites?

-Séraphin... un personnage typique de notre culture!


Compte tenu des neuf heures de décalage qu'il fallait soustraire au temps du voyage, on descendit de l'avion à Mirabel à huit heures du soir. Au moins trois bouches se précipitèrent alors au téléphone et le Journal de Montréal, Radio-Canada de même qu'une station radiophonique où oeuvrait un as-reporter catégorie judiciaire eurent vent de l'affaire de la disparition d'Hélène.

Il fallait vérifier l'authenticité de la nouvelle et pas un média n'en fit donc état dans la journée du jeudi même si le reporter annonça la possibilité d'une prochaine révélation curieuse concernant une Québécoise à Moscou... Ce journaliste en avait appris un peu plus que les deux autres médias soit que cette Hélène était l'ex-épouse d'un entrepreneur en construction du nom de Lavoie et qui faisait des affaires dans la région des Basses Laurentides. Il trouva Pierre, posa des questions et du même coup, en souleva d'importantes dans l'esprit de son interlocuteur. Puisqu'on nageait dans le brouillard, lui aussi se mit dans l'expectative si ce n'est qu'il apprit par l'agence de voyage que son ex-femme, effectivement, n'était pas revenue de Russie avec son groupe. Il n'en souffla mot ni à Nicole ni aux enfants pour l'heure.

Les trois médias appelèrent le Consulat soviétique. Trois sortes de réponses leur furent données: des dénégations, des réfutations, des contestations. Le Consulat communiqua avec Moscou. On ordonna de nier, nier et de nier encore jusqu'à nouvel ordre.


Ce jour-là, à Moscou, le jeune agent assigné à l'affaire travailla fort. Il avait une première chance de se faire valoir. Les vieux de plus de trente ans étant tous rivés au spectacle des compétitions olympiques soit au Stade Lénine soit devant leur poste de télé, on avait confié à Boris Krylov le soin de retracer cette femme canadienne de même que celui de régler en douce cette affaire dont le fin mot crevait pourtant les yeux. Il interrogea Nelia en long et en travers puis il téléphona au docteur Fedorov pour obtenir quelques renseignements sur l'hospitalisation d'Hélène. Le médecin répondit de manière laconique, croyant qu'on avait appris ses relations avec la jeune femme, craignant pour les conséquences. Toutefois, l'enquêteur ne lui révéla pas la disparition d'Hélène et Nikolaï resta sur l'impression qu'elle était déjà rendue chez elle, bien au chaud de sa patrie québécoise...

∞∞∞∞

Le matin écrasait Moscou d'une grisaille excessivement lourde. Les nuages se bousculaient à qui mieux mieux et certains même se faisaient éventrer par la flèche piquante de l'université.

Une vieille femme lente marchait avec son balai et un grand seau de métal le long de la Moskova, rasant le mur de ciment lézardé comme sa peau, ébréché comme sa dentition renfoncée, parfois bossu comme son dos plié. Mais elle avait l'oeil à tout et le moindre caillou disparaissait, le plus petit éclat de béton était rejeté de l'autre côté dans l'eau de la rivière qui roulait, noire, cinq mètres plus bas, tandis que les îlots de poussière étaient circonscrits, rapetissés, poussés dans un porte-ordures et jetés dans la chaudière. Rarement avait-elle à ramasser des morceaux de papier ou des objets traînants. Le civisme russe nettoyait la ville bien avant elle et ses consoeurs, les balayeuses de l'aurore si nombreuses qu'elles auraient pu à elles seules repousser hors du pays toute une armée allemande.

Des voitures, rares encore, commençaient à éveiller le coeur froid de la capitale et l'âme lourde du pays. Mais la femme ne se préoccupait ni de leur souffle bringuebalant ni des murailles du Kremlin par-delà la rivière. Son mur à elle, il se trouvait au bout de son bras et il était plus important que tous les autres, à égalité avec ceux de son appartement et peut-être ceux-là de la petite église du bout de sa rue qu'elle fréquentait en humilité en passant avec d'autres vieux croyants par une petite porte de côté.

Son regard la tenait proche d'elle-même et ses pensées encore plus. Un livre parut dans son champ de vision, là sur le mur: brun, fermé, mystérieux. Elle s'en approcha et alors un objet brillant posé à côté capta son attention. Son coeur s'accéléra. C'était une montre-bracelet pour dames comme elle n'en avait vu qu'à la télévision: éclatante malgré la tristesse du ciel, attirante, fascinante. Elle s'en empara, regarda dans plusieurs directions, revint à l'objet extraordinaire, l'esprit bousculé par diverses pensées. Sa main effrayée, coupable, se mit à trembler; elle fit disparaître le bijou dans une poche de sa robe sous un chandail noir mal boutonné puis ramassa le livre qu'elle ouvrit au hasard. C'était dans une langue qu'elle ne connaissait pas. Elle le fourra dans la poche de son chandail qui s'étira sous le poids. Voilà qui était bien étrange! Il y avait de nombreux espions occidentaux à Moscou, disait-on souvent devant elle. Ces choses-là avaient-elles l'odeur de la trahison? Seule la police le saurait. Mais on les garderait, or, ce qu'elle trouvait lui appartenait. Il lui faudrait questionner longtemps sa conscience pour trouver la solution. Quinze pas plus loin, au pied du mur cette fois, il y avait dans un filet à emplettes une bouteille vide qui lui parut plus familière car l'étiquette se pouvait lire en russe. Seul le mot vodka était suffisamment gros pour que ses vieux yeux le déchiffrent. Elle mit l'objet dans sa 'chaudière'...

Que pourrait faire la Russie avec cette montre-là, elle ne contenait toujours bien pas une bombe atomique, se disait la vieille personne en se dirigeant vers le bureau de la police devant lequel chaque jour elle passait sur la rue Dzerjinski tout près du grand magasin 'Le Bonheur des enfants'. On la vit entrer, s'asseoir dans une petite salle sur laquelle donnait une vitre ronde. On la fit attendre considérablement. Elle patienta démesurément. Une femme dans une haute quarantaine blasée, aux grosses rides malheureuses lui retombant vers la bouche depuis les ailes du nez, daigna enfin lui répondre par l'ouverture ronde dans la vitre ronde. La balayeuse montra le livre et la bouteille et dit où elle les avait trouvés. L'autre disparut et revint une demi-heure plus tard, accompagnée d'un jeune personnage blondin qui conduisit la vieille dame dans un bureau étroit et nu et la menaça d'un regard suspicieux pendant qu'elle répétait ce qu'elle avait dit.

-Vous les avez peut-être volées, ces choses?

Elle répéta ce qu'elle avait dit.

-Pourquoi ne les avez-vous pas gardées? Il y a peut-être autre chose que vous gardez pour vous?

Elle répéta ce qu'elle avait dit.

-Savez-vous ce que c'est, ce livre?

Elle recommença à répéter ce qu'elle avait dit.

-C'est 'Anna Karénine' en français... Et il y a peut-être des messages là-dedans, transmis d'un espion à un autre...

Elle recommença à répéter ce qu'elle avait dit.

Ce n'est qu'au moment où il prit la bouteille de vodka entre ses mains, que Boris Krylov se réveilla. Sa crise de suspicion finie, il venait soudain de solutionner la question de la Canadienne disparue et la vieille dame cessa de l'intéresser. Il lui donna congé sans la remercier. Elle se rendit à la porte puis rebroussa chemin et revint à lui en plongeant la main dans la poche de son chandail. Il la questionna du regard quand elle tendit la montre mais elle ne dit mot et repartit de son pas bien peu productif.

Dehors, des larmes lui montèrent aux yeux, comme à ceux d'une petite fille qui vient de perdre un grand rêve. Quand elle fut devant le magasin 'Le Bonheur des enfants', le ciel éclata. Elle dut raser les immeubles; la pluie l'atteignait quand même.

Tout était loin d'avoir pris fin pour Boris Krylov. Le suicide d'une étrangère en plein Moscou était une chose très indésirable mais puisqu'il s'agissait d'une personne qui avait subi une hospitalisation de sept jours pour un problème cardiaque, voilà qui pouvait tourner à l'incident diplomatique. Tout devait être réglé avec une grande célérité en niant vigoureusement la thèse du suicide pour lui substituer celle de l'accident. Cette femme s'était soûlée et elle avait basculé dans la Moskova. Et tant mieux pour sa famille qui pourrait ainsi toucher les assurances!. Un, il fallait une équipe de plongeurs pour retrouver le corps. Deux, il fallait donc parler d'un accident à l'ambassade canadienne de Moscou et au Consulat de Montréal qui en informerait les autorités du pays et, à sa discrétion, la presse locale. Trois, il devait rencontrer la guide Nelia et ce docteur Fedorov afin de préparer une version officielle apte à accréditer la thèse de l'accident sans laisser subsister le moindre doute.

Il mit un adjoint sur les deux premières tâches et prit en charge la troisième. Il donna rendez-vous à Nelia et au docteur Fedorov qu'il verrait ensemble à l'hôtel Kosmos, dans la chambre d'Hélène qu'il avait fait mettre sous scellés l'avant-veille, puis il mit les objets trouvés dans un sac de voyage en tissu noir et se rendit prendre le métro. À sa sortie, la pluie tombait comme des clous et sans son ciré, il serait arrivé à la porte de l'hôtel trempé jusqu'aux os. Si un temps pareil devait se poursuivre trop longtemps, la Moskova et ses tributaires se gonfleraient et le corps de la noyée pourrait être emporté par les courants, Lénine seul savait où... Et Lénine, malgré toute sa sagesse, n'en dirait rien aux plongeurs...

Il fut le premier sur les lieux. D'ailleurs il l'avait prévu ainsi. Il lui fallait briser les scellés puis fouiller à nouveau dans les affaires de la Canadienne pour faire disparaître toute indication d'une intention suicidaire comme ce poème que lui avait lu la guide et qui annonçait clairement son projet, un projet stupide puisque sa réalisation avait eu lieu en Union Soviétique. Il ne manquait pas de rivières au Canada où avaient tout loisir de se précipiter les indésirables ou autres mal foutus du pays. Quand on est le moindrement patriote, on se suicide chez soi, pas à l'étranger.

Il le trouva, ce poème, et se rendit aux toilettes pour le déchirer et le faire couler avec l'eau, là où toute la poésie de la planète, y compris celle du Québec, fût-elle de langue française, doit bien s'asseoir aussi quelques fois par semaine comme tout le monde malgré ses grands airs nuageux. L'homme s'était toujours senti plus fier de Gagarine et Tretiak que de Pouchkine. Au bord de le déchirer, il se ravisa. Le flair du limier s'exerçait au-dessus du bol. Il plia le papier dans ses vieux plis et l'empocha.

Puis il se rendit à la table ronde, au coin de la fenêtre, avec son sac qu'il déposa par terre à côté de ses pieds. Il sortit un calepin de sa poche de veston et fit des annotations en attendant ceux qu'il verrait entrer par la porte laissée ouverte.

Fedorov fut là furtivement: fautif. Arrivé gonflé, prêt à frauder Krylov, voilà qu'à son entrée, il avait été confronté avec les bagages éventrés d'Hélène. On l'avait arrêtée, questionnée, c'était sûr. On la croyait coupable. Elle pouvait bien l'être après tout. Il se présenta. Krylov sursauta.

-Asseyez-vous!

Un long silence des deux hommes augmenta la gravité de la situation. Nikolaï continuait de se jurer de ne rien dire le premier, de nier tout ce dont on l'accuserait tout en préparant des excuses de réserve pour les mensonges énoncés. Un Russe, a fortiori un docteur russe, est habitué à dominer ses sentiments.

Nelia rompit le silence par sa voix professionnelle et son entrée penchée en avant:

-Il ne manquait plus que moi; j'espère que je ne suis pas en retard au moins.

-Asseyez-vous!

Krylov continua de se donner de l'importance en écrivant encore...

-Ce n'est pas bien drôle, ce qui...

-Taisez-vous, dit Krylov à Nelia.

Elle regarda l'un et l'autre, le sourcil inquisiteur puis se recula dans la vieille soumission russe.

Krylov questionna d'abord Fedorov. Un interrogatoire serré comme le ciel de Moscou: un bombardement de questions. Comment était Hélène à son arrivée à l'hôpital? À son réveil? Quels traitements avait-elle reçus? Quel avait été son comportement? Le docteur tint bon la barre. Pas une seule fois il ne s'écarta de la voie professionnelle. L'agent prit des notes et des notes. Puis, solennel, il posa sur la table les objets d'Hélène, du moins qu'on présumait lui appartenir car seulement 'Anna Karénine' était identifié à son nom en première page du livre. Nikolaï devint livide mais se contint.

-Ni l'un ni l'autre ne le savez exactement, dit-il, mais voici ce qui est arrivé à cette Canadienne... Elle est allée se promener le long de la Moskova malgré vos consignes, à vous, la guide de son groupe, et à vous, le médecin qui lui a procuré des soins. Là-bas, elle a bu ou continué de boire. Elle a grimpé sur le mur non pour se jeter à l'eau mais pour lire... Pourquoi donc aurait-elle apporté son livre avec elle? Pourquoi avoir monté sur ce mur? Allez savoir ce qui se passe dans la tête d'un poète? Je dis poète... c'est qu'une enseignante qui lit du Tolstoï, c'est plus proche d'une poète romantique que... je ne sais pas, vous par exemple, camarade Fedorov qui assisteriez à un match de hockey entre les Ailes du Soviet et les Canadiens de Montréal. Bon... Elle a ôté sa montre. Voyez, le bracelet est brisé. Il fut brisé quand elle a escaladé le mur sans doute, ce qui fait ressortir encore davantage qu'elle était soûle. Puis elle a posé son livre et a basculé... tout simplement.

-Mais non, ce n'est pas ça du tout, j'en suis sûre, objecta Nelia.

-Vous, taisez-vous!

-Écoutez-moi, cette femme était suicidaire... Je l'ai su par une jeune fille de son groupe...

-Je-vous-dis-de-vous-taire...

-Mais.

-Tai-sez-vous!

Krylov sonda Fedorov:

-Et vous, camarade docteur, qu'en dites-vous?

-Je... ne sais pas...

-Est-il possible que son effort pour escalader ce mur ait provoqué chez elle un malaise cardiaque?

-C'est... possible...

-Je vous dis que... intervint Nelia.

-Allez-vous vous taire, coupa Krylov, colère au bout du poing.

-Le corps... est-il autopsié? marmonna Fedorov.

-Il le sera... aujourd'hui ou demain.

-On pourra déceler son premier... accident cardiaque en tout cas.

Krylov sourit, triomphant.

-Vous serez appelés tous les deux à identifier le corps en présence des autorités canadiennes. Vous devrez vous mettre à leur disposition pour dire ce qui est arrivé...

-Mais ce poème que j'ai trouvé dans la poubelle?

-Quel poème?

-Je vous l'ai lu.

-Il n'y a pas de poème. Et même s'il y en avait un, ce qu'on braille sur les lignes de ses vers, on le rit quand on retombe les deux pieds sur terre.

Nikolaï Fedorov était parfois saisi du désir de défenestrer ce minable. Lui aussi savait bien maintenant, tout autant que Nelia, qu'Hélène s'était jetée dans la Moskova, puisqu'elle l'avait annoncé de tant de façons comme le font tous ceux qui mettent fin à leurs jours, mais voilà qu'une fois encore, au pays du mensonge, le mensonge prévaudrait, toujours le mensonge, l'interminable mensonge qui oblige à mentir, le mensonge institutionnalisé...

De plus, il se sentait terriblement coupable. Il l'avait ramenée à la vie pour la conduire ensuite tout droit à la mort: quel médecin! Le plus affreux était de se souvenir que lui-même, pour tâcher la prendre en contrôle, lui avait suggéré de se jeter dans la rivière. Quelle ironie du sort! Ou bien les mots les plus banals peuvent-il buriner l'âme en certaines circonstances et faudrait-il alors les mesurer avec un soin inouï? Hélène avait subi les pires chocs émotionnels depuis quelques mois et s'il n'était pas revenu la séduire en quelque sorte dans cette chambre, la prendre sur ce lit, elle serait maintenant chez elle, près de ses enfants... Tout cela tournait, en des mots sans cesse différents qui revenaient toujours aux mêmes sentiments...

Krylov interrompit sa réflexion:

-Il y a ce filet à magasinage... qui n'est pas neuf... je me demande bien...

Le docteur entendit les mots mais il les noya aussitôt dans une chape de béton comme celle qui pesait sur Moscou. Krylov dit:

-Elle a dû le voler à une pauvre vieille femme russe...

Il s'empara de l'objet, le froissa inutilement et le jeta dans la poubelle derrière Nelia. L'homme du KGB reprit doctement:

-Si nous étions menteurs et tricheurs comme les Occidentaux, qu'arriverait-il dans ce cas? Quel beau jeu nous aurions pour affirmer que cette femme s'est suicidée, n'est-ce pas! Et nous pourrions faire valoir son désir de ne pas retourner dans son pays, le désespoir et le dégoût que le monde capitaliste lui inspire et qui l'a poussée à apprendre le russe, à venir ici puis à y finir ses jours... Et ses pauvres enfants, là-bas, ne pourraient toucher les assurances! Mais nous sommes gens de vérité et nous ne profitons pas des opportunités pour dorer notre image et noircir celle des autres comme on le fait depuis un demi-siècle à notre égard. C'est cela, la véritable grandeur de l'Union Soviétique!...


Un agent de la GRC, grand personnage moustachu et grave, droit comme un deux par quatre, se présenta à la maison-modèle servant de bureau d'affaires à la compagnie de Pierre Lavoie à Saint-Eustache. Il fut reçu par Pierre dans une pièce à part, aux murs non finis. On resta debout. L'homme dit à mi-voix:

-Je vais droit au but: votre ex-épouse, Hélène Prince, aurait eu un accident à Moscou. Et je dis bien 'aurait eu' car nous avons tout lieu de croire qu'elle ait pu se suicider ou pire être assassinée. Ces deux dernières possibilités, en pleine période de Jeux olympiques seraient de nature à mettre les Russes dans l'embarras et ils ne le veulent pas. Nous faut vos réponses à des questions et que nous transmettrons à nos autorités à l'ambassade de Moscou.

Pendant qu'il parlait, Pierre pensait à ses affaires qui devenaient de plus en plus dures, non seulement à cause des argents immobilisés dans ce Centre équestre déficitaire et dans une nouvelle épouse qui coûtait trois fois plus cher que la précédente, mais en raison de cette crise inquiétante qui frappait le secteur de la construction. Il fallait des profits pour payer les immenses terrains qu'il avait acquis à gros prix... Cette mort d'Hélène pourrait le sauver. Les enfants toucheraient les assurances qui, parce qu'elle se trouvait en voyage, pourraient peut-être friser le demi-million; et il avait très hâte de savoir.

-Notre enquête nous a permis d'apprendre que votre divorce d'avec madame Prince est récent, qu'elle n'a pas obtenu la garde de ses enfants, qu'elle a subi l'an dernier une cure de désintoxication: autant d'éléments qui nous mettent sur la piste du suicide.

-Vous êtes sur la mauvaise piste, monsieur, et tout à fait! Elle a bu, c'est vrai. Nous avons divorcé, c'est vrai. Mais ce divorce l'arrangeait. Elle n'était pas une femme à enfants, il faut bien le dire. Elle pouvait les voir tant qu'elle le voulait sans subir toutes les responsabilités d'une mère de famille clouée au foyer. Elle était une de ces femmes dites nouvelles qui assument leur propre vie et ma foi... je lui ai toujours donné raison là-dessus... Il faut bien vivre de son temps, n'est-ce pas?

Le policier raconta la version des Russes. Hélène avait bu, s'était assise sur un mur, avait basculé dans la rivière. Pierre lui raconta l'incident semblable qui s'était produit un an plus tôt au chalet alors qu'ivre et à cheval sur une garde de galerie, elle avait chuté en bas...

La conversation ne fut pas longue à dériver sur autre chose et le policier repartit, son travail accompli, car qu'il s'agisse d'un suicide ou pas l'indifférait totalement.


Pierre quitta le chantier et rentra à la maison. Malgré les bénéfices que lui apporterait la mort d'Hélène par la voie des enfants, il en ressentait un choc violent. Non pas qu'il se sente coupable mais parce qu'une certaine partie de lui-même, de sa vie passée, disparaissait irrémédiablement avec elle. Il vivait la même impression, quoique plus péniblement, qu'il avait eue à l'annonce de la mort d'Elvis Presley. Mais le pire sans doute, c'est que les enfants auraient beaucoup de chagrin. Le seul reproche qu'il se laissait se dire à lui-même, c'était ce retard volontaire qu'il avait eu à l'aéroport avec eux au départ d'Hélène. Mais ce caprice, ce mal de la Russie qu'elle manifestait sans arrêt l'irritait encore, même après le divorce, et voilà que les circonstances montraient bien qu'il avait eu raison une fois de plus, mille fois raison de lui contester ce rêve qui avait fini par la tuer, et que s'il l'avait fait c'est que dans son inconscient masculin plus avisé que celui d'une femme, il pressentait alors cette déplorable tragédie.

D'abord, il téléphona à Nicole à Oka. Puis il réunit les enfants autour de la table et leur fit part de la nouvelle en la jetant brutalement pour éviter de prolonger cette chirurgie mentale à froid:

-Votre mère ne reviendra pas. Elle a eu un accident en Russie. Elle est morte.

François refusa la vérité:

-Ce n'est pas vrai! Qui t'a dit cela?

-Vous saviez déjà qu'elle n'était pas revenue avec son groupe.

Je vous ai dit qu'elle avait un empêchement, une hospitalisation. J'ai eu la nouvelle par un policier de la gendarmerie tout à l'heure.

Manon devint comme pétrifiée, le regard fixe en biais sur le plancher, entre son père et son frère, blafarde. François quitta la table et se rendit cacher ses larmes dans sa chambre. Valérie restait les yeux écarquillés, interdite, chercheuse, ne sachant pas si elle devait pleurer fort, pleurer tout bas ou ne pas pleurer du tout elle non plus. Elle se glissa hors de sa chaise et prit la main de sa soeur entre les siennes. Puis les deux fillettes s'en allèrent dans la salle de séjours et prirent place l'une contre l'autre, perdues, seules au monde.

"Ce n'est pas vrai, ce n'est pas vrai!" ne cessait de se dire Manon au fond de son coeur démoli. Mais à six heures, aux nouvelles télévisées, il lui fallut bien se rendre à l'évidence. Bernard Derome annonça:

-Une citoyenne de Sainte-Thérèse en banlieue de Montréal en visite en Union Soviétique se serait noyée dans la rivière Moskova il y a deux jours. D'abord fortement niée hier par les autorités soviétiques, la nouvelle fut confirmée aujourd'hui. La femme, ivre selon l'hypothèse des Soviétiques, serait tombée dans la rivière en pleine nuit. Mais il y a quelque chose de bien étrange dans cette histoire. En effet, Radio-Canada a appris que la femme fut hospitalisée pendant au moins sept jours là-bas suite à un malaise cardiaque, qu'elle aurait été bourrée de médicaments puis confinée à sa chambre d'hôtel. Fortement dépressive, la Canadienne aurait mentionné lors de son dernier contact avec son groupe et je cite « l'appel insondable de la Moskova». Autres particularités de cette affaire bizarre, la femme s'exprimait en langue russe et elle a passé une nuit complète à l'extérieur de son hôtel avant son accident cardiaque, selon ses propres mots, et je cite: «à se souvenir près du pavillon soviétique d'Expo-67" lequel fut reconstruit près de l'édifice où elle logeait. S'agit-il d'un enlèvement, d'un meurtre, d'un suicide, ou d'un simple accident comme le soutiennent les Russes? Toutes les explications demeurent possibles selon les autorités canadiennes en poste à Moscou. Selon une source sûre, il y aurait également l'effrayante possibilité d'une simple erreur sur la personne faite par la paranoïa russe incarnée par le KGB... L'histoire est à suivre!

Ce même soir, à onze heures, l'annonceur introduisit la même nouvelle avec les mots suivants:

-Eh bien, nous sommes en mesure de communiquer l'identité de cette Québécoise de Sainte-Thérèse qui s'est noyée avant-hier dans la Moskova à Moscou, il s'agit de madame Hélène Prince, une enseignante de trente-sept ans qui travaillait au Cégep Lionel-Groulx de Sainte-Thérèse. Selon les sources officielles soviétiques...

Ce banal fait divers réjouit les chefs de pupitre au département des nouvelles de plusieurs grands médias américains. La version du suicide avait de quoi jeter du discrédit sur les Russes et leurs Jeux olympiques mis en pénitence, privés des athlètes des États-Unis et de quelques autres pays.

"Nuit noire à Moscou pour une Canadienne," dit Dan Rather sur CBS.

"Un suicide camouflé? Peut-être bien," annonça Peter Jennings à ABC.

"L'hospitalisation à Moscou d'une femme canadienne tourne à la tragédie," déclara Tom Brokaw sur NBC.

À Moscou, les plongeurs ne plongèrent pas longtemps. Enflée, la Moskova roulait des eaux parfaitement opaques et on n'y aurait pas pu trouver le Titanic ou le croiseur Aurore si tant est que les deux bateaux les plus historiques du monde s'y fussent trouvés flanc à flanc. Il faudrait trois jours à condition que la pluie cesse ses violences dans les prochaines heures, pour que les sédiments et autres substances peu orthodoxes se décantent.

Deux officiels de l'ambassade canadienne se rendirent dans les bureaux du KGB. On leur servit à nouveau la version de l'accident qui fut corroborée de manière circonstancielle par les silences de Nelia et les dires du docteur Fedorov, mais surtout par le témoignage de la vieille balayeuse qui, aux aurores de la veille, avait, dit-elle en cinq mots toutes les fois qu'on voulut le lui faire répéter, aperçu cette femme ivre sur le mur basculer dans la Moskova, laissant derrière elle un livre et une bouteille de vodka vide.

Sitôt retrouvé, le corps serait identifié par le docteur et Nelia, et alors les Canadiens décideraient de ce qu'il en adviendrait. On souligna le fait qu'il pourrait bien être entraîné plus loin et que, phénomène normal, il ne remonterait à la surface que plusieurs mois plus tard alors même que de la glace recouvrirait la rivière, que le printemps l'emporterait jusqu'à l'Oka puis à la Volga et enfin à la mer Caspienne...

-Nos plongeurs sont les meilleurs du monde, déclara Krylov avec ostentation. Ils retrouveront votre concitoyenne dès les premiers jours de la semaine prochaine...

∞◦◦◦◦◦◦◦◦◦◦∞

# Chapitre 32

Nikolaï Fedorov errait sous la pluie, perspective Kalinine, rue désertée par bien des gens ce soir-là comme si tout Moscou s'était donné le mot pour lui jeter au visage l'indifférence du monde devant son immense solitude. Dans les magasins, les travailleurs bayaient aux corneilles en attendant la fermeture. Ils s'ennuyaient de ne pas voir de queues interminables devant les établissements. Mais il y en avait tout de même des petites de ci de là, formées de braves et patientes acheteuses camouflées sous des manteaux cirés, profitant d'une certaine décongestion causée par l'humeur hautement chagrine du ciel moscovite, humeur que les Américains dans leur ambassade comprenaient joyeusement comme le boycott olympique par Dieu lui-même...

Le docteur allait aussi sous un ciré, mais la tête à découvert, battue par la pluie, ruisselante, noyée par les souvenirs et par l'absence. Il pensait à cette fascination exercée par l'eau sur les femmes en général et sur Hélène encore plus. Non, elle n'avait pas fui ce monde, son passé, un avenir appréhendé, elle était partie vers son identité dans l'infini, dans cet univers liquide où elle disait apercevoir son image depuis l'enfance. S'il était seulement lui-même moins matérialiste, il n'hésiterait pas à la suivre au bout de l'accomplissement dans les magies polychromes de la mort. Ce qui l'affligeait, ce n'était pas sa disparition autant que de ne pas l'avoir connue dans ces trente-sept années précédant leur rencontre.

Au coin de rue où Kalinine et Festivalnaïa abouchent se trouvait un cinéma récemment construit et qui comportait une entrée spacieuse où les cinéphiles pouvaient attendre leur tour de passer à la caisse et surtout où des passants se réfugiaient pour s'abriter des intempéries, faire du troc ou du marché noir. L'on devait se trouver en pleine projection dans toutes les salles car une seule personne flânait là et que le docteur put apercevoir à quelque distance dans la clarté floue traversant les voiles de la pluie battante. Le petit personnage à frêle silhouette avait tout le haut du corps emballé dans ce qui avait l'air d'une couverture de lit grisâtre et donnait l'impression de lire des journaux dans le porte-affiches. Nikolaï eut envie de lui parler en même temps que de regarder la pluie tomber. Il sourit tristement et s'en approcha par derrière comme pour lire lui aussi. La vitre ne lui donnant pas le reflet de l'autre, il se tourna, ce que fit aussi le personnage au même moment dans une sorte de reconnaissance synchronisée. Leurs yeux de la même profondeur outremer se rencontrèrent. Nikolaï se sentit au bord des larmes. Il voulait dire quelque chose mais les mots ne lui venaient pas; alors il se contenta de détailler le visage qui semblait sorti tout droit du royaume des morts. La peau était rose, veinée, écarlate sur le nez, rouge vif sur les lèvres, des lèvres engoncées dans une longue barbe blanche clairsemée. L'homme tendit vers lui une petite boîte où se pouvaient voir quelques pièces de monnaie. On en voyait de plus en plus dans la capitale, de ces mendiants illégaux, sans-abri hors-la-loi qui risquaient de donner un jour à Moscou, si leur nombre devait se centupler, l'image d'une grande ville américaine.

Nikolaï fouilla dans sa poche sous son ciré, en tira une liasse de roubles et en déposa un dans la boîte écornée. C'est alors qu'il remarqua dans l'autre main du personnage une bouteille de vodka fort peu entamée et dont le label indiquait qu'elle était neuve, ce qui disait qu'il ne s'agissait pas d'un contenant rempli d'eau potable mais bel et bien d'alcool. Le docteur se dit qu'il avait bien fait de s'arrêter, que cet homme lui apprendrait quelque chose au moment de sa vie où il avait le plus besoin d'entrevoir un nouvel horizon et de comprendre un peu l'incompréhensible. Il demanda froidement:

-Pourquoi mendies-tu, camarade, puisque la loi de notre pays te l'interdit?

L'autre plissa un oeil qui devint pénétrant et il sourit imperceptiblement:

-Mendier librement constitue un droit inaliénable au-dessus de toutes les lois. Ce devrait être le premier article de la constitution d'un pays.

Nikolaï fut abasourdi. Comment un tel personnage digne d'un dépotoir pouvait-il parler avec une telle aisance. On eût dit un intellectuel aristocrate pataugeant dans un marais d'idées.

-Mais tu risques la prison, l'exil intérieur...

-Alors je serai mendiant là où l'on décidera de m'envoyer, et si je ne trouve pas à me nourrir, eh bien, je mourrai.

-En tant que membre du parti, ne crois-tu pas qu'il serait de mon devoir de te signaler aux autorités?

-On m'a arrêté cent fois déjà, mais si on se débarrasse de moi, quelqu'un d'autre prendra ma place. Moi et mes amis mendiants, nous sommes... comme la statue de la liberté. C'est nous qui tenons encore la flamme de la liberté et cette flamme grandira un jour et elle embrasera tout le pays...

Nikolaï regarda à droite et à gauche, habitué à craindre que de pareils propos soient entendus et qu'il passe pour les avoir tenus lui-même. Puis il se demanda si le vieil homme ne lui tendait pas un piège. Comme s'il l'avait deviné, le mendiant dit:

-Là, tu dois penser que je te tends un piège, n'est-ce pas? Mais pourquoi m'utiliserait-on à cette fin puisque personne ne m'écoute jamais, ne me parle ou même ne veut me voir? Si j'étais un pion des services secrets, je me déguiserais autrement qu'en quêteux puant, tu ne penses pas?

Nikolaï revint à de meilleurs sentiments. Et puis qu'importe si on voulait le faire trébucher, qu'importe l'avenir, qu'importe tout quand on se sent aussi déserté!...

-Camarade, parle-moi de la mort!

Le vieil homme répondit illico comme s'il avait connu la question à l'avance:

-Parler de la mort, c'est parler dans le vide. Tous ceux qui font de l'art en parlent et pas un ne sait ce qu'il dit. Ils divaguent et ils délirent. C'est du temps perdu, même d'y penser, du temps jeté à l'eau...

-Mais la mort t'appartient, camarade, que tu le veuilles ou non!

-Oui, et c'est le bien le plus précieux de l'homme libre mais le plus effroyable à l'homme enchaîné...

Le mendiant prit d'autres couleurs aux yeux de Nikolaï qui lui trouva le haut des joues enluminées de rose et de pourpre et une certaine transparence dans cette barbe laineuse.

-Mais pourquoi boire de la vodka au lieu... de boire la mort, camarade?

-Parce que ça me réchauffe... que ça ne fait de tort à personne, pas même à moi-même...

-Tu pourrais devenir une charge pour l'Etat...

-Je ne touche pas de salaire... Et la maladie viendra par l'alcool ou autrement. Plus vite je mourrai, mieux ce sera pour la société. Un autre, jeune et pur, prendra ma place sous le soleil, et c'est ainsi que va le grand cycle de la vie...

-Mais boire n'entrave-t-il pas cette liberté que tu te plais à chanter? Il te faut plus de rigueur pour trouver les roubles nécessaires...

-Là-dessus, camarade, tu dis vrai. Mais l'homme, s'il aspire à la liberté face aux autres hommes, demeurera toujours l'esclave de lui-même. Et ma chaîne à moi, c'est l'alcool: pas trop coûteuse, pas si épouvantable que ça à porter... Et toi, camarade, quelles sont les chaînes que tu te forges en plus de celles dont ton pays te charge?...

Nikolaï prit deux autres roubles qu'il mit dans la vieille boîte en disant:

-Être ou ne pas être, voilà la question que je me pose...

Et il repartit dans ses doutes en entendant le vieillard dire:

-Shakespeare a encore raison après tout ce temps...


Nikolaï tourna sur Festivalnaïa. Que le frappe la pluie, elle ne lui pousserait pas dans le dos. Et puis le 7-9 n'était pas bien loin puisque de là, se pouvait apercevoir le portique déjà. Ses parents ne seraient pas à la maison de la soirée ni de la nuit; il réfléchirait mieux, pleurerait à satiété la fin d'un amour conçu mais pas encore né...

-Nikolaï  Andreïevitch Fedorov, lui lança une voix très lointaine.

"Je lui ai donné trop d'argent à cet homme et voilà qu'il insiste," soliloqua le docteur qui accéléra le pas et fit la sourde oreille.

-Nikolaï, c'est Aliona! crut-il entendre en français.

Mais il n'avait pas dit son nom à ce vieillard!

Stupéfait, glacé, il se tourna à moitié. Contre le mur arrière du cinéma, une femme toute trempée souriait en tremblant, adossée là comme si elle y avait été clouée. Il la reconnut, avança vers elle en frissonnant comme s'il allait embrasser un fantôme...

Elle éclata de son rire affaibli mais si caractéristique que l'homme l'aurait reconnu dans une foule rassemblée sur la Place

Rouge.

-Tu ne rêves pas, Nikolaï Andreïevitch Fedorov, c'est bien moi, ta Canadienne...

Il se frotta les yeux de ses pouces recourbés moins pour se réveiller car il en était maintenant certain, que pour ôter de la pluie, et il se frotta le front avec le revers de sa manche qui dépassait le ciré. Il arriva enfin à elle qui garda les bras croisés sur un corps un peu tordu.

-Dis-moi quelque chose et vite sinon je vais me jeter devant une voiture sur Kalinine...

Elle comprit que Nikolaï était au courant de sa mort présumée et que sa mise en scène près de la Moskova avait réussi à mentir pour elle.

-Tu me croyais morte?

-Mais tout disait ton suicide: la montre enlevée, 'Anna Karénine', le filet de maman, la bouteille vide...

-Embrasse-moi, je te raconterai tout...

Leurs visages ne cessèrent de se toucher, de se frôler, de se frotter, de s'aimer, et la pluie comme des torrents de larmes, roulait sur leurs cheveux, leur peau... Il la fit tournoyer dans ses bras en la soulevant, s'appuya au mur pour qu'elle puisse l'écraser de tout son coeur sans l'étouffer... Le vieux mendiant passa, s'arrêta, les vit, sourit... Hélène questionna Nikolaï du regard. Nikolaï et le vieil homme s'échangèrent des signes affirmatifs.

-T'inquiète pas... c'est un homme que je connais depuis... depuis un siècle...

Elle aussi le connaissait un peu; elle dit:

-Il ressemble à Tolstoï... c'est peut-être lui...

Et elle commença son récit. Mercredi matin, elle avait bu. Une rechute temporaire, s'était-elle juré. Puis elle avait décidé de n'en faire qu'à son désir: partir en toute liberté et à l'aventure dans Moscou. Dans la nuit, elle avait mis les objets emportés avec elle sur le muret près de la Moskova pour qu'on pense qu'elle s'était suicidée. Puis elle avait marché jusqu'au parc Gorki où elle avait couché les deux nuits précédentes. Le reste du temps, elle avait marché, musardé, acheté un autre filet, des produits, avait mangé à des cantines, fait la queue, fait la muette. Et aussi avait bu à même de nouvelles bouteilles achetées.

Nikolaï se sentait trop heureux pour penser à lui-même, aux dangers qu'elle lui ferait courir, mais l'état physique d'Hélène le catastrophait.

397

-Te rends-tu seulement compte de ce que tu t'es fait à toi-même? Boire? Dormir dehors? Seule au parc Gorki? Cette pluie? Tu es complètement folle...

Elle acquiesça en riant et de plusieurs signes de tête. Il l'embrassa encore.

-Mais je ne bois plus, tu vois. J'ai donné ma bouteille à ce vieil homme qui tendait la main. Ce n'est pas bien de ma part, n'est-ce pas? Mais je n'ai plus de roubles... seulement des dollars américains dont j'hésite à me servir car je me demandais si la télévision n'avait pas montré ma photo...

-Tu es malade: jamais ils ne diront à la télévision ce qui t'arrive!

Il l'entraîna:

-Viens à la maison. Te réchauffer et tout...

-La pluie n'est pas dangereuse, elle est douce.

-Tu ne resteras tout de même pas ici.

-Bien sûr que non! Emmène-moi...

-Marchons vite et sans nous préoccuper de rien. Par ce temps, personne ne surveille personne.


Elle prit un bain. Il lui prêta une robe de chambre de sa mère. La tête enveloppée dans une serviette bleue, elle le retrouva au salon. Ils parlèrent en sourdine sous de la musique de Stravinski.

-Je n'ai pas voulu te tromper, toi, mais il a bien fallu que je mente...

-Mais ce que tu me disais de la mort...

-La mort me fascine, Nikolaï, mais cela ne me rend pas dangereusement suicidaire malgré les moments dépressifs. Encore que mon geste est une forme de suicide, il faut que je l'avoue... J'ai voulu frapper un grand coup dans ma vie, changer de cap. J'ai voulu prendre une décision capable de rebâtir tout mon avenir et aussi, ce qui n'a pas nui, je voulais te revoir... Et si j'ai bu, je pense bien que c'était pour me donner le courage de poser le geste.

-Tu ne te sens pas mal physiquement? La pluie, la fatigue, la peur...

-Bonne pluie, bonne fatigue et aucune peur!

-Si c'était seulement possible, je téléphonerais à maman pour lui dire ce qui nous arrive... Mes parents sont chez ma soeur à l'autre bout de la ville...

-Tu peux l'appeler si tu veux.

-Bien trop dangereux!

Elle se rembrunit.

-Je peux te nuire, hein!

-Ne pense surtout pas à ça. Ce qui ne veut pas dire que nous devrions faire les casse-cou, mais pour l'heure, oublie l'heure... d'ailleurs tu n'as plus de montre...à ce que j'ai pu voir.

Elle rit:

-C'est à cause de toi que je l'ai laissée sur le mur là-bas. Tu vois comme je suis fidèlement les conseils de mon docteur...

Leur nuit fut remplie de chuchotements joyeux, d'amour physique, d'un bonheur incomparable, parfois somnolent et toujours doux...

∞∞∞∞

À l'aube, ils refirent l'amour en discrétion et en tendresse. Ensuite il lui servit un petit déjeuner au lit et qu'il partagea, assis de l'autre côté de la sellette contre la cuisse d'Hélène.

Après des joyeusetés, il fut soudain pris d'inquiétude:

-Ne m'as-tu pas dit que tu prenais ta dernière pilule dimanche?

-Hum hum.

-Mais alors?

-Mais alors je pourrais tomber enceinte.

-Les possibilités d'avortement ne doivent pas manquer au Canada.

-Je n'ai aucunement l'intention de me faire avorter.

Comme s'il mettait tout à coup les pieds sur terre après un long voyage dans les plus hauts nuages du ciel, Nikolaï s'exclama:

-C'est donc pour ça que tu es revenue: tu voulais être... comment dire, fécondée par... par ton rêve russe..

Elle le regarda en biais et dit, la voix chercheuse et un peu câline:

-Et j'espère bien que c'est fait, hein?

Il eut un moment de révolte mesurée:

-Pourquoi ne me l'as-tu pas demandé?

-Tu aurais refusé?

-Non mais...

-Le corps d'une femme n'appartient qu'à elle seule, pas à l'Etat, pas à son mari, pas à son amant non plus et pas plus à ce Moscovite qui l'a fait tomber en amour...

-Oui mais... je devrai vivre, sachant que j'aurai peut-être un fils ou une fille au Canada et que je ne verrai probablement jamais de ma vie: ce sera dur à apprivoiser, cette idée-là...

Elle chantonna entre deux bouchées de fromage:

-Il faudra que tu t'y fasses. Et puis je viendrai te le présenter... si tu le veux, bien entendu.

Il avala un peu de café, sourit:

-Je crois que tu m'as violé un peu...

-C'est toi qui as commencé à l'hôpital, souviens-toi. Depuis que nous nous connaissons que tout finit par s'arranger au mieux... contre notre volonté...

-Contre NOTRE volonté?

L'échange se poursuivit longtemps, à voix basse, parfois souriant, souvent sérieux, mais toujours respectueux et tendre.


Les Fedorov entrèrent passé midi. Les entendant, Nikolaï envoya Hélène dans sa chambre devenue la sienne et il conduisit ses parents dans la cuisine afin d'avoir avec eux une conversation qu'il imaginait d'avance très particulière. Car depuis qu'il avait su le véritable fond de la pensée d'Hélène, il avait réfléchi aux conséquences de tout cela pour lui et même pour ses parents à travers lui. Comment blâmer cette femme qu'il aimait, de sa conduite à la folle témérité puisque les Occidentaux ne peuvent pas seulement imaginer la vie des gens ordinaires en Union Soviétique et l'impact sur les Russes de leurs rencontres avec des étrangers et surtout de leur 'fraternisation' avec eux...

Une chose lui paraissait nette: jamais il ne pourrait quitter le pays après cela. Car quoi que fasse ou dise Hélène quand il lui faudrait bien se présenter aux autorités, on la questionnerait de façon à ce qu'elle dise la vérité, et ensuite on l'accuserait, lui, d'avoir contrevenu aux lois soviétiques en donnant asile à une étrangère clandestine. Offense grave qui lui coûterait son poste ou pire. Il avait donc besoin d'une longue discussion avec ses parents, des gens clairvoyants et de bon conseil, surtout son père malgré la sécheresse de ses manières et ses distances apparentes.

Quand il leur annonça la présence d'Hélène sous leur toit, les Fedorov se consultèrent du regard mais ne firent aucun commentaire. Nikolaï devait tout dire et on mettrait ensuite sur la table la grande balance sur laquelle peser inquiétudes, peurs, certitudes et perspectives. Maria et Andreï avaient tous deux affronté les hitlériens et appris à penser à la vitesse de l'éclair en des circonstances urgentes mais aussi à prendre leur temps dans d'autres situations comme celle-ci où l'on n'avait tout de même pas un tank ennemi devant soi à cinq minutes près.

Nikolaï raconta donc tout, y compris le désir d'Hélène de donner naissance à un enfant dont le père soit russe, dont le père soit lui. Elle avait perdu les siens. Elle aurait pu n'en rien dire et quitter le pays avec son secret. On ne pouvait lui en vouloir. Andreï fut le premier à rassurer son fils:

-Elle est devenue une des nôtres et le demeurera toujours, dit-il en frappant la table de plusieurs petits coups secs de ses jointures du poing fermé.

-Premièrement, elle ne risque... pas grand-chose... dit Maria

-Sinon l'empêchement de jamais revenir dans notre pays, objecta tristement Nikolaï.

-Ça, on n'y peut absolument rien, dit Maria. Ce n'est pas elle qui doit nous préoccuper puisqu'il ne lui arrivera rien du tout, mais toi, Nikolaï.

-Et vous...

-Qu'ils nous fassent ce qu'ils voudront, qu'est-ce que tu veux que ça nous fasse? jeta Andreï, l'oeil noir tout enflammé.

-D'abord, il faudrait savoir quelles sont les intentions d'Hélène à compter de maintenant.

-Elle veut se présenter à l'ambassade canadienne...

-Elle sera cueillie bien avant d'y mettre les pieds, dit Maria.

-Ou elle pourrait se présenter carrément à la police, de préférence aux bureaux de la sécurité nationale et invoquer l'amnésie, la vodka et quoi encore.

Maria secoua la tête:

-Tu sais mieux que nous autres encore qu'ils vont obtenir la vérité. Une pilule grosse de même et une heure plus tard, chaque minute de son séjour lui sortira de la bouche comme du lait qu'un bébé régurgite.

Maria se frotta le front.

-Nous voilà dans de vrais beaux draps. Ah! ces Occidentaux, s'ils savaient donc ce que nous vivons!

-Mais si on leur donne la vérité toute nue, telle quelle? dit Andreï.

-Il leur faudra un coupable à tout prix et ce coupable sera Nikolaï.

-On n'est tout de même pas au temps des chemises blanches de Staline, dit le père.

-Papa, s'ils apprennent ce qui s'est passé à l'hôpital, ma visite à son hôtel, sa visite ici et maintenant sa présence clandestine, il est certain que les carottes sont cuites pour moi. Ça pourrait me conduire à un an ou plus de prison.

On continua longuement à retourner la question dans tous les sens. De guerre lasse, Maria finit par dire en soupirant:

-Il n'y a qu'un seul moyen, un seul, et nous le connaissons tous les trois, pour empêcher qu'on la questionne sauvagement et pour prévenir donc le pire qui s'ensuivrait pour Nikolaï...

Andreï ne savait que trop ce que sa femme voulait signifier par là; il serra les mâchoires et les deux poings.

Nikolaï avait la gorge serrée et ses yeux s'embuèrent. Il regarda du côté de la porte de sa chambre, se demandant ce qui se passait dans le ventre d'Hélène.

-Que je passe au moins le dimanche avec elle! fit-il en se levant.

Il ramena Hélène qui se présenta embarrassée:

-J'ai peur de vous causer des grands problèmes, dit-elle après les sourires et les étreintes. Mais je vais m'en aller dès aujourd'hui à l'ambassade...

-Non, non, dit Maria. Nous allons vous garder quelques jours, au moins jusqu'à lundi ou mardi. À l'ambassade, vous risquez de vous cogner le nez à une porte fermée pour le week-end et tout...

Nikolaï regarda son père qui détourna les yeux, l'air coupable et parfaitement écoeuré de lui-même...

∞∞∞∞∞∞∞∞∞

# Chapitre 33

Chaque fois qu'Hélène remit en cause sa présence chez les Fedorov par la suite, on éluda la question. On en discuterait lundi. De fait, il parut de plus en plus probable à la femme que lundi ou mardi, mercredi au plus tard, Nikolaï l'accompagnerait jusqu'aux abords de l'ambassade canadienne où se dénouerait toute l'affaire dans la plus grande discrétion.

Il y avait toutefois un relent parfaitement indéfinissable dans l'atmosphère. Hélène finit par l'attribuer à Andreï qui avait l'allure sombre et dramatique d'un personnage inquiétant de Dostoïevski. Naquit en elle, peu à peu, envers lui, un sentiment de méfiance. Heureusement, l'homme s'effaça toute la matinée du dimanche sous le prétexte de «quelque chose à faire».

Hélène participa à la préparation du repas. Elle fut estomaquée par la grande pauvreté du garde-manger: des quantités parcimonieuses et fort peu de variété. Certes, depuis le temps qu'elle dévorait tout ce qui s'écrivait sur ce pays, elle avait imaginé cela, mais de le réaliser était une toute autre affaire. Et puis elle avait un peu honte d'avoir abandonné sur le muret de la Moskova le filet que lui avait donné Maria. À son départ, elle laisserait tout ce qui lui resterait de dollars américains. C'était bien peu en regard de ce que lui avait donné ce pays qui l'avait sauvée de la mort, lui avait fait réaliser un grand rêve, lui avait montré le chemin de l'amour et lui donnerait peut-être un enfant et un nouvel avenir.

Toute la journée, elle se berça de l'illusion qu'elle vivrait là toujours, avec Nikolaï, avec les Fedorov, avec un ou deux enfants; et dans ces moments de rêve, l'insignifiance des problèmes d'approvisionnement lui braquait devant le nez la futilité de l'abondance de biens matériels des pays de l'Ouest.

Après le déjeuner qui dura jusqu'au milieu de l'après-midi en échanges agréables faits de vues sur l'avenir, de considérations sur vingt sujets divers, Nikolaï lui proposa une randonnée dans Moscou. On irait sur la Place Rouge. On pourrait aussi aller marcher le long de la Moskova. Pour faire russe, Hélène porterait une robe de Maria, fort grande pour elle mais qui ferait penser à une femme enceinte de plusieurs mois. Pendant ce temps, Maria laverait et repasserait celle d'Hélène que les petits événements des derniers jours avaient rendue assez peu présentable.

∞∞∞∞

Au Canada, ce fait divers que constituait la mort d'Hélène faisait l'objet d'une large diffusion dans les médias bien qu'on fût dimanche. Les politiciens étant en vacances, les services de nouvelles, désoeuvrés, privés de ce que les Jeux de Moscou auraient pu leur apporter, cherchaient de la substance, mais surtout, les Américains s'intéressaient à l'affaire d'une façon aussi spectaculaire qu'imprévue et ils semblaient avoir leurs propres sources de renseignements, tout aussi rapides et sûres que celles des Canadiens.

∞∞∞∞

Ce lundi matin, Andreï quitta la maison le premier après avoir serré la main d'Hélène à la table du petit déjeuner comme l'eût fait un général d'armée. Puis ce fut le départ de Nikolaï. Il la conduisit dans leur chambre pour l'embrasser.

-Tu sais que tu m'en donnes des maux de tête, toi, dit-il entre deux baisers. Avec ton problème cardiaque, je ne suis pas sûr, et c'est un euphémisme d'employer ce mot, pas sûr que ce soit une bonne chose de tomber enceinte et d'avoir un enfant.

-C'est la meilleure chose qui puisse m'arriver. Jamais le coeur ne me flanchera tant que je porterai ce petit... ou cette petite Russe. Et je le... la prendrai par la main sur la rue jusqu'à l'âge de douze ans au moins...

-Bon... alors à cet après-midi! J'arriverai vers trois heures et nous partirons pour l'ambassade de ton pays comme nous l'avons décidé.

Il s'en alla sans se retourner. Maria frappa ensuite à sa porte

404

puis entra avec la robe d'Hélène qu'elle étendit sur le lit.

-Pourquoi ne la gardez-vous pas? Je vais sûrement récupérer mes affaires demain...

-Mais elle est bien trop petite pour moi, tu sais bien.

-Il y a de la place dans les coutures: vous l'agrandirez.

-Non... mais toi, tu vas le faire, Hélène. Dès que ton ventre commencera à grossir... car il grossira, tu déferas ta robe au grand complet et tu l'agrandiras. Le feras-tu?

-Peut-être...

Maria lui prit les deux mains, disant:

-Tu le feras en souvenir de nous, en souvenir de moi... Promis?

-Ouais... promis.

Cet échange paraissait un peu singulier à Hélène, mais il témoignait de l'attachement de Maria pour elle et pour cet enfant qu'elle pressentait venir elle aussi...

On s'échangea ensuite des banalités puis, au moment de partir, Maria revint vers elle et lui dit, le regard insistant:

-Pour la robe, c'est important pour moi, tu la déferas pour l'agrandir...

∞∞∞∞∞

Une heure plus tard, deux hommes de la police frappèrent à la porte. Ignorant de quoi il s'agissait, Hélène ne répondit pas. Et puis on l'avait bien avertie de n'ouvrir à personne sous aucun prétexte. Mais elle entendit la clef pénétrer dans la serrure et, effrayée, elle se cacha dans la chambre. On frappa aussitôt dans sa porte qu'on ouvrit brusquement.

-Madame Hélène Prince, nous sommes de la sécurité nationale. Venez avec nous...

Ce n'est qu'au bureau de Krylov qu'Hélène comprit qu'un membre de la famille Fedorov l'avait dénoncée. Car comment les agents auraient-ils su qu'elle se trouvait là-bas et surtout comment auraient-ils pu avoir le clef. Et ils savaient qu'elle comprenait la langue russe... Tout s'additionnait... Ce ne pouvait être que le père et elle en fut fort chagrinée pour Maria et Nikolaï.

Krylov jubilait. Il mit un magnétophone en marche et procéda à l'interrogatoire en tournant autour d'elle pour produire toutes sortes d'effets par les gestes, les mots, le ton. Quand elle eut terminé son récit qui n'incrimina pourtant pas les Fedorov et surtout pas Nikolaï, il le lui fit recommencer.

Elle parlait russe parce qu'elle était fascinée par ce pays. Elle avait passé une nuit dehors près du pavillon d'Expo-67. Elle avait eu un accident cardiaque. Elle était tombée en amour, un amour platonique, avec le docteur Fedorov. Elle avait triché pour obtenir son adresse. Elle avait organisé ce simulacre de suicide et, après deux nuits dans le parc, elle s'était rendue chez lui pour lui démontrer son sentiment. Il l'avait repoussée, mise en cage puis, sans doute, dénoncée puisqu'elle se trouvait là...

-Mais s'il y avait de... l'espionnage derrière tout ça?

-Quelle sorte d'espionnage?

-Andreï Fedorov ne travaille-t-il pas dans une usine de tracteurs?... Ne l'avez-vous pas questionné à ce sujet?

Hélène éclata de rire:

-Je ne pense pas que nous ayons envie de copier les tracteurs soviétiques. Et puis, j'ai un proche parent qui travaille à General Motors, voulez-vous que je vous en parle?

-Tout ça n'aurait-il pas été pensé, organisé pour jeter du discrédit sur nos Jeux olympiques que votre pays et le grand maître de votre pays, les Etats-Unis, boycottent?

Comment le KGB pouvait-il laisser entrer dans ses rangs de pareils idiots? se demandait Hélène.

-Savez-vous, madame, que vous avez violé les lois de ce pays et que vous subirez un procès pour ça?

Voilà qui devenait plus sérieux et elle répondit de manière plus grave:

-Je n'ai pas voulu nuire à votre pays en quoi que ce soit. Je vous l'ai dit: j'aime ce pays, sa culture, ses gens...

-Dites-moi donc que vous êtes communiste, tant qu'à faire, ironisa Krylov.

-Ce serait mentir: je ne le suis pas et ne voudrais pas l'être non plus. Pour moi, la politique et le pays, ce sont deux choses bien différentes.

-Vous avez tort, madame. Ce qui définit l'Union Soviétique moderne, c'est le socialisme. Sans le socialisme, ce pays n'existerait plus. Mais il existera mille ans, tout comme le socialisme qui se répandra par toute la terre...

Hélène soupira:

-Y a-t-il autre chose que je peux faire pour vous? Votre langue de bois est extrêmement ennuyeuse...

L'homme retourna s'asseoir et demeura silencieux. Il s'interrogeait sur la décision à prendre. Car il y avait un nouvel esprit au KGB, dans sa section, depuis qu'un certain Gorbatchev la dirigeait. Les gens d'en bas, avant de s'en remettre à leurs supérieurs, devaient considérer des avenues possibles et même prendre eux-mêmes certaines décisions. Mais cela n'était pas clair encore, mal défini et insécurisait les gens.

-Est-ce que je pourrais appeler à l'ambassade canadienne? demanda Hélène.

Voilà que sans le savoir, une fois encore, Hélène livrait toute chaude à son interlocuteur la solution de son problème. Krylov pensa qu'il fallait entrer en contact avec les Canadiens pour qu'on cesse de croire et clamer que cette femme s'était jetée dans la rivière et d'en blâmer les soins hospitaliers qu'elle avait reçus, mais, par contre, pour bien montrer qu'elle s'était mise hors-la-loi, qu'elle avait abusé et trompé le pays qu'elle visitait, et qu'elle inventait de toutes pièces une histoire d'amour à dormir debout pour peut-être camoufler une activité d'espionnage. C'est l'ingratitude de cette Canadienne envers l'Union Soviétique, envers le docteur et les autres qui s'étaient dévoués pour elle qui seraient mises en exergue et feraient bredouiller les propagandistes canadiens et américains qui avaient refusé d'avaler la thèse de l'accident pourtant pas plus mensongère que n'importe quelle autre. Car on avait reçu maints appels des ambassades soviétiques tant d'Ottawa que de Washington disant qu'en Amérique, on accusait la médecine soviétique d'avoir indirectement provoqué la mort de cette pauvre touriste québécoise.

Krylov ne répondit pas à la question de la prisonnière. Il esquissa un sourire et quitta la pièce. Et dans une autre, avec l'aide d'une secrétaire-interprète, il logea un appel à l'ambassade canadienne.

∞∞∞∞

À Lorraine, les enfants n'avaient pas bougé de la maison de tout le week-end. Leurs grands-parents, des oncles et des tantes les avaient visités ou appelés pour leur tenir la main. Manon blâmait son père mais restait silencieuse sauf dans ses sanglots qu'elle prenait soin d'envelopper de ses draps dans sa chambre. François allait se vider l'âme aussi dans la solitude et Valérie, portée par la pensée magique de cet âge, traquait tout le monde pour affirmer que la télévision mentait et que sa mère n'était pas morte.

Aux nouvelles de six heures, les trois enfants quittèrent la table au milieu du repas que Pierre avait servi. Lui ne bougea pas mais il les laissa partir sans s'objecter. Ils s'en allèrent ensemble au salon où ils prirent place devant le téléviseur, Valérie serrée entre son frère et sa soeur. On montrerait à nouveau une photo de leur mère et ils se sentaient bien plus concernés que d'en voir une dans un album. Dès la fin de la musique d'introduction, la photo d'Hélène parut derrière l'annonceur qui dit en première manchette en hochant la tête:

-Au sommaire ce soir: spectaculaire rebondissement dans l'affaire de cette Québécoise dont on disait qu'elle avait trouvé la mort dans la rivière Moskova à Moscou jeudi dernier... Hélène Prince est retrouvée... vivante.

Un immense barrage éclata en l'âme de Manon. De violents soubresauts agitant sa poitrine remontèrent en vagues jusqu'à son visage que des grimaces irrépressibles se mirent à tordre cruellement. François la regarda, incrédule encore, mais l'émotion de la fillette confirma ce qu'il venait d'entendre. Il se leva, sauta, cria sa joie, les bras lancés au ciel, puis il s'empara de la main de Valérie et obligea la fillette à se lever aussi. Il fit pareil avec Manon et alors leur fit engager à tous les trois une ronde formidable faite de ses rires insensés, des pleurs débridés de Manon et des rires bourrés de larmes de Valérie qui les regardait l'un et l'autre en sautillant aussi...

-Écoutez, mais écoutez donc, dit Pierre qui avait entendu et accourait.

-Bonsoir mesdames et messieurs. Hélène Prince, cette enseignante de Sainte-Thérèse prétendument noyée jeudi dernier dans la Moskova à Moscou est saine et sauve. Une incroyable histoire d'amour serait à la base de cette affaire digne d'un roman de Boris Pasternak mais qui jusqu'à aujourd'hui gênait beaucoup les autorités soviétiques. On croit en effet que la femme aurait, grâce à une habile mise en scène, fait croire à sa mort afin de retrouver le médecin qui l'avait soignée dans un hôpital moscovite où elle avait séjourné suite à un malaise cardiaque, médecin dont elle serait tombée amoureuse. Mais on annonce que la Québécoise subira un procès pour violation de la loi soviétique sur les permis de séjour, ce qui pourrait lui valoir jusqu'à deux ans d'emprisonnement. Un attaché de l'ambassade canadienne à Moscou a déclaré que même si la Québécoise avait menti par son simulacre de suicide, les Soviétiques ont menti tout autant en soutenant la thèse de l'accident qu'ils ont même fait corroborer par des témoins oculaires.

Les enfants se ruèrent sur leur père appuyé au chambranle de la porte en laissant libre cours à leurs émotions. Pierre leur flatta les cheveux mais il était à la fois songeur et abasourdi. Content pour ses enfants, pour leur coeur, et dans un autre sens déçu pour eux. Ils auraient touché, il le savait maintenant pour avoir obtenu des renseignements de l'agence de voyage et de l'agent d'assurance, quatre cent mille dollars suite à la mort accidentelle d'Hélène. Bien sûr qu'il n'aurait pas souhaité sa disparition, mais maintenant que c'était fait... Et puis cet amour niaiseux de femme en peine qui s'était additionné d'un mensonge éhonté l'écoeurait...

∞∞∞∞∞

Dans son ranch de Californie, le président des États-Unis, occupé à nettoyer un long revolver noir, était assis à une table dans une salle de séjour devant trois appareils de télévision. Un système de télécommande unique contrôlait le son de chacun et il lui suffisait de toucher le bouton un pour obtenir le son du téléviseur qui présentait l'image de NBC, le deux pour celui de CBS et le trois pour ABC, et un seul bouton à la fois pouvait être pressé de sorte que les sons ne pouvaient pas se piétiner. Le mécanisme était simple et le président avait réussi à l'assimiler en moins d'un quart d'heure. Et puis cela lui permettait de voir d'une oreille et d'entendre d'un oeil en même temps, un bon président devant toujours rester à l'affût même en congé, pour la sauvegarde perpétuelle des intérêts de la nation la plus grande de la terre.

Peter Jennings annonça la première manchette:

-L'amour d'une femme déjoue les Soviétiques et ça se passe près de la Moskova à Moscou, pas sur la patinoire de Lake Placid!

Le président pitonna et Tom Brokaw dit:

-Procès en perspective en Union Soviétique. L'accusé: l'amour!

Reagan pesa sur le bouton deux avec le canon de son arme, se trompa, recommença et Dan Rather, le regard un brin pervers, énonça:

-Hélène Prince, cette femme canadienne prétendument morte noyée dans la rivière Moskova à Moscou est saine et sauve; mais maintenant, elle risque deux ans de prison à cause... de l'amour...

Le président poussa sur le bord avant de son chapeau western avec le canon de son revolver en disant:

-Mais ce pays-là, mais... c'est l'empire du mal!

Assise derrière lui en train de lire un traité d'astrologie, son épouse eut un petit rire maigrelet et avisé. Elle lui prodigua un de ses nombreux conseils:

-Ça, tu devrais le mettre dans un de tes discours.

-Ça quoi?

-L'expression l'empire du mal pour désigner l'Union Soviétique.

-Tu crois, Nancy?

-C'est excellent... et puis tout ce que tu peux dire ou penser aujourd'hui, les astres le disent, est on ne peut plus favorable.

La président se gratta la tempe avec le bout du canon de l'arme. Son regard pétilla. Sa tête eut de petites secousses, il la pencha, dit:

-Well...

∞∞∞∞

-Voici un message de monsieur Gorbatchev, dit une messagère venue d'en haut à Boris Krylov.

Fier comme ce soleil du mardi matin dont il avait aperçu le disque éblouissant au-dessus du Kremlin sur son chemin pour venir travailler, le jeune homme s'empressa de l'ouvrir, sûr d'avance d'y trouver des mots de hautes congratulations de la part du grand patron de sa section. Il lut:

*"Prière de mettre cette femme canadienne sur le prochain vol pour Montréal!"* Et c'était signé: M.G. En nota bene il y avait: *"Et aucun retard ne sera toléré."*

-Non, mais pour qui il se prend, celui-là, pour Brejnev peut-être? marmonna le jeune homme pour lui-même.

La messagère avait déjà quitté les lieux et elle ne l'entendit pas. Krylov prit place derrière son bureau, un vieux meuble décapé par l'usure. Il lui fallait répondre au chef. C'était obligatoire mais en plus, Gorbatchev exigeait une réponse comportant une objection au moins.

Il écrivit:

*"Camarade Gorbatchev,*

*Cette femme assignée à résidence surveillée à l'hôtel Rossia prendra l'avion dans les plus brefs délais. Mais je vous signale qu'un procès devrait faire exemple et montrer que les étrangers ne peuvent pas venir violer impunément nos lois. De plus, je vous ferai remarquer que nous aurions intérêt à confier cette femme à l'ambassade de son pays afin que le Canada, et pas nous, assume les frais de son retour, son billet d'avion n'étant plus valide*

*Camarade Krylov."*

L'homme quitta son bureau et se rendit dans un couloir voisin où aboutissait depuis les étages supérieurs un mini monte-charge en tous points semblable à celui utilisé à Monticello par les employés de Thomas Jefferson au début du dix-neuvième siècle pour faire passer les bouteilles de vin du cellier aux cuisines afin d'éviter toute lumière du soleil au précieux et délicat liquide.

Krylov soupira quand il vit que la plate-forme n'était pas là. Il

410

lui faudrait tirer sur les cordes pour la ramener à cet étage, ce qu'il entreprit de faire en songeant qu'on attendait depuis vingt ans que ce système obsolète soit remplacé par une tuyauterie d'aspiration centrale soufflant aller-retour selon le besoin des capsules contenant les messages directement des bureaux à un centre de redistribution pour réexpédition au bureau destinataire. Même que certains commençaient à murmurer devant ce problème complexe, et soutenaient que les budgets à cette fin étaient peut-être détournés vers la construction de capsules spatiales...

Deux heures plus tard, Boris Krylov reçut un second message de son chef:

*"Camarade Krylov,*

*Venez me rencontrer que nous discutions de cela. J'aimerais bien vous entendre voir... Entre-temps, que cette femme parte pour le Canada, que ce soit par avion ou par ambassade, mais qu'elle parte dans les plus brefs délais!..."*

∞∞∞∞

Ceux qui avaient conduit Hélène au KGB la veille se rendirent cueillir ses bagages à l'hôtel Kosmos puis elle-même à l'hôtel Rossia et ils l'emmenèrent à l'ambassade canadienne où on l'attendait pour lui délivrer un passeport diplomatique et lui donner un billet d'avion pour Montréal.

On l'accueillit en triomphe. L'ambassadeur Ford, personnage gris à moustache fendue et lunettes à grosses montures noires était presque aussi fier d'elle que si elle eût été une anglophone, d'autant plus que l'homme était francophile et avait dessein de s'établir bientôt en France après avoir servi pendant seize ans comme ambassadeur canadien à Moscou. On la fit asseoir dans la pièce principale, grande, haute, à mobilier de chêne massif et divans énormes en cuir noir, fauteuils en cuir brun, tentures rouges fort appréciées des visiteurs soviétiques. Des officiels vinrent. On s'entretint. L'ambassadeur commanda du champagne. On trinqua. Hélène apprit qu'elle était devenue une star aux Etats-Unis grâce aux médias. Puis on la fit aller dans une salle plus petite où elle prit place sur un fauteuil près d'une grosse lampe à base de bois sculpté. Un homme entra, dossier à la main et prit place à un grand bureau.

-Je suis de la GRC. Accepteriez-vous de répondre à mes questions? Ça vous évitera d'avoir à le faire à votre retour au Canada.

-C'est comme vous voulez.

Hélène pencha la tête à droite, à gauche pour montrer son accord indifférent mais alors quelque chose d'étrange lui apparut. Cette lampe n'était pas catholique. Le bouton pour l'allumer lui

411

parut terminé par un grillage grossièrement recouvert d'une substance de la même couleur que le bouton lui-même. Cela lui rappelait ce piège tendu par Pierre dans le pouf et qu'elle avait examiné
par la suite. Son coeur bondit. S'il y avait des microphones à l'hôpital et à l'hôtel, a fortiori devait-il s'en trouver à l'ambassade.
Elle le signala par gestes au policier en lui parlant des lèvres seulement et en désignant cette drôle de chose.

L'homme s'esclaffa.

-Vous avez l'impression qu'il s'agit d'un microphone, n'est-ce
pas?

Elle acquiesça.

-Eh bien, vous avez parfaitement raison! C'est que vous l'ayez
remarqué qui m'amuse. Vous savez, il y en a partout dans cette
pièce et dans l'autre. Mais ce ne sont pas les Russes qui sont à
l'autre bout, ce sont les Américains. Laissez-moi vous expliquer...
Voyez-vous, parfois ça va si mal entre les Russes et les Américains qu'ils en viennent à se bouder et à ne plus vouloir se parler
directement pendant dix, quinze jours et plus. Alors ils le font via
notre ambassade. Présentement, c'est justement une période froide
entre les deux à cause du boycottage des Jeux... Ce micro par
exemple ramassera notre conversation et va la transmettre à une
chambre d'électronique que nous avons louée aux Américains ici
même au sous-sol et que dirige le colonel North. L'enregistrement
sera ensuite analysé, codé en triple grille puis envoyé à l'ambassade américaine à deux coins de rue d'ici... Comme vous voyez,
nous n'avons rien à cacher puisque je vous confie tout cela.

-Mais... mais le Canada n'a plus de vie privée!

-Madame, mais il a l'entreprise privée et ça suffit, vous ne
trouvez pas?

Il se pencha sur le dossier et reprit:

-Alors êtes-vous prête à nous raconter votre histoire depuis...
disons le moment où vous avez pris la décision d'apprendre le
russe?

Puis il chuchota:

-Dites que vous aimez bien les Russes mais que vous avez
leur système en horreur... Ça va faire plaisir aux Américains et ils
feront de vous une vedette...

∞∞∞∞∞∞∞∞∞∞

# Chapitre 34

Du moment de son arrestation jusqu'à celui de son départ pour Montréal, Hélène se sentit chosifiée, mais moins que du temps de Pierre. Et pas malmenée excepté pour le cinéma de Boris Krylov qui avait joué au redoutable; or, le personnage au menton trop glabre n'avait pas réussi à se faire prendre véritablement au sérieux par elle. En tout cas, elle avait craint bien pire que tout cela quand le coeur serré par une peur bleue, elle avait déposé dans la nuit jaune ses mensonges sur le muret de la noire Moskova.

Le KGB escorta la voiture de l'ambassade jusqu'à Cheremetievo puis deux personnages, dont l'un était Krylov, se donnant un visage taciturne, la suivirent sur les talons jusqu'à l'embarquement sur l'avion. Au moment de quitter la salle d'attente pour se rendre au tunnel de toile bleue reliant la gare à l'appareil, après avoir salué les Canadiens qui l'accompagnaient, elle sourit à Krylov et lui lança un baiser volant.

Embarrassé, l'homme regarda de tous les côtés, craignant que des policiers super-secrets de la police secrète à laquelle il appartenait ne soient en train de le surveiller. Puis il maugréa derrière ses dents:

-Toi, la Canadienne, si ce n'eût été de ce Gorbatchev, tu y aurais goûté...

Ce n'est qu'une fois l'appareil rendu à sa vitesse de croisière que la femme put laisser vagabonder librement son esprit sur les événements des deux derniers jours. Elle regrettait beaucoup de n'avoir pu faire un adieu final à Nikolaï et sa mère mais elle comprenait les raisons qu'elle imaginait avoir poussé le père à protéger les siens dans un pays où il fallait soupeser la moindre pensée, le geste le plus insignifiant auquel les autorités cherchaient toujours odieuseusement la signification la plus sombre.

L'appareil comptait trois banquettes d'un côté et deux de l'autre. On n'avait donné aucun voisin à Hélène. Un homme dans la haute quarantaine, à chevelure ouatinée aux reflets discrets, le sourire engageant, se présenta à elle en s'asseyant à moitié pour libérer l'allée. C'était un journaliste américain de retour des Jeux de Moscou et qui avait vu la photo de la Canadienne dans le *Washington Post* à l'ambassade américaine l'avant-veille. Il lui demanda la permission de l'interroger puis d'utiliser ce qu'elle dirait dans un article de la revue mensuelle pour laquelle il travaillait. On ne parlait pas depuis cinq minutes qu'une hôtesse vint l'interpeller dans un anglais très cassé par sa langue natale:

-Vous ne devez pas être là... ce n'est pas votre place... Votre place est là-bas...

-Mais je fais une entrevue avec madame...

-Vous ne devez pas rester là, retournez à votre place.

La voix était à la fois si menaçante et autoritaire que le journaliste obéit.

-Ils ont peur que je vous parle. C'est idiot; je vous verrai à Montréal si vous le voulez.

· Hélène acquiesça puis, en russe, elle protesta auprès de l'hôtesse:

-Nous ne sommes plus en Union Soviétique, nous sommes dans les airs. Je devrais pouvoir parler à qui je veux tout de même.

-Oui, bien sûr, mais personne ne doit occuper cette banquette. On nous a dit que vous étiez une personne très malade et que vous ne pouviez pas dormir dans un avion à cause de l'inconfort. Les deux places ont été réservées pour vous, pour quand vous voudrez dormir...

Hélène sourit et remercia mentalement les autorités canadiennes pour leur prévenance. Si elle y avait mieux songé sur le moment, elle se serait souvenu qu'elle n'avait fait état de sa difficulté de dormir en avion qu'aux Soviétiques; elle ignorerait donc longtemps que la réservation de deux banquettes avait été exigée par eux dans leurs brèves négociations avec les Canadiens en vue de leur remettre leur médaillée d'or de l'amour qu'ils voulaient à tout prix, sous peine de psychose grave au KGB, voir rendue au Canada sur ses deux jambes.

Puis la femme se tourna vers l'avenir immédiat. Elle aurait bien voulu téléphoner aux enfants depuis Moscou mais le seul endroit où elle aurait pu le faire, c'était l'ambassade; or, lui avait-on dit, les circuits seraient engorgés toute la journée à cause des Jeux. Bon, il n'y aurait donc personne à son arrivée pour l'accueillir mais ce voyage lui avait appris à donner moins d'importance à de telles contrariétés.

Enfin les Fedorov lui revinrent en tête. Elle regardait la couche nuageuse par le hublot, son oeil fulgurant par la vertu des rayons solaires sur l'aile blanche, et les doux souvenirs succédèrent aux doux souvenirs. Du premier jusqu'au dernier, l'un des meilleurs, celui où Maria lui avait parlé de sa robe qu'elle devrait agrandir... quand le bébé l'exigerait...

L'oeil d'Hélène rapetissa. Et elle éclata d'un rire à deux temps qui lui valut les regards pour le moins intrigués de quelques voisins immédiats. C'est qu'elle venait de décoder le langage de Maria et se trouvait parfaitement idiote de ne pas l'avoir fait plus tôt. Tant mieux qu'elle ne la porte pas, cette robe ou que la valise la contenant ne soit pas là dans le porte-bagages plutôt que dans la soute car elle l'aurait défaite sur l'heure pour y trouver le message qu'elle était sûre maintenant d'y trouver. En tout cas, c'est la première chose qu'elle ferait une fois rendue à la maison.

Elle fouilla dans son sac et trouva sa montre au bracelet brisé qu'elle consulta. En calculant le décalage, on arriverait à Mirabel à sept heures du soir, ce que confirma l'hôtesse un peu plus tard par l'interphone. Puis elle souleva le bras séparant les banquettes, ferma le volet du hublot, s'appuya à une couverture, les jambes à demi-allongées... Le sommeil aussitôt l'envahit. Quelques minutes après, une des hôtesses vint près d'elle avec une autre couverture de laine qu'elle enserra précautionneusement autour de son corps car la chaleur du sol avait fini de s'échapper de l'appareil qui fonçait maintenant dans les grandes fraîches des hautes altitudes...

∞∞∞∞

Réglée comme du papier à musique, la femme qui pilotait l'avion (et qui n'avait pas été identifiée de peur que des préjugés d'hommes ne se mettent au galop) posa son appareil à sept heures exactement sur la piste de Mirabel. Sitôt hors de l'avion, dans le bus, le journaliste américain rejoignit Hélène. Il disposait d'une heure avant son vol pour New York. On procéderait à l'entrevue, suggéra-t-il, dans un bar de la gare, ce à quoi elle s'opposa, préférant la grande salle de la cafétéria.

415

Dans la file d'attente près du guichet de la douane, elle ne cessa de parler au journaliste, sans voir plein de gens qui de la mezzanine regardaient en sa direction, lui faisaient des signes, la fusillaient de leurs zooms, s'excitaient comme si l'arrivante eût été De Gaulle au balcon de l'Hôtel de ville de Montréal ou Brigitte Bardot en vison venue épouser René Lévesque.

Les gens de la mezzanine se bousculèrent vers l'étage inférieur. Des dizaines de micros l'attendaient de bras ferme. Hélène transportant deux de ses valises, suivie de l'Américain qui avait la troisième, émergea enfin d'entre les murs du couloir parmi d'autres arrivants. Le journaliste sut aussitôt pour qui tant de collègues se trouvaient là et il le lui dit:

-On dirait que vous voilà devenue une grande vedette.

Il lui fallut jauger les regards derrière les caméras et entre les éclairs pour comprendre... Empêchés de se présenter devant elle, Manon, Valérie et François purent arriver jusqu'à elle sans qu'elle ne les aperçoive. Et c'est Manon qui, la première, lui dit le mot le plus important qu'Hélène ait jamais entendu de toute sa vie:

-Maman.

Hélène posa ses valises par terre puis porta sa main à sa bouche pour retenir les soubresauts qui agitaient ses lèvres, et ses yeux se remplirent de larmes. Elle tendit les bras en les ouvrant, et les enfants firent grappe sur son coeur en riant comme des grandes personnes bien mûries et heureuses tandis que plusieurs femmes du public nombreux se laissaient aller comme elles l'auraient fait à la noce d'un de leurs enfants.

La télévision s'empara des images, les bouffa gloutonnement. Les caméras de la presse écrite en découpèrent de larges morceaux. L'Américain lui glissa qu'il prenait soin de ses valises qu'il mettrait sur un chariot et emmènerait au lieu convenu pour l'entrevue. Elle lui promit de le retrouver dans la demi-heure. Le temps de se retourner et Pierrette et Suzanne arrivaient, bouquet de fleurs à la main. Ce furent d'autres étreintes, des cris joyeux, des exclamations qui s'inscriraient à jamais dans l'album à souvenirs de leur esprit.

-Mais comment avez-vous su que j'arrivais ce soir?

-La télévision, dit François.

-On ne parle que de toi depuis une semaine, dit Pierrette qui avait du mal à se retenir de sautiller au bonheur d'Hélène.

-Tu es devenue le personnage le plus romantique au monde, enchérit Suzanne.

-Je suis de Radio-Canada, coupa une voix, dites-nous, êtes-vous heureuse de fouler le sol cana... québécois et auriez-vous aimé vivre là-bas avec votre... votre docteur Jivago?...

-C'est oui aux deux questions...

-Avez-vous été poussée à bout par les gens du KGB? demanda en anglais un reporter de NBC.

-Pas vraiment! Enfin un peu...

-Nous avons une proposition très intéressante si vous nous donnez l'exclusivité sur votre histoire...

-Parlez-nous de votre docteur.

-Aimez-vous encore vos enfants?

-Avez-vous été emprisonnée?

-Qu'est-ce que vous pensez de la liberté maintenant?

-Pourquoi avez-vous appris le russe?

-Voulez-vous participer au quiz 'Coeur-à-Coeur' du canal 10?

-S'il vous plaît, finit-elle par dire, j'ai une entrevue à passer que j'ai promis de faire. Celles et ceux qui voudront me parler et me rencontrer n'auront qu'à demander mon numéro à la téléphoniste: mon numéro n'est pas confidentiel... pas encore...

Et entourée des enfants, elle contourna la foule en finissant de répondre brièvement aux dernières questions. C'est alors qu'elle aperçut, resté en retrait, songeur et courbé malgré qu'il fût adossé à un mur, Pierre, venu reconduire les enfants à l'aéroport afin surtout de sauver la face devant eux et devant Pierrette qui auraient fort mal jugé, cette fois, un retard ou une absence. Il aurait pu déléguer quelqu'un à sa place mais voilà que la vie faisait d'Hélène un personnage important, du moins temporairement, alors que Nicole s'avérait de plus en plus une compagne ruineuse. Qui sait ce que pourrait lui apporter un certain retour à de meilleurs sentiments à l'égard de son ex-épouse, d'autant que son docteur russe était déjà éliminé...

-Tiens salut! fit-elle en s'approchant.

Il fit aussi quelques pas vers elle qui tendit la main. Il tendit la sienne. Ce fut une poignée de mains bien anodine mais qui écrasait pourtant un autre gros morceau de la vieille coquille du passé...

-Tu m'excuseras pour le jour de ton départ... Il y a eu erreur quelque part et nous sommes arrivés en retard, n'est-ce pas, les enfants?...

Hélène sourcilla et changea le cours du propos...

∞∞∞∞∞

417

Sa soirée fut plutôt mouvementée. Cette entrevue avec l'Américain. Des prises de rendez-vous avec d'autres journalistes. Le départ de Pierre et François. Pierrette et Suzanne qui la bombardèrent de questions. De simples passants qui la reconnaissaient et qui lui criaient des félicitations. Et même des femmes venues exprès pour la voir arriver et qui osaient s'approcher pour lui parler comme si son aura avait pu les guérir de leurs handicaps émotionnels ou les faire décrocher d'une béquille amoureuse 'égrianchée'.

On fut enfin à la maison. Les fillettes passeraient le reste de la semaine avec elle et même davantage puisque le lundi suivant on s'en irait pour un mois au lac du Cerf. On parla une heure puis les enfants se couchèrent. Elle leur parla individuellement, assise sur leur lit, à les toucher, et chacune s'endormit dans une sérénité qu'elles n'auraient jamais connue sans tous ces malheurs des derniers mois.

Hélène prit des ciseaux et une lame à la chambre de bains, et elle se rendit dans sa chambre où elle ouvrit sa valise principale. Sa robe imprimée fut aussitôt étendue sur le lit comme l'avait fait Maria à Moscou. Elle palpa et trouva quelque chose dans la ceinture qu'elle décousit. Ce qu'elle avait compris fut confirmé. Dans un contenant de vinyle qu'elle devina avoir été taillé à même un rideau de douche, elle trouva des feuillets pliés en languettes et les déplia un à un avant de commencer à les lire.

Puis elle décida d'attendre, de se mettre au lit d'abord, d'exercer un peu sa patience, elle qui arrivait du pays par excellence de l'attente et de la persévérance. Et quand elle fut sous le drap, elle lut enfin à la lueur de sa lampe de chevet.

*"Hélène, chère fille du Canada,*

*Quand tu trouveras ces mots, sans doute entendras-tu aussi ceux que par ses pieds et ses mains te dira vigoureusement en frappant ton ventre, ton enfant russe, notre enfant à tous. Nous auras-tu pardonné ce qui t'aura semblé une trahison?*

*Tout d'abord, pour que ta lecture puisse avoir un sens de vérité, tu dois savoir que la décision de te livrer aux autorités, nous l'avons prise à trois, et que nous l'avons fait pour le bien de tous. Tu n'aurais jamais pu entrer à l'ambassade canadienne et on t'aurait cueillie avant. On t'aurait fait parler et cela aurait coûté sa carrière à Nikolaï plus, probablement, une ou deux années d'enfermement. Tandis qu'en te dénonçant comme nous l'avons fait d'un commun accord (ce qui est beaucoup dire car mon mari Andreï s'est opposé de toutes ses forces à ce 'reniement' et il n'y*

418

*a consenti qu'à reculons après avoir prié pour toi et pour obtenir le pardon du ciel tout ce dimanche avant-midi à la petite église de Sainte-Barbe) nous avions conscience d'éviter qu'on te questionne sauvagement par des moyens chimiques, conscience aussi que ces déclarations par lesquelles, bien involontairement, tu aurais pu nous incriminer seraient peu crues par la police secrète, conscience enfin que le KGB ne saurait se sentir mieux servi que par cette façon de procéder qui lui permettrait de sauver la face à tous les plans et que, triomphant, il n'aurait plus à sévir ni envers toi ni envers nous.*

*Notre raisonnement est allé plus loin encore. Cueillie par le KGB aux abords de l'ambassade canadienne, qui sait quel sort t'aurait été réservé? Qui sait si on n'aurait pas véritablement repêché ton corps dans la Moskova? On dit que la police secrète est plus humaine qu'autrefois, mais allez savoir. Tandis que notre dénonciation devenait ta police d'assurance. Autrement, il aurait fallu nous faire disparaître aussi avec toi, ce qui, là vraiment, n'est plus de notre époque tout de même.*

*Nous avons voulu que tu vives et que vive notre petit-enfant! Car nous croyons de toutes nos forces et de toutes nos espérances que tu seras mère. Et que nous pourrons voir cet enfant un jour pas si lointain. Moi, plus que Nikolaï et Andreï, je crois à un miracle prochain par lequel sera donné à l'Union Soviétique un homme qui ne cherchera pas à détruire le moins en utilisant le pire, un homme qui incarnera le bien, non pas le bien absolu -il ne sera ni un dieu ni un demi-dieu comme d'autres de la mythologie communiste-mais qui fera en sorte que le plus dépasse le moins. Cet homme ne sera pas seul et ne réglera pas tout, mais il donnera un visage neuf à notre pays et alors des Hélène Prince et des Nikolaï Fedorov pourront être réunis dans l'un ou l'autre de leurs pays respectifs sans que l'autre n'y prenne ombrage.*

*Mais entre-temps, tu es Orphée au féminin et Nikolaï est Eurydice au masculin. Tu es venue pour le faire sortir des enfers et pour qu'il te suive, mais comme l'épouse d'Orphée, Nikolaï ne pourra te suivre que le temps venu et aux conditions qui lui seront faites, et qui te seront faites à toi aussi. Et comme Orphée, tu ne devras pas te tourner vers le passé. Et comme Orphée, notre pays ne devra pas se tourner vers le passé quand ce personnage psychopompe que nous espérons tous l'engagera sur les voies d'un avenir autre que celui de la morosité qu'on nous offre maintenant.*

*Vis pour ton enfant, pour ton prochain voyage chez nous ou simplement pour toi-même: non, vis d'abord pour tes rêves car c'est un grand rêve qui t'a conduite auprès de Nikolaï et qui vit dans ton ventre.*

*Nikolaï t'attendra. Nous t'attendrons. Car tu seras notre rêve, à nous...*

*Nous t'embrassons tous les trois, Aliona.*

*Maria Fedorova*

Hélène se toucha le ventre. Son flair lui disait qu'il s'y passait de la vie. Mais sa raison lui disait que son flair n'avait pas toujours raison.

Elle éteignit la lampe, s'endormit. Comme les filles: dans la sérénité...

∞∞∞∞∞∞∞∞

420

# Chapitre 35

Tôt le jour suivant, Hélène reçut un premier appel de gens intéressés à publier son histoire, mais sous forme de livre. Un important éditeur de Montréal lui parla directement, sans même passer par son directeur littéraire: chose rare. Il la félicita de son cran, de son charme et de sa force. Puis il déploya ses batteries argumentaires:

-Un livre est à la base de tout, madame Prince, lui dit-il de sa voix lente et graillonnante, et qu'il devait chaque minute dégager d'humeurs indésirables. Voyez-vous, si vous livrez votre histoire à des revues et journaux, vous la dilapiderez en réalité. Tandis que si vous procédez autrement, livre en premier, vous aurez quand même, ensuite, la possibilité de vous raconter par les autres moyens de communication. Un: le livre. Deux: les médias. Trois: un feuilleton dans La Presse. Quatre: un film. Cinq: une série télévisée. Et six: traduction du livre -nous aurons toutes les subventions néces- saires- en anglais... puis dans plusieurs autres langues dont, peut- être, le russe un jour... Ne gaspillez pas votre histoire merveilleuse! Donnez des entrevues mais gardez l'essentiel pour vous. Faites que le public désire savoir. Donnez-lui la soif de connaître tous les détails de votre aventure... soit dit au sens mélioratif et non péjoratif. Tiens, pourquoi ne viendriez-vous pas me rencontrer? J'ai justement quelqu'un qui vient d'annuler son rendez-vous. À trois heures cet après-midi, ça vous irait? Je vous attendrai. Vous serez en mesure de voir comment ça marche, une maison comme la nôtre qui fait de la bonne édition depuis dix ans...

-Vous me prenez un peu par surprise...

-Ne me dites pas que vous aviez planifié quelque chose pour aujourd'hui: j'aurais du mal à vous croire.

-Non... c'est que je trouve ça vite...

-Savez-vous, Hélène... pardon, madame Prince...

-Dites madame Hélène, rit-elle.

-Savez-vous quand serait le meilleur moment pour faire paraître ce livre?

-Hier, j'imagine...

-Peut-être pas, mais dans un mois par exemple.

-Jamais ça ne me serait possible. Je n'ai pas d'expérience de l'écriture d'un livre...

-Mais vous êtes professeur de français... Ce sera l'enfance de l'art pour vous.

-Pas si vite! À ce compte-là, tous les professeurs de français se lanceraient dans la littérature eux-mêmes.

-Pas forcément! Il faut avoir des choses intéressantes à raconter ou bien il faut une âme assez particulière pour se lancer dans l'écriture, vous devez savoir ça. Or, vous avez les deux et en plus, vous avez sûrement la plume...

-J'avoue que j'y ai pensé plusieurs fois à Moscou.

La voix s'écria, triomphante:

-Tiens, tiens... Et vous hésitez à venir me rencontrer?

-Bon... j'irai...

∞∞∞∞

C'était au huitième étage d'un édifice de quinze, rue Sherbrooke. Un auteur qui se présente chez un éditeur est transformé par une sorte de magie du rêve qui fait de lui un personnage prêt à s'abandonner totalement. Voir son livre publié rend insignifiantes les viles considérations monétaires. Qu'importe le pain et le beurre quand on est un créateur! Surtout en quête de reconnaissance!

L'éditeur était un homme de quarante ans à visage d'enfant que ne pouvait faire oublier sa calvitie naissante sur le devant, ses surplus adipeux autour du menton et de la taille. Cravaté, l'oeil petit, la main raisonnablement ferme, il rassurait d'emblée par sa majesté paternelle associée à ces traits juvéniles qui rendirent Hélène à la fois mère et fille. L'homme pour des raisons purement physiques possédait un pouvoir de conviction peu commun dont il se servait au mieux de ses intérêts, ce qui ne desservait pas forcément les auteurs rattachés à sa maison. Et, ce qui ne nuisait pas, il était très proche du pouvoir politique et de René Lévesque lui-même ce qui l'avait mis au monde.

Il lui serra la main, répéta son nom Raymond Martin, puis la fit asseoir devant son bureau et prit place derrière tout en parlant:

-C'est tout un honneur pour moi de vous rencontrer, Hélène. Ces jours-ci, vous voilà vedette internationale. Je dis 'ces jours-ci' puisque, la public *étant ce qu'il est*, on vous oubliera trop vite, à moins de faire en sorte de lui rafraîchir la mémoire d'une manière formidablement intéressante pour vous... Je pense à un livre bien sûr.

Sa voix berçait et puis un bout de phrase rappelait à Hélène l'expression de Nikolaï qui disait si souvent: l'âme humaine *étant ce qu'elle est...*

L'homme toussa et reprit, le doigt tournoyant au-dessus de la table puis les mains se croisant dans une attitude pieuse:

-Je dois vous avouer que c'est la première fois que je demande à quelqu'un d'écrire un livre. Je vais vous montrer tout ce que nous recevons de manuscrits dans un mois. Un par jour. Et sur les trente, vingt-neuf et demi sont bons pour les poubelles.

Hélène eut un éclat de rire, un seul:

-Et vous pensez que le mien sera la moitié du trentième?

-J'en suis assuré d'avance. Si certain, que voilà un contrat déjà prêt pour vous.

Il tendit une copie et glissa l'autre devant lui. Renouant avec la lucidité, Hélène dit:

-Oui, mais avant ça, faudrait savoir si un tel livre aurait des chances de succès... Non, ce n'est pas ce que je veux dire, mais... Pour tout vous dire, j'ai un vécu que vous ne connaissez pas qui a précédé cette histoire en Russie. Mon divorce et tout... Écrire sur ce sujet, ça pourrait être dur pour l'homme québécois, disons-le franchement...

-Si je comprends bien, vous voulez dire que cela pourrait créer un problème quelque part?

-Surtout ici, non?

L'homme rit en tournant la tête vers la fenêtre puis en rejetant sur elle un regard injecté de haute bonté:

-Les auteurs ici, sont libres d'écrire tout ce qu'ils veulent pourvu qu'ils ne contreviennent pas à la loi. Mais surtout, pour vous donner une réponse à vos deux interrogations soit sur les chances de succès d'un tel livre et sur son contenu quant à l'homme québécois, je vous dirai globalement ceci. L'homme québécois, vous savez, c'est un fantôme. Il n'existe pas vraiment. L'arrière-grand-père était un vieux croquemitaine sans âme, édenté, dangereux pour les enfants, et qui 'gossait' du bois d'aulne sous l'appentis de la "shed" ou, l'hiver, dans la soupente. Le grand-père était un extraterrestre tapi dans l'ombre à fumer sa pipe puante, muet comme une carpe et aveugle comme une taupe, et qui ne sortait que pour engrosser sa bonne femme grâce à la complicité de la religion, puis pour suivre son cortège funèbre jusqu'au cimetière en attendant de se trouver une autre esclave. Et les pères de maintenant, les hommes de mon âge et plus, ils sont ailleurs. Tout à leurs affaires, à leur métier, à leurs amitiés, à leurs entreprises...

Vous n'avez pas à craindre de taper sur l'homme: il ne vous lira même pas. Même pas trois pour cent des hommes du Québec lisent des livres. Ce sont des mangeurs de rondelles de hockey! Pas surprenant que la chose du livre passe aux mains des femmes! Pas rien qu'ici d'ailleurs mais un peu partout dans le monde. Les best-sellers internationaux sont presque tous issus de plumes féminines. En Australie, en Europe, aux Etats-Unis, au Canada et : des femmes, des femmes... Margaret Atwood, Judith Krantz, Jacquie Collins, Rosemary Rogers, Barbara Taylor-Bradford, Danielle Steel, McCullough, Christie, Cartland... Nous sommes un peu en retard chez nous, comme toujours, mais vous verrez à la fin des années 80 une féminisation presque totale de la culture québécoise: en littérature, à la télévision, partout... aussi bien en fiction qu'en journalisme. Et même les oeuvres romanesques -ou 'téléromanesques'- issues de plumes masculines n'auront aucune résonance si elles ne passent pas par le tamis des valeurs féminines. Fini le règne du rire mâle et de la rage, dirait le poète! Les femmes voudront de plus en plus se lire entre elles et, ma foi, je n'ai rien contre ça après des siècles de domination masculine.

-Comment un homme peut-il tenir pareil discours?

-C'est qu'il faut s'adapter, chère Hélène. Et un éditeur, grâce à ses auteurs, possède de meilleures visions du présent et de l'avenir.

-Il ne faudrait pas non plus que la femme s'adonne au nombrilisme comme les hommes l'ont fait pendant si longtemps. Ce n'est pas en imitant ce que le mâle a fait de stupide qu'elles vont prouver la valeur de leur intelligence. Elles devront pouvoir se nourrir culturellement autant à l'un ou l'autre sexe, vous ne trouvez pas?

-Cela sera pour plus tard: dans les années 2000 et après. Si on a donné quatre mille ans à l'homme, on peut bien leur donner vingt ans à elles. Et puis, à vous de prendre le bateau et d'en profiter! Les lectrices seront dix fois plus indulgentes pour vos faiblesses que pour celles d'un auteur masculin, vous verrez.

Hélène ne tarda pas à être vendue à l'idée de se mettre à l'écriture au plus vite. Elle commencerait dans les prochains jours au lac du Cerf. Les enfants devraient se débrouiller davantage sans qu'elle soit obligée de les suivre pouce à pouce comme autrefois. Un calcul mental lui dit qu'elle pourrait soumettre le manuscrit à la fin de janvier sans pour autant avoir négligé sa tâche au cégep. Après l'échange sur la culture québécoise, l'éditeur revint au contrat dont il résuma les clauses principales:

-Les droits sont de dix pour cent du prix public. Les droits annexes et étrangers sont divisés également entre l'auteur et l'éditeur. Un arrêté des comptes est fait deux fois l'an et vous recevez votre chèque soixante jours après. C'est le contrat le plus avantageux du monde de l'édition. Oh! bien sûr, aucun droit ne vous sera versé sur les exemplaires en service de presse ou soldés ou... brisés etc...

Hélène plia la feuille qu'elle mit dans son sac.

-Je vais lire ça chez moi et vous rappeler demain.


Le jour suivant, elle appela comme prévu. Un point seulement la fatiguait et elle l'exprima:

-Comment savoir le nombre d'exemplaires vendus?

-Rapport mensuel.

-Oui mais, c'est un peu comme de se livrer pieds et poings liés, ça, non?

La voix de l'éditeur se fit froide:

-Madame Prince, vous savez, il y a un très haut degré de moralité dans les milieux de l'édition au Québec.

-Ah!

∞∞∞∞∞

L'entente fut signée. Hélène se rendit au lac du Cerf comme prévu avec les fillettes et se jeta dans le récit projeté sans connaître le syndrome de la page blanche puisque les phrases jaillissaient comme des folles du bout de sa plume. Sept, huit grosses pages par jour parmi les entrevues nombreuses et les requêtes des enfants.

Incroyablement, elle oublia son cycle menstruel tant son esprit était absorbé par l'acte de création littéraire, et n'y songea qu'au début d'août. Elle n'avait pas eu ses menstruations encore depuis son retour de Moscou, mais il pouvait fort bien s'agir d'un retard causé par les émotions, et elle garda la tête froide. Par contre, elle devait savoir à cause de son coeur et puis, ce coeur, il fallait maintenant le faire voir par un cardiologue. Elle se rendit voir son médecin de famille. Quelques jours plus tard, elle obtint le résultat de son test de grossesse. Aucune surprise: elle était bel et bien enceinte. Son état resterait secret jusqu'à Noël alors qu'elle en ferait part aux enfants et à ses amies. Que Nicolas ou Aliona croisse en elle, au chaud de sa nouvelle vie! Si le nom était d'avance choisi, tout le reste attendrait jusqu'après janvier alors que cet autre bébé que sa plume concoctait et dont elle ignorait encore le titre serait né, lui.

Quant au cardiologue, il tint compte des avis du docteur Fedorov, mais il opta pour une guérison naturelle qu'assurerait un régime alimentaire approprié et des exercices physiques permanents.

Elle se remit à la tâche et au moment d'entreprendre l'année scolaire, le manuscrit en était à ses deux tiers déjà. Mais son rythme ralentit par la force des choses. Le livre, comme elle l'avait projeté, serait prêt fin décembre, au pire fin janvier. L'éditeur appelait souvent pour la stimuler au travail, ce qui n'était nullement requis.

Les semaines se succédèrent comme les grains d'un chapelet. Manon et Valérie venaient de plus en plus longtemps chaque fin de semaine et à la première neige au début de décembre, coup de théâtre, Nicole quitta Pierre qui l'annonça lui-même à Hélène par téléphone mais en cachant la véritable raison qui était d'ordre financier puisque ses affaires allaient de mal en pis.

-Je dois te dire que c'est quasiment moi qui lui ai demandé de partir. Elle ne s'occupait pas des enfants, de la maison... Moi, tu le sais, je suis pris six jours et demi sur sept par les affaires de la compagnie... Pourrais-tu me donner un mois? Le temps que je trouve quelqu'un de fiable pour faire virer la maison... Je suis prêt à te payer... C'est pour éviter que les enfants en souffrent...

-J'ai une autre proposition... Je vais prendre les enfants ici avec moi en attendant que Nicole change d'idée... Bien sûr, il faudra que tu me verses une pension alimentaire étant donné que mes revenus d'enseignante à temps partiel ne suffiront pas.

-Je pensais que tu avais fait de l'argent là, avec ton histoire qu'on a pu lire partout.

-Ah! mais ça, ça va dans un fonds spécial pour une raison

spéciale qui m'est personnelle.

-Écoute: 'snobbe'-moi pas, là!

-Mais Pierre, tu as voulu la garde des enfants, tu me les as enlevés de force, maintenant, à toi de jouer. Je n'irai pas chez toi où je ne suis plus chez moi. Je veux bien les prendre avec moi pour te dépanner et même pour tout le temps, mais à la condition que tu payes pour eux. Je n'invente pas l'argent, moi; c'est toi qui en fais à la 'chaudiérée'...

-O.K.! d'abord, prends les filles pour deux mois. Je garde François. Je te donne deux mille, c'est-il assez?...

L'entente fut conclue. Hélène raccrocha sans sourciller et se remit à écrire dans la demi-obscurité qu'elle se donnait pour une bien meilleure concentration.

Dehors, par larges et lourds paquets, une pluie glaciale frappait à sa fenêtre. Elle ne l'entendait pas...

∞∞∞∞

# Chapitre 36

Les activités de la compagnie de construction diminuaient chaque mois alors que l'Occident entrait dans une période de grave récession et que ce secteur de l'économie était le premier touché. Quant aux entrées de fonds du Centre équestre, elles descendaient en chute libre. En décembre, Pierre obtint du souffle de la part de la banque mais il lui fallut miser tous ses biens personnels, capital et biens immeubles dont tous les terrains non hautement hypothéqués qu'il possédait à son nom dans les quatre villes voisines de Saint-Eustache, Boisbriand, Rosemère et Sainte-Thérèse. Et la maison continuait d'appartenir à la compagnie.

Quelques jours avant Noël, François suivit ses soeurs chez sa mère. Le logement rétrécissait mais la femme avait vécu bien pire en Union Soviétique et puis son enseignement et la bonification de son manuscrit accaparaient, de son attention, ce que jadis elle aurait consacré à régler des problèmes pour autrui qu'autrui aurait eu grand avantage à régler par soi-même. L'importance de l'individualisme et de sa réalisation personnelle que des forces réactionnaires commençaient déjà à dénigrer en les appelant égoïsme et égocentrisme augmentait en elle car plus elle frottait son miroir, plus il captait de rayons solaires qui se dispersaient sur ceux de son entourage. C'est ainsi, écrivit-elle, que la femme devait occuper tout l'espace auquel elle avait droit: non pas en s'attaquant à l'autre mais en se construisant elle-même. Et cette pensée transcenda sa modeste personne pour entrer dans sa philosophie politique. Se référant au mot de René Lévesque le soir du référendum et qui avait dit: «Si je comprends bien, ce sera à une prochaine fois», elle rendit hommage au peuple du Québec qui avait dit non à une indépendance négative et qui, dans dix ou vingt ans, dirait peut-être oui à une indépendance souriante réalisée doucement sans rage, sans haine, sans peur, sans frustrations, sage parce que mûrie, une belle souveraineté, pas une laide, et agréable aux majorités dans tous les Canadas...

Ses grossesses précédentes et la configuration de son bassin lui permirent de garder dans son chaud secret l'enfant international qu'elle portait. Ce qui l'étonnait un peu et lui plaisait beaucoup, c'était de sentir qu'elle l'aimait raisonnablement.

François monta l'arbre de Noël. Et le vingt—quatre, il transporta tous les cadeaux dans la voiture; on se rendit à Saint-Placide chez les parents d'Hélène comme la tradition le voulait mais, mieux encore, comme le désirait le coeur de chacun.

À Lorraine, Pierre se soûla. Il n'avait pas le moindre goût de voir les membres de sa propre famille. De se faire poser des questions sur ses affaires, d'entendre parler de récession. Il imaginait d'avance les questions. Léo parlerait de sa 'job' assurée au gouvernement et dirait: "Toi, Pierre, c'est-il plus difficile cette année?" Et Huguette au nez de sorcière qui donnerait son avis: "Tu as bien fait de te séparer de Nicole: dans le fond, elle te ressemblait trop."

Allongé devant le téléviseur, gin-fizz à portée de la main, il ne s'intéressait pas le moins du monde au spectacle de Perry Como, et tous ces airs de Noël, à faire brailler les veaux l'horripilaient. Lui vint alors une idée qui lui redonna de la vigueur. Non, se dit-il dans une colère vicieuse qui le fit sourire, il ne passerait pas Noël tout seul. Il trouva dans le porte-journaux un exemplaire du Journal de Montréal et chercha dans les petites annonces. Quand il trouva la colonne prostitution entre celles des autobaines et celle des ordinateurs à vendre, il nota le premier numéro de téléphone en rendant hommage au propriétaire du journal de favoriser un tel dépannage sans pour cela agir comme entremetteur. Et il appela. En vain. Il composa à nouveau le même numéro au cas où il se serait trompé. Pas de réponse! Cinq annonces plus loin, il n'avait rejoint personne encore. Le journal datait de deux mois déjà. Ces travailleuses étaient sûrement en congé elles aussi et leurs remplaçantes à temps partiel n'avaient probablement leur numéro que dans les journaux des derniers jours. Sortir par ce froid? Se faire arrêter au premier coin de rue? Il avait bien assez de problèmes déjà. Dormir, voilà ce qu'il devait faire. Et pour mieux dormir, mieux boire! Il ne deviendrait pas alcoolique pour ça, lui!

Hélène refusa les propositions 'alcoolisées'. Depuis son retour de Russie, dit-elle, elle n'avait pas touché une seule fois à l'alcool. Au réveillon, à la table des grands où se trouvaient maintenant Manon et François, elle annonça sa grande nouvelle qui ajouta de joyeux éclats aux couleurs des robes, des assiettes, des plats, du vin. Elle frappa sa coupe vide de son couteau pour obtenir l'attention de tous puis elle dit:

-Je suis heureuse de vous annoncer à tous la naissance prochaine de deux nouveaux bébés dans la famille. Presque des jumeaux!...

Toutes sortes de regards s'interrogèrent.

-Et pourtant, ils ne vont pas voir le jour le même jour... ni le même mois... De plus en plus intrigués, n'est-ce pas?

-Ne me dis pas que tu es en train de nous fabriquer un petit Russe? s'écria Jacques.

Des rires fusèrent, coururent tout partout entre les cristaux.

-Voilà... En février, naîtra un livre que je suis en train d'écrire et qui sera publié puisque j'ai un contrat avec un éditeur. Et à la fin d'avril, aux environs de mon anniversaire de naissance, je serai mère une quatrième fois, et oui, ce sera un bébé de Russie...

Elle fut interrompue par de nombreux applaudissements. François dut faire semblant. Depuis la séparation de ses parents et surtout ces derniers temps, il espérait leur réconciliation mais voilà que, comprenait-il, tout retour en arrière devenait impossible. Quelqu'un lança:

-Tu voudrais nous dire où c'est que tu le mets?

Hélène se palpa le ventre:

-Il est bien là pourtant.

Manon cria le plus fort:

-C'est l'fun, il va nous montrer à parler russe comme maman...

Pierre appela quelques minutes plus tard pour entendre la voix des enfants. Valérie le remercia pour son cadeau, un gros ensemble à colorier. Elle l'embrassa à pincettes par la voix. Puis François répondit. On se parla de rendez-vous de pratiques de hockey, de possibilités d'aller skier durant les vacances. Manon guettait

430

son tour. Dès qu'elle eut le récepteur sur l'oreille, elle s'empressa d'annoncer:

-Papa, tu sais quoi, maman... elle va avoir un petit bébé...

-...

-Papa, tu es là?

-...

-Papa...

Il étira:

-Ouais... mais je suis pas mal soûl... fatigué...

-Il va s'appeler Nicolas ou bien Aliona si c'est une fille... Moi, je préférerais Aliona...

Pierre insista:

-Écoute, Manon... je te parlerai demain... J'ai comme... la nausée, tu comprends... J'ai bu pas mal... J'avais trop rien à faire... C'est la première fois... On pourra pas me le reprocher, hein?...

-Ah bon! Correct d'abord!

Et elle raccrocha puis retourna au brouhaha en sautillant.


Pierre souleva tout l'appareil d'une seule main et il le lança de toutes ses forces vacillantes au bout de son bras sans être capable de viser quoi que ce soit. Rien de cassant ne fut atteint et le téléphone fit une marque imperceptible dans une planche de bois de pin, retomba sur la moquette mais ne se brisa pas et, hasard de film comique, le récepteur reprit sa place après avoir frappé le mur le dernier.

L'homme tituba jusqu'à la salle de bains où il se laissa tomber par terre, la tête dans le bol de toilettes à tâcher de vomir ce tourbillon affreux tordu comme un serpent dans son estomac.

L'image du téléviseur se mit à sauter. En fait, c'était le film que devaient gruger les dents de l'appareil qui le mettait en ondes. Il semblait bien que ça n'en finirait pas, que le responsable au poste de télévision ou bien dormait ou bien fêtait la Noël d'un oeil et surveillait sa technique de l'autre...

∞◊∞◊◊∞◊◊∞◊∞

431

# Chapitre 37

On pensa à une multitude de titres. 'Le Mur de la Moskova', 'Coeur au secret', 'Entre les mailles du filet', 'Restructuration', 'La Nuit moscovite', et chaque jour, Hélène en trouvait un tout neuf qu'elle disait à Manon. Quand le visage de la fillette s'éclaira vraiment, elle sut qu'elle avait trouvé le bon: *'Petite étoile rouge'*. Et pourquoi pas? Cela faisait enfant, cela faisait amour, cela faisait russe, cela faisait universel, cela faisait espoir et lumière, cela faisait Noël, cela faisait même américain!...

Le livre put être lancé le sept février afin qu'on le retrouve partout le quatorze, à la fête de l'amour. Il y eut lancement officiel de celui-là et de trois autres à la maison Ludger-Duvernay en présence de nombreux journalistes. Valérie, bichonnée, pimpante, porta à sa mère sur un coussin de velours bleu le premier exemplaire du livre qu'Hélène n'avait pas encore vu et qu'elle prit dans ses mains avec plein d'émotion dans tous ses regards. C'était un livre blanc comme l'hiver russe, avec en médaillon au centre, la photo de Manon en patineuse artistique dans un costume qu'Hélène ne lui avait jamais vu, flamboyant, rose, pailleté d'argent, et la jeune adolescente tenait au bout de son bras et de son regard un sceptre coiffé d'une étoile rouge.

Propulsé par la puissance des médias, l'ouvrage fit un malheur dès sa sortie. Les critiques s'entendirent pour dire qu'il s'agissait de l'histoire d'un amour audacieux et intelligent. L'éditeur entra aussitôt en contact avec des éditeurs étrangers, torontois, américains, européens et les réponses furent rapides et toutes favorables.

Les trois enfants étaient restés avec leur mère et Pierre n'avait pas insisté pour les ravoir. Par contre, il ne versait plus un sou à Hélène qui ne s'en plaignit pas trop fort puisqu'elle était tout entière à ses deux bébés et parce que les difficultés financières de son ex-mari devenaient évidentes et ne faisaient pas exception à celles de plusieurs petites et moyennes entreprises à mesure que l'état de crise économique s'approfondissait.

Pour se donner une excuse de n'en pas acheter, le public québécois accuse le prix des livres depuis toujours malgré que la lecture soit l'un des divertissements les plus économiques par heure de rendement. Mais en période de crise alors qu'ils doivent réduire toute leur consommation-loisir, le livre remonte considérablement dans la cote d'estime des gens assoiffés d'évasion à bon compte. Et cela se passe à leur insu même, et permet heureusement de commencer à garnir un peu la tablette du bas des rares bibliothèques de bungalow. C'est ainsi que les ventes de 'Petite étoile rouge' brisaient des records chaque semaine, d'autant que les gens étaient fouettés par une campagne de conditionnement sans précédent pour un livre et entraînés par l'effet-mouton médiatique qui rend le bonheur inaccessible sans l'objet promu. Et puis la fierté nationale était flattée par cette histoire internationale qui retenait l'attention jusque des Américains.

À la mi-mars, Hélène entra en congé de maternité. L'homme d'affaires en Pierre entreprit pour sa part son chant du cygne. Il se transporta d'une banque à l'autre, perdu d'avance par la morosité des gérants. S'il avait seulement vécu pendant quelques semaines en Union Soviétique, il aurait acquis le vrai sens du mot pessimisme, mais cela n'aurait pas permis d'empêcher la faillite, seulement de la voir venir d'un oeil un peu plus stoïque. L'un des principaux fournisseurs de la compagnie, lui-même traqué, s'énerva et on dut se rendre chez le syndic par un radieux matin d'avril. Tout fut listé. Tout serait inventorié. La requête fut déposée. Quelques jours plus tard, Pierre Lavoie marchait sur la rue, les mains dans les poches, nu comme au jour de sa naissance. Il se rendit au bureau du centre de main d'oeuvre, voisin de celui de l'aide sociale et dut faire la queue, une queue qui dépassait les bureaux, s'étirait dehors jusqu'à la porte voisine, une queue digne de celles qu'Hélène avait vues à Moscou devant des établissements où ve-

433

naient juste d'arriver quelques caisses d'oranges...

La société fut magnanime envers lui: il pouvait demeurer dans son imposante demeure de Lorraine jusqu'à la fin de juin. Autrement que par le centre de main d'oeuvre, il obtint un emploi peu rémunérateur au Centre équestre d'Oka que son compétiteur à l'achat, cet important brasseur d'affaires de Saint-Eustache, avait récupéré pour des broutilles. Son patron était un personnage autoritaire et qui ne manquait pas une occasion de tirer des projectiles explosifs dans l'amour-propre de l'entrepreneur déchu. Pierre endura en silence.

Car il n'aurait pas pu subir de pire humiliation que celle vécue quelques mois auparavant quand une action en justice lui avait été intentée par Nicole Labelle qui lui réclamait du salaire impayé. La faillite avait maintenant résolu ce problème.

∞∞∞∞

Hélène entra à l'hôpital le jour de son anniversaire et le bébé naquit à l'heure du souper. Manon s'empressa de courir au téléphone pour annoncer la nouvelle à son père comme si l'enfant eût été le sien:

-Papa, le bébé est là... C'est Nicolas...

∞∞∞∞∞∞∞

434

# Chapitre 38

De sa voix la plus suave, l'éditeur d'Hélène lui fit l'annonce par téléphone des résultats sommaires des ventes à ce jour. Selon ses projections, les droits pour la marché québécois seulement dépasseraient cent mille dollars si le rythme des ventes se maintenait. Et il avait déjà sur la table des contrats avec l'étranger qui rapporteraient au moins cinquante mille dollars à l'auteure. Devenue plus soucieuse des choses de l'argent depuis son divorce et à cause de ses lourdes charges familiales, la femme non seulement se félicita d'avoir écrit ce livre, mais elle prit la décision de se lancer dans une carrière de romancière qu'elle mènerait de front avec celle d'enseignante et de mère: tout un contrat que l'euphorie des premiers succès génératrice des plus grands enthousiasmes rendait fort réalisable en son esprit.

Elle garda le chalet du lac du Cerf. C'est en de tels endroits que les plumes des écrivains brillent le plus grâce à une meilleure oxygénation du cerveau par la vertu des arbres et de l'eau, à une plus grande concentration rendue possible par les silences des heures, là qu'il est le mieux possible de traverser le miroir et de pénétrer dans les états seconds voisins de la mort dans ce qu'elle a de grandiose. Hélène avait conscience de cela. Simone Signoret l'avait dit la veille encore à Apostrophes.

Chaque mois depuis son voyage à Moscou, elle avait écrit aux Fedorov, toujours pour réclamer froidement un avis médical à

435

Nikolaï, profitant de l'occasion pour insérer de ses nouvelles entre les lignes et même sur les lignes sous forme de problèmes à résoudre, sans jamais laisser suinter la moindre velléité de sentiments. Mais elle n'obtint aucune réponse. Sans doute les lettres ne parvenaient-elles pas à destination. Qu'importe, elle écrirait encore et parlerait chaque fois de son fils!

Un autre voyage là-bas lui semblait prématuré. Il devait retomber plus de cendres sur le premier. Peut-être en 82 ou 83... et le visa ne serait pas simple à obtenir.

Plusieurs sujets de romans lui vinrent en tête. Elle en retint un avec à nouveau la Russie comme toile de fond et y plongea à la mi-juin. Le vingt-trois, elle ferma son logement et se rendit au chalet avec les quatre enfants et tout ce qui serait nécessaire pour deux mois, les provisions de bouche exceptées.

Et le vingt-quatre, sa manière de fêter la Saint-Jean ne consista pas à se regarder dans un miroir non plus qu'à fraterniser avec les très nationalistes voisins en riant, chantant et s'entradmirant comme Québécois, ce fut de se donner corps et coeur, âme et capacités au travail qu'elle avait entrepris. Et l'élément de fierté collective en elle y trouva plus grande satisfaction que jamais auparavant.

Au matin du vingt-cinq, un ciel épais déversait une pluie fine sur les Laurentides. Tandis que François et Manon finissaient de mettre la cuisine à l'ordre, Hélène terminait sa troisième page du jour, assise sur la véranda face au lac. Déjà, elle savait que les heures fraîches, matinales, les premières suivant un sommeil reposant, sont les plus précieuses au créateur; et elle avait confié aux deux aînés les travaux du matin, et partageait avec eux ceux du midi et du soir. Autrement, même des interruptions mineures risquaient de lui faire perdre le fil de son inspiration donc sa journée. Quant à Nicolas, il avait l'air de comprendre tout cela et en bon petit Russe, il se taisait, à moins de nécessité urgente. Mais le petit diable plutôt de couper l'inspiration de sa mère lui donnait chaque fois un renouveau de souffle.

Un bruit de pas se fit entendre dans la cour, chuintant dans le gravier. Hélène pensa au voisin et ne se retourna pas. Puis l'arrivant gravit lourdement les marches de l'escalier et à ce moment, il fallut bien qu'elle tourne la tête. Son étonnement fut assez particulier de voir là, chevelure mouillée, dans un manteau ciré de postier, sombre, les traits durcis, Pierre Lavoie dans toute sa nudité morale.

-Non, mais vas-tu me dire d'où tu sors, toi?

-Bah! j'ai un jour de congé et je suis venu faire un tour...

Puis le ton éloquent teinté de reproche, il finit:

-... voir mes enfants.

-Tu arrives à pied ou quoi?

-J'ai fait juste un petit bout à pied. Suis venu sur le pouce...

-Ta voiture?

-Je l'ai eue un mois après la faillite mais il a fallu que je la remette au syndic.

-Tu ne pouvais pas la vendre avant la faillite et en louer une?

-T'es plus 'smart' que moi d'y penser parce que moi, c'est bizarre, j'avais assez de maux de tête que j'ai pas pensé à ça.

-Tu ne pourrais pas t'en louer une maintenant?

-J'ai essayé... mais à long terme, il semble que le dossier de crédit soit un sérieux handicap. J'aurais pu louer pour une journée, là, pour venir ici, mais j'ai décidé de renouer avec les joies de l'adolescence... Ce fut facile en auto-stop. Y a de plus en plus de gars de mon âge qui vont devoir en faire, tu sais avec cette crise économique... C'est pas bien à dire, mais ça me console.

-Viens t'asseoir!

Il s'approcha et alla s'appuyer à la garde en cet endroit précis où Hélène avait chuté un an plus tôt, ce dont il lui parla aussitôt:

-Penses-tu des fois à ton accident de l'été passé?

Elle fit une moue négative:

-Jamais! C'est du vieux passé, tu sais.

Il fut sur le point de lui dire que ce jour-là, c'est lui qui l'avait relevée mais il se retint, pensant qu'elle ne pouvait pas l'ignorer.

-On voit ton livre partout.

-Ça... valorise, dit-elle après avoir raccourci le mot 'revalorise', consciente de la profonde signification du préfixe dans la circonstance présente.

Pierre était au plancher; elle n'avait aucune envie de lui mettre le pied sur la gorge. Mais qu'il se remette en selle comme elle-même l'avait fait: ce serait la seule voie pour lui de réorganiser le second versant de sa vie avec l'espoir de le réussir mieux que le premier.

-Paraît que c'est un gros succès?

-Selon mon éditeur, je devrais toucher plus de cent cinquante mille dollars de droits.

Il dit sèchement:

-Ben content pour toi!

437

-Mais ça m'aura coûté une bonne crise cardiaque, hein!

-On n'a rien pour rien!

-À qui le dis-tu!

L'homme regarda au loin en direction du lac. Hélène ferma son cahier broché dont elle bloqua une dizaine de pages en les insérant dans l'attache de son stylo et laissa cela sur la table que ne pouvait atteindre une pluie aussi tranquille. Elle tourna sa chaise vers lui et croisa la jambe et les bras sur un jean et un grand chandail molletonné blanc qu'elle avait adopté pour faire face aux fraîches des aurores.

-Tu ne l'as pas vu encore, mon livre, n'est-ce pas? Je sais bien que le contenu ne t'intéresserait pas, mais la couverture est drôlement jolie. C'est Manon en patineuse, tu savais?

-Bien sûr que je l'ai vu: je te l'ai dit, on le voit partout.

-Oui, c'est vrai!

-Le voisin a-t-il encore se grosse bedaine qu'il avait juré de laisser à Laval cet hiver?

-Je ne l'ai pas encore vu.

-Sont là pourtant.

-Oui mais...

-Doivent pas savoir que nous sommes divorcés.

-Ça me surprendrait pas mal! J'ai vu Claire en train de lire mon livre sur leur véranda. Elle le tenait haut en le tournant vers ici pour que je sache qu'elle le lisait.

-Elle ne changera jamais, hein!

-C'est le destin.

-Et toi, tu as changé pas mal vite!

-Pas tant que ça au fond!

-Devenue romancière? Célébrée dans tout le Québec et même à l'étranger? Mère quinze mois après ton divorce. C'est une chance que je me sois éclipsé de ta vie, non?

Hélène ne voulut pas avancer sur ce terrain. Elle dit:

-Les enfants doivent achever de faire le ménage, tu veux les voir. As-tu mangé au moins? Entrons!

-Faudrait peut-être régler, du moins temporairement, la question de ma visite aux enfants. Sais-tu que je ne les ai pas vus depuis six semaines et qu'avec toi ici pour l'été avec eux autres, j'aurai été presque quatre mois sans les voir? Je trouve ça pour le moins exagéré, tu ne trouves pas toi?

-Que veux-tu que je te dise? D'une part, tu me les as remis et d'autre part, tu en as toujours la garde légale. Tu peux les voir quand tu veux mais je ne peux tout de même pas rester à Sainte-Thérèse pour que tu puisses les voir. À toi de venir ici!

-Je te l'ai dit que je suis à pied.

-T'es là, là... T'as tes jambes et t'as ton pouce!

-Hostie de calvaire, mets-moi pas le feu au cul!

Hélène se pencha en avant et dit posément:

-Ne viens pas me sacrer par la tête, Pierre, je ne le prendrai pas. Je ne le tolérerai jamais plus de la part de n'importe quel homme au monde...

-Pas plus de ton Russe, je suppose.

-Écoute, Pierre, tous les hommes ne sont pas comme toi. Du moins, je l'espère en tant que femme. Et plus jamais un homme ne va me chosifier, qu'il soit russe, chinois ou québécois. Comprends-tu cela? Et je vais transmettre le message dans mes prochains livres comme dans mon premier, ça, tu peux y compter. Ce n'est pas vengeance mesquine, c'est autonomie, c'est tête haute et droite, c'est maturité sereine.

-Avec une femme, c'est oeil pour oeil. Tu juges tout notre passé sur la peur que j'avais de perdre mes enfants et qui m'a poussé à préparer le divorce de manière à ne pas les perdre, sachant que la justice en cette matière penche toujours du côté de la femme... et parce que... tu le sais autant que moi, tu avais des problèmes d'alcool... disons assez graves.

-Je sais tout ça, Pierre, et mes torts, je les ai pris. Mais je ne peux pas rebâtir la vie, moi. Les circonstances sont là et il faut les accepter en adultes. Et je ne veux pas t'accabler pour ce qui s'est passé. Au contraire, si je peux t'aider d'une façon ou de l'autre... Quand la crise se résorbera, si j'ai touché les gros montants que j'espère toucher, je verrai si je peux t'aider à te relancer dans les affaires. Ce n'est pas oeil pour oeil, ça, de la part d'une femme qui s'est fait tout ôter et même qui s'est fait violer par son mari. Si les femmes du Québec et même du monde entier entendaient ce que je viens de te dire, sachant ce qui s'est passé autour de notre divorce, elles me traiteraient de tous les noms inimaginables et plus une d'entre elles ne voudrait lire un seul de mes livres.

L'intention d'Hélène n'était pas pure à cent pour cent. Elle disposait maintenant d'un pouvoir et la meilleure manière d'en user sagement et avec un maximum de profit pour elle-même, pour ses enfants et même, dans une certaine mesure à l'avantage de son ex-mari, consistait à le neutraliser, non pas en le repoussant dans une mise en scène spectaculaire et vindicative, mouvement spontané qu'elle se devait de réprimer, mais en mettant devant lui un miroir aux alouettes. Personne n'aurait à souffrir de ses impatiences et de ses violences et le miroir l'aiderait, lui, à se rebâtir peu à peu par ses propres moyens. Et puis Pierre n'était pas un si mauvais homme d'affaires après tout. C'est la crise qui l'avait désarçonné comme tant d'autres. Qu'il se relance dans un meilleur contexte économique et elle investirait peut-être sur lui, qui pouvait prévoir à ce moment-là ce qui arriverait dans deux ou trois ans? Les sommes intéressantes que lui avait annoncées l'éditeur constituaient peut-être elles-mêmes un formidable miroir aux alouettes...

Les mots eurent beaucoup d'effet dans l'âme de l'homme. Mais il devait se montrer indépendant et fort dans sa faiblesse. Il dit sans laisser voir d'émotion:

-Non, écoute, tout ce que je veux, c'est voir mes enfants raisonnablement. Je veux que tu comprennes aussi que je n'ai pas les moyens que j'avais et que si tu ne me donnes pas une chance, ça me sera pas mal difficile de les voir.

-C'est comme je t'ai dit, Pierre: les enfants sont là, il leur appartient de décider, et jamais je ne les découragerai de te voir, ça jamais! Ne me fais aucun reproche: y a assez que tu en as la garde et que c'est moi qui paye maintenant.

L'homme n'obtint pas les réactions qu'il avait espérées. Valérie l'embrassa puis ce fut tout; elle se rendit 'catiner' à l'attique. François se montra désolé mais il avait un rendez-vous de pêche avec un groupe d'amis. Et Manon s'intéressa uniquement au bébé qu'elle vint présenter à son père quand il fut entré et assis dans son ancien fauteuil qu'Hélène ferait d'ailleurs disparaître avec plusieurs autres meubles dans les jours à venir.

-Tu veux le prendre?

-Non, s'empressa-t-il de dire les mains ouvertes comme pour repousser la proposition. Ça fait trop longtemps que je n'ai pas touché à... à ça...

-Tu veux boire quelque chose? lui dit Hélène de loin.

-Tu prends quelque chose, toi?

-Non, je ne suis pas retombée dans mon vieux péché, tu sais, et j'en suis bien contente. Comme tu disais, c'est une chance que nous soyons divorcés, avec toutes mes responsabilités maintenant, je ne peux pas me permettre de boire en plus.

-Bah! je n'ai pas soif...

Manon emporta le bébé et le remit dans sa couchette. Puis elle partit chez les Latendresse. Hélène revint au salon, les bras levés:

-Tu vois, je ne peux tout de même pas les clouer ici. Le mieux sera que tu les emmènes avec toi quand tu le pourras... au cinéma, chez toi, je ne sais pas...

Mais elle ne s'assit pas et repartit vers sa chambre en disant:

-Tiens... que je te dédicace un exemplaire de mon livre, tu veux?

-C'est comme tu veux.

Elle revint, le livre ouvert, un stylo en main, dubitative, cherchant les mots pour tout dire sans insulte, sans engagement, proprement, noblement.

*À l'homme que tu es, peut-être né dix ans trop tôt ou dix ans trop tard, et à qui la vie impose des changements brutaux, tu te relèveras, tu te remettras à marcher, meilleur, plus fort, plus sereinement aussi. Demain tu verras...*

Il lut puis posa le livre sur la table du téléphone en marmonnant un merci obligatoire. Hélène se leva et dit:

-Tu sais ce que tu devrais faire peut-être si le coeur t'en dit? C'est de commencer à le lire. Ou si tu aimes mieux faire autre chose, ça ne me dérange pas du tout. Tu pourras rester à manger avec nous autres ce midi malgré l'absence probable de Manon et François. Ce que je veux dire, c'est qu'à cause de mon travail de romancière, je vais devoir te laisser seul un bon bout de temps...

-Romancière?

-Oui, à cause du succès de mon livre, après discussion avec mon éditeur, les enfants, Pierrette, Suzanne, j'ai décidé de continuer d'écrire. Mais c'est un métier très exigeant et je dois m'y mettre chaque matin de bonne heure. C'est pour ça que tu m'as trouvée à travailler sur la véranda où j'étais depuis l'aurore. John Le Carré dit que c'est un métier anti-familial et c'est vrai...

"D'abord que c'est de même, je vas 'crisser' mon camp", pensa Pierre mais il se retint de le dire pour ne pas enclencher une chicane et réduire ses chances de profiter plus tard des possibilités qu'Hélène serait en mesure de lui offrir comme elle l'avait évoqué, et il dit:

-Écoute, j'aurais dû m'annoncer avant de venir. Je m'excuse. De toute façon, je déménage demain à Oka et je vais retourner faire de l'emballage à la maison...

-C'est comme tu voudras, mais tu peux rester si tu veux, tu sais. Le chalet t'est ouvert... toute la journée. Je ne te garderais pas à coucher, là, c'est sûr et c'est normal aussi, mais tu peux rester et manger ce midi et ce soir. Peut-être que tu voudrais 'vernousser' un peu autour de la maison, je ne sais pas, moi...

Il se leva.

-Non, c'est mieux de même au fond. J'aime autant qu'on sache à quoi s'en tenir. Ça ne pourra qu'aller mieux dans nos relations futures, n'est-ce pas?

-C'est bien ce que je me dis.

Il se rendit à la porte et remit son ciré. Elle le suivit avec le livre qu'elle lui tendit puis retira en disant qu'elle le mettrait dans un sac étanche pour le protéger de la pluie.

-Non, non, regarde, j'ai une grande poche et il sera protégé.

Elle le lui redonna en disant:

-Tu retournes sur le pouce? Tu ne voudrais pas que je te reconduise jusqu'au grand chemin? Tu risques de marcher un bon bout de temps. La circulation automobile est plutôt clairsemée ce matin dans le coin.

Il remercia en affichant un air sûr de lui et partit avec de bonnes intentions plein les mots. Elle se rendit à la fenêtre de la cuisine pour le regarder aller. Il contournait les ornières boueuses d'un pas rapide et il ne se retourna pas une seule fois. Nicolas la réclama. Elle s'en occupa un moment puis se demanda comment rentrer dans sa création littéraire.

Sur le chemin, Pierre allait de rage. À hauteur du hangar où François avait appris un des aspects de la vie l'été précédent, il sortit l'exemplaire du livre et le lança au bout de son bras. Le livre échoua sur le toit. Alors il pensa que les enfants auraient tôt fait de le découvrir et de le ramener à Hélène, ce qui réduirait ses chances futures d'opportunités qu'elle pourrait lui offrir. Mieux valait le jeter ailleurs. Aux vidanges, tiens. Mais pour cela, il fallait le reprendre. Et pour le reprendre, il lui fallait grimper. Et pour grimper, il lui fallait une échelle ou quelque chose de semblable. Il marcha dans le foin se mouillant copieusement les pieds. Derrière le hangar, chance inespérée, il trouva des planches par terre. Dans son adolescence, il grimpait où il le voulait pourvu qu'il dispose de planches solides. Celles-ci ne paraissaient pas l'être tant que ça mais il en mettrait deux d'épais. Et puis cette bâtisse n'était pas si haute après tout.

Il souleva une planche sous laquelle grouillaient vers, mille-pattes, insectes rampants et bestioles gluantes, et l'appuya à la petite grange puis il la doubla d'une seconde. Et il se cassa une branche qu'il utiliserait pour pousser le livre en bas du toit et il grimpa prestement jusqu'en haut où il eut tôt fait de déloger le bouquin qui, déjà terriblement défraîchi, tomba ouvert dans l'herbe et les chardons.

La descente étant beaucoup moins rapide, les planches n'endurèrent pas son poids et elles se brisèrent en deux. Il tomba et en reçut un morceau dans le visage. Par bonheur, ni la chute ni le choc ne le blessèrent mais ils provoquèrent la mort violente et instantanée d'un colimaçon et d'un mille-pattes, tous deux écrasés sur sa figure, l'un sur sa joue et l'autre sur son menton.

Pierre s'essuya en silence. Il marcha en silence jusqu'au livre qu'il ramassa en silence et mit dans sa poche, puis il reprit silencieusement la route tandis qu'à l'intérieur du hangar, terrorisés, cachés dans un silence épouvantable, François et Marc-Alain se questionnaient sans dire un mot après avoir pratiqué l'un sur l'autre la forme de sexualité la plus abominable qui soit au monde pour Pierre Lavoie.

Ils ignoreraient éternellement les raisons de tout ce bruit. Et Pierre ignorerait éternellement qu'ils se trouvaient là à ce moment...

Hélène trouva la meilleure idée qui soit pour se remettre dans l'atmosphère de son livre à créer, et c'était de finir enfin de relire le premier tome d'Anna Karénine. Elle arrivait à la dernière page après avoir lu les précédentes en se rendant à sa table de travail dehors, sous la brise douce du matin clair:

*-Ah! pourquoi ne suis-je pas morte, cela aurait beaucoup mieux valu! murmura-t-elle.*

*Des larmes coulaient le long de ses joues. Et cependant elle essaya de sourire pour ne point l'affliger.*

*Autrefois...*

*Un mois plus tard, Alexis Alexandrovitch restait seul avec son fils, tandis qu'Anna partait pour l'étranger en compagnie de Vronski, après avoir résolument renoncé au divorce.*

Hélène Prince pensa alors qu'enfin Tolstoï donnait des coups d'épée dans l'eau avec ses phrases douloureuses puisque son vécu, cette fois, n'avait plus rien à voir... Et elle se redit tout haut ce qu'elle avait en tête, l'index agité de signes de négation:

-Vous vous trompez, cette fois, monsieur Tosltoï, vous vous trompez...

# FIN

## Du même auteur

1. Demain tu verras (1)
2. Complot
3. Un amour éternel
4. Vente-trottoir
5. Chérie
6. Nathalie
7. L'orage
8. Le bien-aimé
9. L'Enfant do
10. Demain tu verras (2)
11. Poly
12. La sauvage
13. Madame Scorpion
14. Madame Sagittaire
15. Madame Capricorne
16. La voix de maman (*1)
17. Couples interdits
18. Donald et Marion
19. L'été d'Hélène
20. Un beau mariage (*2)
21. Aurore
22. Aux armes, citoyen!
23. Femme d'avenir (*3)
24. La belle Manon
25. La tourterelle triste
26. Un sentiment divin
27. Rose (** 1)
28. Le coeur de Rose (** 2)
29. Le trésor d'Arnold
30. Présidence
31. Hôpital: danger!
32. Une chaumière et un coeur (*4)
33. Rose et le diable (** 3)
34. Entre l'amour et la guerre
35. Noyade
36. Les griffes du loup
37. Le grand voyage
38. Les enfants oubliés (pseudonyme N. Allison)
39. Les parfums de Rose (** 4)
40. Aimer à loisir

(*série des Paula       ** série des Rose)

**En chantier printemps 2000 pour parution à l'automne:**

La bohémienne
Tremble-Terre

# www.andremathieu.com

445